KB084880

#홈스쿨링
#혼자공부하기

우등생
국어

Chunjae Makes Chunjae

우등생 국어 3-2

기획총괄	박상남
편집개발	김동렬, 김주남, 안정아
디자인총괄	김희정
표지디자인	윤순미, 김효민
내지디자인	박희춘, 우혜림
제작	황성진, 조규영

발행일	2023년 6월 1일 2판 2023년 6월 1일 1쇄
발행인	(주)천재교육
주소	서울시 금천구 가산로9길 54
신고번호	제2001-000018호
고객센터	1577-0902

※ 정답 분실 시에는 천재교육 홈페이지에서 내려받으세요.

※ KC 마크는 이 제품이 공통안전기준에 적합하였음을 의미합니다.

※ 주의

책 모서리에 다칠 수 있으니 주의하시기 바랍니다.

부주의로 인한 사고의 경우 책임지지 않습니다.

8세 미만의 어린이는 부모님의 관리가 필요합니다.

스마트폰으로 QR코드를 스캔해 주세요

우등생 온라인 학습 활용법

01 학년, 학기 선택

02 과목 선택

마이페이지

국어

스케줄표

온라인 학습북
개념 강의
서술형 논술형 강의

학습 자료실
듣기 자료
개념 웹툰
정답과 풀이
교과서 문법 다지기

· 학년별, 과목별로 제공되는 서비스 내용에는 차이가 있습니다.

마이페이지에서 첫 화면에 보일
스케줄표의 종류를 선택할 수 있어요.

통합 스케줄표
우등생 국어, 수학, 사회, 과학 과목이 함께 있는 12주 스케줄표

꼼꼼 스케줄표
과목별 진도를 회차에 따라 나눈 스케줄표

스피드 스케줄표
온라인 학습북 전용 스케줄표

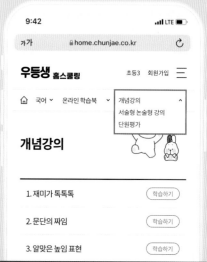

| 과목 클릭 | 온라인 학습북 클릭 | 개념강의 / 서술형 논술형 강의 / 단원평가 |

❶ 개념 강의

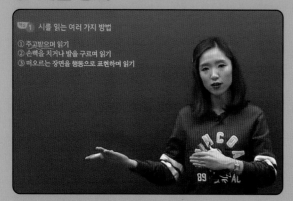

*온라인 학습북 단원별 주요 개념 강의

❷ 서술형 논술형 강의

*온라인 학습북 서술형 논술형 강의(3~4년)

❸ 단원평가

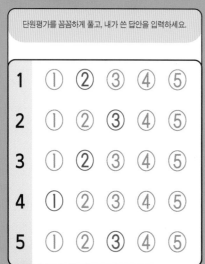

① 내가 푼 답안을 입력하면

② 채점과 분석이 한번에

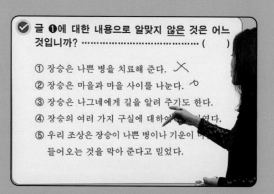

③ 틀린 문제는 동영상으로 꼼꼼히 확인하기!

· 스마트폰의 동영상 구동이 느릴 경우, 기본으로 설정된 비디오 재생 프로그램을 다른 앱으로 교체해 보세요.

· 사용자 사용 환경에 따라 서비스가 원활하지 않을 시에는 컴퓨터를 통한 접속을 권장합니다. 우등생 홈스쿨링 홈페이지(https://home.chunjae.co.kr)로 접속하거나 검색 엔진에서 우등생 홈스쿨링을 입력하여 접속해 주세요.

홈스쿨링 꼼꼼 스케줄표(27회)
우등생 국어 3-2

꼼꼼 스케줄표는 교과서 진도북과 온라인 학습북을
27회로 나누어 꼼꼼하게 공부하는 학습 진도표입니다.

우등생 홈스쿨링 홈페이지에는
다양한 스케줄표가 있어요!

● 교과서 진도북   ● 온라인 학습북

1. 작품을 보고 느낌을 나누어요

1회 교과서 진도북 9~16쪽	**2**회 교과서 진도북 17~26쪽	**3**회 온라인 학습북 4~9쪽
월 일	월 일	월 일

2. 중심 생각을 찾아요

4회 교과서 진도북 27~33쪽	**5**회 교과서 진도북 34~42쪽	**6**회 온라인 학습북 10~15쪽
월 일	월 일	월 일

3. 자신의 경험을 글로 써요

7회 교과서 진도북 43~48쪽	**8**회 교과서 진도북 49~54쪽	**9**회 온라인 학습북 16~20쪽
월 일	월 일	월 일

4. 감동을 나타내요

10회 교과서 진도북 55~59쪽	**11**회 교과서 진도북 60~68쪽	**12**회 온라인 학습북 21~26쪽
월 일	월 일	월 일

5. 바르게 대화해요

13회 교과서 진도북 69~74쪽	**14**회 교과서 진도북 75~80쪽	**15**회 온라인 학습북 27~32쪽
월 일	월 일	월 일

절취선

어떤 교과서를 쓰더라도 ALWAYS 우등생

꼼꼼하게 공부하는 27회 **꼼꼼 스케줄표**   # 전과목 시간표인 **통합 스케줄표**
빠르게 공부하는 9회 **스피드 스케줄표**   # 자유롭게 **내가 만드는 스케줄표**

홈스쿨링 27회
꼼꼼 스케줄표

● 교과서 진도북   ● 온라인 학습북

6. 마음을 담아 글로 써요

16회	교과서 진도북 81~86쪽	**17**회	교과서 진도북 87~94쪽	**18**회	온라인 학습북 33~38쪽
	월 일		월 일		월 일

7. 글을 읽고 소개해요

19회	교과서 진도북 95~100쪽	**20**회	교과서 진도북 101~104쪽	**21**회	온라인 학습북 39~44쪽
	월 일		월 일		월 일

8. 글의 흐름을 생각해요

22회	교과서 진도북 105~115쪽	**23**회	교과서 진도북 116~124쪽	**24**회	온라인 학습북 45~50쪽
	월 일		월 일		월 일

9. 작품 속 인물이 되어

25회	교과서 진도북 125~133쪽	**26**회	교과서 진도북 134~136쪽	**27**회	온라인 학습북 51~56쪽
	월 일		월 일		월 일

절취선

우등생 국어 사용법

QR로 학습 스케줄을 편하게 관리!

공부하고 나서 날개에 있는 QR코드를 스캔하면
온라인 스케줄표에 학습 완료 자동 체크!

※ 스케줄표에 따라 해당 페이지 날개에
[진도 완료 체크] QR이 들어가 있어요!

1
단원

진도 완료
체크

▶ 동영상 강의
개념 / 서술형 · 논술형 문제 / 단원 평가

📃 온라인 채점과 성적 피드백
정답을 올리기만 하면 채점과 성적 분석이 자동으로

📖 온라인 학습 스케줄 관리
밀린 공부는 없나 내 스케줄표로 꼼꼼히 체크하기

우등생 온라인 학습

교과서에 실린 작품소개

단원	영역	제재 이름	지은이	나온 곳	우등생
1 단원	국어 ㉮	장금이의 꿈	희원 엔터테인먼트	「장금이의 꿈 1기」 제1화 -(주)문화방송, 2007.	13쪽
		미미 언니 자두	신형건	「안녕 자두야 4: 자두와 친구 들」 제11회 -(주)SBS, 2018.	15쪽
		거인 부벨라와 지렁 이 친구	조 프리드먼	「거인 부벨라와 지렁이 친구」 -주니어RHK, 2016.	17쪽
2 단원	국어 ㉮	줄넘기	서해경	「들썩들썩 우리 놀이 한마당」 -(주)현암사, 2012.	29쪽
	국어 활동	과일, 알고 먹으면 더 좋아요 (원제목: 「우리는 어떤 과일 을 먹을까요?」)	윤구병 기획, 보리 글	「가자, 달팽이 과학관」 -(주)도서출판 보리, 2012.	32쪽
4 단원	국어 ㉮	감기	정유경 글, 조미자 그림	「까불고 싶은 날」 - (주)창비, 2010.	58쪽
		지구도 대답해 주는 구나	박행신	「눈 코 귀 입 손!」 - 위즈덤북, 2009.	59쪽
		진짜 투명 인간	레미 쿠르종 글, 그림	「진짜 투명 인간」 - 씨드북, 2015.	60쪽

『장금이의 꿈 1기』 제1화

드라마 『대장금』을 만화로 만들었어요.
모든 사람이 자신이 만든 음식을 먹고
행복해지는 게 꿈인 소녀 장금이가 수라
간 생각시가 되면서 벌어지는 이야기들
을 아기자기하게 그렸어요.

『들썩들썩 우리 놀이 한마당』

힘을 겨루는 씨름, 지능을 겨루는 장기,
기술을 겨루는 투호, 그리고 한데 어우
러져 협동심을 기르는 강강술래 등 신나
는 우리 놀이를 소개하는 책으로 조상의
삶과 지혜를 만끽할 수 있어요. 우리 놀
이와 관련된 재미있는 이야기도 들으면
서 역사를 공부하고 지혜도 얻게 돼요.

『까불고 싶은 날』

오늘을 살아가는 아이들의 모습이 생생
하게 담겨 있는 시집이에요. 이성 친구
에게 마음을 전할 방법을 고민하기도 하
고, 시험공부를 하면서 게임기랑 피자를
받을 궁리를 하는 등 아이들의 귀엽고
순수한 모습을 엿볼 수 있어요.

단원	영역	제재 이름	지은이	나온 곳	우등생
5 단원	국어 ❹	나는야, 안전 멋쟁이	보건복지부	학교안전정보센터 누리집 (http://www.schoolsafe.kr)	77쪽
6 단원	국어 ❹	꼴찌라도 괜찮아!	유계영	『꼴찌라도 괜찮아!』 — 휴이넘, 2010.	87쪽
		화해하기	한국교육방송공사	「스쿨랜드 초등 생활 매너 백서: 화해하기」 — 한국교육방송공사, 2017.	91쪽
	국어 활동	137쪽 만화	알리키 브란덴베르크 글, 정선심 옮김	『알리키 인성 교육 1: 감정』 — 미래아이, 2002.	86쪽
7 단원	국어 ❹	온 세상 국기가 펄럭펄럭	서정훈	『온 세상 국기가 펄럭펄럭』 — 웅진주니어, 2010.	98쪽
8 단원	국어 ❹	베짱베짱 베 짜는 베짱이	임혜령	『이야기 할아버지의 이상한 밤』 — 한림출판사, 2012.	107쪽
		'동물원에서' 지도		서울대공원 누리집 (http://www.grandpark.seoul.go.kr)	117쪽
9 단원	국어 ❹	대단한 줄다리기	베벌리 나이두 글, 강미라 옮김	『무툴라는 못 말려!』 — 국민서관, 2008.	127쪽
		토끼의 재판	방정환	『어린이』 제1권 10호 1923.	130쪽

『꼴찌라도 괜찮아!』

운동이 싫어서 운동회도 싫은 기찬이가 이어달리기 선수로 뽑혔어요. 그런데 당연히 꼴찌를 할 줄 알았던 기찬이가 글쎄 상대 선수를 역전하고 있어요. 이게 어찌된 일일까요?

『온 세상 국기가 펄럭펄럭』

국기는 나라를 대표하는 얼굴과 같아서 저마다의 의미를 담고 있어요. 국기의 기원부터 국기에 담긴 그 나라의 역사, 위치, 자연, 종교, 전설, 땅의 모습 등을 재미있게 익힐 수 있어요.

『무툴라는 못 말려!』

깊고 푸른 대서양을 건너 미국으로 잡혀 온 아프리카 사람들이 전해 준 이야기예요. 작고 영리한 산토끼 무툴라가 자신보다 힘세고 못된 동물들을 골려 주는 모습 속에 고된 노예살이를 했던 아프리카 사람들의 애환이 담겨 있어요.

구성과 특징

교과서 진도북

1 쉽고 재미있게 개념 익히기

✓ 재미있는 개념 웹툰도 함께 보아요!

작품을 보고 느낌을 나누어요 **1**

중심 생각을 찾아요 **2**

2 『국어』, 『국어 활동』 교과서 학습하기

국어 교과서

국어 활동 교과서

3 교과서에 실린 문제는 자습서로 꼼꼼하게!

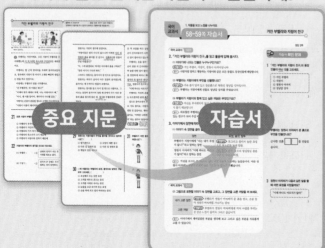

중요 지문

자습서

✓ 「자습서」는 국어 교사용 지도서를 반영한 <교과서 문제 답안 모음집> 입니다.

1 개념 학습

✓ 선생님의 강의를 듣고 확인 문제를 풀어요!

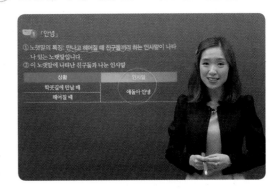

2 서술형·논술형 평가

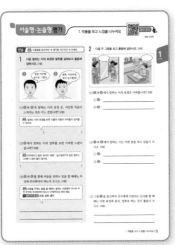

✓ 어려운 서술형 논술형 문제도
강의를 들으며 차근차근 공부해요!

3 단원 평가 풀고 성적 피드백 받기

✓ 채점과 성적 분석이 한번에!

차례

개념 웹툰

등장인물 소개

인공지능 강아지 멍파고

뜻하지 않은 사고로 생명이 위독했던 강아지가 인공지능 로봇 멍파고로 다시 태어났어요.
컴퓨터보다 더 똑똑한 멍파고이지만 아직 사람들과 잘 어울리지는 못하는 것 같아요.
멍파고의 인간 생활 적응기를 살펴볼까요?

윤주

운동 좋아하고 장난치는 것도 좋아하는 말괄량이 윤주. 멍파고의 좋은 친구예요.

멍파고

모르는 것이 없는 인공지능을 가졌지만 가끔은 사람의 말과 행동을 이해 못해 엉뚱한 일을 벌이곤 해요.

김 박사

괴짜인 줄로만 알았던 김 박사님이 멍파고를 만들었어요. 정말 천재인 건지 괴짜인 건지 알다가도 모를 분이에요.

성현

김 박사님의 조카답게 똑똑하고 지혜로운 성현이. 윤주와 함께 멍파고의 친구가 되어 준 착한 아이예요.

떨어지는 저 낙엽이 윤주의 성적 같구나. 멍!

나는 공부할 준비가 되었나? ✓표를 해 보자.

- 책상은 깨끗이 정리했니? ✓
- 엉덩이는 바짝 붙이고 앉았니? ☐
- 연필과 지우개는 책상에 놓여 있니? ☐
- 연필깎이는 가까이에 두었니? ☐
- 화장실에 갔다 오지 않아도 괜찮겠니? ☐

다 괜찮다면,

이제 내 목소리에 귀 기울일 준비가 되었니?
다른 문은 다 닫고, 나와 이야기할 마음이 되었다면

자, 책장을 넘겨 볼까?

작품을 보고 느낌을 나누어요

1

멍파고란다.

안녕, 얘들아.

우왓! 말도 하네?

자, 삼촌이 최고의 기술력으로 되살린 인공지능 강아지!

개념 웹툰

표정, 몸짓, 말투가 왜 중요할까요?
스마트폰에서 확인하세요!

개념

1단원

개념 ① 표정, 몸짓, 말투에 주의하며 말하면 좋은 점

① 듣는 사람에게 자신의 생각과 마음을 더 정확하게 전할 수 있습니다.

② 듣는 사람에게 자신의 느낌을 더 실감 나게 전달할 수 있습니다.

활동 표정, 몸짓, 말투 비교해 보기

• 빈정거리는 표정	• 풀이 죽은 표정
• 고개를 쳐든 몸짓	• 움츠린 몸짓
• 놀리는 듯한 말투	• 진지한 말투

개념 ② 인물의 말과 행동을 살피며 만화 영화 감상하기

① 인물의 말과 행동을 살피며 인물이 처한 상황을 생각합니다.

② 인물의 표정과 몸짓, 말투를 잘 살펴봅니다.

③ 인물이 겪은 일에 대해 어떤 마음이 들었을지 생각합니다.

활동 만화 영화 「미미 언니 자두」 감상하기

눈썹이 처진 표정	활짝 웃는 표정
팔짱을 낀 몸짓	박수 치는 몸짓
불만스러운 말투	밝게 소리치는 말투
▼	▼
마음: 모두 언니에게만 관심을 보여 섭섭하다.	마음: 동생이 인기상을 타서 기쁘고 즐겁다.

개념 ③ 인물의 표정, 몸짓, 말투를 생각하며 작품 읽기

① 일어난 일을 생각하며 이야기를 읽습니다.

② 인물이 한 말과 행동을 살펴봅니다.

③ 이야기의 장면에서 인물의 표정과 몸짓, 말투를 상상해 봅니다.

④ 이야기 속 인물의 마음을 생각하며 작품을 읽습니다.

지문 「거인 부벨라와 지렁이 친구」 감상하기

"고맙습니다. 고맙습니다."
부벨라는 얼마나 기쁜지 눈물이 나올 것만 같았어요.

• 부벨라의 표정, 몸짓, 말투 생각하기

표정	몸짓	말투
		고맙……습니다.
✿ 눈물이 나올 듯 기뻐하는 표정	✿ 고맙다고 고개를 숙이는 몸짓	✿ 감격스러워 조금 떨리는 목소리

📍 표정, 몸짓, 말투

표정	사람의 마음이나 기분이 겉으로 드러난 모습.
몸짓	몸을 놀리는 모양.
말투	말을 하는 버릇이나 모양.

1
단원

📍 그림의 상황

가	남자아이가 여자아이를 위해 문을 잡아 주고 있습니다.
나	여자아이가 상처를 치료해 준 선생님께 인사하고 있습니다.
다	여자아이가 친구의 우유를 엎질렀습니다.
라	여자아이가 친구의 발을 밟았습니다.

🐚 교과서 문제

1 가 ~ 라 에서 아이의 상황에 알맞은 말을 선으로 이으세요.

(1)

(2)

(3)

(4)

· ① 고마워.

· ② 미안해.

· ③ 고맙습니다.

2 가 ~ 다 의 상황에 알맞은 몸짓, 표정, 말투를 찾아 번호를 쓰세요.

(1)

몸짓 ……… ( )
① 배를 잡는 몸짓
② 손을 흔드는 몸짓
③ 고개를 숙이는 몸짓

(2)

표정 ……… ( )
① 우는 표정
② 웃는 표정
③ 찡그린 표정

(3)

말투 ……… ( )
① 미안한 말투
② 우렁찬 말투
③ 장난스러운 말투

영수에게 일어난 일
화장실에 가려던 영수가 수진이의 책상에 있던 필통을 떨어뜨렸습니다.

정말 미안하다.
내가 덤벙거려서
필통을 떨어뜨렸어.

가

정말 미안하다.
내가 덤벙거려서
필통을 떨어뜨렸네~

나

○ 영수

영수의 표정과 몸짓, 말투 살펴보기

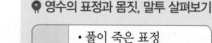

가	• 풀이 죽은 표정 • 몸을 움츠린 몸짓 • 진지한 말투
나	• 빈정거리는 표정 • 고개를 쳐든 몸짓 • 놀리는 듯한 말투

🎓 교과서 문제

3 어떤 일이 있었나요?

• 영수가 실수로 친구의 [   ]을 떨어뜨렸습니다.

4 그림 ㉮에서 어떤 마음이 느껴지나요? (   )

① 즐거운 마음   ② 미안한 마음
③ 고마운 마음   ④ 화가 나는 마음
⑤ 자랑스러운 마음

5 그림 ㉯의 말에서 미안함이 잘 느껴지지 않는 까닭은 무엇일까요? (   )

① 영수가 너무 빨리 말해서
② 영수가 다른 사람을 보고 말해서
③ 영수가 큰 목소리로 말하지 않아서
④ 영수가 미안하다는 말을 하지 않아서
⑤ 영수의 표정이 미안해하는 것 같지 않아서

6 상황에 알맞은 표정, 몸짓, 말투에 대해 바르게 말한 친구는 누구와 누구인가요?

> 정호: 부탁할 때에는 불만스러운 말투로 말해요.
> 하율: 사과할 때에는 장난치지 않고 진지한 말투로 말해요.
> 슬비: 어른께 감사 인사를 할 때에는 공손하게 고개를 숙여요.

(,   )

7 표정, 몸짓, 말투에 주의하며 말하면 어떤 점이 좋은지 알맞은 것에 모두 ○표 하세요.

(1) 듣는 사람에게 자신의 생각을 더 정확하게 전할 수 있다.   (   )

(2) 듣는 사람이 자신의 표정, 몸짓, 말투를 따라 할 수 있다.   (   )

(3) 듣는 사람에게 자신의 느낌을 더 실감 나게 전할 수 있다.   (   )

장금이의 꿈

1
단원

▲ 동이가 놓친 요리 재료들을 장금이가 뛰어올라 받아 내자 아이들이 박수를 칩니다.

▲ 장금이는 강아지 몽몽이를 찾다가 처음으로 수라간에서 온 궁녀들을 보게 됩니다.

・제재의 종류: 만화 영화
・등장인물: 장금이, 동이, 한 상궁 등

◎ 장금이   ◎ 동이   ◎ 한 상궁

📍 줄거리

임금님 친척 분의 **혼례**가 열리자 장금이와 동이는 혼례 잔치 구경을 갑니다. 동이가 잔치에 쓸 요리 재료들을 놓쳤는데 장금이가 뛰어올라 날쌔게 받아 냅니다.

↓

동이와 장금이는 강아지 몽몽이를 찾다가 궁중에서 잔치 음식을 준비하러 온 **수라간 상궁**과 궁녀들을 보게 됩니다.

혼례 결혼식.
수라간 예전에 궁중에서 임금의 진지를 짓는 부엌을 이르는 말.
상궁 궁중에서 일하는 여인의 벼슬 중 하나.

🍙 교과서 문제

8 ①과 ②에 어울리는 장금이의 표정을 선으로 이으세요.

(1) ① ·

(2) ② ·

· ①

· ②

9 ①과 ②에 어울리는 장금이의 마음을 선으로 이으세요.

(1) ① ·   · ① 뿌듯하고 즐거운 마음

(2) ② ·   · ② 놀랍고 호기심이 드는 마음

🍙 교과서 문제

10 장금이가 처한 상황을 생각할 때 빈칸에 들어갈 알맞은 표정은 어느 것인가요? (   )

처음으로 수라간 상궁을 보는 장면

수라간요?

표정	
몸짓	몸을 앞으로 기울이며
말투	높고 빠른 목소리로

① 눈물을 글썽이며
② 눈을 감고 미소를 지으며
③ 눈을 크게 뜨고 입을 벌리며
④ 눈썹을 찡그리고 입을 다물며
⑤ 눈을 갸름하게 뜨고 입꼬리를 올리며

▲ 강아지 몽몽이가 뛰어다니는 바람에 잔치에 쓸 국수가 엉망이 되고, 장금이는 수라간 궁녀에게 꾸중을 듣습니다.

▲ 궁에 들어가 요리를 만드는 생각시 선발 시험을 볼 수 있다는 소식을 듣고 뒷산에 홀로 올라간 장금이는 돌아가신 어머니를 떠올립니다.

강아지 몽몽이가 잔칫집에서 뛰어다니는 바람에 잔치에 쓸 국수가 모두 엉망이 됩니다. 국수가 없어서 걱정하는 한 상궁에게 장금이는 옥수수 가루로 올챙이 국수를 만드는 방법을 알려 주고, 장금이 덕분에 잔치에 온 사람들은 맛있게 올챙이 국수를 먹습니다.

↓

궁에 들어가 요리를 배우고 싶다는 장금이의 말을 듣고 한 상궁은 장금이가 **생각시** 선발 시험을 볼 수 있게 추천해 줍니다. 장금이는 뒷산에 올라 드디어 궁에 들어갈 수 있게 되었다며 돌아가신 어머니를 떠올립니다.

생각시 나이 어린 궁녀를 가리키는 말.

🎓 교과서 문제

11 ❸과 ❹에 어울리는 장금이의 표정을 선으로 이으세요.

(1) ❸ •

(2) ❹ •

• ①

• ②

12 ❸과 ❹에 어울리는 장금이의 말을 선으로 이으세요.

(1) ❸ •

(2) ❹ •

• ① "정말 죄송합니다."

• ② "엄마, 궁에 갈 수 있게 됐어요."

13 12에서 답한 장금이의 말을 생각해 보고 ❸과 ❹에 어울리는 장금이의 표정, 몸짓, 말투를 보기 에서 찾아 기호를 쓰세요.

보기

표정	㉠ 지루한 듯 졸린 표정으로 ㉡ 눈물을 글썽이며 웃는 표정으로 ㉢ 눈썹이 처지고 입을 다문 표정으로
몸짓	㉣ 고개를 좌우로 흔들며 ㉤ 어깨를 움츠리고 고개를 숙이며 ㉥ 두 손을 잡고 하늘을 올려다 보며
말투	㉦ 감격스럽게 떨리는 목소리로 ㉧ 화를 내며 소리치는 목소리로 ㉨ 겁을 먹은 듯 낮고 느린 목소리로

(1) ❸	(2) ❹
,　,	,　,

미미 언니 자두

• 제재의 종류: 만화 영화 • 등장 인물: 미미, 자두 등
• 중심 사건: 사람들이 자두에게만 관심을 갖자 미미는 자두 몰래 발레 연습을 합니다.

◎ 미미

◎ 자두

과일 사러 온 거야, 언니 얘기 하러 온 거야?

자두 동생 미미는 어른들이 엄마를 '자두 엄마'로만 부르자 섭섭해합니다.

언니랑 같이 다니고 싶지 않아!

미미는 학교 친구와 선생님도 언니 자두에게만 관심을 기울이자 화가 납니다.

자두야! 왜 그랬어?

자두는 미미를 돋보이게 하고 싶어서 학예회에서 일부러 자신의 무대를 망칩니다.

그게 정말이야?

자두는 미미가 자신보다 더 유명해지고 싶어서 몰래 발레를 열심히 연습했다는 사실을 알았기 때문입니다.

언니가 큰 거 먹어.

아니야. 네가 큰 거 먹어.

학예회에서 인기상을 탄 미미는 자두와 화해합니다.

14 미미가 화가 난 까닭과 관계 있는 것을 모두 고르세요. (,)

① 친구들이 미미를 귀찮게 해서
② 친구들이 자두에게만 관심을 가져서
③ 친구들이 미미에게만 관심을 가져서
④ 어른들이 자두를 '미미 언니'로 불러서
⑤ 어른들이 엄마를 '미미 엄마'가 아닌 '자두 엄마'로만 불러서

16 학예회에서 자두가 일부러 자신의 무대를 망친 까닭은 무엇인가요? ( )

① 미미에게 화가 나서
② 학예회가 재미없어서
③ 학예회에서 인기상을 타려고
④ 학예회를 더 재미있게 하려고
⑤ 학예회에서 미미를 더 돋보이게 하려고

15 다음 미미의 표정에서 느껴지는 마음으로 알맞은 것을 보기에서 모두 골라 기호를 쓰세요.

보기
㉠ 즐겁다.
㉡ 속상하다.
㉢ 화가 난다.
㉣ 자랑스럽다.

(,)

17 다음 두 인물의 표정에서 느껴지는 마음을 쓰세요.

( )

❶ 자두가 친구들 앞에서 춤을 추는 부분

❷ 미미가 고백을 받는 상상을 하는 부분

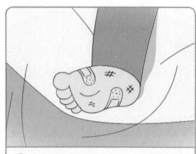

❸ 발레 연습을 하다 부르튼 미미의 발을 자두가 보는 부분

❹ 미미가 인기상을 받자 자두와 친구들이 기뻐하는 부분

🐢 일어난 일의 순서

❶ 자두가 친구들 앞에서 춤을 추며 인기를 끌었습니다.

↓

❷ 미미는 멋진 오빠가 자신에게 고백을 하는 줄 알았지만 사실 자두 언니에게 선물을 전해 달라는 것이었습니다.

↓

❸ 자두는 미미가 발이 부르트도록 발레 연습을 하고 있다는 것을 알게 됩니다.

↓

❹ 미미가 인기상을 받자 자두와 친구들이 박수를 치며 기뻐합니다.

18 ❶~❹의 부분에서 재미있거나 감동받은 내용을 선으로 이으세요.

(1) ❶ ·

· ① 열심히 노력했을 미미의 모습이 훌륭해 보였습니다.

(2) ❷ ·

· ② 자두가 춤을 추는 모습이 재미있고 우스웠습니다.

(3) ❸ ·

· ③ 미미가 엉뚱한 상상을 하는 장면이 재미있었습니다.

(4) ❹ ·

· ④ 미미를 축하해 주는 자두의 속 깊은 마음이 감동적이었습니다.

🏷️ 서술형·논술형 문제

19 내가 미미라면 다음 상황에서 어떻게 하였을지 쓰세요.

나는 자두가 아니라 미미니까요!

미미는 사람들이 자신을 '자두 동생'이라고 부르는 게 너무 속상해서 울었습니다.

→ 내가 미미라면 울지 않고 ＿＿＿＿＿＿＿

＿＿＿＿＿＿＿＿＿＿＿＿＿＿＿

20 인물의 표정, 몸짓, 말투에 주의하며 만화 영화를 보면 좋은 점을 보기 에서 찾아 써넣으세요.

보기

재미   마음   줄거리

(1) 인물의 (   )을 잘 알 수 있습니다.

(2) 만화 영화의 (   )를 이해하는 데 도움이 됩니다.

(3) 인물의 표정, 몸짓, 말투에서 (   )를 느낄 수 있습니다.

거인 부벨라와 지렁이 친구

· 글쓴이: 조 프리드먼   · 중심 사건: 친구가 없던 부벨라는 정원에서 지렁이를 만나 집으로 초대하고 진흙파이를 대접합니다.

❶ 지렁이는 거인 부벨라를 전혀 무서워하지 않았어요.

❷ 정원사는 부벨라에게 정원의 진흙을 담아 주었어요.

❸ 부벨라는 지렁이에게 진흙파이를 대접했어요.

❹ 부벨라는 지렁이에게 친구가 되어 달라고 했어요.

1 단원

❶ 부벨라는 거인이에요. 모든 사람이 부벨라를 무서워했는데 이 자그마한 목소리의 주인공만은 예외였어요.

_{지렁이}

부벨라는 발 근처 땅바닥을 자세히 들여다보았어요. 땅속에서 지렁이 한 마리가 고개만 빠끔히 내밀고는 말을 하고 있었어요.

이번에는 부벨라가 말을 시작했어요.

"난 부벨라야. 네 이름은 뭐니?"

"이제야 뭔가 제대로 되네. 나는 지렁이라고 해."

"아니, 네 이름 말이야. 제이미나 다니엘 같은."

지렁이는 온몸이 흔들릴 정도로 고개를 가로저었어요.

_{지렁이의 몸짓}

"지렁이 이름이 제이미라고?"

지렁이는 그렇게 되묻더니 요란하게 웃으며 말을 잇지 못했답니다.

"정말 웃기지도 않네. 우리 지렁이들은 젠체하고 살지 않아. 우리는 그냥 지렁이야."

_{잘난 체하고}

"너는 내가 무섭지 않니?"◀

| 사람들은 부벨라를 무서워하는데 지렁이는 부벨라를 무서워하지 않아서 |

"왜 너를 무서워해야 하는데?"

"내가 너보다 훨씬 덩치가 크니까."

부벨라는 당연하다는 듯이 대답했어요.

"무슨 그런 말도 안 되는 소리가 다 있어? 이 세상 모든 것이 다 나보다 커. 만약 나보다 큰 것들에게 말 붙이기를 겁냈다면 난 계속 입을 다물고 살아야 했을걸."

21 모든 사람이 부벨라를 무서워한 까닭은 무엇일까요? ( )

① 부벨라가 부자이기 때문에
② 부벨라가 거인이기 때문에
③ 부벨라의 키가 작기 때문에
④ 부벨라의 목소리가 크기 때문에
⑤ 부벨라가 지렁이와 친하기 때문에

22 지렁이와 부벨라의 생각을 선으로 이으세요.

(1) 부벨라 ·

· ① 상대의 덩치가 커도 무서워할 필요는 없다.

(2) 지렁이 ·

· ② 덩치가 큰 상대는 무서워하는 것이 당연하다.

23 부벨라와 이야기하는 지렁이의 표정으로 가장 알맞은 것은 어느 것인가요? ( )

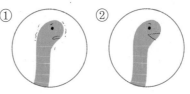

① ② ③

24 지렁이는 덩치가 큰 부벨라를 무서워하지 않는 까닭에 대해 어떤 말을 하였나요?

이 세상 모든 것이 자신보다 크기 때문에 큰 것들에게 말 붙이기를 겁내면ㅤㅤㅤㅤㅤ

ㅤㅤㅤㅤㅤㅤㅤㅤㅤ

부벨라는 숨을 깊이 들이마시고 난 뒤 조심스럽게 물었어요. / "우리 집에 차 마시러 올래?"

"좋아. 내일 갈게. 네 시에 여기서 만나자."

그날 밤부터 그다음 날까지 부벨라는 정신없이 움직였어요. 집 안 곳곳을 닦고 정리했을 뿐 아니라 자신도 머리부터 발까지, 특히 발가락은 몇 번이나 씻고 또 씻었어요. 부벨라는 정원의 잔디를 깎고, 낡은 종이들과 깡통도 치웠어요.

중심 내용 1 부벨라는 자신을 무서워하지 않는 지렁이를 만나 차를 마시러 오라고 초대한 다음 집을 깨끗이 치웠어요.

2 집을 다 치운 다음, 부벨라는 차와 함께 먹으려고 자신이 가장 좋아하는 바나나케이크를 구웠어요. 그러고는 가장 예쁜 옷을 꺼내 입었지요. 무지개 그림이 그려진 티셔츠에, 구멍이 하나밖에 나지 않은 청바지를 입고 제일 아끼는 야구 모자를 썼어요. 이것저것 준비를 끝낸 다음 부벨라는 잠시 앉아서 쉬었어요.

그러다 문득 지렁이가 바나나케이크를 싫어할지도 모른다는 생각이 들었어요. 그러자 초조하고 당황스러웠어요.
애가 타서 마음이 조마조마하고

㉠'그럼 차 마실 때 무엇을 내놓아야 할까? 누구에게 물어보지?'

부벨라는 예전에 보았던 아름다운 정원이 생각났어요. 어쩌면 그곳에서 일하는 정원사는 지렁이가 무엇을 먹고 사는지 알고 있을지도 몰라요. 부벨라는 서둘러 그 정원으로 갔어요. 그런데 정원사는 거인 부벨라가 오는데도 놀라지 않고 그저 물끄러미 바라보기만 했어요.
우두커니 한곳만 바라보는 모양

"아저씨는 도망을 가지 않네요."

"나는 이제 도망 다닐 나이가 아니야, 거인 아가씨." 정원사는 어쩐지 아파 보였어요.

㉡"그런데 무슨 걱정거리라도 있니?"

부벨라는 정원사에게 걱정거리를 솔직히 털어놓았어요.
→ 지렁이에게 무엇을 대접해야 할지 모르는 걱정거리

"지렁이가 저희 집에 차를 마시러 오기로 했어요. 그런데 저는 지렁이가 무얼 먹고 사는지, 무슨 음식을 좋아하는지 모르겠어요. 바나나케이크를 좋아할 것 같지는 않은데……."

---

25 부벨라가 정신없이 집 안을 청소하고 몸을 씻은 까닭은 무엇인가요? (   )

① 부벨라의 생일잔치를 하려고
② 집 안에서 지렁이 냄새가 나서
③ 부벨라가 이사를 가기로 하여서
④ 지렁이가 부벨라의 집에 오기로 해서
⑤ 부벨라가 지렁이의 집에 초대를 받아서

26 부벨라가 초조하고 당황스러워진 까닭은 무엇인가요? (   )

① 부벨라가 입을 옷이 없어서
② 지렁이가 늦게 올 것 같아서
③ 정원의 잔디가 너무 많이 자라서
④ 부벨라가 바나나케이크를 만들 줄 몰라서
⑤ 지렁이가 바나나케이크를 싫어할지도 몰라서

27 ㉠에 어울리는 부벨라의 몸짓은 무엇인가요? (   )

① 엄지손가락을 치켜 든 몸짓
② 고개를 힘차게 끄덕이는 몸짓
③ 배를 움켜잡고 뒹구는 듯한 몸짓
④ 이마에 손가락을 대고 생각하는 몸짓
⑤ 두 손으로 나팔 모양을 만들어 귀에 대는 몸짓

28 ㉡과 같이 말한 정원사의 표정으로 가장 알맞은 것은 어느 것인가요? (   )

 ① ②  ③

정원사는 가만히 생각에 잠겼어요.

"지렁이들은 멀리 다니지 않으니까 어쩌면 <u>다른 집 정원의 흙을 좋아할 것</u> 같구나. <u>진흙파이를 만들어</u> 주면 어떻겠니?"

지렁이가 좋아할 만한 것   지렁이에게 대접할 것

"아, 그게 좋겠네요! 하지만 어디에서 흙을 구하죠?"

"잠깐 여기서 기다려 봐라."

그러더니 정원사는 돌아서서 집 안으로 들어갔어요.

정원사는 허리가 굽어서 아주 천천히 움직였는데, 움직이는 게 무척이나 힘들어 보였어요.

정원사는 접시를 들고 다시 집 밖으로 나왔어요. 그러고는 천천히 움직이며 정원 세 곳에서 각기 다른 종류의 <u>흙을 접시에 담은 뒤</u>, 접시를 부벨라에게 건네주었어요.

흙이 담겨 있는 접시

"지렁이 친구가 정말 좋아할 거야."

㉠"고맙습니다, 고맙습니다."

부벨라는 얼마나 기쁜지 눈물이 나올 것만 같았어요. 정말 오랜만에 누군가가 부벨라에게 친절을 베풀어 주었거든요. 부벨라는 <u>친절한 정원사</u>에게 어떻게

정원사의 성격

든 꼭 보답을 하고 싶었어요. 그때 갑자기 부벨라의 손이 간지러워지기 시작하더니 아주 따뜻해졌어요. 무슨 일이 벌어지고 있는지는 정확히 알 수가 없었지요.

부벨라는 손을 들어 정원사를 가리켰어요. 그러자 손이 점점 더 간지러워지고 따뜻해졌어요. 그리고 깜짝 놀랄 만한 일이 벌어졌어요. 갑자기 정원사가 허리를 꼿꼿하게 펴더니 똑바로 선 거예요. 정원사는 <u>한 발자국 한 발자국 내디디며 보다가 덩실덩실 춤을 추었어요.</u> 정원사가 웃으며 큰 소리로 외쳤어요.

정원사의 몸짓

"이제 하나도 아프지가 않아!"

부벨라는 자신의 손을 쳐다보았어요. 무슨 일인지는 모르겠지만 분명 <u>좋은 일임엔 틀림없었어요.</u>

정원사의 허리가 나은 일

집으로 돌아오면서 부벨라의 머릿속은 많은 생각으로 가득 찼어요. 지렁이를 만난 순간부터 모든 것이 변한 것 같았어요. 게다가 아주 특별한 일까지 일어났잖아요. '어쩌면 나에게 마법의 힘이 생긴 것은 아닐까' 하는 생각이 들었어요.

중심 내용 ❷ 지렁이가 무엇을 좋아할지 몰랐던 부벨라에게 정원사 아저씨는 진흙파이를 만들어 주라고 했어요. 부벨라의 손이 정원사 아저씨를 가리키자 굽어 있던 정원사 아저씨의 허리가 꼿꼿하게 펴졌어요.

---

29 정원사는 지렁이들이 무엇을 좋아할 것이라고 말하였나요? ( )

① 딸기케이크
② 모양이 예쁜 접시
③ 다른 집 정원의 물
④ 다른 집 정원의 흙
⑤ 햇살로 만든 케이크

30 ㉠에 어울리는 부벨라의 표정, 몸짓으로 알맞은 것을 모두 고르세요. (,)

① 속상해서 우는 듯한 표정
② 고개를 좌우로 흔드는 몸짓
③ 고개를 아래로 숙이는 몸짓
④ 눈물을 조금 보이며 웃는 표정
⑤ 손을 턱에 괴고 멀리 바라보는 몸짓

31 부벨라가 어떤 몸짓을 하자 정원사의 허리가 꼿꼿이 펴졌나요? ( )

①
②
③
④

3 부벨라는 부엌에 들어가서 정원사가 준 흙으로
(발음: [부어케])
아주 근사한 진흙파이를 만들었어요. 그런 다음 파이를 뚜껑으로 덮어 식탁 위에 놓은 뒤 손을 씻었답니다. 그것도 두 번이나 말이죠.

부벨라는 지렁이를 데리러 갔어요. 지렁이는 정확히 네 시 **정각**에 땅 위로 고개를 내밀었어요. 지렁이가 정원을 둘러보며 <u>만족스러운 표정</u>으로 말했어요.
(지렁이의 표정)

"아주 바빴겠구나."

부벨라는 조심스럽게 지렁이와 그 주변의 흙까지 한 움큼을 퍼서 집 안으로 데리고 들어갔어요.

부벨라가 지렁이를 식탁에 내려놓자, 지렁이는 이리저리 기어 다니다가 바나나케이크를 보았어요. 그러고는 식탁을 마저 둘러본 후 물었어요.

"이 안에는 뭐가 들어 있니?"
(진흙파이를 덮은 뚜껑 안)
㉠"물어보지 않으면 어쩌나 했어!"

부벨라는 그렇게 말하고는 과장된 몸짓으로 뚜껑을 들어 올렸어요. 지렁이는 신이 나서 진흙파이 속으로

파고들어 갔어요. ㉡지렁이가 다시 위로 올라왔을 때에는 머리 위에 나뭇잎 조각이 얹어져 있었어요. 마치 모자를 쓴 듯 말이에요.

부벨라가 물었어요.

"특별한 대접을 받았으면 고맙다고 해야 정상 아니니?"
(지렁이를 위한 특별한 진흙파이 등)

지렁이는 부벨라를 뚫어져라 쳐다보다가 온몸이 흔들릴 정도로 **호탕하게** 웃으며 말했어요.

"어쩐지 네가 좋아질 것 같아."

부벨라와 지렁이는 차를 마시면서 즐거운 시간을 보냈어요. 두 친구는 시간 가는 줄 모르고 이야기꽃을 피웠답니다.

㉢부벨라는 자기만 보면 무서워서 도망을 치는 사람들을 볼 때마다 어떤 기분이 드는지 지렁이에게 솔직하게 털어놓았어요. 사실 부벨라는 파리 한 마리도 해치지 못했거든요.

중심 내용 3 부벨라는 진흙파이를 만들어 지렁이에게 대접했고 두 친구는 시간 가는 줄 모르고 이야기했어요.

정각(正 바를 정 刻 새길 각) 틀림없는 바로 그 시각.
㉰ 두시 정각이 되자 기차가 도착하였다.

호탕하게 씩씩하고 거리낌 없이 우렁차게.
㉰ 사소한 실수 따위는 호탕하게 웃어넘기는 성격이다.

---

32 부벨라는 정원사가 준 흙으로 무엇을 만들었나요?
( )

① 접시　　　　② 진흙파이
③ 진흙식빵　　④ 진흙 뚜껑
⑤ 바나나케이크

33 ㉠과 같이 말할 때 부벨라는 어떤 표정을 지었을까요? ( )
① 걱정스러운 표정
② 불만스러운 표정
③ 즐겁고 반가운 표정
④ 무언가 궁금한 표정
⑤ 두 눈썹을 찡그리는 표정

34 ㉡에서 지렁이의 표정으로 가장 알맞은 것은 어느 것인가요? ( )

①

②

③

④

35 ㉢에서 부벨라는 어떤 기분이 든다고 하였을지 짐작하여 써 보세요.

"나만 보면 무서워서 도망치는 사람들을 보면
_____ 기분이 들어."

4 "그런데 지금 누구랑 살고 있니?"

"난 혼자 살아." / "왜?"

"부모님이 약초를 캐러 다부숴타 정글로 가셨거든. 그동안 할머니가 돌보아 주셨는데, 갑자기 할아버지가 아프셔서 할아버지가 계시는 작은 섬으로 돌아가셨어."

지렁이는 부벨라가 안쓰러워 보였어요. 지렁이들은 수백 명이나 되는 친척들과 가까이에서 함께 살았기 때문에 홀로 지내는 것이 어떤 생활일지 그저 짐작할 수밖에 없었답니다.

부벨라는 바나나케이크를 먹고, 지렁이는 진흙파이를 여기저기 파 들어가며 먹었어요.

"정말 맛있어. 흙 맛이 이렇게 다양하고 좋은지 몰랐어."

지렁이의 말에 부벨라는 드디어 <u>기다리던 순간</u>이 되었다고 생각했어요.
지렁이에게 친구가 되어 달라고 말할 순간

"네가 내 친구가 되어 준다면 어디든지 데리고 다닐게. 그러면 가는 곳마다 맛있는 흙으로 만든 훌륭한 파이를 맛보게 될 거야."

지렁이는 생각만 해도 군침이 돌았어요.

"그러면 너에게 좋은 점은 뭐야?"

"나를 무서워하지 않고 늘 진실을 말해 줄 수 있는 좋은 친구가 생기는 거지. 너를 만난 이후로 하루하루가 더없이 즐거워. 난 너와 헤어지고 싶지 않아."

지렁이는 잠시 생각을 해 보더니 미소를 지으며 말했어요. / "그건 나도 마찬가지야."

"너에게 줄 것이 또 있어."

부벨라는 커다란 성냥갑으로 만든 작은 상자를 꺼냈어요. 상자에는 가죽 줄이 달려 있었고, 안은 근사한 검은흙으로 채워져 있었어요. 지렁이는 상자를 살피더니 안으로 기어들어 갔어요.

부벨라는 상자를 들어 올려 어깨에 매달았어요.

"정말 멋지구나." → 활짝 웃는 표정, 감탄한 목소리로

지렁이는 새로운 집에서 세상을 내려다볼 수 있었고, 걸어 다닐 때도 부벨라와 이야기를 나눌 수 있었어요.

"널 처음 보았을 때, 발에서 이렇게 지독한 냄새가 나는 사람은 정말 이기적일 거라고 생각했었어."

부벨라가 뿌듯해하며 대답했어요.

"지금껏 내게 관심을 보인 친구는 단 한 명도 없었는데……. 이제는 네가 있구나."

✏️ **중심 내용 4** 부벨라는 지렁이에게 친구가 되어 달라고 말했어요. 둘은 서로 좋은 친구가 될 것 같았어요.

🎮 교과서 문제

36 부벨라는 지렁이에게 또 무엇을 선물했나요?

( )

37 부벨라가 지렁이에게 부탁한 것은 무엇인가요?

( )

① 친구가 되어 달라는 것
② 지렁이 나라에 초대해 달라는 것
③ 바나나케이크를 만들어 달라는 것
④ 부벨라의 발을 매일 씻어 달라는 것
⑤ 흙으로 훌륭한 파이를 만들어 달라는 것

📝 서술형·논술형 문제

38 친구들이 이 이야기 속 장면을 표현하고 있습니다. 다음 친구들이 표현하고 있는 장면은 어떤 장면인지 써 보세요.

_____

_____

정답 2쪽

국어 교과서 **58쪽**

2. 「거인 부벨라와 지렁이 친구」를 읽고 물음에 답해 봅시다.

(1) 이야기에 나오는 인물은 누구누구인가요?

(예시 답안) 거인 부벨라, 지렁이, 정원사 아저씨입니다.

(풀이) 사람처럼 말하고 행동하는 지렁이와 같은 모든 동물도 등장인물에 해당합니다.

(2) 부벨라는 지렁이에게 무엇을 선물했나요?

(예시 답안) 가죽 줄이 달려 있고 검은흙으로 채워진 성냥갑 상자입니다.

(풀이) 부벨라는 지렁이에게 선물로 성냥갑 상자를 주었습니다.

(3) 부벨라가 지렁이와 함께 있고 싶은 까닭은 무엇인가요?

(예시 답안) 자신을 무서워하지 않고 늘 진실을 말해 주는 좋은 친구와 헤어지고 싶지 않기 때문입니다.

(풀이) 외로웠던 부벨라는 지렁이가 자신을 무서워하지 않고 늘 진실을 말해 줄 수 있는 친구가 되어 주길 바랐습니다.

3. 이야기에서 장면에 따라 인물의 표정, 몸짓, 말투가 어떻게 다른지 살펴봅시다.

(1) 이야기 속 장면을 골라 알맞은 표정, 몸짓, 말투로 표현해 보세요.

장면	표정, 몸짓, 말투
부벨라가 지렁이에게 "너는 내가 무섭지 않니?"라고 말하는 장면	(예시 답안) 쪼그리고 앉아서 놀란 표정으로 목소리를 높여 말함.
정원사 아저씨가 "이제 하나도 아프지가 않아!"라고 말하는 장면	(예시 답안) 활짝 웃으며 덩실덩실 춤을 추고 큰 소리로 외침.

(풀이) 자신을 보고도 무서워하지 않는 지렁이에게 부벨라는 놀랐습니다. 아픈 정원사 아저씨는 부벨라 덕분에 병을 치료할 수 있어서 기뻤습니다.

국어 교과서 **59쪽**

(2) 그림으로 표현할 이야기 속 장면을 고르고, 그 장면을 고른 까닭을 써 보세요.

내가 고른 장면	(예시 답안) 부벨라가 정원사 아저씨가 준 흙을 받고, 손을 들어 정원사 아저씨를 가리키는 장면
고른 까닭	(예시 답안) 부벨라가 정원사 아저씨에게 마치 마법을 부리는 것 같은 느낌이 들어서 그리고 싶습니다.

(풀이) 이야기에서 재미있었던 부분을 생각해 보고 그리고 싶은 부분을 자유롭게 고를 수 있습니다.

1 「거인 부벨라와 지렁이 친구」의 등장인물이 <u>아닌</u> 것을 고르세요.

ㄱ 거인 부벨라
ㄴ 지렁이
ㄷ 정원사 아저씨
ㄹ 성냥갑 상자

( )

2 부벨라는 정원사 아저씨가 준 흙으로 무엇을 만들었나요?

근사한 진흙 ☐☐ 를 만들었습니다.

3 정원사 아저씨가 다음과 같은 말을 할 때 어떤 표정을 지었을까요?

"이제 하나도 아프지가 않아!"

( )

1 다음과 같은 상황에서 아이의 말풍선에 들어갈 알맞은 말을 써 보시오.

_____

2 다음 만화 영화의 빈칸에 어울리는 장금이의 표정은 어느 것입니까? (   )

①  ②

③  ④

3 다음 장금이가 처한 상황에 알맞은 표정은 어느 것입니까? (   )

처음으로 수라간 상궁을 보는 장면
 마음: 놀라움과 호기심을 느낌. 표정: _____ _____

① 눈물을 글썽이는 표정
② 눈을 크게 뜨고 입을 벌린 표정
③ 한쪽 눈을 감고 입을 다문 표정
④ 눈썹을 찡그리고 입술을 씰룩이는 표정
⑤ 눈을 갸름하게 뜨고 입꼬리를 올린 표정

4 인물의 표정, 몸짓, 말투에 주의하며 만화 영화를 보면 좋은 점에 모두 ○표 하시오.
(1) 만화 영화를 더 재미있게 볼 수 있다. (   )
(2) 만화 영화의 줄거리를 이해하는 데 도움이 된다.
                                      (   )
(3) 만화 영화에서 사건이 일어나는 시간과 장소를 정확하게 알 수 있다. (   )

5 다음 인물의 표정을 보고 인물이 어떤 마음일지 알맞은 것을 고르시오. (   )

① 즐겁다.   ② 놀랍다.
③ 고맙다.   ④ 뿌듯하다.
⑤ 미안하다.

6 다음 장면에서 느껴지는 인물의 마음으로 알맞은 것은 어느 것입니까? (   )

과일 사러 온 거야, 언니 얘기 하러 온 거야?

① 즐겁다.
② 미안하다.
③ 불만스럽다.
④ 자랑스럽다.
⑤ 감격스럽다.

7 다음 상황에 알맞은 미미의 표정이나 몸짓으로 어울리는 것은 어느 것입니까? (   )

사람들이 미미가 아닌 자두에게만 관심을 보이자 미미는 "저는 자두 동생이 아니라 미미예요!"라고 말하였다.

8 다음 장면에 어울리는 자두의 말로 알맞은 것은 어느 것입니까? (   )

동생 미미가 인기상을 타자 자두가 박수를 치는 장면

① 앗, 깜짝이야!
② 미미야, 안녕?
③ 미미야, 괜찮아?
④ 미미야, 정말 축하해!
⑤ 너 여기서 뭐 하는 거야?

[9~11] 거인 부벨라와 지렁이 친구

부벨라는 거인이에요. 모든 사람이 부벨라를 무서워했는데 ㉠이 자그마한 목소리의 주인공만은 예외였어요.

부벨라는 발 근처 땅바닥을 자세히 들여다보았어요. 땅속에서 지렁이 한 마리가 고개만 빠끔히 내밀고는 말을 하고 있었어요.

이번에는 부벨라가 말을 시작했어요.

"난 부벨라야. 네 이름은 뭐니?"

"이제야 뭔가 제대로 되네. 나는 지렁이라고 해."

"아니, 네 이름 말이야. 제이미나 다니엘 같은."

지렁이는 온몸이 흔들릴 정도로 고개를 가로저었어요.

㉡"지렁이 이름이 제이미라고?"

지렁이는 그렇게 되묻더니 요란하게 웃으며 말을 잇지 못했답니다.

9 ㉠은 누구를 가리키는지 쓰시오.

(   )

10 부벨라와 대화를 하는 지렁이의 태도에 대해 바르게 말한 것은 어느 것입니까? (   )

① 부벨라를 무서워한다.
② 부벨라에게 미안해한다.
③ 당당하고 자신감이 있다.
④ 얼굴을 보이는 것이 부끄럽다.
⑤ 누군가와 대화하는 것이 귀찮다.

11 ㉡으로 보아, 지렁이는 다음과 같은 부벨라의 생각에 어떤 마음이 들었겠습니까? (   )

지렁이도 제이미나 다니엘 같은 이름이 있을 것이다.

① 영리한 생각이다.
② 고마운 생각이다.
③ 미안한 생각이다.
④ 어리석은 생각이다.
⑤ 자랑스러운 생각이다.

[12~13] 거인 부벨라와 지렁이 친구

㉠"너는 내가 무섭지 않니?"

"왜 너를 무서워해야 하는데?"

"내가 너보다 훨씬 덩치가 크니까."

부벨라는 당연하다는 듯이 대답했어요.

"무슨 그런 말도 안 되는 소리가 다 있어? 이 세상 모든 것이 다 나보다 커. 만약 나보다 큰 것들에게 말 붙이기를 겁냈다면 난 계속 입을 다물고 살아야 했을걸."

부벨라는 숨을 깊이 들이마시고 난 뒤 조심스럽게 물었어요.

"우리 집에 차 마시러 올래?"

"좋아. 내일 갈게. 네 시에 여기서 만나자."

그날 밤부터 그다음 날까지 부벨라는 정신없이 움직였어요. ㉡집 안 곳곳을 닦고 정리했을 뿐 아니라 자신도 머리부터 발까지, 특히 발가락은 몇 번이나 씻고 또 씻었어요.

12 ㉠과 같이 말하는 부벨라의 표정으로 가장 알맞은 것은 어느 것입니까? (   )

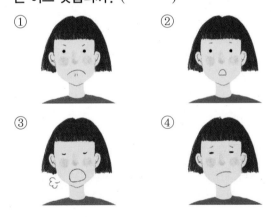

① ② ③ ④

📝 **서술형·논술형 문제**

13 부벨라가 ㉡과 같이 집 안을 청소하고 몸을 깨끗이 씻은 까닭은 무엇일지 쓰시오.

_____

[14~15] 거인 부벨라와 지렁이 친구

정원사는 가만히 생각에 잠겼어요.

"지렁이들은 멀리 다니지 않으니까 어쩌면 다른 집 정원의 흙을 좋아할 것 같구나. 진흙파이를 만들어 주면 어떻겠니?"

㉠"아, 그게 좋겠네요! 하지만 어디에서 흙을 구하죠?"

"잠깐 여기서 기다려 봐."

그러더니 정원사는 돌아서서 집 안으로 들어갔어요.

정원사는 허리가 굽어서 아주 천천히 움직였는데, 움직이는 게 무척이나 힘들어 보였어요.

정원사는 접시를 들고 다시 집 밖으로 나왔어요. 그러고는 천천히 움직이며 정원 세 곳에서 각기 다른 종류의 흙을 접시에 담은 뒤, 접시를 부벨라에게 건네주었어요.

"지렁이 친구가 정말 좋아할 거야."

㉡"고맙습니다, 고맙습니다."

14 ㉠에 어울리는 부벨라의 몸짓으로 알맞은 것은 어느 것입니까? (   )

① 한쪽 발을 들며

② 무릎을 탁 치며

③ 고개를 좌우로 흔들며

④ 두 손으로 눈을 가리며

⑤ 두 팔을 크게 흔들어 날갯짓하며

15 ㉡에 알맞은 부벨라의 표정, 몸짓, 말투를 찾아 ○표 하시오.

(1) 표정	① 눈물을 글썽이며 웃는 표정 ( )
	② 이마를 찌푸리며 입을 다문 표정 ( )
(2) 몸짓	③ 고개를 연신 숙이는 몸짓 ( )
	④ 고개를 좌우로 젓는 몸짓 ( )
(3) 말투	⑤ 속삭이는 듯한 목소리 ( )
	⑥ 감격스럽게 떨리는 목소리 ( )

단원 평가

1 단원
진도 완료 체크

[16~18] 거인 부벨라와 지렁이 친구

부벨라는 얼마나 기쁜지 눈물이 나올 것만 같았어요. 정말 오랜만에 누군가가 부벨라에게 친절을 베풀어 주었거든요.

부벨라는 친절한 정원사에게 어떻게든 꼭 보답을 하고 싶었어요. 그때 갑자기 부벨라의 손이 간지러워지기 시작하더니 아주 따뜻해졌어요. 무슨 일이 벌어지고 있는지는 정확히 알 수가 없었지요.

부벨라는 손을 들어 정원사를 가리켰어요. 그러자 손이 점점 더 간지러워지고 따뜻해졌어요. 그리고 깜짝 놀랄 만한 일이 벌어졌어요. 갑자기 정원사가 허리를 꼿꼿하게 펴더니 똑바로 선 거예요.

정원사는 한 발자국 한 발자국 내디뎌 보다가 덩실덩실 춤을 추었어요.

정원사가 웃으며 큰 소리로 외쳤어요.

㉠"이제 하나도 아프지가 않아!"

16 부벨라가 정원사에게 보답을 하고 싶었던 까닭은 무엇입니까? (   )

① 부벨라의 손이 간지러워져서
② 정원사가 부벨라를 무서워해서
③ 허리가 굽은 정원사가 불쌍해서
④ 갑자기 부벨라의 손이 따뜻해져서
⑤ 정원사가 부벨라에게 친절을 베풀어 주어서

17 ㉠과 같이 말하는 정원사의 표정으로 알맞은 것은 어느 것입니까? (   )

① ② ③

18 ㉠과 같이 말하는 정원사의 몸짓으로 가장 알맞은 것은 어느 것입니까? (   )

① ② ③

19 미애의 말을 듣고 진호가 다음과 같은 표정과 몸짓을 보였습니다. 진호에 대한 설명으로 알맞은 것은 어느 것입니까? (   )

얘들아, 이번 현장 체험학습은 민속촌으로 간대!

◇ 미애

◇ 진호

① 현장 체험학습을 가는지 몰랐다.
② 어서 빨리 현장 체험학습을 가고 싶다.
③ 현장 체험학습을 언제 가는지 궁금하다.
④ 현장 체험학습을 민속촌으로 가게 되어 기쁘다.
⑤ 현장 체험학습을 가는 장소가 민속촌이어서 실망스럽다.

서술형·논술형 문제

20 다음과 같은 상황에서 여자아이가 미안한 마음을 잘 전하려면 어떻게 하여야 할지 쓰시오.

_____

_____

_____

중심 생각을 찾아요

2

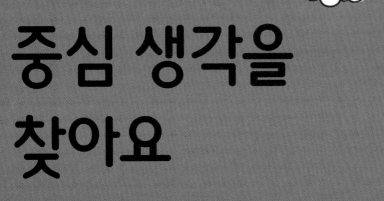

어떤 숙제냐, 멍?

글을 읽고 중심 생각을 찾는 것.

늦게 집에 오는 바람에 숙제를 아직 못 했네.

시끄럽게 하면 가져다 버릴 거야!

개념 웹툰

중심 생각을 찾는 방법은 무엇일까요? 스마트폰에서 확인하세요!

2단원

개념 ① 아는 내용이나 겪은 일과 관련지어 글 읽기

① 아는 내용이나 겪은 일과 관련지어 글을 읽으면 글의 내용을 더 쉽게 이해할 수 있습니다.
② 글을 읽을 때 자신이 알고 있는 내용을 생각하며 읽습니다.
③ 자신이 알고 있는 내용과 다른 내용을 비교하며 읽습니다.

지문 아는 내용을 떠올리며 「닭싸움 놀이」 읽기

닭싸움 놀이

닭싸움 놀이는 한쪽 다리를 들어 올려 두 손으로 잡고, 다른 다리로 균형을 잡아 깨금발로 뛰면서……

친구들과 닭싸움 놀이를 한 적이 있어서 글의 내용을 이해하기 쉬웠어.

개념 ② 글을 읽고 중심 생각을 찾는 방법

① 문단의 중심 문장을 찾아보고 중심 생각을 간추립니다.
② 글의 제목을 보고 무엇에 대해 쓴 글인지 생각합니다.
③ 글에 있는 사진이나 그림을 보고 글쓴이의 중심 생각을 찾습니다.

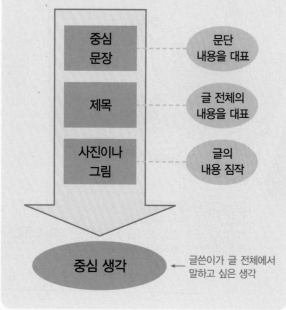

중심 문장	┄	문단 내용을 대표
제목	┄	글 전체의 내용을 대표
사진이나 그림	┄	글의 내용 짐작

중심 생각 ← 글쓴이가 글 전체에서 말하고 싶은 생각

지문 「갯벌을 보존해야 하는 까닭」의 중심 생각 찾기

갯벌을 보존해야 하는 까닭

첫째, 갯벌은 다양한 생물이 살 수 있는 장소입니다. 갯벌에 물이 들어오기도 하고 빠지기도 하면서 생물이 살기에 적합한 환경을 만듭니다. 그래서 게, 조개, 갯지렁이, 불가사리, 물고기 같은 여러 가지 생명체가 삽니다. 또한 갯벌은 철새들이 휴식하거나 번식하려고 이동하는 중간에 머물며 살기도 하는 장소입니다.

┄ 제목을 보고 무엇에 대해 쓴 글인지 짐작해 보고

┄ 문단의 전체 내용을 대표하는 중심 문장을 찾아보고

┄ 사진이나 그림을 보고 어떤 내용인지 생각해 보아요.

↓

갯벌이 주는 좋은 점을 알고 갯벌을 잘 보존해야 한다.

줄넘기

- 중심 글감: 줄넘기
- 글의 특징: 전통놀이 가운데 지금까지도 잘 보존된 놀이인 줄넘기에 대하여 알아보는 글입니다.

전통 놀이 가운데에서 지금까지도 잘 보존된 놀이가 줄넘기입니다. 지금도 체육 시간이나 운동 경기로 줄넘기 놀이를 자주 합니다. 언제부터 줄넘기를 했는지는 정확하게 알 수 없습니다. 다만 아주 오래전부터 줄을 사용했고, 전국의 어린이들이 줄넘기를 해 온 것으로 보아 오래된 놀이임을 짐작할 수 있을 뿐입니다. 예전에는 칡 줄기나 새끼줄로 줄넘기를 했다는 기록이 남아 있습니다.

줄넘기에는 혼자 하는 줄넘기, 두 사람이 긴 줄 끝을 잡고 돌리면 다른 사람이 그 줄을 넘는 긴 줄 넘기,
줄넘기 놀이 종류 ①
②

줄 양 끝을 두 사람이 잡고 있으면 다른 사람이 줄을 뛰어넘는 놀이가 있습니다.
③

고정된 줄을 뛰어넘는 줄넘기는 발목 높이에서 시작해 만세를 하듯 두 팔을 든 높이까지 합니다. 누가 더 높은 줄을 넘을 수 있는지 겨루는 놀이랍니다. 혼자서 줄넘기를 할 때에는 앞으로 뛰기, 손 엇걸어 뛰기, 이단 뛰기 같은 여러 놀이 방법이 있습니다. 긴 줄 넘기도 다양한 방법으로 할 수 있는데, 노래에 맞추어 놀이를 하는 특징이 있습니다.
긴 줄 넘기의 특징

📖 교과서 문제

1 이 글에 대한 내용으로 알맞지 <u>않은</u> 것은 무엇인가요? (　　　)

① 줄넘기는 잘 보존된 전통 놀이이다.
② 줄넘기는 반드시 노래에 맞추어 놀이를 한다.
③ 언제부터 줄넘기를 했는지 정확히 알 수 없다.
④ 줄넘기에는 혼자 하는 줄넘기, 긴 줄 넘기, 줄을 뛰어넘는 놀이가 있다.
⑤ 혼자 하는 줄넘기 종류에는 앞으로 뛰기, 손 엇걸어 뛰기, 이단 뛰기 따위가 있다.

2 이 글을 읽고 지혜가 다음과 같이 말한 까닭으로 가장 알맞은 것의 기호를 쓰세요.

지혜
글의 내용을 이해하기 어려웠어.

㉠ 줄넘기 놀이와 관련하여 겪은 일이 부족해서
㉡ 전통 놀이 책에서 줄넘기 놀이 방법에 대해 읽은 적이 있어서

(　　　　)

3 다음 글을 더 쉽게 이해할 수 있는 방법으로 알맞은 것에 ○표 하세요.

'닭싸움'은 두 사람이 겨루는 모습이 닭이 싸우는 것과 비슷하다고 해서 지어진 이름입니다. 닭싸움 놀이는 한 발로 서서 하므로 '외발 싸움', '깨금발 싸움'이라고도 부르고, 무릎을 부딪쳐 싸운다고 해서 '무릎 싸움'이라고도 부릅니다. 닭싸움 놀이는 두 명이 할 수도 있고 여러 명이 할 수도 있습니다.

(1) 글에서 가장 긴 문장을 중심으로 읽는다.

(　　　)

(2) 닭싸움 놀이를 직접 했거나 관련 책을 읽었던 경험을 떠올려 본다.

(　　　)

4 아는 내용이나 겪은 일과 관련지어 글을 읽으면 좋은 점이 아닌 것은 무엇인가요? (　　　)

① 글의 내용을 기억하기 쉽다.
② 글의 길이를 쉽게 짐작할 수 있다.
③ 글의 내용에 더 흥미를 느끼게 된다.
④ 글의 내용을 더 쉽게 이해할 수 있다.
⑤ 글을 읽으면서 그 모습을 잘 상상할 수 있다.

안전하게 과학 실험을 해요

1 어린이들은 과학 실험을 하면서 호기심이 생기고 평소에 품었던 궁금증을 해결합니다. 또 실험을 하면서 **탐구** 능력을 키우기도 합니다. 과학 실험을 하면 이와 같은 좋은 점이 있지만 안전사고가 발생하는 경우도 있습니다. 그러므로 안

전하게 과학 실험을 하려면 과학 실험 안전 **수칙**을 확인하고 실천해 안전사고의 위험을 줄여야겠습니다. 지금부터 과학 실험 안전 수칙을 알아보겠습니다.

✏️ **중심 내용 1** 과학 실험 안전 수칙을 확인하고 실천해 안전사고의 위험을 줄여야 합니다.

2 첫째, 선생님께서 계시지 않을 때에는 과학 실험을 하지 않습니다. 과학실
과학 실험 안전 수칙 ①
에는 조심히 다루어야 할 실험 기구와 위험한 **화학 약품**이 많습니다. 선생님의 말씀에 따라 실험 기구나 화학 약품을 다루어야 사고가 나는 것을 예방할 수 있습니다. 그러므로 선생님께서 계시지 않을 때에는 과학 실험을 해서는 안 됩니다.

✏️ **중심 내용 2** 선생님께서 계시지 않을 때에는 과학 실험을 하지 않습니다.

- **글의 특징**: 과학 실험을 할 때 지켜야 할 안전 수칙 세 가지를 안내하는 글입니다.

📍 **과학 실험 중 지켜야 할 점**
- 과학실에서 절대로 뛰거나 장난치지 않습니다.
- 실험하다가 자리를 비우지 않습니다.
- 과학실 안에서는 음식을 먹으면 안 됩니다.

탐구 학문 등을 깊이 파고들어 연구함.
수칙 행동이나 절차에 관해 지켜야 할 사항을 정한 규칙.
화학 약품 화학 실험에 사용되는 약품.

🍦 **교과서 문제**

5 그림에서 과학 실험 안전 수칙에 알맞은 행동을 한 친구는 누구인가요? (　　　　)

> 과학 실험 안전 수칙
> - 과학실에서 절대 뛰거나 장난치지 않는다.
> - 과학실 안에서 음식을 먹지 않는다.
> - 화학 약품의 냄새를 맡거나 맛보지 않는다.

6 과학 실험을 할 때 안전 수칙을 지켜 실험을 해야 하는 까닭은 무엇일지 바르게 말한 사람은 누구일까요?

> 영지: 비싼 실험 기구나 화학 약품의 낭비를 줄이기 위해서야.
> 수정: 사고가 일어나지 않는 안전한 과학 실험을 하기 위해서야.

(　　　　　　　　)

7 ②에서 과학 실험 중 일어나는 사고를 예방하려면 어떻게 해야 한다고 하였나요?

- ☐☐☐☐☐ 의 말씀에 따라 실험 기구나 화학 약품을 다루어야 사고가 나는 것을 예방할 수 있다.

3 둘째, 과학실에서는 절대 장난을 치면 안 됩니다. 과학실에는 깨지기 쉽거
<u>나 위험한 실험 기구가 많습니다.</u> 장난을 치다가 유리로 만든 실험 기구가 깨
지면 날카로운 유리 조각이 생겨 이 유리 조각에 사람이 다칠 수 있습니다. 또
장난을 치다가 **알코올램프**가 바닥에 떨어지면 과학실에 화재가 발생할 수도 있
습니다. 그러므로 과학실에서는 장난을 치지 말고 **진지한** 자세로 실험을 해야
합니다.

✏️**중심 내용 3** 과학실에서는 절대 장난을 치면 안 됩니다.

4 셋째, 실험할 때 책상에 바짝 다가가지 않습니다. 실험하다가 만약 실험
과학 실험 안전 수칙 ③
기구가 넘어지면 깨진 기구의 조각이나 기구 속 화학 약품이 주변에 튈 수 있
습니다. 실험할 때 책상에 바짝 다가가지 않아야 하는 까닭
<u>습니다.</u> 이때 책상에 바짝 다가가 앉아 있으면 다칠 수가 있습니다. 그러므로
실험을 할 때에는 책상에 너무 바짝 다가가 앉지 않고 실험 기구와 어느 정도
거리를 유지하는 것이 안전합니다.

✏️**중심 내용 4** 실험할 때 책상에 바짝 다가가지 않습니다.

5 과학 실험을 할 때에는 무엇보다 안전이 중요합니다. 실험이 재미있고 공
부에 도움이 된다 하더라도 사고가 발생하면 아무런 소용이 없습니다. 그러므
로 과학 실험 안전 수칙을 항상 기억하고 실천해 안전하게 실험을 할 수 있도
록 노력해야 합니다.

✏️**중심 내용 5** 과학 실험 안전 수칙을 잘 지켜 안전하게 실험할 수 있도록 노력해야 합니다.

📍 **실험이 끝나면 뒷정리는 어떻게 해야 할까요?**

• 실험 기구와 장치를 원래대로 정리합니다.
• 과학실 약품은 서늘하고 건조한 상태에서 보관합니다.

알코올램프 알코올을 연료로 하는 가열 장치. 그을음이 없고 화력이 세어 화학 실험 따위에 쓴다.
진지한 태도나 성격이 경솔하지 않고 신중하고 성실한.

🎒 **교과서 문제**

8 「안전하게 과학 실험을 해요」의 내용을 정리해 보세요.

(1) 첫째	( )께서 계시지 않을 때에는 과학 실험을 하지 않습니다.
(2) 둘째	과학실에서 절대 ( )을 치면 안 됩니다.
(3) 셋째	실험할 때 ( )에 바짝 다가가지 않습니다.

9 실험할 때 책상에 바짝 다가가지 않아야 하는 까닭은 무엇인가요?

• 실험하다가 실험 기구가 넘어지면 기구의 깨진 조각이나 화학 약품이 [   ] 다칠 수 있기 때문에

🎒 **서술형·논술형 문제**

10 「안전하게 과학 실험을 해요」를 읽고 새롭게 안 내용을 써 보세요.

_____

_____

11 아는 내용이나 겪은 일과 관련지어 글을 읽을 때 주의할 점으로 알맞은 것은 무엇인가요?

(1) 이미 알고 있었던 내용은 읽지 않고 넘긴다.
(   )

(2) 자신이 알고 있는 내용과 다른 내용을 비교하며 읽는다.
(   )

과일, 알고 먹으면 더 좋아요

• 글의 특징: 제철에 나는 여러 가지 과일의 종류와 특징에 대해 설명하는 글입니다.

❶ 사과는 우리나라에서 아주 많이 기르는 과일이에요. 우리나라 날씨는 사과가 자라기에 알맞기 때문이에요. 사과나무에 사과가 열려서 자라기 시작하면 종이봉투를 씌워 두기도 해요. 이렇게 하면 벌레도 막을 수 있고, 사과 맛도 좋아져요. 사과를 많이 먹으면 살갗도 부드러워지고 잇몸도 튼튼해진답니다.
사과에 종이봉투를 씌우면 좋은 점

📝중심 내용 ❶ 사과는 우리나라 날씨가 사과가 자라기에 알맞아 많이 기르는 과일이에요.

❷ 배는 즙이 많아서 맛이 시원하지요. 배를 김치에 넣으면 김치 맛을 시원하게 해 줘요. 또 기침감기에 걸렸을 때, 소화가 잘 안될 때 약으로 쓰기도 해요. 배를 기를 때도 벌레가 먹는 것을 막으려고 종이봉투를 씌운답니다.

📝중심 내용 ❷ 배는 즙이 많아서 시원한 맛이 있어요.

❸ 복숭아는 단물이 많고 맛이 좋아요. 그런데 쉽게 짓물러서 오래 두고 먹지 못해요. 그래서 설탕을 넣고 졸여서 통조림이나 잼으로 만들어 먹기도 해요. 복숭아씨는 약으로도 쓴답니다. 기침이 많이 나거나 가래가 생겼을 때 복숭아씨를 갈아서 먹어요.
오래 두고 먹기 위해서

📝중심 내용 ❸ 복숭아는 단물이 많고 맛이 좋지만 쉽게 짓물러요.

가운데 이야기

포도는 술이나 건포도, 잼, 젤리 등으로 만들어 먹기도 해요. 대추는 그냥 먹기도 하고 떡이나 약밥에도 넣고, 약으로도 써요.

❹ 밤은 제사상에서 빠질 수 없는 과일이에요. 정월 대보름이 되면 밤이나 잣이나 땅콩이나 호두를 깨물어 먹는 풍습이 있어요. 정월 대보름에 먹는 딱딱한 과일을 부럼이라고 해요. 우리 조상은 부럼을 깨물면 이도 튼튼해지고 부스럼도 안 생기며 더위도 타지 않는다고 믿었어요.
제사상에 꼭 올리는 과일이라는 뜻

📝중심 내용 ❹ 밤은 제사상에도 꼭 올리고 정월 대보름에는 부럼으로도 먹어요.

❺ 잘 익은 감은 물렁물렁하고 달아요. 덜 익어서 딱딱하고 떫은 땡감도 소금물에 며칠 담가 두면 떫은맛이 감쪽같이 사라지지요. 감은 껍질을 벗긴 뒤에 말려서 곶감을 만들어 먹기도 해요. 단감은 홍시가 되기 전에도 맛이 달아요.
잘 익은 감 / 덜 익은 감

📝중심 내용 ❺ 감은 익으면 물렁물렁하고 달아요. 단감은 홍시가 되기 전에도 달아요.

교과서 문제

12 과일과 관련된 내용으로 알맞은 것은 무엇인가요?

> ㉠ 사과는 우리나라에서 기르기 힘들다.
> ㉡ 기침이 많이 나거나 가래가 생겼을 때 복숭아 껍질을 갈아서 먹는다.
> ㉢ 우리 조상은 부럼을 깨물면 이도 튼튼해지고 부스럼도 안 생기며 더위도 타지 않는다고 믿었다.

( )

13 다음은 어떤 과일에 대한 설명인가요?

> • 김치에 넣으면 김치 맛을 시원하게 해 준다.
> • 기침감기에 걸렸을 때, 소화가 잘 안 될 때 약으로 쓰기도 한다.

( )

14 '감'에 대한 정보를 얻으려면 어느 문단을 살펴보아야 하나요?

( ) 문단

서술형·논술형 문제

15 ❶문단을 읽고 '사과'에 대해 새롭게 안 내용이 있다면 써 보세요.

_____

_____

갯벌을 보존해야 하는 까닭

• 중심 글감: 갯벌　　　　• 글의 특징: 갯벌이 주는 여러 가지
도움과 갯벌 보존의 중요성에 대해 알려 주는 글입니다.

❶ 갯벌에 가 본 적이 있나요? 갯벌에서 무엇을 보았나요? 바닷물이 빠져나가는 썰물 때에 육지로 드러나는 바닷가의 편평한 곳을 갯벌이라고 불러요. 바닷물이 육지로 밀려오는 밀물 때 갯벌은 바닷물로 덮여 있어 보이지 않지만 자연과 사람에게 여러 가지 도움을 줍니다.

❷ 첫째, 갯벌은 다양한 생물이 살 수 있는 장소입니다. 갯벌에 물이 들어오기도 하고 빠지기도 하면서 생물이 살기에 적합한 환경을 만듭니다. 그래서 게, 조개, 갯지렁이, 불가사리, 물고기 같은 여러 가지 생명체가 삽니다. 또한 갯벌은 철새들이 휴식하거나 번식하려고 이동하는 중간에 머물며 살기도 하는 장소입니다.

❸ 둘째, 어민들은 갯벌에서 수산물을 키우고 거두어 돈을 법니다. 어민들은 갯벌에서 조개나 물고기, 낙지 따위를 잡아 팝니다. 또 갯벌은 생물이 살기에 좋은 환경이므로 어민들이 바다 생물들을 직접 키우기도 합니다. 이것을 양식이라고 하는데, 양식은 농민들이 밭이나 논에서 농작물을 키워 파는 것과 비슷합니다.

❹ 셋째, 갯벌은 육지에서 나오는 오염 물질을 분해해 좋은 환경을 만듭니다. 갯벌은 겉으로는 그냥 진흙탕처럼 보이지만 작은 생물이 갯벌에 많이 살고 있습니다. 이 생물들은 오염 물질 분해가 잘 이루어지게 합니다. 갯벌에서 흔히 사는 갯지렁이도 오염 물질 분해를 돕습니다.

❺ 넷째, 갯벌은 기후를 조절하고 홍수를 줄여 주는 역할을 합니다. 갯벌 흙은 물을 많이 흡수해 저장했다가 내보내는 기능을 합니다. 그러므로 갯벌은 비가 많이 오면 빗물을 저장해 갑작스러운 홍수를 막아 줍니다. 그리고 주변 온도와 습도에 따라 물을 흡수하고 내보내는 역할을 알맞게 수행해 기후를 알맞게 만들어 줍니다.

❻ 갯벌의 환경은 특별하고 다양합니다. 갯벌과 그 속에 사는 여러 생물은 자연과 사람을 위해 좋은 역할을 많이 합니다. 그러므로 갯벌은 쓸모없는 땅이 아니라 우리와 함께 살아가는 소중한 장소입니다. 소중한 갯벌을 잘 보존해야겠습니다.

2 단원

진도 완료
체크

---

16 바닷물이 빠져나가는 썰물 때에 육지로 드러나는 바닷가의 편평한 곳을 무엇이라고 하나요?

(　　　　　　　　　)

17 알맞은 말을 넣어 각 문단의 중심 문장을 정리하세요.

(1) ❷	갯벌은 다양한 (　　　　　　)이 살 수 있는 장소입니다.
(2) ❸	어민들은 갯벌에서 (　　　　　)을 키우고 거두어 돈을 법니다.
(3) ❹	갯벌은 육지에서 나오는 (　　　　　)을 분해해 좋은 환경을 만듭니다.
(4) ❺	갯벌은 (　　　　　　)를 조절하고 홍수를 줄여 주는 역할을 합니다.

🎓 교과서 문제

18 제목을 보고 알 수 있는 글쓴이의 생각에 대해 바르게 말한 사람은 누구인가요?

> 수지 : 갯벌을 보존해야 하는 까닭을 강조하기 위해 쓴 글인 것 같아.
>
> 용호 : 갯벌을 보호할 필요가 없다고 주장하는 것 같아.

(　　　　　　　　　)

19 이 글의 중심 생각을 바르게 정리한 것에 ○표 하세요.

(1) 갯벌은 오염 물질을 스스로 분해해 환경을 지킨다.

(　　　　)

(2) 갯벌이 주는 좋은 점을 알고 소중한 갯벌을 잘 보존해야 한다.

(　　　　)

날씨를 나타내는 토박이말

- 중심 글감: 날씨, 토박이말
- 글의 특징: 계절별 날씨를 나타내는 토박이말과 그 말의 뜻을 알려 주는 글입니다.

❶ 계절별로 날씨와 관련이 있는 토박이말을 알아보자. 토박이말은 우리말에 본디부터 있던 말이나 그것에 더해 새로 만들어진 말이다. 다른 말로 <u>순우리말</u>, <u>고유어</u>라고도 한다. 옛날부터 우리 할아버지, 할머니께서 만들어 써 오신 말이 토박이말이다. 이 가운데에는 봄, 여름, 가을, 겨울의 날씨를 나타내는 말도 많은데 어떤 말들이 있는지 알아보자.

(토박이말)

📝**중심 내용 ❶** 사계절과 관련이 있는 날씨를 나타내는 토박이말은 어떤 말들이 있는지 알아보자.

❷ <u>봄 날씨를 나타내는 토박이말에는 '꽃샘추위', '꽃샘바람', '소소리바람' 같은 말이 있다.</u> 이른 봄, 꽃이 필 무렵에 찾아오는 추위를 '꽃샘추위'라고 한다. 여기

(중심 문장)

서 '샘'은 시기, 질투라는 뜻이다. 그래서 '꽃샘추위'는 꽃이 피는 것을 시샘하듯 몰아닥친 추위라는 뜻이 된다. 꽃샘추위 때 부는 바람은 '꽃샘바람'인데, 이보다 차고 매서운 바람은 '소소리바람'이다.

(꽃샘추위)

이 바람은 이른 봄에 살 속으로 스며드는 듯한 차고 매서운 바람을 일컫는다.

📝**중심 내용 ❷** 봄 날씨를 나타내는 토박이말에는 '꽃샘추위', '꽃샘바람', '소소리바람' 같은 말이 있다.

❸ 여름 날씨를 나타내는 토박이말에는 '마른장마', '무더위', '불볕더위' 같은 말이 있다. 여름이면 어김없이 장마와 더위가 찾아온다. 장마 때에는 비가 많이 오는데, 장마인데도 비가 오지 않거나 적게 오면 '마른장마'라고 한다. 더위는 크게 '무더위'와 '불볕더위'로 나눌 수 있다. '무더위'는 '물+더위'로 물기를 잔뜩 머금은 끈끈한 더위를 뜻하고, '불볕더위'는 '불볕+더위'로 볕이 불덩이처럼 뜨거운 더위를 뜻한다. 장마철에 비가 오거나 날씨가 흐리면서 끈끈하게 더울 때에는 '무더위'라는 말이 어울리고, 장마가 지난 한여름에 물기도 없이 뜨거운 햇볕이 쨍쨍 내리쬘 때에는 '불볕더위'라는 말이 어울린다.

(중심 문장)
(어기는 일이 없이)
(마른장마)
(무더위)

📝**중심 내용 ❸** 여름 날씨를 나타내는 토박이말에는 '마른장마', '무더위', '불볕더위'같은 말이 있다.

---

20 우리말에 본디부터 있던 말이나 그것에 더해 새로 만들어진 말을 무엇이라고 하나요?

( )

21 제목과 관련해 글쓴이의 생각을 바르게 짐작한 것을 고르세요. ( )

① 우리나라에는 사계절이 있습니다.
② 날씨를 잘 알고 슬기롭게 생활합시다.
③ 우리나라의 봄은 따뜻하고, 여름은 덥습니다.
④ 날씨를 나타내는 토박이말을 많이 알고 씁시다.
⑤ 우리나라 말에는 한자어, 토박이말, 외래어 등이 있습니다.

22 다음 날씨를 나타내는 토박이말을 찾아 쓰세요.

| (1) 이른 봄에 살 속으로 스며드는 듯한 차고 매서운 바람 | |
| (2) 볕이 불덩이처럼 뜨거운 더위 | |

23 ❷에 사진을 넣는다면 어떤 사진이 좋을지 ○표 하세요.

(1) ( )   (2) ( )

4 가을 날씨를 나타내는 토박이말에는 '건들바람', '건들장마', '무서리', '올서리', '된서리' 같은 말이 있다. 여름이 지나고 가을이 되면 서늘한 바람이 불고 늦가을이 되면 서리가 내린다. 이른 가을날, 가볍고 부드럽게 건들건들 부는 서늘한 바람을 '건들바람'이라고 한다. 이 무렵, 비가 쏟아져 내리다가 번쩍 개고 또 오다가 개는 장마를 '건들장마'라고 한다. 늦가을, 수증기가 땅이나 물체 표면에 얼어붙은 것을 '서리'라고 한다. 처음 생기는 묽은 서리를 '무서리'라고 하는데, '물+서리'로 무더위와 ㉠같은 짜임이다. 다른 해보다 일찍 생기는 서리를 '올서리'라고 하고, 늦가을에 아주 되게 생기는 서리를 '된서리'라고 한다.

📝 **중심 내용 4** 가을 날씨를 나타내는 토박이말에는 '건들바람', '건들장마', '무서리', '올서리', '된서리' 같은 말이 있다.

5 겨울 날씨를 나타내는 토박이말에는 '가랑눈', '진눈깨비', '함박눈', '도둑눈' 같은 말이 있다.

겨울에는 눈이 와야 겨울답다고 한다. 같은 눈이라도 눈의 생김새나 크기에 따라 그 이름이 다르다. '가랑눈'은 조금씩 잘게 부서져서 내리는 눈을 말한다. 가늘게 가루처럼 내리는 비를 '가랑비'라고 하는 것과 같다. 비가 섞여 내리는 눈은 '진눈깨비', 굵고 탐스럽게 내리는 눈은 '함박눈', 밤에 사람들이 모르게 내린 눈은 '도둑눈'이라고 한다. 이 도둑눈은 사람들 몰래 왔다는 뜻을 담은 말이다.

📝 **중심 내용 5** 겨울 날씨를 나타내는 토박이말에는 '가랑눈', '진눈깨비', '함박눈', '도둑눈' 같은 말이 있다.

6 이처럼 계절에 따라 ㉡알고 쓰면 좋은 토박이말이 많다. 우리가 우리말의 말뜻을 배우고 익혀 제대로 쓰는 일에 더욱 힘을 쏟을 때, 더 아름답고 넉넉한 우리말과 우리글을 쓸 수 있게 될 것이다.

📝 **중심 내용 6** 우리말에는 계절에 따라 알고 쓰면 좋은 토박이말이 많다.

---

24 가을 날씨를 나타내는 토박이말이 아닌 것은 무엇인가요? (　　　)

① 무서리　　　　② 올서리
③ 된서리　　　　④ 건들장마
⑤ 마른장마

25 겨울철, 밤에 사람들이 모르게 내린 눈을 뜻하는 말은 무엇인가요?

(　　　　　　　　)

🖊️ **서술형·논술형 문제**

26 가을 날씨나 겨울 날씨를 나타내는 토박이말을 넣어 짧은 문장을 쓰세요.

_____

27 이 글의 중심 생각을 한 문장으로 쓴 것으로 알맞은 것에 ○표 하세요.

(1) 날씨를 나타내는 토박이말이 많이 있으니 토박이말만 사용하도록 하자. (　　　)

(2) 우리말과 우리글을 사랑하는 마음으로 날씨를 나타내는 토박이말을 많이 사용하자. (　　　)

📖 **교과서 문제**

28 ㉠, ㉡과 서로 뜻이 반대인 낱말을 찾아 선으로 이으세요.

(1) ㉠ ·　　　　　· ① 모르다

　　　　　　　　· ② 다르다

(2) ㉡ ·　　　　　· ③ 틀리다

정답 5쪽

국어 교과서 87~88쪽

3. 「날씨를 나타내는 토박이말」의 중심 생각을 찾아봅시다.

(1) 각 문단의 중심 문장을 정리해 보세요.

문단	중심 문장
1	계절별로 날씨와 관련이 있는 토박이말을 알아보자.
2	(예시 답안) 봄 날씨를 나타내는 토박이말에는 '꽃샘추위', '꽃샘바람', '소소리바람' 같은 말이 있다.
3	여름 날씨를 나타내는 토박이말에는 '마른장마', '무더위', '불볕더위' 같은 말이 있다.
4	가을 날씨를 나타내는 토박이말에는 '건들바람', '건들장마', '무서리', '올서리', '된서리' 같은 말이 있다.
5	겨울 날씨를 나타내는 토박이말에는 '가랑눈', '진눈깨비', '함박눈', '도둑눈' 같은 말이 있다.
6	계절에 따라 알고 쓰면 좋은 토박이말이 많다.

(2) 제목을 보고 글쓴이의 생각이 무엇일지 말해 보세요.

(예시 답안) 날씨를 나타내는 토박이말이 많습니다. / 날씨를 나타내는 토박이말을 많이 알고 씁시다. 등

(풀이) '날씨를 나타내는 토박이말'이라는 제목을 보고 글쓴이가 어떤 말을 하고 싶을지 알 수 있습니다.

(3) 이 글의 중심 생각을 한 문장으로 써 보세요.

(예시 답안) 날씨를 나타내는 토박이말이 많이 있으니 이를 알고 자주 사용하자. / 우리말과 우리글을 사랑하는 마음으로 날씨를 나타내는 토박이말을 많이 사용하자. 등

(풀이) 6문단의 내용을 바탕으로 중심 생각을 정리할 수 있습니다.

4. 각 계절과 관련 있는 낱말을 찾아 알맞은 문장을 써 봅시다.

(1) 각 계절과 관련 있는 낱말을 보기 에서 찾아 빈칸에 써 보세요.

보기

건들바람	꽃샘추위	도둑눈	마른장마
무더위	무서리	함박눈	소소리바람

봄	꽃샘추위, 소소리바람	여름	마른장마, 무더위
가을	건들바람, 무서리	겨울	도둑눈, 함박눈

(2) 계절과 관련 있는 낱말을 사용해 한 문장을 만들어 보세요.

(예시 답안) 올해 봄은 꽃샘추위가 빨리 찾아왔다. / 나는 땀을 많이 흘리기 때문에 여름 무더위가 싫다. / 나는 건들바람이 부는 가을이 좋다. / 올해 겨울에는 함박눈이 많이 내렸으면 좋겠다. 등

자습서 확인 문제

1 무엇에 대하여 설명하는 글인가요?
( )

① 날씨
② 사투리
③ 날씨와 생활
④ 날씨와 관련된 토박이말
⑤ 지역에 따라 다른 토박이말

2 각 계절과 관련한 토박이말을 보기 에서 찾아 쓰세요.

보기

무더위	도둑눈
된서리	꽃샘추위

(1) 봄: ( )
(2) 여름: ( )
(3) 가을: ( )
(4) 겨울: ( )

3 서로 뜻이 반대인 낱말을 보기 에서 찾아 쓰세요.

보기

춥다	다르다	모르다

(1) 같다: ( )
(2) 덥다: ( )
(3) 알다: ( )

옷차림이 바뀌었어요

- 중심 글감: 옷차림
- 글의 특징: 옛날 사람들과 오늘날 사람들의 옷차림이 어떻게 다른지 비교한 글입니다.

① 옛날과 오늘날 사람들의 **옷차림**에는 차이가 많이 있다. 사람들은 옛날에 우리나라 고유한 옷인 한복을 입었다. 오늘날에는 서양 사람들이 입던 차림의 옷인 양복을 주로 입는다. 그리고 명절이나 결혼식같이 특별한 행사가 있을 때에만 한복을 입는 경우가 많다. 지금부터 사람들이 입는 옷차림이 옛날과 오늘날에 어떻게 다른지 신분과 성별, 옷감 종류에 따라 나누어 알아보자.

중심 내용 ① 옛날과 오늘날 사람들의 옷차림에는 차이가 많이 있다.

② 먼저, 옛날에는 신분에 따라 옷차림이 달랐지만 오늘날에는 직업이나 **유행**에 따라 다른 경우가 많다. 옛날에는 양반과 평민의 신분에 따라 옷차림이 달랐다. 양반 가운데에서 남자는 소매가 넓은 저고리와 폭이 큰 바지를 입었고, 여자는 폭이 넓고 긴 치마를 입었다. 평민 가운데에서 남자는 비교적 폭이 좁은 저고리와 바지를 입었고, 여자는 폭이 좁은 치마를 입었다. 그리고 평민이 입는 치마 길이는 양반보다 짧은 편이었다. 하지만 오늘날에는 직업이나 유행에 따라 옷을 입는 경우가 많다. 또 사람들이 입는 옷 종류도 옛날보다 더 다양해졌다.

중심 내용 ② 옛날에는 신분에 따라 옷차림이 달랐지만 오늘날에는 직업이나 유행에 따라 다른 경우가 많다.

📍 옛날과 오늘날의 옷차림 비교

옛날	• 우리나라 고유한 옷인 한복을 입음. • 신분에 따라 다르게 입음.
오늘날	• 서양 사람들이 입던 차림의 옷인 양복을 주로 입음. • 직업이나 유행에 따라 다르게 입음.

옷차림 옷을 입은 모양.
예 봄이 되니 옷차림이 가벼워졌다.
유행 무엇이 사람들에게 인기를 얻어 사회 전체에 널리 퍼짐.
예 올 봄에는 분홍색 옷이 유행이다.

29 옛날과 오늘날 사람들의 옷차림은 어떻게 다른가요?

• 옛날에는 우리나라 고유한 옷인 ⑴ [ ] 을 입었고, 오늘날에는 서양 사람들이 입던 차림의 옷인 ⑵ [ ] 을 주로 입는다.

30 ② 를 통해 알 수 있는 것은 무엇인가요? ( )
① 옛날 옷감의 종류
② 옛날 신분에 따른 옷차림의 차이
③ 오늘날 유행에 따른 옷차림의 변화
④ 오늘날 직업에 따른 옷차림의 차이
⑤ 오늘날 성별에 따른 옷차림의 차이

31 다음은 옛날 어떤 신분의 사람이 입었던 옷인가요?

소매가 넓은 저고리와 폭이 큰 바지

남자 (양반 / 평민)

🍩교과서 문제
32 제목을 읽고 글쓴이의 생각을 짐작하여 바르게 말한 사람은 누구인가요?

추리: 사람들이 일 년에 몇 벌 정도 옷을 구입하는지에 대해 설명하려는 것 같아.
가희: 옛날과 오늘날 사람들의 옷차림이 많이 바뀌었다는 것을 말하고 있는 것 같아.

( )

2 단원

3 다음으로, 옛날에는 사람들이 성별에 따라 다른 옷을 입었지만 오늘날에는 자신이 좋아하는 옷을 입는다. 옛날에 남자는 <u>아래에 바지를 입고 위에는 저고리와 조끼, **마고자**를 입었다.</u> 그리고 춥거나 나들이를 갈 때에는 겉에 두루마기를 입었다. 여자는 <u>아래에 속바지와 치마를 입고 위에는 저고리를 입었다.</u> 여자도 두루마기를 입지만 남자가 입는 두루마기와 모양이 달랐다. 오늘날에는 남자와 여자의 옷차림을 엄격하게 구분하지 않는다. 대신 각자 좋아하는 옷을 입기 때문에 옷차림이 사람에 따라 다르다.

옛날 남자 옷차림
옛날 여자 옷차림

✏️**중심 내용 3** 옛날에는 사람들이 성별에 따라 다른 옷을 입었지만 오늘날에는 자신이 좋아하는 옷을 입는다.

4 마지막으로, 옛날에는 자연에서 얻은 실로 짠 옷감으로 옷을 만들었지만 오늘날에는 합성 섬유로 옷을 만드는 경우가 많다. 우리 조상은 식물이나 누에고치에서 실을 뽑아 옷감을 얻었다. 식물에서 뽑은 실로 짠 옷감으로는 **삼베**, 모시, **무명** 따위가 있고, 누에고치에서 뽑은 실로 짠 옷감으로는 비단이 있다. 오늘날에는 옛날처럼 자연에서 얻은 실로 옷감을 짜기도 하지만 공장에서 만든 합성 섬유에서 옷감을 더 많이 얻는다.

✏️**중심 내용 4** 옛날에는 자연에서 얻은 실로 짠 옷감으로 옷을 만들었지만 오늘날에는 합성 섬유로 옷을 만드는 경우가 많다.

📍**옛날과 오늘날의 옷차림 비교**

성별에 따라	
옛날	성별에 따라 남녀 구분하여 입음.
오늘날	각자 좋아하는 옷을 입어 사람에 따라 다름.

옷감 종류에 따라	
옛날	자연에서 얻은 실로 짠 옷감으로 옷을 만들어 입음.
오늘날	합성 섬유로 옷을 만드는 경우가 많음.

마고자 저고리 위에 덧입는 웃옷.
삼베 삼이라는 식물의 껍질에서 뽑아낸 실로 만들어 짠 옷감.
무명 목화솜에서 뽑은 무명실로 짠 옷감.

---

33 옛날과 오늘날의 옷차림을 비교하여 빈칸에 알맞은 내용을 쓰세요.

옛날	오늘날
성별에 따라 다른 옷을 입었다.	(1)
(2)	합성 섬유로 옷을 만드는 경우가 많다.

34 다음 중 옛날 사람들이 입었던 옷 중 남녀 모두 입었던 옷이 아닌 것은 무엇인가요?

| 치마 | 저고리 | 두루마기 |

(   )

35 자연에서 얻은 실로 짠 옷감이 <u>아닌</u> 것은 무엇인가요? (   )

① 삼베   ② 모시   ③ 무명
④ 비단   ⑤ 합성 섬유

36 이 글의 중심 생각으로 알맞은 것은 무엇인가요?

(   )

① 옷차림은 계속 바뀌어야 한다.
② 우리나라 고유한 옷인 한복을 많이 입자.
③ 합성 섬유보다 자연에서 얻은 실로 짠 옷감이 더 좋다.
④ 옛날 사람들의 옷차림이 오늘날 사람들의 옷차림보다 고급스럽다.
⑤ 옛날 사람들이 입던 옷차림은 오늘날 사람들이 입는 옷차림과 많이 달랐다.

2단원

1 전통 놀이와 관련해 자신의 경험이나 알고 있는 내용을 말한 것이 <u>아닌</u> 사람은 누구입니까? ( )

① 진아: 설날 때 가족과 윷놀이를 했어.

② 해인: 체육 시간에 강강술래를 한 적이 있어.

③ 주리: 줄다리기를 하는 사진이 담긴 책을 본 적이 있어.

④ 혜원: 아빠와 휴대 전화로 게임을 했는데 내가 이겨서 무척 기뻤어.

⑤ 도라: 나는 체육 시간에 친구들과 함께 닭싸움 놀이를 신나게 했어.

[2~5] ㉮ 줄넘기 / ㉯ 닭싸움 놀이

㉮ 줄넘기에는 혼자 하는 줄넘기, 두 사람이 긴 줄 끝을 잡고 돌리면 다른 사람이 그 줄을 넘는 긴 줄 넘기, 줄 양 끝을 두 사람이 잡고 있으면 다른 사람이 줄을 뛰어넘는 놀이가 있습니다.

고정된 줄을 뛰어넘는 줄넘기는 발목 높이에서 시작해 만세를 하듯 두 팔을 든 높이까지 합니다. 누가 더 높은 줄을 넘을 수 있는지 겨루는 놀이랍니다. 혼자서 줄넘기를 할 때에는 앞으로 뛰기, 손 엇걸어 뛰기, 이단 뛰기 같은 여러 놀이 방법이 있습니다. 긴 줄 넘기도 다양한 방법으로 할 수 있는데, 노래에 맞추어 놀이를 하는 특징이 있습니다.

㉯ 닭싸움 놀이는 한쪽 다리를 들어 올려 두 손으로 잡고, 다른 다리로 균형을 잡아 깨금발로 뛰면서 상대를 밀어 넘어뜨리는 놀이입니다. 준비물이 필요하지 않고 놀이 방법이 간단해 요즘도 어린이는 물론 청소년과 어른도 즐기는 놀이입니다.

'닭싸움'은 두 사람이 겨루는 모습이 닭이 싸우는 것과 비슷하다고 해서 지어진 이름입니다. 닭싸움 놀이는 한 발로 서서 하므로 '외발 싸움', '깨금발 싸움'이라고도 부르고, 무릎을 부딪쳐 싸운다고 해서 '무릎 싸움'이라고도 부릅니다. 닭싸움 놀이는 두 명이 할 수도 있고 여러 명이 할 수도 있습니다.

2 줄넘기와 닭싸움 놀이 중 도구가 필요한 놀이는 어느 것입니까?

( )

3 다음 노래는 어떤 줄넘기 놀이를 할 때 불렀겠습니까?

> 꼬마야 꼬마야, 줄넘기
>
> 꼬마야 꼬마야 뒤로 돌아라
> 꼬마야 꼬마야 땅을 짚어라
> 꼬마야 꼬마야 만세를 불러라
> 꼬마야 꼬마야 잘 가거라

( )

4 닭싸움 놀이의 다른 이름을 모두 고르시오.

(, ,)

① 외발 싸움 ② 두 발 싸움

③ 무릎 싸움 ④ 깨금발 싸움

⑤ 병아리 싸움

5 글 ㉯의 내용을 더 쉽게 이해할 수 있는 사람은 누구일지 이름을 쓰시오.

> • 전통 놀이 책에서 닭싸움 놀이에 대해 읽은 적이 있는 보영
> • 닭싸움 놀이를 해 본 적이 없어서 닭싸움 놀이가 무엇인지 알아보려고 이 글을 읽은 준영

( )

[6~9] 안전하게 과학 실험을 해요

안전하게 과학 실험을 하려면 과학 실험 안전 수칙을 확인하고 실천해 안전사고의 위험을 줄여야겠습니다. 지금부터 과학 실험 안전 수칙을 알아보겠습니다.

첫째, ㉠선생님께서 계시지 않을 때에는 과학 실험을 하지 않습니다. 과학실에는 조심히 다루어야 할 실험 기구와 위험한 화학 약품이 많습니다. 선생님의 말씀에 따라 실험 기구나 화학 약품을 다루어야 사고가 나는 것을 예방할 수 있습니다. 그러므로 선생님께서 계시지 않을 때에는 과학 실험을 해서는 안 됩니다.

둘째, _____㉮_____
과학실에는 깨지기 쉽거나 위험한 실험 기구가 많습니다. 장난을 치다가 유리로 만든 실험 기구가 깨지면 날카로운 유리 조각이 생겨 이 유리 조각에 사람이 다칠 수 있습니다. 또 장난을 치다가 알코올램프가 바닥에 떨어지면 과학실에 화재가 발생할 수도 있습니다. 그러므로 과학실에서는 장난을 치지 말고 진지한 자세로 실험을 해야 합니다.

셋째, ㉡실험할 때 책상에 바짝 다가가지 않습니다. 실험하다가 만약 실험 기구가 넘어지면 깨진 기구의 조각이나 기구 속 화학 약품이 주변에 튈 수 있습니다. 이때 책상에 바짝 다가가 앉아 있으면 다칠 수가 있습니다. 그러므로 실험을 할 때에는 책상에 너무 바짝 다가가 앉지 않고 실험 기구와 어느 정도 거리를 유지하는 것이 안전합니다.

과학 실험을 할 때에는 무엇보다 안전이 중요합니다. 실험이 재미있고 공부에 도움이 된다 하더라도 사고가 발생하면 아무런 소용이 없습니다. 그러므로 과학 실험 안전 수칙을 항상 기억하고 실천해 안전하게 실험을 할 수 있도록 노력해야 합니다.

6 무엇에 대해 설명하는 글입니까? ( )
① 우리 학교 과학실 위치
② 과학 선생님께서 하시는 일
③ 과학 실험 기구의 종류와 사용법
④ 과학 실험 시 필요한 화학 약품의 종류
⑤ 과학 실험을 할 때 지켜야 할 안전 수칙

7 ㉮ 에 들어갈 안전 수칙으로 알맞은 것은 무엇입니까? ( )
① 과학실에는 소화 기구를 설치합니다.
② 과학 실험은 선생님께서 계실 때 합니다.
③ 과학실에서는 절대 장난을 치면 안 됩니다.
④ 과학실에서는 실험 기구를 만져서는 안 됩니다.
⑤ 과학 실험을 하다가 다치면 즉시 보건실로 갑니다.

8 ㉠과 ㉡ 중 하늘이가 지키지 않은 과학 실험 안전 수칙은 무엇입니까?

하늘

책상에 엎드려서 실험 순서를 적고 있었는데, 비커를 옮기던 짝꿍이 약품을 흘린 적이 있어. 그래서 내 팔꿈치가 물들어 버렸지.

( )

9 과학 실험을 할 때에 안전 수칙을 지켜야 하는 까닭은 무엇이겠습니까?
• _____ 한 과학 실험을 하기 위해서

10 아는 내용이나 겪은 일과 관련지어 글을 읽으면 좋은 점은 무엇입니까? ( )
① 글을 천천히 읽을 수 있다.
② 글의 내용을 쉽게 이해할 수 있다.
③ 글의 길이를 쉽게 짐작할 수 있다.
④ 글의 내용을 쉽게 잊어버릴 수 있다.
⑤ 글을 읽지 않고도 글의 내용을 이해할 수 있다.

[11~15] 갯벌을 보존해야 하는 까닭

(가) 갯벌에 가 본 적이 있나요? 갯벌에서 무엇을 보았나요? 바닷물이 빠져나가는 썰물 때에 육지로 드러나는 바닷가의 편평한 곳을 갯벌이라고 불러요. 바닷물이 육지로 밀려오는 밀물 때 갯벌은 바닷물로 덮여 있어 보이지 않지만 자연과 사람에게 여러 가지 도움을 줍니다.

(나) 첫째, 갯벌은 다양한 생물이 살 수 있는 장소입니다. 갯벌에 물이 들어오기도 하고 빠지기도 하면서 생물이 살기에 적합한 환경을 만듭니다. 그래서 게, 조개, 갯지렁이, 불가사리, 물고기 같은 여러 가지 생명체가 삽니다. 또한 갯벌은 철새들이 휴식하거나 번식하려고 이동하는 중간에 머물며 살기도 하는 장소입니다.

(다) 둘째, 어민들은 갯벌에서 수산물을 키우고 거두어 돈을 법니다. 어민들은 갯벌에서 조개나 물고기, 낙지 따위를 잡아 팝니다. 또 갯벌은 생물이 살기에 좋은 환경이므로 어민들이 바다 생물들을 직접 키우기도 합니다. 이것을 양식이라고 하는데, 양식은 농민들이 밭이나 논에서 농작물을 키워 파는 것과 비슷합니다.

(라) 셋째, 갯벌은 육지에서 나오는 오염 물질을 분해해 좋은 환경을 만듭니다. 갯벌은 겉으로는 그냥 진흙탕처럼 보이지만 작은 생물이 갯벌에 많이 살고 있습니다. 이 생물들은 오염 물질 분해가 잘 이루어지게 합니다. 갯벌에서 흔히 사는 갯지렁이도 오염 물질 분해를 돕습니다.

(마) 넷째, 갯벌은 기후를 조절하고 홍수를 줄여 주는 역할을 합니다. 갯벌 흙은 물을 많이 흡수해 저장했다가 내보내는 기능을 합니다. 그러므로 갯벌은 비가 많이 오면 빗물을 저장해 갑작스러운 홍수를 막아 줍니다. 그리고 주변 온도와 습도에 따라 물을 흡수하고 내보내는 역할을 알맞게 수행해 기후를 알맞게 만들어 줍니다.

11 갯벌에 사는 생물이 <u>아닌</u> 것은 무엇입니까? (   )
① 게   ② 조개
③ 개구리   ④ 갯지렁이
⑤ 불가사리

12 (나)~(마) 문단의 중심 문장을 찾아 밑줄을 그으시오.

13 이 글의 글쓴이의 생각을 드러내기 위해 글에 넣을 수 있는 사진으로 알맞은 것은 어느 것입니까?

① ◎ 갯벌의 물을 빼고 흙을 채워 만든 도시
(   )

② ◎ 갯벌에 사는 맛조개
(   )

서술형·논술형 문제
14 갯벌은 어떤 방법으로 홍수를 막아 줍니까?

_____

_____

15 이 글의 중심 생각은 무엇이겠습니까? (   )
① 갯벌의 면적을 줄여야 한다.
② 갯벌에 사는 철새를 보호해야 한다.
③ 갯벌을 개발해서 논과 밭의 면적을 늘려야 한다.
④ 농민들도 갯벌에서 일을 할 수 있도록 허락해야 한다.
⑤ 갯벌이 주는 좋은 점을 알고 갯벌을 잘 보존해야 한다.

[16~19] 날씨를 나타내는 토박이말

2단원

진도 완료 체크

㉮ 계절별로 날씨와 관련이 있는 토박이말을 알아보자. 토박이말은 우리말에 본디부터 있던 말이나 그것에 더해 새로 만들어진 말이다.

㉯ ㉠봄 날씨를 나타내는 토박이말에는 '꽃샘추위', '꽃샘바람', '소소리바람' 같은 말이 있다. 이른 봄, 꽃이 필 무렵에 찾아오는 추위를 '꽃샘추위'라고 한다. 여기서 '샘'은 시기, 질투라는 뜻이다. 그래서 '꽃샘추위'는 꽃이 피는 것을 시샘하듯 몰아닥친 추위라는 뜻이 된다. 꽃샘추위 때 부는 바람은 '꽃샘바람'인데, 이보다 차고 매서운 바람은 '소소리바람'이다. ㉡이 바람은 이른 봄에 살 속으로 스며드는 듯한 차고 매서운 바람을 일컫는다.

㉰ ㉢여름 날씨를 나타내는 토박이말에는 '마른장마', '무더위', '불볕더위' 같은 말이 있다. 여름이면 어김없이 장마와 더위가 찾아온다. ㉣장마 때에는 비가 많이 오는데, 장마인데도 비가 오지 않거나 적게 오면 '마른장마'라고 한다. 더위는 크게 '무더위'와 '불볕더위'로 나눌 수 있다. '무더위'는 '물+더위'로 물기를 잔뜩 머금은 끈끈한 더위를 뜻하고, '불볕더위'는 '불볕+더위'로 볕이 불덩이처럼 뜨거운 더위를 뜻한다.

㉱ 가을 날씨를 나타내는 토박이말에는 '건들바람', '건들장마', '무서리', '올서리', '된서리' 같은 말이 있다. 여름이 지나고 가을이 되면 서늘한 바람이 불고 늦가을이 되면 서리가 내린다. 이른 가을날, 가볍고 부드럽게 건들건들 부는 서늘한 바람을 '건들바람'이라고 한다. 이 무렵, 비가 쏟아져 내리다가 번쩍 개고 또 오다가 개는 장마를 '건들장마'라고 한다. 늦가을, 수증기가 땅이나 물체 표면에 얼어붙은 것을 '서리'라고 한다. 처음 생기는 묽은 서리를 '무서리'라고 하는데, '물+서리'로 무더위와 같은 짜임이다. 다른 해보다 일찍 생기는 서리를 '올서리'라고 하고, 늦가을에 아주 되게 생기는 서리를 '된서리'라고 한다.

16 '꽃샘추위'의 '샘'의 뜻은 무엇입니까? (   )

① 사랑　　　　② 질투
③ 더위　　　　④ 행복
⑤ 부끄러움

17 ㉠~㉣을 중심 문장과 뒷받침 문장으로 나누어 기호를 쓰시오.

(1) 중심 문장	(2) 뒷받침 문장

18 서리가 생기는 때에 따라 불리는 이름을 찾아 쓰시오.

(1) 처음 생기는 묽은 서리	
(2) 다른 해보다 일찍 생기는 서리	
(3) 늦가을에 아주 되게 생기는 서리	

서술형·논술형 문제

19 이 글을 읽고 새롭게 안 내용이 있다면 한 가지 쓰시오.

_____

_____

20 밑줄 친 부분과 서로 뜻이 반대인 낱말을 넣어 문장을 완성하시오.

(1) 여름은 너무 <u>덥다</u>. 겨울은 너무 _____.
(2) 나와 언니는 성별이 <u>같다</u>. 나와 언니는 성격이
_____.

자신의 경험을 글로 써요

3

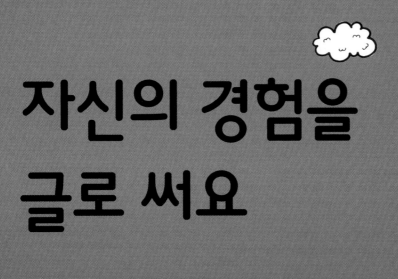

개념 웹툰

윤주가 겪은 일은 무엇일까요?
스마트폰에서 확인하세요!

개념① 기억에 남는 일을 떠올리고 정리하기

① 자신이 어떤 일을 겪었는지 떠올려 봅니다.
② 자신이 떠올린 일 가운데에서 기억에 남는 일을 간단히 정리해 봅니다.
③ 기억에 남는 일에 대한 생각이나 느낌을 써 봅니다.

활동 기억에 남는 일에 대해 정리할 내용

가족과 공원에 가서 도시락도 먹고 산책했던 일이 기억에 남아.

언제	5월 12일
어디에서	공원에서
있었던 일	가족과 함께 산책을 하고 점심을 먹었다.
생각이나 느낌	기쁘고 행복했다. 매주마다 가족 소풍을 갔으면 좋겠다.

개념② 인상 깊은 일을 글로 쓰기

① 자신이 경험한 일 가운데에서 인상 깊은 일을 떠올려 봅니다.
② 인상 깊은 일 한 가지를 골라 정리해 봅니다.
③ 정리한 내용을 바탕으로 하여 인상 깊은 일을 글로 씁니다.

어떤 대상에 대한 느낌이나 기억이 뚜렷한 것을 '인상 깊다'라고 해요.

지문 인상 깊은 일을 글로 쓰는 방법

현장 체험학습 가는 날
지난주 월요일에 우리 반은 희망 목장으로 현장 체험학습을 갔다.
⋮
치즈 만들기 체험장에서는 치즈와 관련된 영상을 보았다. 영상을 보고 나서 본격적으로 치즈 만들기를 시작했다.……현장 체험학습은 새로운 것을 체험할 수 있어서 좋다. 다음에 또 오고 싶다.

언제, 어디에서, 누구와 있었던 일인지 써요.

제목은 겪은 일이 잘 드러나게 정해요.

무슨 일이 있었는지 자세히 써요.

어떤 생각이나 마음이 들었는지 써요.

개념③ 자신이 쓴 글을 고쳐 쓰기

① 있었던 일이 자세하도록 고쳐 씁니다.
② 생각이나 느낌이 잘 드러나게 고쳐 씁니다.
③ 이해하기 쉬운 표현으로 고쳐 씁니다.
④ 잘못된 띄어쓰기나 낱말을 고쳐 씁니다.

활동 바르게 띄어쓰기

• 낱말과 낱말 사이는 띄어 쓰되, '이/가, 을/를, 은/는, 의'와 같은 말은 앞말에 붙여 씁니다.

주혁이가∨눈물이∨그렁그렁한 얼굴로 말했다.

• 마침표(.)나 쉼표(,) 뒤에 오는 말은 띄어 씁니다.

"아이고,∨배야." / 마음이 아팠다.∨동생이~

• 수를 나타내는 말과 단위를 나타내는 말 사이는 띄어 씁니다.

책 두∨권 / 연필 한∨자루 / 두∨번째

가 그림을 보고 겪은 일이 무엇인지 떠올려 봅시다.

❶ ✿ 갯벌 체험

❷ ✿ 수영하기

❸ ✿ 축구하기

❹ ✿ 즐거운 운동회

❺ ✿ 독서 그림 그리기

❻ ✿ 선물 받은 경험

나 기억에 남는 일을 간단히 정리해 봅시다.

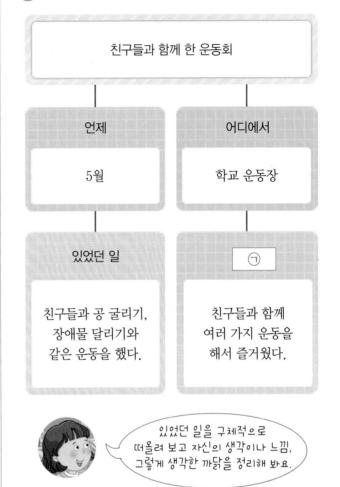

친구들과 함께 한 운동회

언제	어디에서
5월	학교 운동장

있었던 일	㉠
친구들과 공 굴리기, 장애물 달리기와 같은 운동을 했다.	친구들과 함께 여러 가지 운동을 해서 즐거웠다.

있었던 일을 구체적으로 떠올려 보고 자신의 생각이나 느낌, 그렇게 생각한 까닭을 정리해 봐요.

---

1 **가**의 그림을 보고 알 수 있는 겪은 일이 <u>아닌</u> 것은 무엇인가요? ( )

① 농구를 했습니다.
② 축구를 했습니다.
③ 선물을 받았습니다.
④ 갯벌 체험을 했습니다.
⑤ 독서 그림 그리기를 했습니다.

2 ❷는 어떤 겪은 일에 대해 그림으로 표현하였나요?

• 수영장에서 [ ]을 한 일

3 **나**는 **가**의 ❶∼❻ 중 어떤 일에 대해 정리하였나요?

( )

4 **나**의 ㉠에 들어갈 알맞은 말은 무엇인가요?

( )

① 때 ② 어떻게
③ 누구와 ④ 겪은 일
⑤ 생각이나 느낌

5 기억에 남는 일을 정리해 보면 좋은 점이 <u>아닌</u> 것은 무엇인가요? ( )

① 자신이 한 일을 되돌아볼 수 있다.
② 내일 일어날 일을 미리 알 수 있다.
③ 기억에 남는 일을 글로 쓸 수 있다.
④ 기억에 남는 일을 자세히 떠올릴 수 있다.
⑤ 어떤 내용을 말하거나 쓸지 점검할 수 있다.

가 서연이가 하루 동안 겪은 일

나 서연이가 글을 쓰기 위해 정한 일

서연이가 정한 일	동생이 아팠던 일

서연아, 너는 여러 가지 겪은 일 가운데에서 왜 동생이 아팠던 일을 골라서 글을 쓰려고 하니?

동생이 아팠을 때에는 평소와 다른 느낌이 들었거든. 평소에 동생이 장난꾸러기처럼 보여서 밉기도 했는데 아프니까 잘 못해 준 것이 생각나서 미안한 마음이 들었어. 그래서 그 마음을 써 보고 싶었어.

---

6 서연이가 하루 동안 겪은 일이 <u>아닌</u> 것은 무엇인가요? (   )

① 친구와 싸웠다.　　② 동생이 아팠다.
③ 등교를 준비했다.　　④ 학교에서 공부했다.
⑤ 집에서 책을 읽었다.

7 서연이는 자신이 겪은 일 가운데에서 어떤 일을 글로 쓰기로 정했나요?

(　　　　　　　　　　)

8 서연이가 그 일을 쓰기로 정한 까닭은 무엇일까요?

(1) 누구에게나 매일 일어나는 일이기 때문에
(　　　　)

(2) 평소에 겪는 일과 달리 특별하게 생긴 일이기 때문에 (　　　　)

📋 서술형·논술형 문제

9 자신이 서연이라면 어떤 일을 글로 쓰고 싶은지 써 보세요.

---

10 인상 깊은 일이란 어떤 일인지 알맞은 것을 모두 골라 기호를 쓰세요.

ㄱ 매일 하는 일
ㄴ 평소와 다른 특별한 일
ㄷ 내 생각이나 느낌이 달라진 일

(　　　,　　　)

11 인상 깊은 일을 글로 쓰는 방법으로 알맞은 것에 ◯표 하세요.

(1) 상상을 해서 떠올린 내용으로 글을 쓴다.
(　　　　)

(2) 언제, 어디에서, 누구와 있었던 일인지 정리한다.
(　　　　)

동생이 아파요

• 중심 글감: 동생이 아팠던 일
• 글의 특징: 자신이 겪은 일 중에서 기억에 남는 일에 대해 쓴 글입니다.

"아이고, 배야."

동생 주혁이가 끙끙 앓는 소리에 잠에서 깼다.

"열이 39도가 넘잖아! 배도 많이 아파하고, 큰일이네."

걱정스럽게 말씀하시는 아빠의 목소리도 들렸다. 나는 눈을 비비고 자리에서 일어났다.

"아빠, 무슨 일이에요?"

나는 주혁이 머리맡에 앉아 계신 아빠 옆으로 다가갔다.

"주혁이가 열이 많이 나는구나. 아무래도 **장염**에 걸린 것 같다. 이번 가을에만 두번째네."

아빠께서 걱정스럽게 말씀하셨다. 주혁이는 얼굴을 찡그리며 힘들어했다. 아빠께서 병원에 갈 채비를 하시는 동안 나는 주혁이 옆에 앉아 있었다.

"누나, 나 아파."

주혁이가눈물이 그렁그렁한 얼굴로 말했다.

"병원 다녀오면 금방 나을 거야."

나는 주혁이의 이마에 차가운 물수건을 얹어 주었다.

마음이 아팠다.동생이 얼른 나았으면 좋겠다.

무슨 일이
있었지?

주혁이가 아팠다.

어떤 마음이
들었지?

주혁이가 걱정되고 마음이 아팠다.

장염 음식을 잘못 먹어 장에 염증이 생기는 병. 배가 아프고 열이 나기도 함.

3
단원

12 글쓴이가 잠에서 깬 까닭은 무엇인가요? (   )
① 집에 누가 찾아와서
② 저절로 눈이 떠져서
③ 아버지께서 깨우셔서
④ 동생 주혁이가 끙끙 앓는 소리를 내서
⑤ 동생 주혁이가 물수건을 갖다달라고 해서

🖼 서술형·논술형 문제

13 있었던 일에 대해 글쓴이의 마음은 어떠했나요?

_____

_____

📖 교과서 문제

14 파란색으로 쓴 다음 문장에서 띄어 써야 할 곳에 ∨표를 하세요.

(1) "아이고, 배야."

(2) 이번 가을에만 두번째네.

(3) 주혁이가눈물이 그렁그렁한 얼굴로 말했다.

(4) 마음이 아팠다.동생이 얼른 나았으면 좋겠다.

1 자신이 일 년 동안 경험한 일 가운데에서 인상 깊은 일을 떠올려 봅시다.

봄에 있었던 일	여름에 있었던 일

가을에 있었던 일

2 **1**에서 인상 깊은 일 한 가지를 골라 정리해 봅시다.

언제, 어디에서, 누구와 있었던 일인가요? ⇨ 무슨 일이 있었나요?

⇩

왜 그런 마음이 들었나요? ⇦ 어떤 마음이 들었나요?

3 **2**에서 정리한 내용을 바탕으로 하여 인상 깊은 일을 글로 써 봅시다.

15 **1**의 그림을 보아 '가을에 있었던 일'은 무엇인가요?

• 과수원에서 직접 [   ]를 따 보았다.

16 다음은 **1**에서 떠올린 일 중 어떤 일에 대해 정리한 것일까요?

언제, 어디에서, 누구와 있었던 일인가요?	5월에 친구들과 도자기 공방에서
무슨 일이 있었나요?	도자기 만들기 체험을 했다.
어떤 마음이 들었나요?	신기하고 재미있었다.
왜 그런 마음이 들었나요?	도자기를 처음 만들어 보았기 때문이다.

(봄 / 여름 / 가을)에 있었던 일

17 **2**와 같이 인상 깊은 일을 구체적으로 정리하면 좋은 점은 무엇인지 모두 고르세요. (,   )

① 일기를 길게 쓸 수 있다.
② 띄어쓰기를 바르게 할 수 있다.
③ 자신이 한 일을 되돌아볼 수 있다.
④ 일어난 일을 자세히 표현할 수 있다.
⑤ 자신이 경험하지 않은 일도 직접 겪은 일처럼 쓸 수 있다.

18 **3**의 과정에서 글을 쓰고 난 뒤 제목을 정하는 방법으로 알맞은 것에 ○표 하세요.

(1) 글에서 가장 길게 쓴 문장을 제목으로 정한다.
(   )

(2) 겪은 일이나 표현하고 싶은 마음이 잘 드러나게 정한다.
(   )

현장 체험학습 가는 날

지난주 월요일에 우리 반은 희망 목장으로 현장 체험학습을 갔다. 희망 목장에서는 내가 좋아하는 피자와 치즈를 만들 수 있다. ㉠학교에서 출발해 시간이 흘러 드디어 목장에 도착했다. 도착하자마자 피자 만들기 체험장에 들어갔다. _{희망 목장에서 가장 먼저 한 일} 우리는 모둠별로 의자에 앉았다. 먼저, 밀가루 반죽을 동그랗게 만들고 여러 가지 재료를 그 위에 올려놓았다. 피자가 구워질 동안 우리는 치즈 만들기 체험장에 갔다.

㉡치즈 만들기 체험장에서는 치즈와 관련된 영상을 보았다. 영상을 보고 나서 본격적으로 치즈 만들기를 시작했다. **조몰락조몰락**하며 치즈를 만드는 모습이 체험장을 가득 채웠다. 친구들은 모두 밝은 표정으로 신바람이 나 있었다. ㉢현장 체험학습은 새로운 것을 체험할 수 있어서 좋다. 다음에 또 오고 싶다.

조몰락조몰락 작은 동작으로 물건 따위를 자꾸 주무르는 모양.
예 동생은 찰흙을 조몰락조몰락 만지면서 즐거워했습니다.

🎓교과서 문제

19 「현장 체험학습 가는 날」에서 내용에 알맞은 설명을 선으로 이으세요.

(1) 언제 · · ① 희망 목장에서

(2) 어디에서 · · ② 우리 반은

(3) 누가 · · ③ 지난주 월요일에

(4) 무엇을 · · ④ 현장 체험학습을

20 ㉠~㉢ 중에서 겪은 일에 대한 생각이나 느낀 점을 쓴 부분을 찾아 기호를 쓰세요.

( )

21 '희망 목장'에서 만들 수 있는 것은 무엇무엇인가요?

(,)

22 다음은 어디에서 한 일인지 선으로 이으세요.

(1) 치즈에 관련된 영상을 보고 치즈 만들기를 하였다. · · ① 피자 만들기 체험장

(2) 밀가루 반죽을 동그랗게 만들고 여러 가지 재료를 그 위에 올려놓았다. · · ② 치즈 만들기 체험장

🎓교과서 문제

23 「현장 체험학습 가는 날」에서 일어난 일을 차례대로 보기 에서 골라 번호를 쓰세요.

> 보기
> ① 우리는 치즈 만들기 체험장에 갔다.
> ② 도착하자마자 피자 만들기 체험장에 들어갔다.
> ③ 학교에서 출발해 시간이 흘러 드디어 목장에 도착했다.
> ④ 영상을 보고 나서 본격적으로 치즈 만들기를 시작했다.

( ) ⇨ ( ) ⇨ ( ) ⇨ ( )

◎ 쓴 글을 친구와 바꾸어 읽고 고쳐 쓸 점을 이야기해 봅시다.

💡 고쳐 쓸 때 점검할 점
• 경험한 일을 자세히 썼는지 확인해 봅니다.
• 띄어쓰기를 바르게 했는지 확인해 봅니다.

24 친구들은 무엇에 대해 이야기를 나누고 있나요?
( )

① 글씨를 예쁘게 쓰는 방법
② 쓴 글에서 고쳐 써야 할 점
③ 기억에 남는 일을 떠올리면 좋은 점
④ 글을 쓰기 전에 주제를 정하는 방법
⑤ 일 년 동안 겪은 일 중 가장 인상 깊었던 일

25 훈성이가 할 수 있는 말로 알맞지 <u>않은</u> 것의 기호를 쓰세요.

( )

26 다음 글에서 잘못 고쳐 쓴 부분은 어느 부분인가요?

> 주혁이가눈물이 그렁그렁한 얼굴로 말했다.
> "병원 다녀오면 금방 나을 거야."
> 나는 주혁이의 이마에 차가운 물수건을 언저 주었다.
> 마음이 나빴다. 동생이 얼른 나았으면 좋겠다.

⇩

> ㉠주혁이가 눈물이 그렁그렁한 얼굴로 말했다.
> "㉡병원다녀오면 금방 나을 거야."
> 나는 주혁이의 이마에 차가운 물수건을 ㉢엎어 주었다.
> 마음이 ㉣아팠다. 동생이 얼른 나았으면 좋겠다.

( )

27 글을 쓴 뒤에 고쳐쓰기를 하면 좋은 점은 무엇인지 모두 ○표 하세요.
(1) 친구가 잘못한 점을 지적할 수 있다.( )
(2) 잘못된 띄어쓰기나 표현을 고칠 수 있다.
( )
(3) 전하고자 한 내용을 효과적으로 표현했는지 확인할 수 있다. ( )

28 그림의 상황에 알맞은 문장을 찾아 선으로 이어 보세요.

(1)

・㉠ 아기가 오리를 보았다.

・㉡ 아기 가오리를 보았다.

(2)

・㉠ 용돈이 만 원이 있다.

・㉡ 용돈 이만 원이 있다.

(3)

・㉠ 예쁜 손 수건으로 닦아.

・㉡ 예쁜 손수건으로 닦아.

(4)

・㉠ 나 물 좀 줘.

・㉡ 나물 좀 줘.

(5)

・㉠ 자연 보호를 위해 오늘 밤 나무를 심자.

・㉡ 자연 보호를 위해 오늘 밤나무를 심자.

29 사진을 설명하는 문장에서 띄어쓰기가 바른 것을 찾아 ○표 하세요.

(1)

㉠ 나는 친구들을 사랑합니다.	
㉡ 나는 친구 들을 사랑합니다.	
㉢ 나는 친구들을사랑합니다.	

(2)

㉠ 비빔냉면은 매콤하고, 물냉면은 시원하다.	
㉡ 비빔냉면은 매콤하고, 물냉면은 시원하다.	
㉢ 비빔냉면은매콤하고, 물냉면은시원하다.	

(3)

㉠ 예쁜 신 한켤레	
㉡ 예쁜신 한 켤레	
㉢ 예쁜 신 한 켤레	

30 다음을 읽고 띄어쓰기를 바르게 하여 다시 써 보세요.

| (1) 하늘은높고, 단풍은붉게물든다. |
| ⇨ |

(2) 소아홉마리	⇨
(3) 열살	⇨
(4) 연필한자루	⇨

3
단원

3. 자신의 경험을 글로 써요

[1~3] 기억에 남는 일 떠올리기

◑ 갯벌 체험   ◑ 즐거운 운동회

◑ 수영하기

5월에 학교 운동장에서 친구들과 함께한 운동회가 기억에 남아.

지수

1 그림을 보고 지수가 겪은 일은 무엇무엇인지 모두 고르시오. (　 , 　 , 　)
① 운동회　　　　② 수영하기
③ 갯벌 체험　　　④ 송편 만들기
⑤ 방송국 체험

2 지수가 겪은 일 중 기억에 남는 일은 무엇이라고 하였는지 번호를 쓰시오.

(　　　　　)

3 문제 **2**에 답한 일은 언제, 어디에서 있었던 일인지 쓰시오.

(1) 언제	
(2) 어디에서	

[4~6] 서연이가 하루 동안 겪은 일

동생이 아팠던 일을 글로 쓰려고 해. 동생이 아팠을 때에는 평소와 다른 느낌이 들었거든. 평소에 동생이 장난꾸러기처럼 보여서 밉기도 했는데 아프니까 잘 못해 준 것이 생각나서 미안한 마음이 들었어. 그래서 그 마음을 써 보고 싶었어.

4 ❷에서 서연이는 무엇을 하고 있습니까?

_____

5 서연이는 겪은 일 가운데 어떤 일을 글로 쓰려고 하는지 번호를 쓰시오.

(　　　　　)

🗂️ 서술형·논술형 문제

6 서연이가 문제 **5**에서 고른 일을 쓰기로 한 까닭은 무엇입니까?

_____

7 글로 쓸 내용을 어떻게 정리하면 좋을지 빈칸에 알맞은 말을 **보기** 에서 찾아 쓰시오.

보기

| 마음 | 누구 | 무슨 일 |

(1) 언제, 어디에서, [   ] 와 있었던 일인지 정리한다.

(2) [   ] 이 있었는지 자세히 떠올린다.

(3) 어떤 [   ] 이 들었는지 생각한다.

[8~12] 동생이 아파요

⑦ "아이고, 배야."

동생 주혁이가 끙끙 앓는 소리에 잠에서 깼다.

"열이 39도가 넘잖아! 배도 많이 아파하고, 큰일이네."

걱정스럽게 말씀하시는 아빠의 목소리도 들렸다. 나는 눈을 비비고 자리에서 일어났다.

"아빠, 무슨 일이에요?"

나는 주혁이 머리맡에 앉아 계신 아빠 옆으로 다가갔다.

"주혁이가 열이 많이 나는구나. 아무래도 장염에 걸린 것 같다. ⓛ이번 가을에만 두번째네."

아빠께서 걱정스럽게 말씀하셨다. 주혁이는 얼굴을 찡그리며 힘들어했다. 아빠께서 병원에 갈 채비를 하시는 동안 나는 주혁이 옆에 앉아 있었다.

"누나, 나 아파."

ⓒ주혁이가 눈물이 그렁그렁한 얼굴로 말했다.

"병원 다녀오면 금방 나을 거야."

나는 주혁이의 이마에 차가운 물수건을 얹어 주었다.

ⓔ마음이 아팠다. 동생이 얼른 나았으면 좋겠다.

8 주혁이의 증상은 어떠했습니까?

• 장염에 걸린 것처럼 [(1)] 이 많이 나고 [(2)] 도 많이 아파했다.

9 주혁이에 대한 '나'의 마음은 어떠합니까? (   )

① 신난다. ② 화난다. ③ 부럽다.

④ 짜증 난다. ⑤ 걱정스럽다.

10 ⑦에서 띄어 써야 할 곳에 바르게 ∨표를 한 것은 어느 것입니까?

(1) "아이고, 배∨야." (   )

(2) "아이고, ∨배야." (   )

(3) "아이고, ∨배∨야." (   )

11 ⓛ~ⓔ 중 띄어쓰기가 **틀린** 것은 어느 것입니까?

(   )

12 문제 11에서 답한 부분을 알맞게 띄어 쓰시오.

_____

13 띄어쓰기가 바른 것은 어느 것입니까? (   )

① 예쁜 신 한켤레

② 나는 올해 열살이다.

③ 나는 친구들 을 사랑합니다.

④ 하늘은 높고, 단풍은 붉게 물든다.

⑤ 비빔냉면은 매콤하고,물냉면은 시원하다.

14 띄어쓰기를 바르게 해야 하는 까닭은 무엇입니까?

(   )

① 글을 길게 쓰기 위해서

② 선생님께 칭찬받기 위해서

③ 국어 점수를 잘 받기 위해서

④ 글을 잘 쓰는 것처럼 보이기 위해서

⑤ 전하고자 하는 뜻을 정확히 전하기 위해서

15 인상 깊은 일에 대해 자세히 정리하려고 할 때 생각할 점이 아닌 것은 무엇입니까? (   )

① 무슨 일이 있었는지 생각한다.

② 누구와 있었던 일인지 생각한다.

③ 언제, 어디에서 있었던 일인지 생각한다.

④ 어떤 생각이나 느낌이 들었는지 떠올려 본다.

⑤ 글을 길게 쓸 수 있을 정도로 인상 깊은 일인지 생각한다.

3
단원

진도 완료
체크

[16~18] 현장 체험학습 가는 날

　지난주 월요일에 우리 반은 희망 목장으로 현장 체험학습을 갔다. 희망 목장에서는 내가 좋아하는 피자와 치즈를 만들 수 있다. 학교에서 출발해서 시간이 흘러 드디어 목장에 도착했다. 도착하자마자 피자 만들기 체험장에 들어갔다. 우리는 모둠별로 의자에 앉았다. 먼저, 밀가루 반죽을 동그랗게 만들고 여러 가지 재료를 그 위에 올려놓았다. 피자가 구워질 동안 우리는 치즈 만들기 체험장에 갔다.

　치즈 만들기 체험장에서는 치즈와 관련된 영상을 보았다. 영상을 보고 나서 본격적으로 치즈 만들기를 시작했다. 조몰락조몰락하며 치즈를 만드는 모습이 체험장을 가득 채웠다. 친구들은 모두 밝은 표정으로 신바람이 나 있었다. ㉠현장 체험학습은 새로운 것을 체험할 수 있어서 좋다. 다음에 또 오고 싶다.

16 글의 내용을 다음과 같이 정리하시오.

언제	(1)
어디에서	(2)
누구와	우리 반 친구들
무엇을	현장 체험학습을
생각이나 느낀 점	(3)

17 다음 중 가장 마지막에 한 일은 무엇입니까?

① 피자 만들기 체험장에 들어갔다.

② 학교에서 출발해서 시간이 흘러 드디어 목장에 도착했다.

③ 영상을 보고 나서 본격적으로 치즈 만들기를 시작했다.

(　　　　　　　)

18 ㉠에서 띄어쓰기를 할 곳에 ∨표를 하시오.

　현장 체험학습은 새로운 것을 체험할 수 있어서 좋다.다음에 또오고 싶다.

＊ '체험학습'은 붙여 씁니다.

19 인상 깊은 일에 대해 글을 쓰고 난 뒤 제목을 정하는 방법으로 알맞은 것은 무엇입니까? (   )

① 반드시 문장으로 쓴다.

② 글의 첫 문단의 중심 문장을 제목으로 정한다.

③ 글에서 가장 길게 쓴 문장을 제목으로 정한다.

④ 글에서 가장 어려운 낱말을 골라 제목으로 정한다.

⑤ 겪은 일이 잘 드러나게, 표현하고 싶은 마음이 무엇인지 생각해서 정한다.

20 쓴 글을 고쳐 쓸 때 주의할 점이 <u>아닌</u> 것은 무엇입니까? (   )

① 띄어쓰기를 바르게 한다.

② 있었던 일을 자세히 쓴다.

③ 반드시 세 문단 이상 쓴다.

④ 어떤 생각이나 느낌이 들었는지 쓴다.

⑤ 어려운 표현보다는 이해하기 쉽고 재미있는 표현을 쓴다.

감동을
나타내요

4

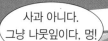
사과 아니다.
그냥 나뭇잎이다, 멍!

그건 단풍의 색깔을
사과 색깔에 빗대어 감각적
으로 표현한 거야.

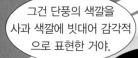

응, 단풍이
꼭 사과처럼
빨갛다.

날씨가 참 좋다.
단풍도 예쁘고.
나오길 잘했어.

개념 웹툰
멍파고는 감각적 표현을 잘 이해하였을까요?
스마트폰에서 확인하세요!

개념 ① 감각적 표현을 사용하여 느낌 나타내기

① 대상을 보고, 듣고, 냄새 맡고, 만지며 관찰하여 봅니다.

② 대상에 대한 느낌을 어떻게 표현하면 좋을지 생각해 봅니다.

③ 관찰한 대상에 대한 느낌을 감각적 표현을 넣어 말하여 봅니다.

활동 대상을 감각적으로 표현하기 예

- 꼬불꼬불
- 푹신푹신
- 보들보들
- 물렁물렁

↓

곰 인형은 푹신푹신 부드러운 느낌이야. 마치 강아지를 만지는 것 같아.

개념 ② 시를 읽고 여러 가지 감각적 표현 말하기

① 시에 나타난 감각적 표현을 찾습니다.

② 감각적 표현의 의미를 생각하여 봅니다.

③ 감각적 표현에 주의하며 시에 대한 생각이나 느낌을 말하여 봅니다.

지문 「감기」의 감각적 표현

내 몸에
불덩이가 들어왔다. → 감기에 걸려 열이 많이 나는 상태를 불덩이가 들어왔다고 표현함.

– 뜨끈뜨끈. → 흉내 내는 말을 사용함.

개념 ③ 이야기를 읽고 생각이나 느낌 표현하기

① 사건의 흐름을 살펴보며 이야기의 내용을 파악합니다.

② 이야기에 나타난 감각적 표현을 찾아봅니다.

③ 이야기에 대한 생각이나 느낌을 말하여 봅니다.

지문 이야기 「진짜 투명 인간」의 감각적 표현

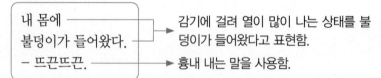

초록색	맨발로 걸을 때 발가락 사이로 살살 삐져나오는 촉촉한 풀잎
붉은색	할아버지 밭에서 나는 토마토 맛
푸른색	옆집 수영장에서 헤엄치는 것
흰색	여름에 푹 자고 열 시쯤에 일어났을 때

개념 ④ 느낌을 살려 시 쓰기

① 시로 쓸 대상을 정하여 자세히 관찰해 봅니다.

② 대상을 떠올리고 그 느낌을 정리해 봅니다.

- 느낌을 생각나는 대로 써 봅니다.
- 소리나 모양을 흉내 내는 말을 사용하여 표현합니다.
- 다른 대상에 빗대어 표현해 봅니다.
- 대상을 노래하듯이 표현해 봅니다.

③ 생각한 내용을 바탕으로 하여 시를 써 봅니다.

활동 느낌을 살려 시 쓰기

손을 대면 갑자기 선물이 튀어나올 것 같아. → 손만 대도 두근두근 설레는 선물 → 흉내 내는 말을 사용

시는 노래하듯 짧은 글로 표현해요.
시의 내용에 어울리는 제목을 붙이는 것도 잊지 마세요.

1 오른쪽 대상에 어울리는 표현을 두 가지 고르세요.

→ 곰인형

(,)

① 보들보들
② 폭신폭신
③ 펄럭펄럭
④ 거칠거칠
⑤ 울긋불긋

2 오른쪽 대상에 어울리는 표현을 한 가지 더 쓰세요.

• 동글동글
• 매끈매끈
• _____

[3~4] 다음 그림을 보고 물음에 답하세요.

3 이 그림에 어울리는 감각적 표현을 보기 에서 한 가지 찾아 쓰세요.

보기

뻥　　　멍멍　　　첨벙첨벙
일렁일렁　　꼬불꼬불　　살금살금

( )

📋 서술형·논술형 문제

4 3번 문제에서 답한 감각적 표현을 넣어 그림에 알맞은 표현을 문장으로 써 보세요.

_____

5 오른쪽 그림에서 남자아이가 본 대상에 어울리는 감각적 표현은 무엇인가요? ( )

① 눈처럼 하얀 꽃
② 사과처럼 빨간 화분
③ 얼음처럼 시원한 잎
④ 이불처럼 폭신폭신한 꽃
⑤ 분홍색 한복처럼 예쁜 꽃

 남자아이는 사물을 보며 관찰하고 있어요. 꽃 향기를 맡아 보거나 꽃을 만져 보며 관찰할 수도 있어요.

4
단원

6 필통을 흔드는 여자아이가 어떤 소리를 들었을지 ☐ 에 알맞은 감각적 표현을 쓰세요.

• ☐ 소리가 나요.

7 다음은 어떤 대상에 대한 표현을 나타낸 것일까요?

( )

• 새콤달콤하다.
• 공처럼 둥그스름하다.

① 　　②

③ 　　④

⑤

감기

- 글쓴이: 정유경
- 그린 이: 조미자
- 글의 종류: 시
- 중심 글감: 감기
- 글의 특징: 감기에 걸려 몸이 힘든 상태를 감각적 표현을 사용하여 나타낸 시입니다.

내 몸에

불덩이가 들어왔다.

– 뜨끈뜨끈.

불덩이를 따라

몹시 추운 사람도 들어왔다.
<small>감기에 걸려 몸이 떨려서</small>

– ㉠ .

약을 먹고 나니

㉡느릿느릿,

거북이도 들어오고

㉢까무룩,

잠꾸러기도 들어왔다.

내 몸에

너무 많은 것들이 들어왔다.
<small>불덩이, 몹시 추운 사람, 거북이, 잠꾸러기</small>

그래서

내 몸이 아주 무거워졌다.

뜨끈뜨끈 매우 뜨뜻하고 더운 느낌.
> ᅠ예 뜨끈뜨끈한 차를 마시니 몸이 따뜻해졌습니다.

까무룩 자기도 모르게 순간적으로 정신이 흐려지는 모양.
> ᅠ예 너무 졸려서 눈이 까무룩 감겼습니다.

---

8 말하는 이는 어떠한가요? (   )

① 배탈이 났다.

② 감기 때문에 힘들어하고 있다.

③ 더워서 느릿느릿 움직이고 있다.

④ 무거운 가방 때문에 몸이 무겁다.

⑤ 숙제가 너무 많아서 힘들어하고 있다.

🧢 교과서 문제

9 '내' 몸에 불덩이가 들어왔다고 말한 까닭으로 알맞은 것의 기호를 쓰세요.

> ㉮ 열이 많이 나기 때문이다.
> ㉯ 날씨가 너무 덥기 때문이다.
> ㉰ 불장난을 하고 있기 때문이다.

(   )

10 ㉠ 에 알맞은 표현은 무엇인가요? (   )

① 뻘뻘   ② 오들오들

③ 알록달록   ④ 데굴데굴

⑤ 대롱대롱

🧢 교과서 문제

11 거북이가 들어왔다고 한 까닭을 바르게 말한 친구의 이름을 쓰세요.

> 감기약을 먹고 몸이 무거워진 것을 감각적으로 표현한 거야.
> 정호

> 거북이처럼 팔다리가 이불 안에 들어가 있기 때문이야.
> 수정

(   )

12 감기약을 먹고 졸린 모습을 어떻게 표현하였나요?

·   가 들어왔다고 표현하였다.

13 ㉡, ㉢을 빼고 읽을 때와 넣고 읽을 때 느낌이 어떻게 다른지 알맞은 말에 ○표 하세요.

· (빼고 / 넣고) 읽을 때 느낌이 생생하게 살아난다.

지구도 대답해 주는구나

강가 고운 모래밭에서

발가락 옴지락거려
말하는 이가 한 행동
두더지처럼 파고들었다.

지구가 간지러운지
굼질굼질 움직였다.

아, 내 작은 신호에도
발가락으로 모래밭을 파고든 것
지구는 대답해 주는구나.

그 큰 몸짓에
이 조그마한 발짓
그래도 지구는 대답해 주는구나.

· 글쓴이: 박행신
· 글의 종류: 시
· 글의 특징: 강가에서 자연을 체험하는 아이의 행동과 생각이 잘 나타나 있습니다.

📍 **시에 나타난 표현의 의미**

| ‘나’의 신호 | 발가락으로 모래밭을 파고든 것 |
| 지구의 대답 | 모래가 움직인 것 |

굼질굼질 몸을 계속 천천히 굼뜨게 움직이는 모양.
예 나는 병원에 가기 싫어 거북이처럼 굼질굼질 움직였습니다.
신호(信 믿을 신 號 부르짖을 호) 어떤 내용의 전달을 위해 서로 약속하여 사용하는 일정한 소리, 색깔, 빛, 몸짓 등의 부호.

4
단원

진도 완료
체크

14 말하는 이는 강가 모래밭에 발을 무엇처럼 파고들었다고 하였나요?

(   )

15 이 시에 사용된 흉내 내는 말은 무엇인가요? (   )
① 고운   ② 발가락   ③ 굼질굼질
④ 조그마한   ⑤ 파고들었다

16 지구가 대답해 준다고 표현한 까닭으로 알맞은 것에 ○표 하세요.
(1) 모래의 움직임을 지구가 움직이는 것으로 생각하였기 때문이다. (   )
(2) 바람이 부는 것을 지구가 대답하는 것으로 생각하였기 때문이다. (   )
(3) 두더지가 우는 소리를 지구가 말하는 것으로 생각하였기 때문이다. (   )

17 이 시를 읽고 떠오르는 장면을 잘못 말한 친구의 이름을 쓰세요.

동현: 아이가 강가 모래밭에 발을 담그고 있는 모습이 떠올라.
선미: 나는 두더지가 아이의 발을 간질이는 모습이 떠올라.
미선: 아이가 모래밭에 발을 담그자 모래가 조금 움직이는 모습이 떠올라.

(   )

🗒️ 서술형·논술형 문제

18 이 시의 말하는 이처럼 지구가 살아 있다고 생각한 경험을 쓰세요.

보기
파도소리를 들으니 지구가 숨을 쉬는 소리 같았다.

진짜 투명 인간

- 글쓴이 · 그린 이: 레미 쿠르종 · 글의 종류: 이야기
- 글의 특징: 시각 장애인인 블링크 아저씨와 에밀의 우정이 잘 나타난 이야기입니다.

❶ 엄마는 '내'가 피아노를 잘 치기를 원했습니다.

❷ 시각 장애인인 블링크 아저씨가 피아노를 조율하러 왔습니다.

❸. ❹ '나'는 블링크 아저씨에게 색깔을 알려 주었습니다.

❺ 블링크 아저씨가 눈 수술을 받고 돌아왔습니다.

4
단원

1 "봐, 이건 투명 인간이 된 남자의 이야기야. 사람들이 눈치채지 못하게 정상인 것처럼 보이려고 애를 쓰지. 그러던 어느 날, 투명 인간은 자신에게 장점이 많다는 걸 알게 돼."

내가 단짝 폴에게 신나게 투명 인간의 이야기를 하고 있을 때 엄마가 부르는 소리가 들렸어요.

"에밀, 피아노 쳐야지!" / "네, 가요!"
<u>'나'의 이름</u>

"그래서 들키지 않으려면 홀딱 벗어야 하는 거야?"

폴이 눈이 동그래져서 물었어요.

"응. 하지만 겨울이 문제야. 감기에 걸리면 재채기를 하다가 들켜 버리거든." / "에이, 안됐네."

"난 이만 갈게. 악! <u>괴로운 시간</u>이야."
<u>피아노 치는 것을 괴롭게 생각함.</u>

우리 엄마는 피아노 선생님이에요.

그래서 엄마의 제자 중에서 내가 제일 잘 치기를 원하지만 난 그렇지 못해요.

이날은 엄마가 내 탓이 아니라며 딴 데서 핑계를 찾았어요. 피아노 음이 맞지 않는다고요. <u>조율</u>이 안 됐다고 말이에요.
<u>악기의 음을 맞추어 고르는 것</u>

난 방으로 올라가서 투명 인간 책을 읽었어요.

정말이지 투명 인간처럼 되고 싶어요.

중심 내용 1 피아노 선생님인 엄마는 '내'가 피아노를 잘 치기를 원했지만 '나'는 피아노를 잘 치지 못합니다.

2 학교에서 돌아와 보니 검은 선글라스를 낀 아저씨가 피아노 앞에 몸을 숙인 채 앉아 있었어요. 밖엔 비가 오는데 선글라스를 끼고 말이에요.

"누구세요?" / 내가 물었어요.

"안녕, 나는 <u>피아노 조율사</u> 블링크란다. 넌 누구니?"
<u>블링크 아저씨가 하는 일</u>

---

19 '나'와 폴은 무엇에 대한 이야기를 나누고 있었나요?
( )

① 투명 인간
② 피아노를 잘 치는 방법
③ 피아노를 조율하는 사람
④ 감기에 걸리지 않는 방법
⑤ '내'가 피아노를 잘 치지 못하는 까닭

20 엄마가 '나'에게 바라는 것에 ○표를 하세요.
(1) 책을 많이 읽는 것 ( )
(2) 피아노를 잘 치는 것 ( )
(3) 친구와 사이좋게 지내는 것 ( )

21 엄마는 '내'가 피아노를 잘 치지 못하는 까닭을 무엇이라고 생각하였나요?

• 피아노의 [ ]이 안 되어서

22 블링크 아저씨가 '나'의 집에 온 까닭은 무엇인가요?
( )

① 피아노 조율을 하려고
② 새 피아노를 가져다주려고
③ '나'에게 피아노를 가르치려고
④ '나'의 피아노 연주를 들으려고
⑤ '나'에게 조율하는 방법을 알려 주려고

"전 **피아니스트** 에밀이
에요."

아저씨가 웃었어요.

아저씨의 웃음소리가

피아노 줄 위에서 통통 튀었어요.

아저씨가 일을 마치고 일어나자 ㉠엄마는 아저씨의
소매를 잡고 현관까지 안내했어요.

길에 나온 아저씨는 흰 지팡이를 펼치며 말했어요.

"됐습니다, 됐어요. 집이 코앞인걸요. 길도 잘 압니다."

나는 조율사를 본 게 처음이었어요.

시각 장애인을 본 것도 처음이었어요.

중심 내용 2 시각 장애인인 블링크 아저씨가 피아노를 조율해 주었습니다.

❸ "에밀, 피아노 쳐야지!"

"또요?"

"그럼. 매일 쳐야 실력이 늘지."

나는 식당에서 ㉡정확한 음을 자동으로 연주하는
피아노를 본 적이 있어요.

마치 투명 인간이 치는 듯했지요.

정말이지 난 그 피아노를 사고 싶었어요. 우리 부모
님이 내 피아노 실력이 많이 늘었다고 믿게 말이에요.

"에밀, **집중해.**"

"엄마, 엄청 집중하고 있어요."

"이 곡 다 치고 조율사 아저씨 댁에 갔다 올래? 비
(b) **플랫** 건반이 이상한 것 같구나."

나는 블링크 아저씨 집에 가서 초인종을 눌렀어요.

"안녕, 에밀. 들어오너라."

나는 아직 인사도 안 했는데 아저씨는 이미 나란 것
을 알았어요.

"비(b) 플랫이 여전히 이상해서 왔어요."

"그래? 내일 가 보마. 주스 마실래?"

아저씨는 손끝으로 벽을 더듬어 주방에 들어갔다가
큰 유리잔을 들고 나왔어요. 주스를 한 방울도 흘리지
않았어요.

"질문 하나 해도 돼요?" / "물론이지, 에밀."

"조금 전에 어떻게 저란 걸 아셨어요? 앞이 보이지
않으시면서요." `내`가 궁금한 것

피아니스트 피아노를 연주하는 일을 직업으로 하는 사람.
시각 장애인 눈이 멀어서 앞을 보지 못하는 사람.

집중 한 가지 일에 모든 힘을 쏟아부음.
플랫 음의 높이를 반음 내릴 것을 지시하는 기호.

---

23 이 글에서 감각적으로 표현한 것은 무엇인가요?

( )

① '나'의 웃음소리
② '내'가 피아노를 치는 소리
③ 블링크 아저씨의 웃음소리
④ 블링크 아저씨의 지팡이 모습
⑤ 블링크 아저씨가 피아노 조율을 하는 모습

24 엄마가 ㉠과 같이 행동한 까닭은 무엇인가요?

• 블링크 아저씨가 [ ]이어서

25 '내'가 ㉡을 보고 한 생각을 두 가지 고르세요.

(,)

① 사고 싶었다.
② '내'가 치는 것보다 못했다.
③ 투명 인간이 치는 듯하였다.
④ 조율이 안 되어 있는 것 같았다.
⑤ 블링크 아저씨가 치는 것과 비슷했다.

26 '나'는 무엇을 부탁하려고 블링크 아저씨 집에 갔나요?

( )

아저씨는 웃으며 말했어요.

"그래, 난 태어날 때부터 앞을 보지 못했지. 그 대신 어릴 적부터 다른 감각들이 아주 발달되어 있단다. 촉각, 후각, 미각, 청각 이런 것들 말이야. 아까 네가 현관문을 열 때 너희 집 냄새와 네 바지가 구겨지는 소리, 그 밖에 설명하기 애매한 것들로 너란 걸 알았어."

• 촉각: 만지며 느끼는 감각   • 후각: 냄새를 맡고 느끼는 감각
• 미각: 맛을 느끼는 감각   • 청각: 소리를 듣고 느끼는 감각

"그러면 제가 투명 인간이어도 알아채실 수 있어요?"

"에밀, 넌 나에게 투명 인간이란다."

블링크 아저씨는 '나'를 볼 수 없어서

나는 잠시 망설이다 말했어요.

"그러면 아저씨는 뭐가 보여요? 검은색이요? 아니면 흰색이요?"

"아무것도 없는 게 보여." / "그게 무슨 말이에요?"

"에밀, 넌 네 무릎으로 뭐가 보이니?"

"아무것도 안 보여요."

"나도 마찬가지야. 내 눈은 네 무릎처럼 본단다."

아저씨는 또다시 웃음을 터뜨렸어요.

이어서 손가락이 잘 보이지 않을 정도로 빠른 곡을 쳤어요. / 집에 돌아오는 길에 나는 슬펐어요. 색깔들이 참 아름다워서요.

블링크 아저씨가 아름다운 색깔을 볼 수 없는 것이 슬픔.

오만 가지 질문이 머릿속에서 맴돌았어요.

투명 인간은 먹을 때 음식물이 순식간에 사라질까요? 아니면 투명한 소화 기관을 따라 내려가는 게 보일까요? / 그리고 소화가 다 되면 천천히 없어질까요?

블링크 아저씨의 미각으로는 코코아가 가장 맛있지 않을까요? / 아저씨가 오렌지를 먹을 때 오렌지색을 알면 더 좋을 텐데. / 아주 조금이라도 말이에요.

나는 간식을 먹다가 결심했어요. 아저씨에게 색깔을 가르쳐 주기로요.

블링크 아저씨에게 알려 주기 위해 나는 색깔을 떠올리는 것을 찾아봤어요.

시각을 제외한 색깔의 느낌

가장 초록색인 것은 맨발로 걸을 때 발가락 사이로 살살 삐져 나오는 촉촉한 풀잎이에요.

가장 붉은색인 것은 할아버지 밭에서 나는 토마토 맛이에요.

가장 푸른색인 것은 옆집 수영장에서 헤엄치는 것이에요.

가장 흰 것은 여름에 푹 자고 열 시쯤에 일어났을 때예요.

중심 내용 ❸ '나'는 블링크 아저씨에게 색깔을 가르쳐 주기로 결심하였습니다.

교과서 문제

27 다음 일의 결과가 되는 것에 ○표 하세요.

> 블링크 아저씨는 태어날 때부터 앞을 보지 못했다.

(1) 블링크 아저씨는 청각도 잃었다.　(　　)

(2) 블링크 아저씨는 친구가 없었다.　(　　)

(3) 블링크 아저씨는 다른 사람보다 촉각, 후각, 미각, 청각이 발달했다.　(　　)

28 블링크 아저씨는 무엇이 보인다고 하였는지 쓰세요.

(　　　　　　　　　　　　　)

29 '내'가 떠올린 색깔의 느낌을 선으로 이으세요.

(1) 초록색 • | • ① 옆집 수영장에서 헤엄치는 것

(2) 붉은색 • | • ② 할아버지 밭에서 나는 토마토 맛

(3) 푸른색 • | • ③ 여름에 푹 자고 열 시쯤에 일어났을 때

(4) 흰색 • | • ④ 맨발로 걸을 때 발가락 사이로 살살 삐져나오는 촉촉한 풀잎

❹ 난 할아버지네 토마토를 블링크 아저씨 집에 가져갔어요.

아저씨는 맛있게 먹었어요.

"이건 붉은색이에요."

내가 말했어요. 그러자 아저씨는 피아노 한 곡을 쳤어요.

"나한테는 이게 붉은색이란다!"

진짜였어요. 왜 그런지 설명하기는 어렵지만 딱 붉은색인 곡이었어요.

나는 아저씨를 풀밭에 데려가 걸었어요.
초록색을 설명해 주기 위해 간 곳
그러자 아저씨는 **아코디언**을 가져와 즉석에서 딱 초록색인 곡을 연주했어요.

아코디언 손으로 주름상자를 접었다 폈다 하면서 건반을 눌러 연주하는 악기.

이건 우리 사이의 놀이가 되었어요.

나는 아저씨에게 색깔을 알려 주려고 애를 썼고, 아
블링크 아저씨와 '내'가 한 놀이
저씨는 내게 색깔을 연주해 주려고 애를 썼어요.

어떤 색은 다른 색보다 훨씬 쉬웠어요.

하지만 ㉠난 가끔 집에 돌아올 때에는 기운이 쭉 빠졌어요.

아저씨가 진짜 색깔을 볼 수 있으면 얼마나 좋을까요?

하루는 아저씨가 **점자책**을 보여 줬어요.

작은 점으로 된 글씨가 오톨도톨 나 있는데, 시각 장애인들은 이것을 손가락으로 만지면서 읽는다고 했어요.

나는 감자를 갈 때 쓰는 강판을 만지는 것 같았어요.

아저씨의 세상은 또 다른 별이에요.

✏ **중심 내용 4** '나'는 블링크 아저씨에게 색깔을 설명해 주고 블링크 아저씨는 색깔에 대한 느낌을 연주해 주는 놀이를 하였습니다.

점자책 손가락으로 더듬어 읽도록 만든 시각 장애인용 문자로 된 책.

---

30 '나'는 블링크 아저씨에게 붉은색을 설명하려고 무엇을 가져갔나요? (　　　)

① 딸기　　　　② 사과

③ 토마토　　　④ 붉은색 악기

⑤ 붉은색 색연필

31 블링크 아저씨는 어디에서 초록색인 곡을 연주하였는지 쓰세요.

（　　　　　　　）

32 블링크 아저씨는 색깔을 어떻게 표현하였나요?

（　　　　　　　）

33 ㉠의 까닭은 무엇인가요? (　　　　)

① '나'의 피아노 실력이 늘지 않아서

② 블링크 아저씨에게 더 이상 설명할 색깔이 없어서

③ 엄마가 블링크 아저씨와 만나는 것을 좋아하지 않으셔서

④ 블링크 아저씨가 진짜 색깔을 볼 수 없는 것이 안타까워서

⑤ 블링크 아저씨가 색깔에 어울리는 연주를 못 할 때가 많아서

34 '나'는 점자책을 만지고 무엇을 만지는 것 같다고 생각하였나요?

• 감자를 갈 때 쓰는 ☐☐☐

5 그리고 겨울이 왔어요.

블링크 아저씨는 먼 여행을 떠났어요. 아저씨의 음악도요.

날씨가 춥고 **우중충해졌어요**. 그래서 난 도서관에서 책을 한 **아름** 빌렸어요.

『투명 인간의 복수』

『투명 인간의 일곱 명의 아이들』

『투명 인간들이 사는 행성』

『투명 개 키키』

난 빌린 책들을 다 읽고 폴에게 얘기해 줬어요.

엄마는 내 피아노 실력이 늘었다고 좋아했어요.

그럴 수밖에요. 난 블링크 아저씨가 돌아오면 세상 모든 색을 들려주려고 많이 연습했으니까요.

어느 날, 학교에서 돌아온 나는 눈이 휘둥그레졌어요. 진짜 투명 인간을 봤거든요.

투명 인간은 거실에 앉아 엄마와 얘기하고 있었어요.

얼굴을 붕대로 칭칭 감은 것이 책과 똑같았어요.

"에밀, 네 피아노 실력이 늘었다며?"

블링크 아저씨의 목소리였어요. 나는 말문이 막혔어요.
투명 인간의 정체

"블링크 아저씨는 외국에서 다른 사람에게서 **안구**를 **기증**받아 수술을 받고 돌아오셨어."
블링크 아저씨가 떠났던 까닭

엄마가 말했어요.

새하얀 침묵이 거실을 뒤덮었어요.
몹시 조용한 상태를 나타내는 감각적 표현

"한 달 뒤에 붕대를 풀 거야. 그러면 네가 어떻게 생겼는지 드디어 볼 수 있겠지?"

아저씨가 말했어요.

그제야 난 알았어요.

이제 새로운 이야기가 시작된다는 것을요.

중심 내용 5 사라졌던 블링크 아저씨는 눈 수술을 받고 돌아왔습니다.

우중충해졌어요 날씨나 분위기가 어두워졌어요.
예 비가 오려는 듯이 날씨가 우중충해졌어요.
아름 두 팔을 둥글게 모아 만든 둘레 안에 들어갈 만한 양을 세는 단위.

안구(眼 눈 안 球 공 구) 눈의 구멍 안에 있는 동그란 모양의 기관.
기증(寄 부칠 기 贈 보낼 증) 남을 위하여 자신의 물품이나 재산, 장기 등을 대가 없이 줌.

---

35 글 **5**에서 블링크 아저씨가 떠났다는 것을 어떻게 표현하였는지 ○표 하세요.

(1) 블링크 아저씨가 연기처럼 사라졌다고 표현하였다. ( )

(2) 블링크 아저씨가 투명 인간이 되었다고 표현하였다. ( )

(3) 블링크 아저씨와 아저씨의 음악이 먼 여행을 떠났다고 표현하였다. ( )

36 '나'는 도서관에서 무엇에 대한 책을 빌렸나요? ( )

① 여행　② 색깔　③ 음악
④ 피아노　⑤ 투명 인간

37 '내'가 피아노 연습을 많이 한 까닭은 무엇인가요? ( )

① 엄마를 기쁘게 해 주고 싶어서
② 피아노 대회에서 일 등을 하고 싶어서
③ 블링크 아저씨보다 피아노를 잘 연주하고 싶어서
④ 블링크 아저씨처럼 피아노 조율사가 되고 싶어서
⑤ 블링크 아저씨에게 세상 모든 색을 들려주고 싶어서

서술형·논술형 문제

38 이 이야기에서 인상적인 장면을 그렇게 생각한 까닭과 함께 쓰세요.

_____

_____

146쪽 자습서

2. 「진짜 투명 인간」을 읽고 친구들과 묻고 답하기 놀이를 해 봅시다.

물음	답
블링크 아저씨는 집에 온 사람이 에밀이라는 것을 어떻게 알 수 있었나요?	에밀의 집 냄새가 났고 에밀의 바지 구겨지는 소리가 들렸기 때문입니다.
예시 답안 에밀은 왜 블링크 아저씨 집에 가게 되었나요?	예시 답안 피아노 음이 맞지 않았기 때문입니다. / 블링크 아저씨에게 피아노 조율을 부탁하려고 갔습니다.
예시 답안 에밀과 블링크 아저씨는 어떤 놀이를 했나요?	예시 답안 에밀은 아저씨에게 색깔을 설명해 주었습니다. / 블링크 아저씨는 색깔을 떠올리고 자신의 느낌을 피아노로 연주했습니다.

풀이 이야기에서 일어난 사건을 묻고 답하기 활동을 통해 다시 한 번 정리할 수 있습니다.

3. 「진짜 투명 인간」에서 사건이 어떻게 연결되었는지 찾아 써 봅시다.

원인	결과
피아노 음이 맞지 않았다.	블링크 아저씨가 집에 찾아와 피아노 음을 맞추었다.
블링크 아저씨는 태어날 때부터 앞을 보지 못했다.	블링크 아저씨는 예시 답안 다른 사람보다 촉각, 후각, 미각, 청각이 발달했다.
예시 답안 에밀은 블링크 아저씨에게 세상 모든 색을 들려주고 싶었다.	에밀은 피아노 연습을 많이 했다.

풀이 사건의 원인과 결과를 파악하면 이야기에서 일어난 일의 흐름을 잘 이해할 수 있습니다.

자습서 확인 문제

1 블링크 아저씨가 다음을 통해 알 수 있었던 것은 무엇인가요?

> • 에밀의 집 냄새가 난다.
> • 에밀의 바지 구겨지는 소리가 난다.

→ ( )이 자신의 집에 찾아왔다.

2 블링크 아저씨의 직업은 무엇인가요?
( )

① 화가
② 음악가
③ 선생님
④ 병아리 감별사
⑤ 피아노 조율사

3 에밀이 피아노 연습을 열심히 한 까닭은 무엇인가요?

• ( )에게 세상 모든 색을 들려주고 싶어서

[1~2]

1 ㈎, ㈏를 만지면 어떤 느낌이 드는지 선으로 이으시오.

(1) ㈎ •   • ① 매끈매끈

(2) ㈏ •   • ② 보들보들

2 ㈎, ㈏를 눈으로 관찰해 보고 ㉠ , ㉡ 에 알맞은 표현이 짝 지어진 것을 고르시오. (   )

> • ㉠ 처럼 하얀 곰 인형
> • ㉡ 처럼 동글동글한 사과

	㉠	㉡
①	밀가루	구슬
②	함박눈	주사위
③	수박	밀가루
④	눈사람	연필
⑤	농구공	축구공

3 오른쪽 그림에 어울리는 흉내 내는 말을 쓰시오.

(   )

[4~6]

4 ㈎에서 남자아이는 어떤 방법으로 대상을 관찰하고 있습니까? (   )

① 만져 보았다.   ② 맛을 보았다.

③ 눈으로 보았다.   ④ 소리를 들었다.

⑤ 냄새를 맡았다.

5 ㈏의 여자아이와 같은 방법으로 교실에 있는 대상을 관찰한 친구의 이름을 쓰시오.

> 지영: 책상을 만져 보니 돌처럼 딱딱했어.
> 도윤: 문을 여니 드르륵드르륵 소리가 났어.

(   )

🔖 서술형·논술형 문제

6 다음은 ㈐에서 만진 물건입니다. 대상에 대한 느낌을 감각적 표현을 사용하여 쓰시오.

_____

_____

7 오른쪽 대상에 대한 느낌을 표현한 것으로 알맞지 **않은** 것에 ×표 하시오.

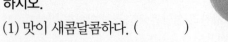

(1) 맛이 새콤달콤하다. (   )

(2) 만지면 돌처럼 딱딱하다. (   )

(3) 모양이 공처럼 둥그스름하다. (   )

[8~11] 감기

내 몸에 불덩이가 들어왔다. – 뜨끈뜨끈. 불덩이를 따라 몹시 추운 사람도 들 어왔다. – 오들오들.	약을 먹고 나니 느릿느릿, 거북이도 들어오고 까무룩, 잠꾸러기도 들어왔다.

8 감기에 걸려 열이 많이 나는 것을 어떻게 표현하였는지 두 가지를 고르시오. (　　,　　)

① '뜨끈뜨끈'이라고 표현하였다.

② '오들오들'이라고 표현하였다.

③ 몸에 보일러를 틀었다고 표현하였다.

④ 몸에 불덩이가 들어왔다고 표현하였다.

⑤ '열이 난다'라고 직접적으로 표현하였다.

9 감기약을 먹고 몸이 무거워진 모습을 어떻게 표현하였습니까?

• 느릿느릿, [　　　　] 가 들어왔다고 표현하였다.

10 다음 중 2연의 분위기와 어울리는 몸짓은 무엇입니까? (　　)

① 환하게 웃으며 손뼉을 친다.

② 무서운 듯 몸을 오들오들 떤다.

③ 천천히 걷다가 갑자기 빨리 뛴다.

④ 빨리 뛰다가 공중으로 뛰어오른다.

⑤ 천천히 걷다가 고개를 떨구고 움직이지 않는다.

11 말하는 이의 마음에 어울리는 목소리를 쓰시오.

(　　　　　　　　　　　　)

[12~14] 지구도 대답해 주는구나

강가 고운 모래밭에서
발가락 옴지락거려
두더지처럼 파고들었다.

지구가 간지러운지
굼질굼질 움직였다.

아, ㉠내 작은 신호에도
지구는 대답해 주는구나.

그 큰 몸짓에
이 조그마한 발짓
그래도 지구는 대답해 주는구나.

12 어떤 모습을 두더지처럼 파고들었다고 표현하였는지 기호를 쓰시오.

㉮ 모래로 몸을 덮은 모습
㉯ 커다란 삽으로 모래를 파는 모습
㉰ 발가락을 구부려서 모래밭에 파고드는 모습

(　　　　　　　　)

13 ㉠은 무엇입니까? (　　)

① 강물에 돌을 던진 것

② 강물에 발을 씻은 것

③ 두더지에게 말을 건 것

④ 발가락으로 모래밭을 파고든 것

⑤ 손으로 간질이듯 모래밭을 긁은 것

14 말하는 이는 어떤 모습을 보고 지구가 대답해 주었다고 하였습니까?

• [　　　　] 가 살짝 움직이는 모습

4단원

단원 평가

[15~20] 진짜 투명 인간

4 단원

진도 완료 체크

㈎ 우리 엄마는 피아노 선생님이에요.

그래서 엄마의 제자 중에서 내가 제일 잘 치기를 원하지만 난 그렇지 못해요.

이날은 엄마가 내 탓이 아니라며 딴 데서 핑계를 찾았어요. 피아노 음이 맞지 않는다고요.

㈏ 아저씨가 일을 마치고 일어나자 엄마는 아저씨의 소매를 잡고 현관까지 안내했어요.

길에 나온 아저씨는 흰 지팡이를 펼치며 말했어요.

"됐습니다, 됐어요. 집이 코앞인걸요. 길도 잘 압니다."

나는 조율사를 본 게 처음이었어요.

시각 장애인을 본 것도 처음이었어요.

㈐ 아저씨는 웃으며 말했어요.

"그래, 난 태어날 때부터 앞을 보지 못했지. 그 대신 어릴 적부터 다른 감각들이 아주 발달되어 있단다. 촉각, 후각, 미각, 청각 이런 것들 말이야."

㈑ 나는 간식을 먹다가 결심했어요.

아저씨에게 색깔을 가르쳐 주기로요.

블링크 아저씨에게 알려 주기 위해 나는 색깔을 떠올리는 것을 찾아봤어요.

가장 초록색인 것은 맨발로 걸을 때 발가락 사이로 살살 삐져나오는 촉촉한 풀잎이에요. / 가장 붉은색인 것은 할아버지 밭에서 나는 토마토 맛이에요.

가장 푸른색인 것은 　㉠　 (이에요)예요. / 가장 흰 것은 여름에 푹 자고 열 시쯤에 일어났을 때예요.

㈒ 어느 날, 학교에서 돌아온 나는 눈이 휘둥그레졌어요. / ㉠진짜 투명 인간을 봤거든요.

투명 인간은 거실에 앉아 엄마와 얘기하고 있었어요.

얼굴을 붕대로 칭칭 감은 것이 책과 똑같았어요.

㈓ "블링크 아저씨는 외국에서 다른 사람에게서 안구를 기증받아 수술을 받고 돌아오셨어."

엄마가 말했어요.

새하얀 침묵이 거실을 뒤덮었어요.

"한 달 뒤에 붕대를 풀 거야. 그러면 네가 어떻게 생겼는지 드디어 볼 수 있겠지?"

---

15 이 글의 내용으로 알맞지 <u>않은</u> 것은 무엇입니까?
(　　　)

① '나'의 엄마는 피아노 선생님이다.
② 블링크 아저씨는 앞을 보지 못한다.
③ 블링크 아저씨는 피아노 조율사이다.
④ '나'는 엄마의 제자 중에서 피아노를 가장 잘 친다.
⑤ 블링크 아저씨는 시각 대신 촉각, 후각, 미각, 청각이 발달하였다.

16 글 ㈑에서 '나'는 색깔을 어떻게 표현하였는지 ○표 하시오.
(1) 피아노 연주로 표현하였다. (　　　)
(2) 눈으로 보이는 모습대로 표현하였다. (　　　)
(3) 피부의 느낌이나 맛으로 설명하였다. (　　　)

17 '나'는 초록색을 어떻게 표현하였습니까?
• 맨발로 걸을 때 발가락 사이로 살살 삐져나오는 촉촉한 [　　　　　]

18 다음은 어떤 색깔에 대한 표현입니까? (　　　)

> 할아버지 밭에서 나는 토마토 맛

① 흰색　　② 붉은색　　③ 검은색
④ 노란색　　⑤ 주황색

19 ㉠은 누구였는지 쓰시오.
(　　　　　　　　)

🖊 서술형·논술형 문제

20 블링크 아저씨에게 푸른색을 어떻게 가르쳐 주고 싶은지 ㉠ 안에 알맞은 말을 쓰시오.

_____

바르게 대화해요

5

개념 웹툰

멍파고는 언어 예절을 잘 배울 수 있을까요?
스마트폰에서 확인하세요!

5단원

개념① 다른 사람과 대화할 때 고려해야 할 점

① 상대가 누구인지 생각합니다.
② 대화하는 목적이 무엇인지 생각합니다.
③ 어떤 대화 상황인지 생각합니다.
④ 상대가 웃어른일 때에는 높임 표현을 사용합니다.
⑤ 상대의 기분을 생각합니다.

활동 다음 대화에서 고쳐야 할 점

| 높임 표현 사용하기 | 상대의 말 끝까지 듣기 | 상대의 기분 생각하기 |

개념② 대상에 따라 알맞은 높임 표현을 사용해 말하기

① 상황에 어울리는 말을 해야 합니다.
② 대상에 따라 알맞은 높임 표현을 사용합니다.
③ 상대를 바라보고 상대의 말을 존중하며 대화합니다.

활동 상대에 따라 알맞은 높임 표현 사용하기

친구에게는 높임 표현을 사용하지 않음.

선생님께는 높임 표현을 사용함.

개념③ 전화할 때의 바른 대화 예절 알기

① 전화로 대화할 때에는 자신이 누구인지 밝히고 상대가 누구인지 확인합니다.
② 상대가 어떤 상황인지 헤아려 봅니다.
③ 상대의 얼굴을 보지 않고 이야기하므로 더 공손하게 말합니다.
④ 공공장소에서는 작은 목소리로 말합니다.

활동 전화 대화에서 잘못된 부분 바르게 고치기

전화를 건 사람: 민지 있나요? → 자기가 누구인지 밝히지 않음.

↓

전화를 건 사람: 저는 민지 친구 지원이예요. 민지 있나요?

개념④ 상황에 어울리는 표정, 몸짓, 말투로 대화하기

① 상황에 어울리는 표정, 몸짓, 말투로 대화합니다.
② 대상에 따라 알맞은 높임 표현을 사용해 대화합니다.
③ 언어 예절을 지키며 대화합니다.

활동 상황에 어울리는 표정, 몸짓, 말투 알아보기

놀란 표정, 걱정하는 목소리 등

깜짝 놀란 표정과 떨리는 목소리 등

◐ 친구가 교통사고를 당할 뻔한 상황

진수의 대화

❶ 엄마: 진수야, 몸은 좀 괜찮니?

진수: 엄마, 어제보다 많이 좋아졌어. 내일은 학교에 갈 거야. └──→ 웃어른께 높임 표현을 사용하지 않음.

엄마: 그래.

❷ 수정: 여보세요?

진수: 수정이니? 나, 진수야. 수정아, 내일 준비물이 뭐야?

수정: 풀이랑 가위야.

진수: 그리고…….

수정: (전화를 뚝 끊는다.)

❸ 진수: 아저씨, 이 풀 얼마예요?

문구점 주인아저씨: 뭐라고? 시끄러워서 잘 안 들리는데 다시 한번 말해 줄래?

❹ 여자아이: 진수야, 가위를 깜빡하고 안 가져왔어. 가위 좀 빌려줄래?

진수: 안 돼. 내가 쓸 거야. 나도 가위가 계속 필요하거든.

---

1 대화 ❶~❹ 중 진수가 높임 표현을 사용하여 대화하여야 하는 상황 두 가지의 기호를 쓰세요.

(,)

2 대화 ❶에서 진수는 누구와 대화하고 있나요?

( )

3 대화 ❷에서 진수가 당황하였다면 그 까닭은 무엇인가요? ( )

① 수정이가 화를 내며 말을 하여서

② 수정이가 전화를 갑자기 끊어 버려서

③ 수정이가 준비물을 알려 주지 않아서

④ 전화를 받은 사람이 누구인지 몰라서

⑤ 수정이가 말을 구체적으로 하지 않아서

4 대화 ❸에서 문구점 주인아저씨가 진수의 말을 듣지 못한 까닭에 ○표 하세요.

(1) 진수가 줄임 말로 말하여서 ( )

(2) 아이들이 큰 소리로 대화하고 있어서 ( )

(3) 진수가 너무 큰 목소리로 말하여서 ( )

5 대화 ❹에서 여자아이는 어떤 마음이 들었을까요?

( )

① 고마운 마음 ② 행복한 마음

③ 뿌듯한 마음 ④ 섭섭한 마음

⑤ 귀찮은 마음

6 대화 ①, ②에서 승민이에 대한 설명으로 알맞지 <u>않</u>은 것은 무엇인가요? (   )

① 공손한 태도로 대화하고 있다.
② 할머니의 눈을 바라보고 있다.
③ 할머니의 말씀을 잘 듣고 있다.
④ 학교생활에 대하여 대화하고 있다.
⑤ 예사말을 사용하여 친근하게 말하고 있다.

7 대화 ①에서 과일을 사 온 사람이 친구라면 어떻게 말하여야 할지 ㉠을 알맞게 바꾸어 쓰세요.

(   )

8 대화 ②의 승민이가 한 말에서 높임의 대상은 무엇인가요? (   )

① 공부   ② 할머니
③ 친구들   ④ 학교생활
⑤ 자기 자신

9 대화 ③에서 아저씨가 잘못한 점은 무엇인가요?

(   )

① 사과주스를 높여 말하였다.
② 승민이의 기분을 생각하지 않았다.
③ 승민이가 말하는 도중에 말을 가로챘다.
④ 승민이의 눈을 바라보지 않고 말하였다.
⑤ 승민이에게 높임 표현을 사용하지 않았다.

10 대화 ④에서 승민이가 높여야 하는 대상 두 가지를 보기 에서 찾아 쓰시오.

보기

사과주스 / 할아버지 / 어머니

(,   )

11 대화 ④의 ㉡ 에 알맞은 말은 무엇인가요?

(   )

① 먹고 있어.   ② 먹고 계세요.
③ 먹고 있어요.   ④ 드시고 있어.
⑤ 드시고 계세요.

12 위 네 가지 대화 상황에서 승민이가 공통으로 주의할 점을 두 가지 고르세요. (,)

① 예사말을 사용하여야 한다.
② 높임 표현을 사용하여야 한다.
③ 상대의 말을 집중하여 들어야 한다.
④ 상대의 말에 알맞게 반응하여야 한다.
⑤ 상대를 바라보지 않고 말하여야 한다.

13 ㉠, ㉢에 알맞은 승민이의 말을 각각 선으로 이으세요.

(1) ㉠ •

(2) ㉢ •

• ① 응. 이 책이 재미있어.

• ② 응. 책을 사러 서점에 갔어.

14 승민이가 선생님과 대화할 때 주의할 점으로 알맞은 것의 기호를 쓰세요.

㉮ '-어'를 써서 문장을 끝맺는다.
㉯ 높임 표현을 사용한다.

( )

서술형·논술형 문제

15 13, 14번 문제에서 답한 것을 바탕으로 ㉡, ㉣에 알맞은 승민이의 말을 쓰세요.

(1) ㉡	
(2) ㉣	

민지와 지원이의 대화

5
단원

진도 완료
체크

① (전화벨이 울린다.)

민지: 여보세요?

지원: 여보세요, 민지 있나요?

민지: ㉠제가 민지인데, 누구신가요?

지원: 나, 지원이야.

② 지원: ㉡나, 아까 학교 앞 문구점
에서 미술 준비물을 샀는데 망가져
있어.

민지: 뭐가? 물감에 구멍이 났니? 아
니면 물통?

지원: 아니, 물통에 물이 샌다고.

민지: 아, 물통을 말하는 거구나.

여보세요, 민지 있나요?

제가 민지인데 누구신가요?

학교 앞 문구점에서 미술 준비물을 샀는데 망가져 있어.

📍 전화 대화의 특징

• 전화를 거는 사람과 받는 사람이 있습
니다.

• "여보세요?"처럼 자주 사용하는 말이
있습니다.

• 듣고 있음을 나타내는 말을 해야 합니다.

• 상대가 상황을 볼 수 없기 때문에 정확
하고 구체적으로 표현해야 합니다.

• 직접 만나지 않아도 멀리 있는 사람과
소식을 전할 수 있습니다.

• 자신이 누구인지 밝혀야 합니다.

일반적인 대화와 달리
전화 대화는 좀 더 정확하게
표현하고 상대를 배려해야
해요.

---

16 대화 ①에서 민지가 ㉠과 같이 말한 까닭은 무엇인가
요? (   )

① 주위가 너무 시끄러워서

② 건 사람이 너무 빨리 말하여서

③ 민지가 다른 일을 하면서 전화를 받아서

④ 건 사람이 너무 작은 목소리로 말하여서

⑤ 건 사람이 자신이 누구인지 밝히지 않아서

17 지원이의 말 ㉡을 듣고 민지가 생각한 미술 준비물 두
가지를 쓰세요.

(,   )

18 민지가 ㉡을 잘 알아듣지 못한 까닭은 무엇인가요?

(   )

① 민지가 딴짓을 하고 있어서

② 지원이가 말을 너무 빨리 해서

③ 지원이가 설명을 너무 길게 해서

④ 지원이가 분명하지 않은 발음으로 말하여서

⑤ 지원이가 무엇이 망가졌는지 말하지 않아서

19 ㉡을 민지가 잘 알아들을 수 있도록 바르게 고쳐 쓴
것의 기호를 쓰세요.

㉮ 나, 아까 산 준비물이 망가져 있어.

㉯ 나, 아까 학교 앞 문구점에서 산 물통에 물이 새.

㉰ 나, 아까 학교 앞 문구점에서 산 미술 준비물 중
하나가 망가져 있어. 어떤 물건인지 알겠니?

(   )

20 전화 대화의 특징으로 알맞지 <u>않은</u> 것은 무엇인가요?

(   )

① 자신이 누구인지 밝혀야 한다.

② 전화를 거는 사람과 받는 사람이 있다.

③ 듣고 있음을 나타내는 말을 해야 한다.

④ "여보세요?"처럼 자주 사용하는 말이 있다.

⑤ 정확하고 구체적으로 표현하는 것보다 간단하게
말하는 것이 좋다.

❶ 예원이 언니: 여보세요?

수진: 예원아! 우리 내일 어디에서 만나서 놀기로 했지?

예원이 언니: (생각) 나는 예원이 언니인데……. 누구지?

❷ 지수: 정아야, 어제 우리 반 회의에서 책 당번을 정하기로 했잖아. 내 생각에는 책 당번을 일주일에 한 번씩 바꾸는 건 잘못된 것 같아. 각자 맡고 있는 역할도 있는데 일주일 동안 책을 관리하는 건 너무 힘들어.

정아: 응. 그런데…….

지수: 내 생각에는 하루에 한 번씩 책 당번을 바꾸는 게 맞아. 회의 시간에 강력하게 말했어야 하는데, 내가 괜히 의견을 말 안 했나 봐. 내일 선생님께 다시 한번 말씀드려 볼까?

정아: (생각) 내 생각에는 하루에 한 번씩 바꾸면 친구들도 헷갈리고, 책 관리가 안 될 수도 있다고 말하고 싶었는데. 지수는 계속 자기 말만 하네. 지수에게 내 생각을 언제 말하지?

지수: 내 의견 어때? 왜 말이 없니? / 정아: 그래.

❸ 유진: 여보세요?

할머니: 유진이냐? 할머니다.

유진: 네, 할머니! 안녕하세요?

할머니: 그래. 여기는 괜찮은데, 요즘 한국은 많이 덥지?

유진: 네, 많이 더워요.

할머니: 네 엄마는?

유진: 시장에 장 보러 가셨어요.

할머니: 엄마 오시면 할머니가 이번 토요일에 한국에 간다고 전해 다오.

유진: 네. (전화를 끊는다. 전화 끊는 소리 "찰칵 뚜뚜뚜……")

유진이가 갑자기 전화를 끊음.

할머니: 세 시까지 공항에 데리러 오라고 말해야 하는데…….

→ 공공장소라는 것을 알 수 있음.

❹ (지하철 소리)

남자아이: (큰 소리로) 하하! 그래. 너 이번 주에 뭐 하니? 우리 이번 주에 축구할래? 지난주에 비가 와서 축구를 하지 못했잖아.

---

21 대화 ❶에서 수진이의 말을 바르게 고친 것의 기호를 쓰세요.

> ㉮ 안녕하세요? 예원이 있나요?
> ㉯ 안녕? 나는 수진이야. 예원이 좀 바꿔 줄래?
> ㉰ 안녕하세요? 저는 예원이 친구 수진이예요. 예원이 있나요?

(   )

22 대화 ❷에서 다음과 같은 잘못을 한 사람의 이름을 쓰세요.

> 상대도 할 말이 있는데 계속 자신이 할 말만 하였다.

(   )

23 대화 ❸에서 유진이가 지켜야 할 전화 예절은 무엇인가요? (   )

① 너무 길지 않게 통화한다.
② 장난 전화를 하지 않는다.
③ 수화기를 들면 빠르게 말하지 않는다.
④ 공공장소에서는 작은 목소리로 말한다.
⑤ 상대의 말을 끝까지 듣고 공손하게 말한다.

📋 서술형·논술형 문제

24 대화 ❹의 남자아이에게 해 줄 수 있는 말을 쓰세요.

> **조건**
> • 전화 대화 예절과 관련지어 쓴다.
> • 상대의 기분이 상하지 않도록 말한다.

_____

_____

25 전화할 때 대화 예절이 바르지 못한 친구를 찾아 ○표를 하세요. 그리고 그 친구에게 필요한 '바른 대화 예절'을 찾아 선으로 이어 보세요.

(1)

① 자신이 누구인지 밝히고 상대가 누구인지 확인하기	② 상대의 상황 헤아리기	③ 공공장소에서는 작은 목소리로 말하기

(2)

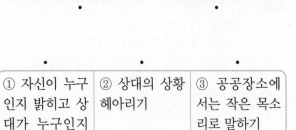

① 자신이 누구인지 밝히고 상대가 누구인지 확인하기	② 상대의 상황 헤아리기	③ 공공장소에서는 작은 목소리로 말하기

[26~28] 다음 그림을 보고 물음에 답하세요.

26 대화 **①**의 ㉠ 에 알맞은 말은 무엇인가요?
( )

① 갔다.　　　　　② 갔어.
③ 갔구나.　　　　④ 갔어요.
⑤ 간 것 같아.

27 대화 **②**의 여자아이가 잘못한 점은 무엇인가요?
( )

① 갑자기 전화를 끊었다.
② 전화를 너무 늦게 받았다.
③ 자신이 누구인지 밝히지 않았다.
④ 수업 시간에 전화 통화를 하였다.
⑤ 상대의 말을 집중하여 듣지 않았다.

28 대화 **③**과 관계있는 전화 예절에 맞게 [ ] 안에 알맞은 말을 쓰세요.

• 지하철은 공공장소이므로 [   ] 목소리로 말하여야 한다.

나는야, 안전 멋쟁이

- **제재의 종류**: 만화 영화
- **특징**: 교통사고를 당할 뻔한 훈이의 모습을 통해 비 오는 날 지켜야 할 교통안전을 알 수 있습니다.

훈이가 강이의 노란색 옷과 우산을 보고 유치원생 같다고 놀리자 강이는 집을 떠나기 전을 떠올렸습니다.

엄마는 비가 와서 어두운 날에는 검은색 옷보다 밝은색 옷을 입으라고 하셨습니다.

강이는 엄마의 말씀을 듣고 노란색 옷을 입고 노란색 우산을 챙겼습니다.

엄마는 우산으로 얼굴을 가리지 말고 땅을 보고 걷지 않기를 당부하였습니다.

훈이는 앞을 잘 보지 않고 뛰어가다가 교통사고가 날 뻔했습니다.

강이는 훈이에게 비 오는 날에는 밝은색 옷을 입는 것이 더 멋진 것이라고 말해 주었습니다.

교과서 문제

29 장면 ❶에서 강이가 속상한 표정을 지은 까닭은 무엇인가요? (　　　)

① 우산을 잃어버려서
② 노란색 옷에 흙탕물이 튀어서
③ 우산을 써도 옷이 비에 젖어서
④ 훈이가 유치원생 같다고 놀려서
⑤ 비가 와서 운동장에서 놀지 못하여서

30 강이가 집에서 노란색 옷으로 갈아입은 까닭에 ○표 하세요.

(1) 엄마께서 비가 와서 어두운 날에는 밝은색 옷을 입으라고 하셔서　　　　　(　　)

(2) 엄마께서 비가 와서 추운 날에는 밝은색 옷을 입어야 따뜻하다고 하셔서　　(　　)

31 장면 ❺에서 운전하던 아저씨가 훈이를 잘 보지 못한 까닭은 무엇인가요?

(　　　　　　　　　　　　　　)

32 다음 상황에 어울리는 몸짓은 무엇인가요? (　　　)

➊ 훈이가 차가 오는지 보지 않고 횡단보도로 뛰어가는 것을 보고 강이가 놀라는 상황

① 손뼉을 치는 몸짓
② 친구를 잡으려는 듯한 몸짓
③ 자동차 문을 열고 타는 몸짓
④ 거북이처럼 천천히 걷는 몸짓
⑤ 신난 듯이 펄쩍 뛰며 만세를 부르는 몸짓

교과서 문제

33 강이와 훈이는 무엇을 깨달았나요? (　　　)

① 비 오는 날에는 집에만 있어야 한다.
② 비 오는 날에는 우비를 입어야 한다.
③ 비 오는 날에는 빠르게 뛰어다녀야 한다.
④ 비 오는 날에는 밝은색 옷을 입어야 한다.
⑤ 비 오는 날에는 낮에만 밖으로 나가야 한다.

[1~3] 진수의 대화

1 대화 ❶에서 진수의 말 ㉠을 언어 예절에 맞게 고쳐 쓴 것은 무엇입니까? (   )

① 좋아졌네.　　　　② 좋아졌나?

③ 많이 좋아졌다.　　④ 많이 좋아졌어요.

⑤ 많이 좋아졌구나.

2 대화 ❷에서 수정이가 잘못한 점에 ○표 하시오.

(1) 반말로 말하였다. 　　　　　　　　(　　　)

(2) 질문에 알맞은 답을 하지 않았다. 　(　　　)

(3) 진수의 말을 더 듣지 않고 전화를 끊었다.

(　　　)

3 다음은 대화 ❶~❹ 중 어떤 대화 상황과 비슷한 경험을 떠올린 것인지 번호를 쓰시오. (   )

> 친구가 이유 없이 준비물을 빌려주지 않아서 섭섭했던 적이 있어.

[4~6] 진영이의 대화

4 진영이는 ❶의 친구와 ❷의 선생님께 어떤 마음이 들었겠습니까? (   )

① 미안한 마음　　　　② 섭섭한 마음

③ 고마운 마음　　　　④ 속상한 마음

⑤ 얄미운 마음

5 대화 ❶, ❷ 중 진영이가 높임 표현을 사용하여야 하는 상황을 찾아 번호를 쓰시오.

(　　　　　　　　)

🔖 서술형·논술형 문제

6 4, 5번 문제에서 답한 것을 생각하며, ㉠과 ㉡에 알맞은 진영이의 말을 각각 쓰시오.

(1) ㉠	
(2) ㉡	

7 다른 사람과 대화할 때 고려해야 할 점으로 알맞은 것은 무엇입니까? ( )

① 누구에게나 반말을 한다.

② 상대의 말을 듣지 않는다.

③ 자신이 하고 싶은 말만 한다.

④ 자신의 기분만 생각하여 말한다.

⑤ 대화하는 상대와 대화하는 목적을 생각한다.

8 다음 대화에서 승민이가 잘한 점으로 알맞지 <u>않은</u> 것은 무엇입니까? ( )

① 높임 표현을 사용하였다.

② 공손한 태도로 말하였다.

③ 상황에 어울리는 말을 하였다.

④ 상대의 눈을 바라보지 않았다.

⑤ 할머니 말씀에 알맞은 대답을 하였다.

9 ㉠, ㉡ 중 높임 표현을 바르게 사용하지 <u>않은</u> 부분의 기호를 쓰시오.

> 승민: 사과주스 한 잔 ㉠주세요.
> 가게 아저씨: 사과주스 ㉡나오셨습니다.

( )

10 9번 문제에서 답한 부분이 바르지 <u>않은</u> 까닭은 무엇입니까? ( )

① 반말로 말하였기 때문에

② 말하는 사람을 높였기 때문에

③ 사물인 사과주스를 높였기 때문에

④ 듣는 사람을 높이지 않았기 때문에

⑤ 손님인 승민이를 높여서 말하였기 때문에

[11~14] 민지와 지원이의 대화

> **1** 민지: 여보세요?
> 지원: 여보세요, 민지 있나요?
> 민지: 제가 민지인데, 누구신가요?
> 지원: 나, 지원이야.
> **2** 지원: 나, 아까 학교 앞 문구점에서 미술 준비물을 샀는데 망가져 있어.
> 민지: 뭐가? 물감에 구멍이 났니? 아니면 물통?
> 지원: 아니, 물통에 물이 샌다고.

11 전화를 건 사람의 이름을 쓰시오.

( )

12 대화 **1**은 어떤 상황입니까? ( )

① 잘못 건 전화를 받은 상황

② 밤늦게 전화가 걸려 온 상황

③ 대화를 하다가 전화가 갑자기 끊긴 상황

④ 전화를 받은 사람이 건 사람이 누구인지 모르는 상황

⑤ 전화를 건 사람이 상대를 확인하지 않고 반말로 말하는 상황

13 대화 **2**는 어떤 상황인지 ○표 하시오.

• 지원이는 물통을 말하였고 민지는 지원이의 말을 듣고 (물통 / 물감 / 물감과 물통)을 떠올렸다.

14 대화 **2**에서 지원이가 생각하지 못한 전화 대화의 특징은 무엇이겠습니까? ( )

① 자신이 누구인지 밝혀야 한다.

② 전화를 거는 사람과 받는 사람이 있다.

③ 듣고 있음을 나타내는 말을 해야 한다.

④ "여보세요?"처럼 자주 사용하는 말이 있다.

⑤ 상대가 상황을 볼 수 없기 때문에 정확하고 구체적으로 표현해야 한다.

5 단원

진도 완료 체크

[15~17] 전화 대화

유진: 여보세요?

할머니: 유진이냐? 할머니다.

유진: 네, 할머니! 안녕하세요?

할머니: 그래. 여기는 괜찮은데, 요즘 한국은 많이 덥지?

유진: 네, 많이 더워요.

할머니: 네 엄마는?

유진: 시장에 장 보러 가셨어요.

할머니: ㉠엄마 오시면 할머니가 이번 토요일에 한국에 간다고 전해 다오.

유진: 네. (전화를 끊는다. 전화 끊는 소리 "찰칵 뚜뚜뚜……")

할머니: 세 시까지 공항에 데리러 오라고 말해야 하는데……

15 전화를 건 사람과 받은 사람을 각각 쓰시오.

(1) 건 사람	
(2) 받은 사람	

16 할머니께서 당황하셨다면 그 까닭은 무엇입니까?
( )

① 유진이가 갑자기 전화를 끊어서

② 유진이의 엄마가 없다고 하여서

③ 전화를 받은 사람이 누구인지 몰라서

④ 유진이가 높임 표현을 사용하지 않아서

⑤ 유진이가 한국 날씨를 말해 주지 않아서

🔖 서술형·논술형 문제

17 ㉠을 듣고 유진이가 어떤 대답을 하여야 할지 전화 예절에 알맞게 쓰시오.

_____

[18~20] 나는야, 안전 멋쟁이

① 훈이가 강이의 노란색 옷과 우산을 보고 유치원생 같다고 놀렸습니다.

② 강이는 훈이가 차가 오는지 보지 않고 횡단보도로 뛰어가는 것을 보았습니다.

③ 아저씨는 훈이가 검은색 옷을 입고 있어서 잘 보이지 않았다고 하였습니다.

④ 강이는 비 오는 날엔 밝은색 옷을 입는 것이 더 멋진 것이라고 하였습니다.

18 장면 ①, ②에 나타난 강이의 마음을 선으로 이으시오.

(1) ① ·

(2) ② ·

· ① 속상한 마음

· ② 깜짝 놀란 마음

19 장면 ②에서 강이의 말투로 어울리는 것은 무엇입니까? ( )

① 졸린 말투   ② 다급한 말투

③ 즐거운 말투   ④ 지루해하는 말투

⑤ 창피해하는 말투

20 비 오는 날에 밝은색 옷을 입는 것이 더 멋진 까닭은 무엇이겠습니까? ( )

① 밝은색 옷이 더 잘 말라서

② 밝은색 옷을 입어야 따뜻하게 보여서

③ 밝은색 옷을 입으면 키가 더 커 보여서

④ 어두워서 밝은색 옷을 입어야 잘 보여서

⑤ 비 오는 날 밝은색 옷을 입는 것이 유행이어서

마음을 담아 글을 써요

6

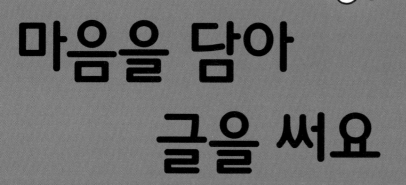

봤지? 봤지? 이건 윤주가 자신의 마음을 전하는 글을 쓴 거야. 그러니까 혼자만 보라고 했지.

성현아 마음을 전하는 글은 어떻게 쓰는 거야?

마음을 전하는 글?

반드시 혼자 있을 때 봐야 해!

개념 웹툰

마음을 전하는 글은 어떻게 쓸까요? 스마트폰에서 확인하세요!

6
단원

개념① 다른 사람에게 자신의 마음 전하기

① 화가 났을 때에는 하고 싶은 말이 있어도 잠깐 멈춥니다.
② 말하기 전에 이 말을 하면 상대의 기분이 어떨지 생각합니다.
③ 말할 때에는 상대의 마음을 헤아리며 자신의 생각과 마음을 말합니다.

활동 마음을 전한 경험 떠올리기

마음을 전한 상황	전한 마음
어려운 수학 문제가 잘 풀려서 짝에게 기분이 좋다고 말했다.	즐거운 마음
아침에 봉사하시는 녹색 어머니회 회원분께 감사하다고 말씀드렸다.	감사한 마음

개념② 인물의 마음을 짐작하는 방법

① 이야기 속 인물이 한 일이나 겪은 일을 살펴봅니다.
② 인물의 생각, 말이나 행동을 살펴봅니다.
③ 인물이 처한 상황을 생각하며 인물의 마음을 헤아려 봅니다.

지문 「꼴찌라도 괜찮아!」에서 인물의 마음 짐작하기

인물	인물이 처한 상황	짐작한 마음
기찬	운동에 자신이 없는데 이어달리기 선수로 뽑힘.	속상하다.
이호	이어달리기 차례를 기다리는데 배가 아픔.	불안하다.

개념③ 친구에게 사과하는 쪽지를 쓸 때 주의할 점

① 상대의 마음을 헤아려 씁니다.
② 상냥한 말투로 씁니다.
③ 장난처럼 말하듯이 쓰지 않아야 합니다.
④ 정성껏 바른 글씨로 진심을 담아 써야 합니다.

활동 읽을 사람을 생각하며 자신의 마음을 전하기

자신의 마음을 솔직하게 써야 해.

부드러운 말투로 쓰는 것이 좋아.

개념④ 다른 사람에게 마음을 전하는 글을 쓰는 방법

① 누구와 어떤 일이 있었는지 씁니다.
② 어떤 마음을 전하고 싶은지 자신의 감정을 솔직하게 씁니다.
③ 앞으로 바라는 점이 무엇인지 씁니다.

지문 「화해하기」에서 주은이가 되어 사과하는 쪽지 쓰기

원호야, 안녕. 나 주은이야.
교실에서 활동할 때 네게 예의 없이 행동하고 제대로 사과하지 못했어. 그리고 사과할 때에 툭툭 치면서 말해서 많이 기분 나빴지? ─ 있었던 일

미안한 마음에 네게 미안하다는 말을 하려고 했는데, 쑥스러운 마음이 많이 들어서 그런 행동을 했나 봐. 미안해. ─ 전하고 싶은 마음

예의 있게 행동하고 용기를 내서 제대로 사과를 할게. 앞으로 친하게 지내자. ─ 앞으로 바라는 점

가을 현장 체험학습

• **생각할 점**: 그림을 보고 어떤 마음이 느껴지는지 생각하며 상황에 알맞은 말을 떠올려 봅니다.

📍 그림에 나타난 상황

가	이웃집 아주머니께서 주시는 음식을 받음.
나	친구와의 약속 시간에 늦어서 뛰어감.
다	가을 현장 체험학습을 가게 되어 기뻐함.
라	아픈 친구를 걱정함.

6 단원

1 그림 **가** 의 상황에서는 어떤 마음을 전해야 할까요?
( )

① 슬픈 마음　　　　② 고마운 마음
③ 부러운 마음　　　④ 걱정하는 마음
⑤ 자랑스러운 마음

2 그림 **가** ~ **다** 의 상황에 알맞은 말을 보기 에서 찾아 쓰세요.

보기
　와, 신난다!　　고맙습니다.　　정말 미안해.

(1) 그림 **가** : ( )
(2) 그림 **나** : ( )
(3) 그림 **다** : ( )

3 그림 **라** 에서 친구에게 마음을 전하는 말을 한 가지 쓰세요.
( )

4 다음 그림을 보고 물음에 답하세요.

(1) 그림 **1** 에서는 어떤 일이 일어났나요?

• ▢ 를 하다가 한 친구가 넘어졌다.

(2) 그림 **2** 에서 넘어졌던 친구에게 할 말로 알맞지 <u>않은</u> 것은 무엇인가요? ( )
① 괜찮니?
② 정말 고마워.
③ 다친 데는 없니?
④ 넘어져서 아프겠다.
⑤ 많이 아프면 내가 가방을 들어 줄게.

6. 마음을 담아 글을 써요 | **83**

규리의 하루

• 생각할 점: 규리의 마음이 어떻게 변하는지 생각하며 이야기를 들어 봅시다.

❶ "규리야, 얼른 일어나. 학교 가야지!"

엄마 목소리가 귀에 울려 퍼졌다.

"5분만요." / "지금 안 일어나면 지각이야."
<u>더 자고 싶은 마음</u>

엄마 손이 이불을 걷어 냈다.

"아이참! 엄마, 알았다고요."

나는 눈을 비비며 부스스 자리에서 일어났다. 차가운 물로 세수를 하자, 졸음이 싹 달아났다. 아침밥을 먹는 둥 마는 둥 하고 서둘러 집을 나섰다.

마음이 바빠져서 거의 뛰다시피 걸었다. 덕분에 1교시 시작하기 직전에 교실에 들어갈 수 있었다.

"규리야, 왜 이렇게 늦었어? <u>걱정했잖아.</u>"
<u>민호의 마음</u>

짝 민호가 **핀잔** 투로 말했다.

"그랬어? 늦잠 자는 바람에……."

곧 수업 시작을 알리는 종이 울렸다.

📝중심 내용 ❶ 규리는 늦잠을 자서 서둘러 학교에 갔다.

❷ 1교시는 사회 시간이었다. 우리 지역의 자랑거리를 조사해서 발표하는 시간이었다.

우리 모둠 발표자는 나였다. 앞 모둠 발표가 거의 끝나가자 나는 가슴이 콩닥콩닥 뛰기 시작했다.

'어쩌지? 실수하면 안 되는데…….'

발표 내용이 갑자기 뒤죽박죽되는 느낌이었다.

우리 모둠 차례가 되었고 겨우겨우 발표를 끝내고 자리로 돌아왔다. 얼른 이 시간이 지나가면 좋겠다고 생각했다.

📝중심 내용 ❷ 규리는 1교시 사회 시간에 발표를 했다.

핀잔 맞대어 놓고 언짢게 꾸짖거나 비꼬아 꾸짖는 일.

투 말이나 글, 행동 등에서 버릇처럼 일정하게 굳어진 모양이나 방식.

🍙교과서 문제

5 규리가 아침에 한 일은 무엇인가요? (   )
① 감기에 걸려서 병원에 갔다.
② 새벽에 일어나 운동을 했다.
③ 부모님과 함께 아침밥을 먹었다.
④ 열이 많이 나서 학교에 가지 못했다.
⑤ 엄마께서 깨우셔서 억지로 일어났다.

6 규리는 아침에 일어났을 때 어떤 마음이 들었을까요?
(   )
① 기쁜 마음   ② 신나는 마음
③ 속상한 마음   ④ 홀가분한 마음
⑤ 자랑스러운 마음

7 규리가 사회 시간에 가슴이 콩닥콩닥 뛴 까닭으로 알맞지 <u>않은</u> 것에 ×표 하세요.
(1) 발표하는 게 겁이 났기 때문이다. (   )
(2) 발표 준비를 하지 않았기 때문이다. (   )
(3) 발표할 때 실수할까 봐 걱정되었기 때문이다.
(   )

8 규리가 사회 시간에 느낀 것과 같은 마음을 느낄 수 있는 때로 알맞은 것의 기호를 쓰세요.

> ㉠ 가족과 여행을 갈 때
> ㉡ 가지고 싶은 물건을 얻게 되었을 때
> ㉢ 같이 놀기로 한 친구가 나타나지 않을 때
> ㉣ 피아노 발표회에서 내 차례가 다가왔을 때

(   )

3 3교시는 내가 가장 좋아하는 음악 시간이었다. 나는 여러 가지 악기를 잘 다루고 노래도 잘 부르는 편이다. 오늘 음악 시간에는 리코더를 연주했다. 내 짝 민호는 리코더 연주가 서툴다. 선생님께서는 민호가 리코더를 연주하는 것을 보시더니 내게 말씀하셨다.

"규리야, 네가 민호 좀 도와주렴."

<u>나는 음악 시간 내내 민</u>
<u>호의 리코더 선생님이 되</u>
<u>었다.</u>

규리가 음악 시간에 한 일

"규리야, '솔' 음은 어떻게 소리 내니?"

"응, 내가 가르쳐 줄게."

민호는 가르쳐 주는 대로 잘 따라 했다.

"아, 이렇게 하는 거구나. 고마워, 규리야."

민호가 잘하자 나도 덩달아 기분이 좋아졌다.

✏️**중심 내용 3** 규리는 민호에게 리코더 연주 방법을 가르쳐 주었다.

4 수업이 모두 끝났다. 집으로 가는 길에 놀이터를 지나게 되었다.

"멍멍!"

어디선가 강아지 소리가 들려왔다.

자세히 보니 <u>옆집 수호네</u>

<u>엄마께서 강아지를 데리고 산</u>
집으로 가던 규리가 본 것
<u>책을 나오셨다.</u> 너무너무 반가웠다. 수호네 강아지는 털이 하얗고 조그만 강아지여서 내가 아주 귀여워한다. 나는 수호 엄마께 반갑게 인사한 뒤에 수호네 강아지의 하얀 털을 조심조심 쓰다듬어 주었다. <u>구름을 만지는 기</u>
강아지를 쓰다듬을 때의 느낌
<u>분</u>이 이런 기분일까?

수호네 강아지 덕분에 오늘 하루가 행복하게 마무리되었다.

✏️**중심 내용 4** 규리는 집으로 가는 길에 놀이터에서 수호네 강아지를 보았다.

---

9 규리가 음악 시간에 기분이 좋아진 까닭으로 알맞은 것에 ○표 하세요.

(1) 수업이 끝나고 민호와 함께 놀기로 해서 ( )

(2) 리코더 연주를 잘한다고 선생님께 칭찬받아서 ( )

(3) 자신이 가르쳐 준 민호의 리코더 연주 실력이 조금씩 나아지고 있어서 ( )

10 수업이 모두 끝난 다음 규리는 놀이터에서 무엇을 했나요?

• 수호네 [   ]의 하얀 털을 쓰다듬어 주었다.

11 방과 후에 규리는 어떤 마음이 들었나요? ( )

① 부러웠다.　　　② 우울했다.
③ 지루했다.　　　④ 짜증났다.
⑤ 행복했다.

🌰교과서 문제

12 자신의 하루를 되돌아보고 일어난 일과 그때의 마음을 **보기**와 같이 짝 지어 써 보세요.

보기

언제	일어난 일	그때의 마음
아침 8시쯤	아침 식사 때 먹은 반찬이 맛있었다.	행복한 마음

(1) 언제	(2) 일어난 일	(3) 그때의 마음

❀ 이야기 속 인물의 마음을 떠올려 보세요.

① 내 생일잔치에 와 줘.
야호, 신난다!
야호 호
히
야 야
호 호
토요일까지 못 기다리겠어!
친구에게 줄 선물을 당장 만들어야지.

 인물이 한 일이나 겪은 일을 찾아봐요.

인물의 생각, 말이나 행동을 살펴봐요.

② 찌돌이가 죽었어. 저런, 불쌍해라. 네가 오랫동안 길렀는데……. 울지 마. 나도 슬퍼.

찌돌이는 너무 나이를 먹었어. 병에도 걸렸고. 언젠가는 죽을 수밖에 없었어. 난 가슴이 너무 아파.

찌돌이는 귀여웠어. 찌돌이는 재미있었어. 찌돌아, 네가 보고 싶을 거야.

13 그림 ①에서 아이에게 어떤 일이 있었나요? (   )

① 친구들과 춤을 추었다.
② 부모님께 선물을 받았다.
③ 친구와 함께 여행을 갔다.
④ 놀이터에서 친구들과 놀았다.
⑤ 친구의 생일잔치에 초대받았다.

14 그림 ①을 보고 알 수 있는 아이의 마음으로 알맞지 않은 것은 무엇인가요? (   )

① 기쁘다.   ② 신난다.
③ 슬프다.   ④ 즐겁다.
⑤ 행복하다.

15 그림 ②에서 여자아이가 슬퍼한 까닭은 무엇인가요?

• 찌돌이가 [   ].

16 그림 ②에서 인물의 마음을 나타낸 말이 아닌 것의 기호를 쓰세요.

㉠ 나도 슬퍼.
㉡ 난 가슴이 너무 아파.
㉢ 네가 보고 싶을 거야.
㉣ 언젠가는 죽을 수밖에 없었어.

(   )

꼴찌라도 괜찮아!

- 글의 종류: 이야기
- 글쓴이: 유계영
- 글의 내용: 이어달리기 선수로 뽑힌 기찬이는 운동에 자신이 없었지만 친구들의 응원을 듣고 열심히 달렸습니다.

❶ 운동에 자신이 없는 기찬이는 운동회가 정말 싫었어요.

❷ 제비뽑기로 기찬이와 이호가 이어달리기 선수에 뽑혔어요.

❸ 이호는 배가 아파서 이어달리기를 하는 중간에 뛰쳐나갔어요.

❹ 친구들은 기찬이를 둘러싸고 운동장을 달렸어요.

❶ "힘껏 던져!"

친구들이 책가방을 향해 얌체공을 던졌어요. 박 터뜨리기 연습을 하고 있는 거예요. 운동회가 코앞으로 다가왔지만 기찬이는 멀찍이 앉아 물끄러미 친구들을 쳐다보았어요.

고무로 만든 작고 말랑말랑한 공

친구들이 얌체공을 던진 까닭

'치, 하나도 재미없어!'

기찬이는 운동에 자신이 없었거든요. 심술이 나 돌멩이를 발로 뻥 차 버렸어요. 그런데 기찬이가 찬 돌멩이가 그만 책가방을 맞혀 버렸어요.

기찬이의 마음

"으악!" / 공책과 연필이 친구들의 머리 위로 우수수 쏟아졌어요.

㉠ "나기찬, 방해하지 말고 집에나 가!"

머리에 혹이 난 친구들이 화가 나서 한마디씩 거들었어요. 기찬이는 사과를 하려고 했지만 할 말이 생각나지 않았어요.

"난 운동회가 정말 싫어!"

기찬이는 교문 밖으로 후다닥 달려 나갔어요. 그때 이호가 소리쳤어요.

"저것 봐. 달리기도 엄청 느려!"

친구들이 손뼉을 치며 깔깔 웃었어요.

✏️ 중심 내용 ❶ 운동에 자신이 없는 기찬이는 운동회가 정말 싫었어요.

17 친구들은 운동장에서 무엇을 하고 있었나요?

- ( )을 향해 얌체공을 던졌다.

18 기찬이가 멀찍이 앉아 친구들을 물끄러미 쳐다보기만 한 까닭은 무엇인가요? ( )

① 팔을 다쳐서
② 얌체공이 없어서
③ 친구들과 다투어서
④ 운동에 자신이 없어서
⑤ 운동회에 나갈 수 없어서

19 ㉠에서 알 수 있는 친구들의 마음은 무엇인가요?

( )

① 고맙다.
② 기대된다.
③ 미안하다.
④ 부끄럽다.
⑤ 화가 난다.

20 친구들이 ㉠과 같이 말하자 기찬이는 어떻게 행동했나요? ( )

① 사과하라며 화를 냈다.
② 자리에 주저앉아 울었다.
③ 가방을 발로 뻥 차 버렸다.
④ 친구들에게 얌체공을 던졌다.
⑤ 교문 밖으로 후다닥 달려 나갔다.

2 이튿날, 운동회에 나갈 선수를 뽑기로 했어요. 모두 **들뜬** 마음으로 선생님의 말씀에 귀 기울였어요.

"제비뽑기로 선수를 뽑자. 누구나 한 경기씩 나갈 수 있도록 말이야."

"말도 안 돼. 가장 잘하는 사람이 나가야 하는 것 아닌가요?"

아이들은 투덜거리며 제비를 뽑았어요. 기찬이의 제비뽑기 순서가 다가왔어요. 기찬이는 '이어달리기'가 쓰인 쪽지를 뽑았어요. 울상이 된 기찬이를 보고 친구들이 몰려들었어요.

"안 봐도 질 게 **뻔해**!"

"어떡해! 이어달리기가 가장 점수가 높은데!"

그때 이호가 쪽지를 까딱까딱 흔들며 말했어요. 이호가 뽑은 쪽지도 '이어달리기'였어요.

"얘들아, 이 형님만 믿어!" → 이호의 마음: 매우 자신이 있음.

✏ **중심 내용 2** 제비뽑기로 기찬이와 이호가 이어달리기 선수에 뽑혔어요.

3 운동회 날 아침, 친구들은 머리에 힘껏 청군 띠를 묶었어요. 그런데 어제부터 신나게 뛰어다니던 이호의 표정이 이상했어요. 다리를 배배 꼬며 **안절부절못했어요.**

'아, 어제 떡을 너무 많이 먹었나 봐……'
　　　　　　　　　이호가 배가 아픈 까닭

"탕!"

출발 신호가 떨어졌어요. 백군 친구들은 쌩쌩 잘도 달렸어요.

기찬이네 반 친구들은 걱정이 앞섰어요. 청군은 이미 반 바퀴나 뒤처지고 있었어요.

"진 거나 마찬가지야! 다음엔 거북이 나기찬인걸!"

아무도 기찬이를 응원하지 않고 딴전을 부렸어요. 기찬이는 이를 **악물고** 뛰었어요. 하지만 점점 뒤처지기만 할 뿐이었어요. 이미 백군의 마지막 선수가 달리고 있었어요. 하지만 기찬이는 반 바퀴도 채 뛰지 못하고 있었어요.

들뜬 마음이나 분위기가 가라앉지 아니하고 조금 흥분된.
　예 바로 앉아 **들뜬** 마음을 가라앉혔다.
뻔해 어떤 일의 결과나 상태 따위가 해 보지 않아도 알 만큼 분명해.

안절부절못했어요 마음이 초조하고 불안하여 어찌할 바를 몰랐어요.
악물고 단단히 결심하거나 무엇을 참아 견딜 때에 힘주어 이를 꼭 마주 물고.

---

21 기찬이네 반 친구들은 운동회에 나갈 선수를 어떻게 뽑았나요? (　　　)

① 제비뽑기를 했다.
② 선생님께서 뽑으셨다.
③ 친구들의 추천을 받았다.
④ 운동을 가장 잘하는 사람을 뽑았다.
⑤ 운동회에 나가고 싶어 하는 사람을 뽑았다.

22 이호는 쪽지를 뽑은 다음 어떤 행동을 했나요? (　　　)

① 다른 친구와 바꾸려고 했다.
② 제비뽑기를 다시 하자고 우겼다.
③ 쪽지를 보며 조용히 미소를 지었다.
④ 친구들에게 쪽지를 보여 주며 자랑을 했다.
⑤ 뽑은 쪽지가 마음에 들지 않아 쪽지를 버렸다.

23 운동회 날 아침, 이호의 마음은 어떠했나요?
(　　　)

① 고맙다.　　　　② 외롭다.
③ 불안하다.　　　④ 지루하다.
⑤ 행복하다.

24 친구들이 기찬이를 응원하지 않고 딴전을 부린 까닭은 무엇일까요? (　　　)

① 기찬이와 사이가 좋지 않기 때문이다.
② 기찬이가 달리는 것을 몰랐기 때문이다.
③ 기찬이가 질 것이라고 생각했기 때문이다.
④ 기찬이가 조용히 하라고 소리쳤기 때문이다.
⑤ 기찬이는 응원을 하지 않아도 잘하기 때문이다.

"빨리! 더 빨리!"

다음 선수인 이호는 손을 뒤로 **뻗어** 기찬이를 재촉했어요.

"꾸르르륵……!"

그때 이호의 배 속에서 천둥처럼 큰 소리가 났어요. 이호는 갑자기 가로질러 뛰쳐나갔어요. 더 이상 참을 수가 없었던 거예요!

🖊 **중심 내용 3** 이호는 배가 아파서 이어달리기를 하는 중간에 뛰쳐나갔어요.

❹ 백군의 마지막 선수와 청군의 세 번째 선수 기찬이가 같은 자리를 뛰고 있었어요. 이호가 화장실에 가 버리는 바람에 기찬이의 다음에는 아무도 없었어요. 그런데 누군가 기찬이를 가리키며 소리쳤어요.

"어? 나기찬이 이기고 있어!"

<u>백군의 마지막 선수와 같이 달리고 있는 기찬이를</u>
친구들이 기찬이가 이기고 있다고 말한 까닭
<u>보고 친구들이 착각을 한 거예요.</u>

"뛰어라, 나기찬!"

"달려라, 나기찬!"

기찬이는 ㉮<u>어리둥절했어요.</u> <u>친구들이 목청껏 자신</u>
친구들이 기찬이를 응원함.
<u>의 이름을 부르고 있었으니까요.</u> 기찬이는 눈을 질끈

감고 발바닥에 불이 나도록 ㉯<u>내달렸어요.</u> 기찬이가 마지막 백군 선수보다 한발 ㉰<u>앞서 나갔어요.</u>

"기적이야! 우리가 이겼어!"

기찬이네 반 친구들이 ㉱<u>신이 나서</u> 외쳤어요.

"나기찬!" / "나기찬!"

"저기! 나기찬 좀 봐."

그런데 기찬이가 한 바퀴를 더 도는 게 아니겠어요? 그때 이호가 휴지를 들고 헐레벌떡 뛰어왔어요. 친구들은 그제야 ㉲<u>이마를 탁 쳤어요.</u>

"뭐야, 이긴 게 아니야?"

"그것도 한 바퀴나 차이 나게 진 거야?"

이호는 머리를 긁적이며 멋쩍게 웃었어요.
어색하고 쑥스럽게.

"어디 갔다 왔어!"

기찬이는 이호에게 배턴을 넘겨주었어요.

"너만 믿다가 졌잖아."

기찬이는 괜히 웃음이 나왔어요. 친구들도 웃음이 나오는 것을 참을 수 없었어요. 모두 기찬이를 둘러싸고 웃으며 운동장을 달렸어요.

🖊 **중심 내용 4** 기찬이가 이긴 줄 알고 좋아했던 친구들은 기찬이를 둘러싸고 운동장을 달렸어요.

---

25 이호가 겪은 일을 원인과 결과로 나누어 쓰세요.

원인	이어달리기 차례를 기다리는데 (1) ( )가 아팠다.

⬇

결과	참지 못하고 (2) ( )에 갔다.

📋 **서술형·논술형 문제**

26 이호가 갑자기 자리를 비운 사이, 기찬이는 어떻게 행동했는지 쓰세요.

_____

_____

27 ㉮~㉲ 중에서 기찬이의 마음을 나타낸 표현은 무엇인가요? ( )

① ㉮ ② ㉯ ③ ㉰

④ ㉱ ⑤ ㉲

28 글에 나오는 인물의 마음을 <u>잘못</u> 짐작한 사람은 누구인가요?

> 하윤: 친구들은 기찬이가 이기고 있는 줄 알고 신이 났어.
> 준열: 기찬이는 이호 때문에 이어달리기에서 졌다고 생각해서 화가 났을 거야.
> 슬비: 이호는 자기만 믿으라고 큰소리를 친 것이 생각나서 부끄럽고 미안했을 거야.

( )

정답 14쪽

국어 교과서 202쪽

2. 「꼴찌라도 괜찮아!」를 읽고 친구들과 묻고 답하기 놀이를 해 봅시다.

물음	답
친구들이 기찬이를 거북이라고 부른 까닭은 무엇일까요?	예시 답안 기찬이의 달리기 속도가 느렸기 때문입니다.
예시 답안 기찬이는 왜 돌멩이를 발로 뻥 차 버렸을까요?	예시 답안 운동에 자신이 없는데 운동회가 다가와서 심술이 났기 때문입니다.
예시 답안 머리에 혹이 난 친구들은 기찬이에게 뭐라고 화를 내며 말했나요?	예시 답안 "나기찬, 방해하지 말고 집에나 가!"라고 말했습니다.

풀이 묻고 답하기 활동을 통해 이야기에서 일어난 사건을 다시 한 번 정리할 수 있습니다.

3. 「꼴찌라도 괜찮아!」의 내용을 생각하며 보기 와 같이 기찬이의 마음을 헤아려 써 봅시다.

보기

기찬이는 운동을 잘 못해서 속상하고, 친구들에게 사과를 제대로 못 해서 당황했을 것 같아.

예시 답안 이어달리기가 가장 점수가 높은데 달리기를 잘하지 못해서 마음이 무거웠을 것 같아.

예시 답안 최선을 다해서 결과와 상관없이 뿌듯한 마음일 것 같아.

풀이 글의 내용에서 인물이 처한 상황을 떠올려 보고 그때 인물이 느꼈을 마음을 짐작해 봅니다.

자습서 확인 문제

1 달리기가 느린 기찬이를 보고, 친구들은 무엇이라고 불렀나요? (   )
  ① 토끼
  ② 거북이
  ③ 강아지
  ④ 고양이
  ⑤ 호랑이

2 기찬이가 이어달리기 쪽지를 뽑았을 때 마음이 어떠하였을까요?
(   )
  ① 좋다.
  ② 기쁘다.
  ③ 마음이 가볍다.
  ④ 마음이 무겁다.
  ⑤ 기다리기 힘들다.

3 기찬이가 운동회에서 뿌듯한 마음이 들었다면 무엇 때문일까요?
(   )

✿ 화해하기

주은이의 행동에 화가 난 원호

주은이가 딱지치기를 하다가 마음대로 되지 않자 "다시 해!", "집에 갈 거야."와 같은 예의 없는 말과 행동을 했습니다.

그래. 결심했어! 가서 원호에게 사과하자!

주은

주은이는 자신의 예의 없는 말과 행동 때문에 화가 난 원호에게 사과를 하려고 했습니다.

미안해, 미안하다고. 됐냐?

주은이의 표정이나 분위기, 말한 내용이나 행동이 사과하는 것처럼 느껴지지 않아서 원호는 사과를 받지 않았습니다.

주은이는 친구들의 의견을 듣고 원호에게 미안한 마음을 전하는 편지를 썼습니다.

- **자료의 종류:** 동영상
- **자료의 내용:** 주은이는 자신의 예의 없는 말과 행동 때문에 화가 난 원호에게 사과를 했습니다.

📍 다른 사람의 마음을 헤아리며 자신의 마음을 전하는 글 쓰기
① 어떤 일이 있었는지 쓴다.
② 자신의 감정을 솔직하게 쓴다.
③ 앞으로 바라는 점이 무엇인지 쓴다.

6 단원

친구에게 전하고 싶은 마음이 장난스럽게 보이지 않아야 해요.

---

29 장면 ❶에서 원호의 마음은 어떠할까요? ( )
① 고맙다. ② 설렌다.
③ 부끄럽다. ④ 재미있다.
⑤ 화가 난다.

30 주은이는 왜 원호에게 사과하려고 했나요? ( )
① 선생님께서 시키셔서
② 원호가 사과하라고 소리쳐서
③ 원호에게 부탁할 일이 있어서
④ 다른 친구들이 놀아 주지 않아서
⑤ 원호가 자신의 예의 없는 말 때문에 화가 나서

31 장면 ❸에서 원호가 주은이의 사과를 받지 않고 가 버린 까닭은 무엇인가요?
• 주은이의 ( )이나 분위기, 말한 내용이나 행동이 사과하는 것처럼 느껴지지 않았기 때문이다.

🗒️ **서술형·논술형 문제**

32 주은이가 되어 다음 쪽지를 완성하세요.

> 원호야, 안녕. 나 주은이야.
> 교실에서 활동할 때 네게 예의 없이 행동하고 제대로 사과하지 못했어. 그리고 사과할 때에 툭툭 치면서 말해서 많이 기분 나빴지?
>
> _____
>
> _____
>
> 예의 있게 행동하고 용기를 내서 제대로 사과를 할게. 앞으로 친하게 지내자.

33 친구에게 사과하는 쪽지를 쓸 때 주의할 점이 아닌 것에 ×표 하세요.
(1) 상냥한 말투로 쓰는 것이 좋다. ( )
(2) 바른 글씨로 진심을 담아서 쓴다. ( )
(3) 친구의 마음이 풀리도록 웃긴 이야기를 쓴다.
( )

6단원

[1~2]

가을 현장 체험학습

1 그림 **①**~**②** 중 신나는 마음이 느껴지는 그림의 번호를 쓰시오.

그림 (   )

2 그림 **②**의 빈칸에 어울리는 말은 무엇입니까?

(   )

① 정말 미안해.　　　② 빨리 나아야 해.

③ 조심하지 그랬어.　　④ 와 주어서 고마워.

⑤ 오늘 숙제가 뭐야?

[3~4] 규리의 하루

(가) 거의 뛰다시피 걸었다. 덕분에 1교시 시작하기 직전에 교실에 들어갈 수 있었다.

"규리야, 왜 이렇게 늦었어? 걱정했잖아."

짝 민호가 핀잔 투로 말했다.

"그랬어? 늦잠 자는 바람에……."

(나) 1교시는 사회 시간이었다. 우리 지역의 자랑거리를 조사해서 발표하는 시간이었다.

우리 모둠 발표자는 나였다. 앞 모둠 발표가 거의 끝나 가자 나는 가슴이 콩닥콩닥 뛰기 시작했다.

㉠'어쩌지? 실수하면 안 되는데…….'

발표 내용이 갑자기 뒤죽박죽되는 느낌이었다.

우리 모둠 차례가 되었고 겨우겨우 발표를 끝내고 자리로 돌아왔다.

3 규리가 겪은 일이 아닌 것은 무엇입니까? (   )

① 민호가 규리를 걱정했다.

② 규리는 학교에 늦게 갔다.

③ 규리는 아침에 늦잠을 잤다.

④ 규리는 사회 시간에 발표를 했다.

⑤ 규리는 민호의 도움으로 발표를 잘 마쳤다.

4 ㉠에 나타난 규리의 마음은 어떠합니까? (   )

① 설렌다.　　② 즐겁다.　　③ 궁금하다.

④ 불안하다.　　⑤ 속상하다.

[5~6] 규리의 하루

3교시는 내가 가장 좋아하는 음악 시간이었다. 나는 여러 가지 악기를 잘 다루고 노래도 잘 부르는 편이다. 오늘 음악 시간에는 리코더를 연주했다. 내 짝 민호는 리코더 연주가 서툴다. 선생님께서는 민호가 리코더를 연주하는 것을 보시더니 내게 말씀하셨다.

"규리야, 네가 민호 좀 도와주렴."

나는 음악 시간 내내 민호의 리코더 선생님이 되었다.

"규리야, '솔' 음은 어떻게 소리 내니?"

"응, 내가 가르쳐 줄게."

민호는 가르쳐 주는 대로 잘 따라 했다.

"아, 이렇게 하는 거구나. 고마워, 규리야."

㉠민호가 잘하자 나도 덩달아 기분이 좋아졌다.

5 규리가 겪은 일은 무엇입니까?

• 음악 시간에 민호에게 [   ] 연주 방법을 가르쳐 주었다.

6 ㉠에서 짐작할 수 있는 규리의 마음이 아닌 것은 무엇입니까? (   )

① 기쁜 마음　　　② 뿌듯한 마음

③ 보람 있는 마음　　④ 자랑스러운 마음

⑤ 잘난 체하는 마음

6
단원

[7~9] 꼴찌라도 괜찮아!

"난 운동회가 정말 싫어!"

기찬이는 교문 밖으로 후다닥 달려 나갔어요. 그때 이호가 소리쳤어요.

"저것 봐. 달리기도 엄청 느려!"

친구들이 손뼉을 치며 깔깔 웃었어요.

이튿날, 운동회에 나갈 선수를 뽑기로 했어요. 모두 들뜬 마음으로 선생님의 말씀에 귀 기울였어요.

"제비뽑기로 선수를 뽑자. 누구나 한 경기씩 나갈 수 있도록 말이야."

"말도 안 돼. 가장 잘하는 사람이 나가야 하는 것 아닌가요?"

아이들은 투덜거리며 제비를 뽑았어요. 기찬이의 제비뽑기 순서가 다가왔어요. 기찬이는 '이어달리기'가 쓰인 쪽지를 뽑았어요. 울상이 된 기찬이를 보고 친구들이 몰려들었어요.

㉠"안 봐도 질 게 뻔해!"

㉡"어떡해! 이어달리기가 가장 점수가 높은데!"

7 제비뽑기로 선수를 뽑은 까닭은 무엇입니까?

• [   ] 한 경기씩 나갈 수 있도록 하려고

8 기찬이가 울상이 된 까닭은 무엇이겠습니까? (   )

① 달리기를 잘하지 못해서
② 가장 늦게 제비를 뽑아서
③ 여러 경기에 나가게 되어서
④ 선생님이 제비를 뽑으라고 해서
⑤ 이호도 '이어달리기' 쪽지를 뽑아서

9 ㉠과 ㉡에 나타난 친구들의 마음은 어떠합니까?

(   )

① 기쁜 마음　　② 뽐내는 마음
③ 기대하는 마음　④ 실망하는 마음
⑤ 축하하는 마음

[10~12] 꼴찌라도 괜찮아!

백군의 마지막 선수와 청군의 세 번째 선수 기찬이가 같은 자리를 뛰고 있었어요. 이호가 화장실에 가 버리는 바람에 기찬이의 다음에는 아무도 없었어요. 그런데 누군가 기찬이를 가리키며 소리쳤어요.

㉠"어? 나기찬이 이기고 있어!"

백군의 마지막 선수와 같이 달리고 있는 기찬이를 보고 친구들이 착각을 한 거예요.

"뛰어라, 나기찬!" / "달려라, 나기찬!"

기찬이는 어리둥절했어요. 친구들이 목청껏 자신의 이름을 부르고 있었으니까요. 기찬이는 눈을 질끈 감고 발바닥에 불이 나도록 내달렸어요. 기찬이가 마지막 백군 선수보다 한발 앞서 나갔어요.

"기적이야! 우리가 이겼어!"

기찬이네 반 친구들이 신이 나서 외쳤어요.

10 ㉠과 같이 말한 친구는 기찬이가 이어달리기의 몇 번째 선수라고 생각했겠습니까? (   )

① 첫 번째 선수　　② 두 번째 선수
③ 세 번째 선수　　④ 마지막 선수

11 기찬이는 왜 어리둥절했습니까? (   )

① 갑자기 배가 아파서
② 백군 선수가 갑자기 넘어져서
③ 자신이 백군을 이기고 있어서
④ 친구들이 자신을 응원하고 있어서
⑤ 다음 선수인 이호가 보이지 않아서

🗂 **서술형·논술형 문제**

12 이 글에 나타난 친구들의 마음을 짐작하여 까닭과 함께 쓰시오.

_____

_____

13 인물의 마음을 짐작하기 위해 살펴볼 것이 <u>아닌</u> 것은 무엇입니까? ( )

① 인물의 생각   ② 인물이 한 일

③ 인물의 생김새   ④ 인물이 겪은 일

⑤ 인물의 말이나 행동

6
단원

진도 완료
체크

[14~17] 화해하기

❶ 주은이의 행동에 화가 난 원호

◆ 주은이가 딱지치기를 하다가 예의 없는 말과 행동을 함.

주은

그래, 결심했어! 가서 원호에게 사과하자!

◆ 주은이는 원호에게 사과를 하려고 함.

미안해, 미안하다고, 됐냐?

◆ 주은이가 제대로 사과하지 않아서 원호가 사과를 받지 않음.

◆ 주은이가 원호에게 마음을 전하는 쪽지를 씀.

14 주은이와 원호에게 있었던 일에 대한 설명으로 알맞은 것을 두 가지 고르시오. (,)

① 원호가 주은이를 툭툭 치며 사과했다.

② 주은이가 원호에게 예의 없이 행동했다.

③ 주은이가 원호의 어깨를 치고 가 버렸다.

④ 주은이는 원호에게 제대로 사과하지 않았다.

⑤ 원호가 주은이에게 기분이 나쁘다고 말했다.

15 주은이가 원호에게 전하려고 한 마음을 쓰시오.

( )

서술형·논술형 문제

16 장면 ❸에서 주은이가 한 말을 원호의 마음을 헤아리는 말로 바꾸어 쓰시오.

_____

_____

17 장면 ❹에서 주은이가 원호에게 쓴 쪽지에 들어갈 내용이 <u>아닌</u> 것에 ×표 하시오.

(1) 앞으로의 다짐 ( )

(2) 전하고 싶은 마음 ( )

(3) 상대가 잘못한 점 ( )

[18~19] '마음을 전하는 우리 반' 행사

　10월 넷째 주에 '마음을 전하는 우리 반'이라는 이름으로 각 반에서 행사를 합니다. '마음을 전하는 우리 반'은 자신의 마음을 다른 사람에게 전하는 행사입니다. 이때에는 친구들뿐만 아니라 주위 사람들에게 고마운 마음, 존경하는 마음, 미안한 마음 따위를 전할 수 있습니다. 전하는 방법은 다양하지만 예쁜 종이에 마음을 담아 손 편지를 써서 전하자는 의견이 많았습니다.

18 '마음을 전하는 우리 반' 행사는 어떤 행사입니까?

• [ ]을 다른 사람에게 전하는 행사

19 마음을 전하는 편지에 꼭 써야 하는 내용으로 알맞지 <u>않은</u> 것은 무엇입니까? ( )

① 어떤 일이 있었는지 쓴다.

② 전하고 싶은 마음을 쓴다.

③ 앞으로의 각오나 다짐을 쓴다.

④ 상대에게 하고 싶은 말을 쓴다.

⑤ 편지를 쓴 장소와 시간을 쓴다.

20 다른 사람의 마음을 생각하며 자신의 마음을 전하는 표현은 무엇입니까? ( )

① 그렇게 하지 말랬잖아!

② 네 사과를 받을게. 괜찮아.

③ 앞 좀 보고 다녀! 아프잖아!

④ 너는 어떻게 또 실수를 하니?

⑤ 네가 먼저 잘못했잖아. 사과해!

글을 읽고 소개해요

7

개념 웹툰

글을 읽고 친구에게 소개하면
좋은 점은 무엇일까요?
스마트폰에서 확인하세요!

7단원

개념① 글을 읽고 친구에게 소개하면 좋은 점

① 새로운 사실을 알려 줄 수 있습니다.
② 읽은 글의 내용을 잘 정리할 수 있습니다.
③ 소개하면서 친구들과 많은 이야기를 나눌 수 있습니다.
④ 자신이 관심 있는 분야를 더 다양하게 생각할 수 있습니다.

활동 자신이 읽은 글을 다른 사람에게 소개한 경험 나누기 예

달팽이 놀이를 하는 방법을 읽고 친구들에게 소개해서 같이 한 적이 있어.

우주에 대한 책을 읽고 친구들 앞에서 발표했어.

개념② 책 소개하기

① 어떤 책을 소개하고 싶은지 써 봅시다.
② 소개 방법과 내용을 써 봅시다.
③ 친구들에게 책을 소개해 봅시다.

활동 책을 소개하는 여러 가지 방법

책 보여 주며 말하기	책을 직접 보여 주며 제목, 내용, 인상 깊은 부분 등을 소개합니다.
새롭게 안 내용을 그림으로 소개하기	책을 읽고 새롭게 안 내용을 정리해 그림으로 보여 주며 책을 소개합니다.
노랫말을 바꾸어 소개하기	노랫말을 책을 소개하는 내용으로 바꾸어 부릅니다.

개념③ 독서 감상문

① 독서 감상문: 어떤 책을 읽고 책 내용과 생각이나 느낌을 정리한 글
② 독서 감상문 쓰기의 예

> 오늘은 학교에서 『바위나리와 아기별』이라는 책을 읽었다. 앞표지에 있는 바위나리와 아기별 그림이 무척 예뻐서 내용이 궁금했기 때문이다. 이 책은 바위나리와 아기별의 우정 이야기이다. ……

활동 독서 감상문에 들어가는 내용

책을 읽게 된 까닭	그 책을 어떻게 읽게 되었는지를 씁니다.
책 내용	책에 있는 이야기의 줄거리나 책에 담긴 중요한 정보를 씁니다.
인상 깊은 부분	책 내용 가운데에서 가장 기억에 남는 부분을 씁니다.
책을 읽은 뒤에 든 생각이나 느낌	책을 읽고 나서 떠올린 생각이나 느낀 점을 씁니다.

개념④ 독서 감상문으로 우리 반 꾸미기

① 나뭇잎 모양의 독서 감상문으로 책 나무 환경판을 만들어 꾸밉니다.
② 모둠별로 독서 감상문 전시회를 합니다.
③ 책 보물 상자를 만들어 전시합니다.

활동 나뭇잎 모양으로 환경판을 만들어 꾸미기 예

➡ 읽은 책을 친구들에게 소개하면 책 내용을 더 잘 기억할 수 있고, 친구들과 더 친해질 수 있습니다.

재미있는 교실 놀이 '앉아서 하는 피구'

• 글의 종류: 소개하는 글
• 글의 특징: 동준이가 '앉아서 하는 피구'를 친구들에게 소개하기 위해 쓴 글입니다.

'앉아서 하는 피구'는 공 하나로 교실에서 쉽게 즐길 수 있는 놀이이다. 먼저 교실에 있는 책상을 모두 뒤로 밀어 가로로 긴 네모 모양으로 피구장을 만든다. 그다음에는 학급 친구 전체를 두 편으로 나누고 두 편 대표가 가위바위보를 해서 먼저 **공격할** 쪽을 정한다.

규칙은 피구와 같지만 앉은 자세로 하는 것이 특징이다. 공을 굴리는 사람이나 피하는 사람 모두 앉은 자세로 해야 한다. 앉은 자세에서 무릎을 한쪽이라도 펴서 일어나는 자세가 되면 누구든 피구장 밖으로 나가야 한다. 상대를 맞힐 때에는 공을 바닥에 굴려서 맞혀야 한다. 공을 튀기거나 던져서 맞히면 맞은 사람은 밖으로 나가지 않는다. 공을 피할 때에는 옆으로 이동해 피하거나, 무릎을 가슴에 붙여 앉은 자세로 뜀을 뛰어 피할 수 있다.

굴린 공이 아무도 맞히지 못하고 벽에 닿으면, **수비하던** 친구가 공을 잡아 공
<u>공격과 수비가 바뀌는 방법</u>
격할 기회를 얻는다. 그러나 굴린 공이 벽에 닿기도 전에 잡으면 공에 맞은 것과 똑같이 밖으로 나가야 한다.

결국 공에 맞거나, 일어서거나, 공이 벽에 닿기 전에 잡으면 밖으로 나가야 하는 것이다. 밖으로 나간 친구들은 놀이가 끝날 때까지 지켜본다. 어느 한 편의 친구 모두가 밖으로 나가면 놀이가 끝난다.→ 모두 밖으로 나간 편이 지게 됨.

📍 글을 읽고 친구에게 소개하면 좋은 점
① 친구가 새로운 지식을 알 수 있다.
② 친구와 더 친해질 수 있다.
③ 소개해 준 친구와 많은 이야기를 나눌 수 있다.

7
단원

공격할 운동 경기나 오락 등에서 상대편을 이기기 위해 적극적으로 행동할.
수비하던 공격을 막아 지키던.

---

1 이 글에서 소개한 놀이는 무엇인가요? (   )
① 얼음땡
② 공기놀이
③ 딱지치기
④ 달팽이 놀이
⑤ 앉아서 하는 피구

2 이 놀이를 하려면 어떤 준비를 해야 하는지 알맞은 것에 ○표 하세요.
(1) 공을 여러 개 준비한다.   (   )
(2) 다 함께 운동장으로 나간다.   (   )
(3) 학급 친구들을 두 편으로 나눈다. (   )

3 이 놀이의 규칙으로 알맞지 <u>않은</u> 것은 무엇인가요?
(   )
① 공을 피할 때는 옆으로 이동한다.
② 피하는 사람만 앉은 자세로 한다.
③ 공을 바닥에 굴려서 상대를 맞힌다.
④ 공이 벽에 닿으면 수비가 잡아 공격할 수 있다.
⑤ 무릎을 한쪽이라도 펴서 일어나는 자세가 되면 밖으로 나간다.

📋 서술형·논술형 문제
4 자신이 좋아하는 놀이를 한 가지 소개해 보세요.

_____

_____

_____

온 세상 국기가 펄럭펄럭

- 글쓴이: 서정훈
- 글의 특징: 여러 나라 국기에 어떤 의미가 담겨 있는지 설명했습니다.

1 두근두근, 두근두근!

드디어 월드컵 **개막식**이 시작되었어.

각 나라를 대표하는 선수들이 운동장으로 줄지어 들어오고 있어.

커다란 국기를 펼쳐 들고서 말이야.

갖가지 무늬와 색깔의 국기들이 물결처럼 출렁거려.

그런데 왜 국기를 들고 입장하냐고?

국기는 그 나라를 나타내는 깃발이거든.

중심 내용 1 월드컵 개막식이 시작되자, 선수들이 그 나라를 나타내는 국기를 들고 입장한다.

2 국기에는 그 나라의 자연이 담겨 있어.

캐나다에는 설탕단풍 나무가 많이 자라.

설탕단풍 나무는 캐나다처럼 추운 날씨에 잘 자라거든.

가을에 붉은색으로 단풍이 들면 얼마나 고운지 몰라.

캐나다 사람들은 설탕단풍 나무에서 나오는 즙으로 달콤한 메이플시럽을 만들어 먹기도 해.

그래서 캐나다 사람들은 국기에 **빨간** 단풍잎을 그려 넣었어.

중심 내용 2 국기에는 그 나라의 자연이 담겨 있는데, 캐나다의 국기에는 빨간 단풍잎이 그려져 있다.

3 국기에는 그 나라의 **전설**이 담겨 있어.
옛날부터 전해 내려오는 이야기.

멕시코 국기 이야기를 들어 볼래?

어느 날, 아즈텍족이 신의 **계시**를 받았어.

"독사를 물고 날아가는 독수리가 선인장 위에 앉으면 그곳에 도시를 세워라!"

계시대로 독수리가 내려앉은 곳에 도시를 세웠더니 점점 강해져 아즈텍 제국으로 발전했고, 오늘날의 멕시코가 되었대.

그래서 나라를 세운 이야기를 국기에 그려 넣은 거야.

중심 내용 3 국기에는 그 나라의 전설이 담겨 있는데, 멕시코 국기에는 나라를 세운 이야기가 들어 있다.

개막식(開 열 개 幕 장막 막 式 법 식) 일정 기간 동안 계속되는 행사를 처음 시작할 때 행하는 의식.

계시(啓 열 계 示 보일 시) 사람의 지혜로써는 알 수 없는 진리를 신이 가르쳐 알게 함.

---

5 각 나라를 대표하는 선수들이 왜 국기를 들고 입장한다고 했나요?

- 국기는 그 [   ]를 나타내는 깃발이기 때문이다.

6 캐나다 국기에 빨간 단풍잎을 그려 넣은 까닭은 무엇일까요? (   )

① 캐나다는 항상 날씨가 추워서
② 캐나다에 식물이 자라지 않아서
③ 캐나다 사람들이 빨간색을 좋아해서
④ 캐나다에는 일 년 내내 단풍이 들어서
⑤ 캐나다에 설탕단풍 나무가 많이 자라서

7 멕시코의 국기에는 어떤 이야기가 담겨 있나요?

- 독사를 물고 날아가는 [(1)   ]가 [(2)   ] 위에 앉자 그곳에 도시를 세웠다는 아즈텍족의 이야기

8 다음은 각각 어느 나라의 국기인지 쓰세요.

(1)    (2)

(   )   (   )

❹ 국기에는 그 나라의 땅이 담겨 있어.

<u>미국 국기에는 줄과 별이 참 많지?</u>
미국 국기의 특징

도대체 몇 개인지 한번 세어 볼까?

줄이 열세 개, 별이 오십 개야.

미국이 처음 나라를 세울 때에는 주가 열세 개였대.

열세 개의 줄은 그걸 기념하는 거야.

미국 땅이 점점 커져 주가 생길 때마다 국기의 별이

하나씩 늘어났는데 지금은 주가 오십 개라서 별도 오

십 개가 된 거야. → 처음에는 국기에 그려진 별도 열세 개였음.

땅과 함께 국기도 변한 거지.

✏️ 중심 내용 ❹ 국기에는 그 나라의 땅이 담겨 있는데, 미국 국기에는 주가 생길 때마다 국기의 별이 하나씩 늘어 지금은 오십 개의 별이 그려져 있다.

❺ 우리나라 국기인 태극기도 궁금하지?

일본에 나라를 빼앗긴 시대에는 태극기를 마음대로
일제 강점기

사용하지 못했어.

일본이 태극기 사용을 금지했거든.

하지만 우리는 독립하려고 열심히 싸울 때마다 태

극기를 힘차게 휘날렸어.

마침내 1945년에 나라를 되찾았고, 그동안 무늬가

조금씩 달랐던 태극기는 1949년에 지금의 태극기 모

습으로 정해졌어.

「우리나라 사람들의 평화를 사랑하는 마음은 태극기

의 흰색에 담겨 있어.

태극 문양은 조화로운 우주를 뜻하고, 네 모서리의

사괘는 하늘, 땅, 물, 불을 나타낸 거야.」 → 태극기에 담긴 뜻

✏️ 중심 내용 ❺ 태극기의 흰색에는 평화를 사랑하는 마음이 담겨 있고, 태극 문양은 조화로운 우주를 뜻하며 사괘는 하늘, 땅, 물, 불을 나타낸다.

❻ 국기는 그 나라를 나타내는 얼굴이야.

국제 경기에 참가할
때에도, 메달을 땄을
때에도, 에베레스트산
정상에 올랐을 때에도

…… 나라를 빛내는 순간에는 언제나 국기가 함께해.

남극의 과학 기지에도, 우주로 날아가는 우주선에

도, 국제연합[유엔] 본부에도 …… 나라를 대표하는 자

리에는 언제나 국기가 함께해.

국기는 그 나라이자 국민이거든.

✏️ 중심 내용 ❻ 국기는 그 나라를 나타내는 얼굴이고 나라를 빛내는 순간이나 나라를 대표하는 자리에는 언제나 국기가 함께한다.

문양(文 글월 문 樣 모양 양) 옷감이나 조각품 등을 장식하기 위한 여러 가지 모양.

정상(頂 정수리 정 上 윗 상) 산 등의 맨 꼭대기.
국제연합 국가 간의 평화와 안전의 유지, 협력을 위해 만든 국제 평화 기구.

---

9 미국 국기에는 줄과 별이 몇 개 있나요?

• 줄이 (1) [   ] 개, 별이 (2) [   ]

개가 있다.

10 미국의 처음 국기와 비교하여 현재의 국기는 어떤 점이 달라졌나요? (   )

① 국기에 그려진 별의 수가 늘어났다.

② 국기에 그려진 줄의 수가 늘어났다.

③ 국기에 그려진 별의 수가 줄어들었다.

④ 국기에 그려진 줄의 수가 줄어들었다.

⑤ 국기에 그려진 별과 줄의 수가 모두 늘어났다.

11 태극기의 흰색에는 어떤 뜻이 담겨 있나요? (   )

① 자유와 평등
② 조화로운 우주
③ 하늘, 땅, 물, 불
④ 독립에 대한 의지
⑤ 평화를 사랑하는 마음

12 태극기에 대한 설명으로 알맞은 것을 두 가지 고르세요. (,   )

① 1945년에 처음 만들어졌다.

② 미국이 태극기 사용을 금지했다.

③ 독립운동을 할 때 태극기를 사용했다.

④ 1949년에 지금의 태극기 모습으로 정해졌다.

⑤ 처음 만들었을 때에도 지금과 무늬가 같았다.

바위나리와 아기별의 우정

- 글의 종류: 독서 감상문
- 생각할 점: 글을 읽고 독서 감상문의 특징을 알아봅시다.

오늘은 학교에서 『바위나리와 아기별』이라는 책을 읽었다. ㉠앞표지에 있는 바위나리와 아기별 그림이 무척 예뻐서 내용이 궁금했기 때문이다. 이 책은 바위나리와 아기별의 우정 이야기이다.

바위나리는 바닷가에 핀 아름다운 꽃이었다. 하지만 친구가 없어 늘 외로웠다. 어느 날 밤, ㉡아기별이 하늘에서 내려와 둘은 친구가 되었고, 바위나리와 아기별은 밤마다 만나 즐겁게 놀았다.

그러던 어느 날, 병이 든 바위나리를 간호하던 아기별은 너무 늦게 하늘 나라로 올라가 그 벌로 다시는 바닷가에 내려오지 못했다.^{아기별이 벌을 받은 까닭} 아기별을 기다리던 바위나리는 점점 시들다가 그만 바람이 세게 불어 바다로 날려 갔다. ㉢아기별은 밤마다 울다가 빛을 잃어 바다로 떨어졌다. 바위나리가 날려 간 바로 그 바다였다.

나는 이 책에서 바위나리를 그리워하며 울다가 빛을 잃은 ㉣아기별이 하늘 나라에서 쫓겨나 바다로 떨어진 장면이 가장 기억에 남는다. 왜냐하면 살아 있을 때에는 만나지 못하다가 죽은 뒤에야 같이 있을 수 있게 된 것이 너무 슬펐기 때문이다. 바위나리는 몸이 아파 아기별을 만나지 못해 너무 슬펐다. 얼마나 슬펐으면 가슴이 ㉮미어졌을까?

이 책을 읽고 주위에 바위나리처럼 외로운 친구가 있는지 생각해 보았다. 그리고 그 친구에게 ㉤아기별과 같은 친구가 되어야겠다는 생각이 들었다. 나는 바위나리와 아기별의 우정이 아름다우면서도 안타깝고 슬펐다.

책을 읽게 된 까닭을 썼구나.

책 내용을 소개하는구나.

인상 깊은 부분을 썼구나.

책을 읽은 뒤에 든 생각이나 느낌을 썼구나.

13 어떤 책을 읽고 쓴 글인가요?

(   )

14 ㉠~㉤에 나타난 독서 감상문의 특징을 알맞게 쓴 것은 무엇인가요? (   )

① ㉠: 책 내용
② ㉡: 인상 깊은 부분
③ ㉢: 인상 깊은 부분
④ ㉣: 책을 읽게 된 까닭
⑤ ㉤: 책을 읽은 뒤에 든 생각이나 느낌

15 독서 감상문을 쓸 때 주의할 점으로 알맞은 것에 ○표 하세요.

(1) 책 내용 전체를 빠짐없이 다 쓴다. (   )
(2) 책에서 중요한 내용이나 사건을 골라 쓴다.
(   )

16 ㉮의 뜻을 짐작해 보고, 국어사전에서 그 뜻을 찾아 쓰세요.

미어지다	
(1) 짐작한 뜻	(2) 국어사전에서 찾은 뜻

[1~4] 재미있는 교실 놀이 '앉아서 하는 피구'

(가) 앉아서 하는 피구는 공 하나로 교실에서 쉽게 즐길 수 있는 놀이이다. 먼저 교실에 있는 책상을 모두 뒤로 밀어 가로로 긴 네모 모양으로 피구장을 만든다. 그다음에는 학급 친구 전체를 두 편으로 나누고 두 편 대표가 가위바위보를 해서 먼저 공격할 쪽을 정한다.

(나) 규칙은 피구와 같지만 앉은 자세로 하는 것이 특징이다. 공을 굴리는 사람이나 피하는 사람 모두 앉은 자세로 해야 한다. 앉은 자세에서 무릎을 한쪽이라도 펴서 일어나는 자세가 되면 누구든 피구장 밖으로 나가야 한다. 상대를 맞힐 때에는 공을 바닥에 굴려서 맞혀야 한다. 공을 튀기거나 던져서 맞히면 맞은 사람은 밖으로 나가지 않는다. 공을 피할 때에는 옆으로 이동해 피하거나, 무릎을 가슴에 붙여 앉은 자세로 뜀을 뛰어 피할 수 있다.

(다) 굴린 공이 아무도 맞히지 못하고 벽에 닿으면, 수비하던 친구가 공을 잡아 공격할 기회를 얻는다. 그러나 굴린 공이 벽에 닿기도 전에 잡으면 공에 맞은 것과 똑같이 밖으로 나가야 한다.

(라) 결국, 공에 맞거나, 일어서거나, 공이 벽에 닿기 전에 잡으면 밖으로 나가야 하는 것이다. 밖으로 나간 친구들은 놀이가 끝날 때까지 지켜본다. 어느 한 편의 친구 모두가 밖으로 나가면 놀이가 끝난다.

1 '앉아서 하는 피구'는 어디에서 하는 놀이입니까?

( )

① 산　　② 교실　　③ 옥상
④ 수영장　　⑤ 운동장

2 글에서 설명하지 <u>않은</u> 것은 무엇입니까? ( )

① 경기장의 모양　　② 피구와 다른 점
③ 공격을 하는 차례　　④ 준비물을 파는 장소
⑤ 공격과 수비가 바뀌는 때

3 이 놀이를 할 때 공을 피하는 방법을 두 가지 고르시오. (,)

① 옆으로 이동한다.
② 무릎을 한쪽만 편다.
③ 공을 머리로 받아 친다.
④ 굴러오는 공을 발로 찬다.
⑤ 무릎을 가슴에 붙이고 뜀을 뛴다.

4 이 놀이는 어떻게 하면 끝납니까? ( )

① 공이 벽에 닿기 전에 잡으면 끝난다.
② 공을 튀기거나 던져서 맞히면 끝난다.
③ 굴린 공이 아무도 맞히지 못하면 끝난다.
④ 무릎을 한쪽이라도 펴서 일어나면 끝난다.
⑤ 어느 한 편의 친구 모두가 밖으로 나가면 끝난다.

🖊 서술형·논술형 문제

5 자신이 읽은 글을 다른 사람에게 소개한 경험을 쓰시오.

(1) 소개한 글	
(2) 소개한 내용	

[6~10] 온 세상 국기가 펄럭펄럭

7
단원

(개) 국기에는 그 나라의 자연이 담겨 있어.

캐나다에는 설탕단풍 나무가 많이 자라.

설탕단풍 나무는 캐나다처럼 추운 날씨에 잘 자라거든.

가을에 붉은색으로 단풍이 들면 얼마나 고운지 몰라.

캐나다 사람들은 설탕단풍 나무에서 나오는 즙으로 달콤한 메이플시럽을 만들어 먹기도 해.

그래서 캐나다 사람들은 국기에 빨간 단풍잎을 그려 넣었어.

(내) 국기에는 그 나라의 [   ]이 담겨 있어.

멕시코 국기 이야기를 들어 볼래?

어느 날, 아즈텍족이 신의 계시를 받았어.

"독사를 물고 날아가는 독수리가 선인장 위에 앉으면 그곳에 도시를 세워라!"

계시대로 독수리가 내려앉은 곳에 도시를 세웠더니 점점 강해져 아즈텍 제국으로 발전했고, 오늘날의 멕시코가 되었대.

그래서 나라를 세운 이야기를 국기에 그려 넣은 거야.

6 캐나다에 대한 설명으로 알맞지 <u>않은</u> 것은 무엇입니까? (   )

① 국기에 단풍잎이 있다.

② 더운 날씨가 계속된다.

③ 국기에 빨간색이 들어간다.

④ 설탕단풍 나무가 많이 자란다.

⑤ 사람들이 메이플시럽을 만들어 먹는다.

7 캐나다 국기에 자연이 담겨 있다고 할 수 있는 까닭은 무엇입니까? (   )

① 캐나다 사람들이 나무를 많이 심기 때문에

② 캐나다는 자연 환경이 훼손되지 않았기 때문에

③ 캐나다 사람들이 메이플시럽을 즐겨 먹기 때문에

④ 캐나다에서는 집집마다 나무에 국기 모양을 새겨 놓기 때문에

⑤ 캐나다에 많이 자라는 설탕단풍 나무의 잎이 국기에 그려져 있기 때문에

8 아즈텍족은 어떤 곳에 도시를 세웠습니까? (   )

① 신이 살고 있는 곳

② 선인장 위에 독사가 있는 곳

③ 독사와 독수리가 많이 사는 곳

④ 독사에게 물린 독수리가 죽은 곳

⑤ 독사를 물고 가는 독수리가 앉은 곳

9 멕시코에 대한 설명으로 알맞지 <u>않은</u> 것을 두 가지 고르시오. (,   )

① 아즈텍족이 세운 나라이다.

② 옛날에는 아즈텍 제국이었다.

③ 주변 나라들을 모두 멸망시켰다.

④ 멕시코 사람들은 독사를 좋아한다.

⑤ 나라를 세운 이야기를 국기에 그려 넣었다.

10 글 (내)의 [   ] 안에 들어갈 말로 알맞은 것의 기호를 쓰시오.

㉠ 땅	㉡ 날씨
㉢ 민족	㉣ 전설

(   )

[11~14] 온 세상 국기가 펄럭펄럭

(가) 국기에는 그 나라의 땅이 담겨 있어.

미국 국기에는 줄과 별이 참 많지?

도대체 몇 개인지 한번 세어 볼까?

줄이 열세 개, 별이 오십 개야.

미국이 처음 나라를 세울 때에는 주가 열세 개였대.

열세 개의 줄은 그걸 기념하는 거야.

미국 땅이 점점 커져 주가 생길 때마다 국기의 별이 하나씩 늘어났는데 지금은 주가 오십 개라서 별도 오십 개가 된 거야.

땅과 함께 국기도 변한 거지.

(나) 국기는 그 나라를 나타내는 얼굴이야.

국제 경기에 참가할 때에도, 메달을 땄을 때에도, 에베레스트산 정상에 올랐을 때에도 …… 나라를 빛내는 순간에는 언제나 국기가 함께해.

남극의 과학 기지에도, 우주로 날아가는 우주선에도, 국제연합[유엔] 본부에도 …… 나라를 대표하는 자리에는 언제나 국기가 함께해.

국기는 그 나라이자 국민이거든.

11 다음 중 처음의 미국 국기는 어느 것이었을지 ○표 하시오.

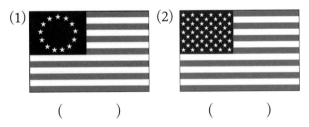

(1) (   )　　(2) (   )

서술형·논술형 문제

12 이 글을 읽고 미국 국기에 대해 새롭게 안 내용을 소개하시오.

_____

_____

13 이 글에서 말한 국기가 함께하는 때로 거리가 <u>먼</u> 것은 언제입니까? (   )

① 메달을 땄을 때

② 국제 경기에 참가할 때

③ 친구들과 소풍을 갈 때

④ 우주로 우주선을 쏘아 올릴 때

⑤ 에베레스트산 정상에 올랐을 때

14 글 (나)에서 국기를 무엇이라고 했는지 알맞은 것에 모두 ○표 하시오.

(1) 국기는 그 나라이자 국민이다. (   )

(2) 국기는 그 나라를 소개하는 책이다. (   )

(3) 국기는 그 나라를 나타내는 얼굴이다. (   )

15 독서 감상문의 특징으로 알맞지 <u>않은</u> 것은 무엇입니까? (   )

① 책 내용을 쓴다.

② 인상 깊은 부분을 쓴다.

③ 책을 산 곳을 소개한다.

④ 책을 읽게 된 까닭을 쓴다.

⑤ 읽은 뒤에 든 생각이나 느낌을 쓴다.

[16~20] 바위나리와 아기별의 우정

(가) 오늘은 학교에서 『바위나리와 아기별』이라는 책을 읽었다. 앞표지에 있는 바위나리와 아기별 그림이 무척 예뻐서 내용이 궁금했기 때문이다. 이 책은 바위나리와 아기별의 우정 이야기이다.

(나) 바위나리는 바닷가에 핀 아름다운 꽃이었다. 하지만 친구가 없어 늘 외로웠다. 어느 날 밤, 아기별이 하늘에서 내려와 둘은 친구가 되었고, 바위나리와 아기별은 밤마다 만나 즐겁게 놀았다.

그러던 어느 날, 병이 든 바위나리를 ㉠간호하던 아기별은 너무 늦게 하늘 나라로 올라가 그 벌로 다시는 바닷가에 내려오지 못했다. 아기별을 기다리던 바위나리는 점점 시들다가 그만 바람이 세게 불어 바다로 날려 갔다. 아기별은 밤마다 울다가 빛을 잃어 바다로 떨어졌다. 바위나리가 날려 간 바로 그 바다였다.

(다) 나는 이 책에서 바위나리를 그리워하며 울다가 빛을 잃은 아기별이 하늘 나라에서 쫓겨나 바다로 떨어진 장면이 가장 기억에 남는다. 왜냐하면 살아 있을 때에는 만나지 못하다가 죽은 뒤에야 같이 있을 수 있게 된 것이 너무 슬펐기 때문이다.

(라) 이 책을 읽고 주위에 바위나리처럼 외로운 친구가 있는지 생각해 보았다. 그리고 그 친구에게 아기별과 같은 친구가 되어야겠다는 생각이 들었다. 나는 바위나리와 아기별의 우정이 아름다우면서도 안타깝고 슬펐다.

16 글쓴이가 책을 읽게 된 까닭을 쓰시오.

- [   ]에 있는 그림이 예뻐서 내용이 궁금했기 때문이다.

17 아기별이 밤마다 운 까닭은 무엇입니까? (   )

① 바위나리와 싸워서
② 바위나리가 미워서
③ 바위나리가 사라져서
④ 바위나리가 보고 싶어서
⑤ 바위나리를 간호하느라 힘들어서

18 글쓴이가 책에서 인상 깊게 읽은 부분이 어느 부분인지 알 수 있는 문단의 기호를 쓰시오.

글 (   )

19 다음 중 생각이나 느낌이 드러난 부분을 두 가지 고르시오. (,   )

① 바위나리가 날려 간 바로 그 바다였다.
② 이 책은 바위나리와 아기별의 우정 이야기이다.
③ 아기별과 같은 친구가 되어야겠다는 생각이 들었다.
④ 바위나리는 점점 시들다가 그만 바람이 세게 불어 바다로 날려 갔다.
⑤ 바위나리와 아기별의 우정이 아름다우면서도 안타깝고 슬펐다.

20 ㉠의 기본형을 쓰고, 그 뜻을 짐작하여 쓰시오.

(1) 기본형	
(2) 짐작한 뜻	

8

글의 흐름을 생각해요

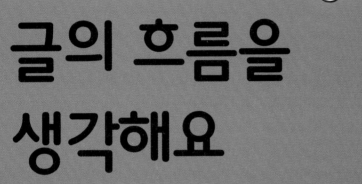

어서들 오너라.

박사님이 멍파고를
업그레이드해 준다고
하셨어.

박사님 댁에
가는 거야.

오늘은
어딜 가냐, 멍?

개념 웹툰

멍파고가 업그레이드되면 어떻게
달라질까요?
스마트폰에서 확인하세요!

개념① 글의 여러 가지 흐름

① 시간 흐름에 따라 쓴 글

> 그날 밤도 할아버지는 여느 때처럼 어린이들을 위한 동시와 이야기를 쓰고 있었습니다.

② 일 차례에 따라 쓴 글

> 첫 번째, 서로 다른 색깔 실 세 가닥을 함께 잡고 매듭을 짓습니다.
> 두 번째, 셀로판테이프로 매듭 위쪽을 책상에 붙입니다.

③ 장소 변화에 따라 쓴 글

> • 동물원 입구를 지나 가장 먼저 간 곳은 '곤충관'이었다.
> • 곤충관 바로 옆은 '야행관'이었다.

지문 일 차례에 따라 쓴 글

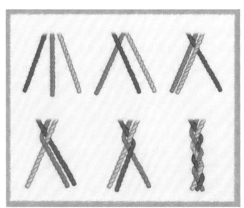

> 세 가닥 땋기는 머리를 땋을 때 많이 쓰는 방법입니다. 먼저, 왼쪽 첫 번째 그림과 같이 실 세 가닥을 나란히 폅니다. 두 번째, 왼쪽 빨간색 실을 가운데 파란색 실 위로 올립니다.

개념② 내용을 간추려 쓰는 방법

① 시간 흐름에 따라 쓴 글은 시간 차례대로 내용을 간추립니다.
② 일 차례를 설명한 글은 일하는 차례가 잘 드러나게 간추립니다.
③ 장소가 바뀌면서 사건이 변하는 글은 이동한 장소와 각 장소에서 겪은 일을 중심으로 간추립니다.

지문 시간과 장소에 따라 한 일을 중심으로 간추리기

> • 디자이너 체험을 끝내자 거의 열한 시가 되었다. 우리는 제빵사 체험을 하려고 제빵 학원으로 갔다. ~ 체험관 선생님께서 알려 주시는 차례를 그대로 따라 해서 크림빵을 완성했다.
> • 제빵사 체험을 마치고 나오니 거의 열두 시가 되었다. 우리 모둠은 중앙 광장에서 아까 만든 크림빵과 각자 싸 온 점심을 먹으며 다른 모둠 친구들과 체험활동 이야기를 나누었다.

↓

> 열한 시에 제빵 학원에 가서 제빵사 체험을 하며 크림빵을 만들고, 열두 시에 중앙 광장에서 점심을 먹으며 체험활동 이야기를 나누었다.

개념③ 내용을 간추릴 때 주의할 점

① 시간 표현을 사용합니다.
② 차례를 나타내는 말을 사용합니다.
③ 이어 주는 말을 잘 사용합니다.
④ 흐름이 분명하게 드러나도록 간추립니다.

활동 장소 변화에 따라 글을 간추려 쓰기

> 장소를 나타내는 말 찾기

↓

> 각 장소에서 한 일을 살펴보기

↓

> 장소 변화에 따라 한 일을 간추려 쓰기

베짱베짱 베 짜는 베짱이

- 글쓴이: 임혜령
- 글의 종류: 이야기
- 글의 내용: 마법 열매를 먹고 몸이 줄어든 이야기 할아버지를 위해 베짱이가 베를 짜서 몸이 커지도록 도와주는 이야기입니다.

❶ 마법 열매를 먹은 이야기 할아버지의 몸이 줄어들었습니다

❷ 베짱이는 할아버지를 도와주겠다면서 쥐들이 가진 마법 열매와 바꿀 베를 짰습니다.

❸ 베짱이는 베를 할아버지에게 주며 베짱이는 게으른 곤충이 아니라는 글을 써 달라고 했습니다.

❹~❺ 베와 바꾼 마법 열매를 먹고 다시 커진 할아버지는 「베짱이」라는 시를 새로 썼습니다.

❶ 끝이 보이지 않을 만큼 넓디넓은 땅에, 잎이 세 개뿐인 나무들이 <u>빽빽했습니다.</u> 자세히 보니 그것은
<small>이야기 할아버지가 줄어든 증거 ①</small>
클로버밭이었습니다. <u>발목까지밖에 오지 않던 화단턱이 절벽처럼 높았습니다.</u> 도대체 무슨 일이 일어난
<small>이야기 할아버지가 줄어든 증거 ②</small>
것일까요?

"갑자기 세상이 왜 이렇게 커졌지?"

이야기 할아버지는 어리둥절해서 사방을 둘러보았습니다. 그날 밤도 할아버지는 여느 때처럼 어린이들
<small>시간을 나타내는 말</small>
을 위한 동시와 이야기를 쓰고 있었습니다. 잠시 바람을 쐬러 마당으로 나왔다가 <u>순식간에</u> 벌어진 일이었
<small>눈을 한 번 깜빡하거나 숨을 한 번 쉴 만큼의 아주 짧은 동안</small>
지요. 할아버지는 어쩔 줄 몰랐습니다.

"어, 이야기 할아버지 아니세요? 어쩌다 이렇게 작아지셨어요?"

<u>할아버지만큼 커다란 베짱이가 말을 건넸습니다.</u>
<small>이야기 할아버지가 줄어든 증거 ③</small>

할아버지는 그제야 세상이 크게 변한 게 아니라 할아
<small>그제서야(×)</small>
버지가 작게 줄어들었음을 알았습니다.

"글쎄, 나도 잘 모르겠다. 마당에 처음 보는 작은 열
<small>'커졌다 작아졌다' 마법 열매</small>
매가 있기에 먹어 보았을 뿐인데……."

베짱이는 할아버지 말을 듣고 이마를 '탁' 치며 말했
<small>무언가를 깨달았을 때 하는 행동</small>
습니다.

"그건 아마 '커졌다 작아졌다' 마법 열매였을 거예요! 그걸 한 알 더 먹어야 본래 크기로 돌아올 수 있어요." / "그래? 혹시 그걸 구할 방법을 알고 있니?"

"마루 밑에 사는 쥐들이 갖고 있는 걸 본 적은 있지만……."

"그럼 쥐를 찾아가서 부탁하면 되겠군. <u>지금 내 몸</u>
<small>작아진 몸</small>
이라면 마루 밑에 들어갈 수 있으니!"

✏️ **중심 내용 ❶** 이야기 할아버지가 '커졌다 작아졌다' 마법 열매를 먹고 갑자기 몸이 줄어들었습니다.

---

1 어느 날 밤에 이야기 할아버지에게 갑자기 일어난 일을 바르게 말한 사람의 이름을 쓰세요.

> 윤아: 할아버지 몸이 줄어들었어.
> 서진: 베짱이가 마법 열매를 할아버지에게 주었어.

(   )

2 문제 1번과 같은 일이 일어난 까닭은 무엇인가요?

- [   ]를 먹어서

📋 **서술형·논술형 문제**

3 이야기 할아버지가 본래 크기로 돌아올 수 있는 방법을 쓰세요.

4 '커졌다 작아졌다' 마법 열매를 구하려면 누구를 찾아가야 할까요? (   )

① 마법사   ② 베짱이
③ 어린이들   ④ 숲속에 사는 요정
⑤ 마루 밑에 사는 쥐

② 베짱이는 서둘러 쥐를 찾아가려는 할아버지를 덥석 잡았습니다.

"안 돼요, 할아버지! 흉악한 쥐들이 할아버지를 잡
성질이 악하고 모진
아먹을지도 모른다고요! 제가 도와드릴게요."

베짱이는 제 집에서 작은 베틀을 꺼내어 풀잎 위에
옷감을 짜는 틀
놓았습니다. 그러고는 별이 총총한 밤하늘 위로 다리
촘촘하고 많은 별빛이 또렷또렷한
하나를 번쩍 들었습니다. 그러자 별빛들이 모여 가느
다란 실 모양으로 합쳐졌습니다. 가느다란 별빛이 베
짱이 다리 속으로 쏙 들어왔지요.

베짱이가 다시 다른 다리 하나를 번쩍 들어 꽃밭을
향했습니다. 이번에는 달빛을 받아 마당에 은은히 흐
희미하게
르던 꽃빛들이 한데 모여 베짱이의 다른 쪽 다리로 들
어왔습니다.

베짱이는 별
천이나 그물을 짤 때, 세로 방향으로 놓인 실
빛으로 날을

날고, 꽃빛으
길게 늘이고
로 씨를 삼아
천이나 그물을 짤 때, 가로 방향으로 놓인 실
부지런히 베를 짰습니다. 베짱베짱 베틀이 분주히 움
정신이 없을 정도로 매우 바쁘게
직일 때마다 베는 한 자 한 자 길어졌습니다.

✏️**중심 내용 ②** 베짱이는 할아버지를 도와주겠다며 베틀을 꺼내어 별빛과 꽃빛으로 부지런히 베를 짰습니다.

③ 마침내 베가 완성되었을 때, 할아버지는 감탄을
금치 못했습니다. 베짱이가 너무도 빠르게 베 한 필을
베짱이가 빠르고 솜씨 좋게 베를 짜서
짜 내었을 뿐 아니라, 솜씨 또한 기가 막혔기 때문이죠.

"자, 할아버지. 이 베를 가지고 쥐들을 찾아가세요.
그러고는 '커졌다 작아졌다' 마법 열매와 바꾸자고
하세요."

"정말 고맙다, 베짱이야. 보답으로 무엇을 해 줄까?"
남의 은혜를 갚음.
"음……. 할아버지, 「개미와 베짱이」 이야기 알고 계시
죠?" / "여름에 개미가 열심히 일하는 동안 베짱이
는 놀기만 했다는 이야기 말이냐?"

"네, 맞아요. 그래서 말인데요. 할아버지, 제가 놀기
만 하는 곤충이 아니라는 것을 글로 써 주세요. 동
시든 이야기든 좋으니 말이에요. 사실 그동안 「개미
와 베짱이」 이야기 때문에 늘 게으른 곤충 취급을
당해서 많이 속상했거든요."

"아무렴, 너같이 솜씨 좋고 부지런한 베짱이더러 놀
기만 하는 곤충이라니, 말도 안 되지!"

할아버지는 베짱이에게 고맙다는 인사를 하고 마루
쥐들이 사는 곳
밑으로 들어갔습니다.

✏️**중심 내용 ③** 베짱이는 베를 할아버지에게 주며 자기가 놀기만 하는 곤충이 아니라는 것을 글로 써 달라고 했습니다.

---

5 베짱이가 베를 짠 까닭은 무엇인가요? (   )

① 할아버지가 부탁해서
② 베 짜는 솜씨를 자랑하려고
③ 마법 열매와 바꾸게 하려고
④ 쥐들을 잡을 주머니를 만들려고
⑤ 할아버지에게 옷을 만들어 주려고

6 「개미와 베짱이」 이야기에 나오는 베짱이의 성격을 모두 고르세요. (,   )

① 친절한 곤충   ② 게으른 곤충
③ 부지런한 곤충   ④ 솜씨 좋은 곤충
⑤ 놀기만 하는 곤충

7 베짱이는 할아버지에게 무엇을 글로 써 달라고 했는지 알맞은 것에 ○표 하세요.

(1) 자기가 재미있는 곤충이라는 것   (   )
(2) 자기가 마음씨 착한 곤충이라는 것   (   )
(3) 자기가 놀기만 하는 곤충이 아니라는 것

(   )

8 할아버지는 베짱이를 어떻게 생각했나요? (   )

① 욕심이 많다.
② 글을 잘 쓴다.
③ 솜씨가 나쁘다.
④ 솜씨 좋고 부지런하다.
⑤ 솜씨는 좋지만 게으르다.

④ 쥐들은 자기 크기만 한 작은 사람이 찾아오자 깜짝 놀랐습니다.

(이야기 할아버지를 가리킴.)

"이 집에 사는 영감님이잖아! 이렇게 작아져서는 웬일이지?"

(이야기 할아버지)

"인간도 우리만 해지니 무섭지 않군. 한입에 꿀꺽 삼켜 버릴까?"

쥐들은 날카로운 이빨을 번뜩였습니다.

할아버지는 **침착하게** 쥐들에게 베를 내밀어 보였습니다. 쥐들은 아까보다 더 놀라워했습니다.

"오호, 베짱이가 짠 베잖아! 이 베를 우리가 가진 보물이랑 바꾸지 않겠어? 반쯤 갉아먹은 비누는 어떠냐? 맛이 기가 막히지!" / "난 비누는 먹지 않아."

(반쯤 갉아먹은 비누, 썩은 사과)

"그럼 이건 어떠냐? 썩은 사과다. 향긋한 썩은 내에 군침이 절로 돈다고!"

"아니, 너희가 갖고 있는 '커졌다 작아졌다' 마법 열매를 주면 바꾸지."

🔖 **중심 내용 ④** 할아버지는 쥐들을 찾아가 베짱이가 짠 베를 '커졌다 작아졌다' 마법 열매와 바꾸자고 했습니다.

⑤ 할아버지 말에 쥐들은 잠깐 자기네끼리 **속닥이더니** 말했습니다.

"좋아, 바꾸자."

할아버지가 베를 내주자, 쥐들은 할아버지에게 마법 열매를 주었습니다.

마루 밑에서 나온 할아버지는 열매를 입에 넣고 꿀꺽 삼켰습니다. 순간 할아버지 몸이 풍선처럼 부풀어 오르는 듯한 기분이 드는가 싶더니 본래 크기로 돌아왔습니다.

클로버밭은 작고 **아담해** 보였습니다. 화단 턱도 가볍게 오르내릴 수 있을 만큼 낮았고요. 모든 것이 평소와 다름없었습니다.

(할아버지가 몸이 커진 증거)

다음 날 밤, 이야기 할아버지 방으로 동네 아이들이 모여들었습니다. 할아버지가 새로 지은 시 「베짱이」를 들려주신다고 했거든요.

(시간을 나타내는 말)

🔖 **중심 내용 ⑤** 쥐들이 준 마법 열매를 먹고 몸이 다시 커진 할아버지는 「베짱이」라는 시를 새로 지어 동네 아이들에게 들려주었습니다.

침착하게 쉽게 흥분하지 않고 행동이 조심스럽고 차분하게.
㉮ 갑자기 정전이 됐는데도 <u>침착하게</u> 행동했습니다.

속닥이더니 남이 알아듣지 못하게 작은 소리로 말하더니.
아담해 보기에 좋게 자그마해.

---

9 이야기 할아버지가 쥐들을 찾아간 까닭으로 알맞은 것의 기호를 쓰세요.

㉮ 쥐들에게 이야기를 들려주려고
㉯ 쥐들의 보물에 대한 이야기를 쓰려고
㉰ 쥐들이 가진 마법 열매와 베를 바꾸려고

(   )

10 이야기 할아버지는 어떻게 해서 몸이 본래 크기로 돌아왔나요? (   )

① 썩은 사과를 먹어서
② 마법 열매를 먹어서
③ 베로 옷을 만들어 입어서
④ 「베짱이」라는 시를 새로 지어서
⑤ 쥐들이 갉아먹은 비누로 몸을 씻어서

11 다음은 시간 흐름을 생각하여 이 이야기를 간추린 것입니다. 빈칸에 알맞은 내용을 선으로 이으세요.

- 어느 날 밤, 이야기 할아버지가 ㉠
- 이야기 할아버지가 마법 열매를 먹고 작아진 것을 안 뒤, 베짱이는 베틀로 베를 짰어요.
- 베짱이가 베를 다 짠 뒤, 이야기 할아버지는 베짱이가 짠 베와 마법 열매를 바꾸러 ㉡
- 마법 열매를 먹은 뒤, 이야기 할아버지는 원래대로 커졌어요.
- 다음 날 밤, 이야기 할아버지는 동네 아이들에게 새로 지은 시 「베짱이」를 들려주었어요.

(1) ㉠ •   • ① 쥐를 찾아갔어요.

(2) ㉡ •   • ② 갑자기 작아졌어요.

세 가닥 땋기

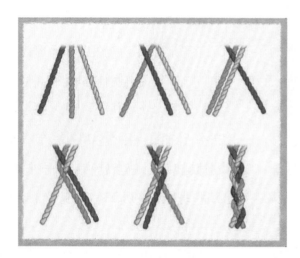

- 글의 종류: 설명하는 글
- 글의 특징: 머리를 땋을 때 많이 쓰는 방법인 세 가닥 땋기에 대해 설명한 글입니다.

❀ **차례를 나타내는 말**

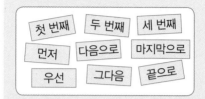

첫 번째	두 번째	세 번째
먼저	다음으로	마지막으로
우선	그다음	끝으로

세 가닥 **땋기**는 머리를 땋을 때 많이 쓰는 방법입니다. ㉠먼저, 왼쪽 첫 번째 그림과 같이 실 세 가닥을 나란히 폅니다. ☐㉡☐ , 왼쪽 빨간색 실을 가운데 파란색 실 위로 올립니다. 그러면 왼쪽 실이 가운데로 오고, 가운데 실이 왼쪽으로 가게 됩니다. ㉢세 번째, 오른쪽 노란색 실을 가운데로 온 실 위에 올립니다. 다시 처음처럼 왼쪽으로 간 실을 가운데로, 오른쪽으로 간 실을 가운데로 올립니다. 이 방법을 계속 **반복하면** 실이 땋아집니다. 주의할 점은 실을 땋는
_{끊이지 않고 잇따라}
동안 실이 풀어지지 않도록 실 세 가닥을 단단히 잡아야 한다는 점입니다.

_{세 가닥 땋기를 할 때 주의할 점}

차례를 나타내는 말을 찾아보면 일하는 방법을 쉽게 알 수 있어.

땋기 머리털이나 실 따위를 둘 이상의 가닥으로 갈라서 어긋나게 엮어 한 가닥으로 하기.
반복하면 같은 일을 여러 번 계속하면.

---

12 이 글의 특징은 무엇인가요? (   )
① 의견을 쓴 글
② 재미를 주는 글
③ 느낌을 표현한 글
④ 연극을 하기 위한 글
⑤ 일을 하는 방법을 알려 주는 글

13 다음 중에서 '세 가닥 땋기'와 관련 있는 그림에 ○표 하세요.

(2)
(1)   (3)

(   )   (   )   (   )

14 글의 내용으로 보아, 세 가닥 땋기를 하기에 알맞지 <u>않은</u> 것은 무엇일까요? (   )
① 줄   ② 노끈
③ 털실   ④ 연필
⑤ 머리카락

15 ㉠과 ㉢은 어떤 특징이 있는 말인지 알맞은 것에 ○표 하세요.
• (방향 / 차례 / 공간)을(를) 나타내는 말

16 ㉠과 ㉢으로 보아 ☐㉡☐ 에 들어갈 알맞은 말은 무엇인가요? (   )
① 우선   ② 일단
③ 끝으로   ④ 두 번째
⑤ 네 번째

실 팔찌 만들기

• 글의 종류: 설명하는 글
• 글의 특징: 여러 가지 색깔 실을 엮어 실 팔찌를 만드는 방법을 일 차례대로 설명한 글입니다.

❶ 여러 가지 색깔 실을 **엮어** 만든 팔찌를 실 팔찌라고 합니다. 실 팔찌는 팔목에 차다가 자연스럽게 닳아서 끊어지면 소원이 이루어진다는 이야기가 있어서
소원 팔찌라고도 합니다. 중국에서는 단오절에 실 팔찌를 손목에 차면 나쁜 기운을 막는다고 하고, 브라질에서는 축구 경기 전에 승리를 **기원하며** 손목에 실 팔찌를 찬다고 합니다. 실 팔찌는 종류에 따라 다양한 모양이 있는데, 그중에서 가장 간단한 모양의 실 팔찌를 만들어 봅시다.

> 어떤 일이 이루어지기를 바람. 또는 그런 일

> ✏️**중심 내용 ❶** 실 팔찌는 여러 가지 색깔 실을 엮어 만든 팔찌입니다.

❷ 실 팔찌 만들기의 준비물은 매우 간단합니다. 서로 다른 색깔 털실 세 줄, **셀로판테이프**만 있으면 됩니

다. 실은 굵을수록 엮기 쉬우므로 굵은 실을 준비하고 길이는 손목 둘레의 서너 배 정도로 자릅니다.

㉮**첫 번째, 서로 다른 색깔 실 세 가닥을 함께 잡고 매듭을 짓습니다.** 실의 3~4센티미터를 남겨 두고 실 세 가닥을 한꺼번에 잡아 작은 **원**을 만듭니다. 그 뒤 짧은 쪽 실 세 가닥을 아까 만든 원 쪽으로 집어넣고 당기면 쉽게 매듭을 지을 수 있습니다.

> 둥글게 그려진 모양이나 형태

> ✏️**중심 내용 ❷** 실 팔찌를 만들려면 서로 다른 색깔 털실 세 줄과 셀로판테이프를 준비한 뒤, 먼저 실 세 가닥을 함께 잡고 매듭을 짓습니다.

○ 실에 매듭을 짓는 모습

엮어 끈이나 실 등의 여러 가닥을 이리저리 걸어 묶어서 어떤 물건을 만들어.

기원하며 바라는 일이 이루어지기를 빌며.

셀로판테이프 셀로판에 점착제(물질을 달라붙게 하는 물질)를 바른 접착테이프.

매듭 노, 실, 끈 따위를 잡아매어 마디를 이룬 것.

8
단원

---

17 이 글은 무엇을 하기 위해 쓴 글인가요?

• ☐☐☐☐ 를 만드는 방법을 알려 주려고

18 이 글에 나와 있는 내용이 **아닌** 것에 ×표 하세요.

(1) 실 팔찌란 무엇인가 ( )
(2) 실 팔찌는 어디에서 파는가 ( )
(3) 실 팔찌의 다른 이름은 무엇인가 ( )
(4) 실 팔찌를 만들 때 필요한 준비물은 무엇인가
( )

19 실 팔찌를 다른 이름으로 무엇이라고 부르나요?
( )

20 실 팔찌를 만들 때 필요한 준비물 두 가지를 고르세요. (,)

① 풀 ② 색종이
③ 종이 상자 ④ 셀로판테이프
⑤ 서로 다른 색깔 털실 세 줄

21 ㉮에서 **차례**를 나타내는 말을 찾아 쓰세요.
( )

22 실 팔찌를 만들 때 주의할 점을 바르게 말한 사람의 이름을 쓰세요.

> 초연: 실은 가느다란 것을 준비해야 해.
> 준석: 실은 손목 둘레의 서너 배 정도로 잘라야지.
> 보람: 먼저, 실 한 가닥만 잡아 매듭을 지어야 해.

( )

3 두 번째, 셀로판테이프로 매듭 위쪽을 책상에 붙입니다. 셀로판테이프는 실 팔찌를 만드는 동안 실이 움직이거나 꼬이지 않게 <u>고정하는</u> 역할을 합니다.

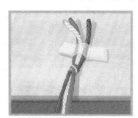
셀로판테이프가 필요한 까닭

◎ 셀로판테이프를 붙인 모습

㉮세 번째, 실 세 가닥을 잡고 세 가닥 땋기를 합니다. 이때 자신이 원하는 길이보다 길게 땋아야 합니다. 손목 둘레의 두세 배 정도 길이로 땋는 것이 좋습니다.

✏️**중심 내용 3** 셀로판테이프로 매듭 위쪽을 책상에 붙인 다음. 실 세 가닥을 잡고 세 가닥 땋기를 합니다.

4 네 번째, 땋은 실 끝 쪽에 매듭을 짓습니다. 매듭은 첫 번째 매듭을 지을 때 사용한 방법으로 지으며, 자신이 땋은 부분이 끝나는 곳보다 좀 더 앞쪽에 짓습

니다. 매듭을 짓고 보면 줄이 짧아진 게 느껴질 겁니다. 원하는 길이보다 길게 땋아야 하는 까닭은 이렇게 줄이 짧아지기 때문입니다.

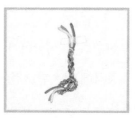

◎ 끝에 매듭을 지은 모습

마지막으로, 양쪽 끝을 <u>연결합니다.</u> 양쪽 끝을 연결할 때에는 끝끼리 묶어도 좋고, 다른 실로 양쪽 매듭을 함께 이어 줘도 좋습니다. 어때요? 멋있는 실 팔찌가 만들어졌나요?

◎ 실 팔찌가 완성된 모습

✏️**중심 내용 4** 땋은 실 끝 쪽에 매듭을 지은 뒤, 양쪽 끝을 연결합니다.

고정(固 굳을 고 **定** 정할 정)**하는** 한곳에 꼭 붙어 있거나 붙어 있게 하는. 예 선풍기를 벽에 <u>고정하는</u> 못을 박았습니다.

연결(連 잇달 연 **結** 맺을 결)**합니다** 둘 이상의 사물이나 현상 등이 서로 이어지거나 관계를 맺습니다.

---

23 ㉮에서 차례를 나타내는 말과 그 차례와 관련되는 중요한 내용을 찾아 쓰세요.

(1) 차례를 나타내는 말	(2) 차례와 관련되는 중요한 내용

24 이 글의 특성으로 알맞은 것은 무엇인가요? ( )
① 일 차례가 드러난다.
② 시간 흐름이 드러난다.
③ 장소 변화가 드러난다.
④ 글쓴이의 주장이 드러난다.
⑤ 감각적인 표현이 잘 드러난다.

📄 서술형·논술형 문제

25 글의 특성으로 보아, 이 글은 어떤 흐름을 파악하며 읽어야 할지 쓰세요.

_____

26 실 팔찌 만드는 방법을 차례대로 간추렸습니다. 빈칸에 알맞은 내용을 쓰세요.

- 서로 다른 색깔 실 세 가닥을 함께 잡고 매듭을 짓는다.
- 셀로판테이프로 ㉠ 을 책상에 붙인다.
- 실 세 가닥을 잡고 세 가닥 땋기를 한다.
- 땋은 실 끝 쪽에 매듭을 짓는다.
- ㉡ 끝을 연결한다.

(1) ㉠: ( )
(2) ㉡: ( )

정답 18쪽

국어 교과서 **249쪽**

3. 「실 팔찌 만들기」를 읽고 내용을 간추려 봅시다.

(1) 보기 와 같이 차례를 나타내는 말과 그 차례와 관련되는 중요한 내용을 찾아 표시해 보세요.

> **보기**
>
> 첫 번째 서로 다른 색깔 실 세 가닥을 함께 잡고 매듭을 짓습니다.

예시 답안 두 번째 셀로판테이프로 매듭 위쪽을 책상에 붙입니다.

풀이 첫 번째, 두 번째와 같이 차례를 나타내는 말 뒤에 중요한 내용이 나옵니다.

(2) 중요한 내용을 차례대로 간추려 보세요.

- 먼저, 준비물을 준비한다.
- 첫 번째, 서로 다른 색깔 실 세 가닥을 함께 잡고 매듭을 짓는다.

예시 답안

- 두 번째, 셀로판테이프로 매듭 위쪽을 책상에 붙인다.
- 세 번째, 실 세 가닥을 잡고 세 가닥 땋기를 한다.
- 네 번째, 땋은 실 끝 쪽에 매듭을 짓는다.
- 마지막으로, 양쪽 끝을 연결한다.

풀이 첫 번째, 두 번째와 같이 차례를 나타내는 말과 관련되는 중요한 내용을 찾아 차례대로 간추려 봅시다.

4. 3에서 간추린 내용을 바탕으로 하여 「실 팔찌 만들기」를 간단히 정리하여 말해 봅시다.

예시 답안 실 팔찌를 만들려면 서로 다른 색깔 털실 세 줄과 셀로판테이프가 필요합니다. 먼저 실 세가닥을 잡고 매듭을 만든 뒤 셀로판테이프로 매듭 위쪽을 고정하고 세 가닥 땋기를 합니다. 그리고 실 끝 쪽에 매듭을 짓고 양쪽 끝을 연결합니다.

풀이 일 차례에 주의하며 내용을 간단히 정리합니다.

5. 「실 팔찌 만들기」에서 파란색으로 쓰인 낱말과 뜻이 비슷한 말을 찾아 봅시다.

| 간단하다 | 예시 답안 쉽다 | | 연결하다 | 예시 답안 잇다 |

풀이 '간단하다'는 '단순하고 쉽다'는 뜻입니다. '연결하다'는 '서로 잇는다'는 뜻입니다.

자습서 확인 문제

1 실 팔찌를 만들 때 필요한 준비물로 알맞지 <u>않은</u> 것을 고르세요.

> ㉠ 색종이
> ㉡ 셀로판테이프
> ㉢ 서로 다른 색깔 실 세 가닥

( )

8
단원

2 차례를 나타내는 말이 <u>아닌</u> 것을 고르세요.

> ㉠ 첫 번째
> ㉡ 두 번째
> ㉢ 간단히

( )

3 「실 팔찌 만들기」는 어떤 흐름에 주의하며 읽어야 할지 ☐ 에 알맞은 말을 쓰세요.

> 일하는 ☐ 에 주의하며 읽어야 합니다.

( )

감기약을 먹는 방법

• 글의 종류: 설명하는 글
• 글의 특징: 감기약을 안전하고 효과적으로 먹는 방법을 설명한 글입니다.

날이 추워지면 감기에 걸리는 사람이 많아집니다. 몸을 따뜻하게 하고 푹 쉬면 금방 낫는 경우도 있지만, 감기 때문에 많이 아플 때에는 감기약을 먹어야 합니다. 어떻게 감기약을 먹어야 좋을까요?

먼저, 「병원에서 의사와 충분하게 상담한 뒤 자신의 증세에 맞는 감기약을 처방받습니다.」 어른들이 먹는 「↗ 감기약을 먹는 방법 ①
증상에 따라 약을 짓는 방법
감기약이나 언제 샀는지 모르는 감기약을 먹으면 오히려 더 큰 병에 걸릴 수도 있습니다. 어린이들이 감기약을 먹을 때에는 꼭 의사의 **지시**에 따릅니다.

감기약은 끝까지 먹는 게 좋습니다. 감기약을 먹다
감기약을 먹는 방법 ②
가 몸이 나았다고 생각해 그만 먹으면 안 됩니다. 중간에 마음대로 감기약을 먹지 않으면 감기가 더 심해지거나 나중에 감기약을 먹어도 낫지 않을 수 있으므로, 의사가 처방한 날짜만큼 먹어야 합니다.

감기약을 먹을 때에는 물과 함께 먹어야 합니다.
감기약을 먹는 방법 ③

우유나 녹차, 주스와 같은 다른 음료와 함께 먹어서는 안 됩니다. 또 물 이외에 밥이나 빵을 같이 먹어서도 안 됩니다.

감기약을 먹는 시간을 놓쳤다고 다음에 두 배로 먹어서도 안 됩니다. 두 배로 먹는다고 감기약 효과가
감기약을 먹는 방법 ④
두 배가 되지는 않습니다. 오히려 몸에 부담만 될 뿐입니다. 감기약은 정해진 양만큼만 먹어야 합니다.
몸이 정상적으로 기능하는 데 장애가 되는 것

감기약을 안전하고 효과적으로 먹는 것도 중요하지만, 감기에 걸리지 않게 **예방하는** 것도 중요합니다. 「평소에 손을 깨끗이 씻고, 따뜻한 물을 많이 마시고, 몸을 따뜻하게 합시다.」 「↗ 감기 예방 방법

지시(指 손가락 지 示 보일 시) 일러서 시킴. 또는 그 내용.
예 내일 아침 9시까지 운동장에 모이라는 지시가 있었습니다.

예방하는 병이나 사고 등이 생기지 않도록 미리 막는.
예 봄에는 산불을 예방하는 일에 신경을 써야 합니다.

---

27 이 글은 무엇을 알려 주려고 쓴 글인가요? (   )

① 감기의 증세   ② 감기약을 먹는 방법
③ 건강 관리 방법   ④ 감기에 걸리는 까닭
⑤ 감기약을 만드는 방법

🍃 교과서 문제

28 감기약을 먹는 방법을 간추려 쓴 것입니다. 빈칸에 알맞은 내용을 쓰세요.

• 병원에서 의사와 상담한 뒤 증세에 맞는 감기약을 처방받는다.
• 감기약은 끝까지 먹는 게 좋다.
• 감기약은 _____
_____
• 감기약을 먹는 시간을 놓쳤다고 다음에 두 배로 먹으면 안 된다.

🍃 교과서 문제

29 이 글을 111~112쪽의 「실 팔찌 만들기」와 비교한 표를 보고 빈칸에 알맞은 내용을 쓰세요.

	「실 팔찌 만들기」	「감기약을 먹는 방법」
비슷한 점	• 일을 하는 ㉠ 을 알려 준다.	
다른 점	• 물건을 만드는 ㉡ 를 알려 준다.	• 일할 때 주의할 점을 알려 준다.
	• 차례가 정해져 있다.	• 차례가 ㉢

(1) ㉠: (   )
(2) ㉡: (   )
(3) ㉢: (   )

가 술래잡기하는 방법

첫 번째, **술래잡기**할 **공간**과 **술래**를 정한다. ⓐ , 술래가 숫자를 세는 동안 다른 친구들은 술래를 피한다. 세 번째, 술래가 다른 친구들을 잡으러 간다. 마지막으로, 술래에게 잡힌 친구가 다음 술래가 된다.

나 소화기로 불 끄는 방법

❶ 세 번째, 바람을 뒤로하고 소화기 **호스**를 불이 난 곳으로 향하게 잡습니다.

❷ 두 번째, 소화기 안전핀을 뽑습니다. 이때 손잡이를 누르면 안전핀이 빠지지 않으니 손잡이를 누르지 않습니다.

❸ 끝으로, 손잡이를 꽉 잡고 불을 향해 빗자루로 쓸듯이 **소화제**를 뿌립니다.

❹ 먼저, 소화기의 손잡이를 잡고 불이 난 곳으로 가져갑니다.

술래잡기 여럿 가운데 한 사람이 술래가 되어 다른 사람들을 잡는 놀이.
공간(空 빌 공 間 사이 간) 어떤 일을 하기 위한 특정한 장소.
술래 술래잡기에서 숨은 사람들을 찾아내야 하는 사람.
소화기(消 사라질 소 火 불 화 器 그릇 기) 불을 끄는 기구.
호스 자유롭게 휘어지도록 고무, 비닐, 헝겊 따위로 만든 관.
소화제 불을 끄기 위하여 쓰는 물질.

30 글 **가**와 **나**는 무엇에 대해 쓴 글인지 알맞게 선으로 이으세요.

(1) 글 **가** •

(2) 글 **나** •

• ① 바람을 막는 방법

• ② 술래잡기 하는 방법

• ③ 소화기로 불 끄는 방법

31 글의 흐름으로 보아, ⓐ 에 들어갈 알맞은 말은 무엇인가요? ( )

① 먼저   ② 우선
③ 두 번째   ④ 세 번째
⑤ 마지막으로

진도 완료 체크

8 단원

32 글의 흐름에 맞도록 글 **나**의 차례를 정리해 번호를 쓰세요.

• ( ) → ( ) → ( ) → ( )

33 소화기로 불을 끌 때의 행동으로 알맞지 **않은** 것에 ×표 하세요.

(1) 바람을 앞으로 맞는 방향에 서서 불을 끈다. ( )
(2) 안전핀을 뽑을 때에는 손잡이를 누르지 않는다. ( )
(3) 안전핀을 뽑은 다음에는 손잡이를 꽉 잡고 불을 향해 빗자루로 쓸듯이 소화제를 뿌린다. ( )

주말여행

스마트폰으로 찍어 보아요! 듣기자료

· 제재의 특징: 주말여행으로 가족들과 전라북도 고창을 다녀와서 본 것과 느낀 점을 적은 글입니다.

1 우리 가족은 할머니 생신을 맞아 주말에 여행을 다녀왔다. 여행지는 전라북도 고창으로 예전에 텔레비전 여행 방송에서 본 기억이 있어서, 가기 전부터 많이 설레었다. 「♪ 여행하기 전의 느낌」
(여행한 목적 / 여행한 장소)

중심 내용 1 우리 가족은 전라북도 고창으로 주말여행을 다녀왔다.

2 토요일 아침 일찍 출발해서, 맨 처음 도착한 고창 관광지는 고인돌 박물관이었다. 고인돌 박물관에서는 영화와 유물들을 보면서 고인돌의 역사를 알 수 있었다. 박물관 일 층에서는 고인돌 영화를 봤고 이 층에서는 고인돌과 관련된 여러 유물을 봤다. 박물관을 다 둘러보고 나니 고인돌 박사가 된 것 같은 기분이었다.
(여행 장소 ①)

중심 내용 2 맨 처음 고인돌 박물관에서 영화와 유물을 봤다.

3 다음으로 간 곳은 동림 저수지 야생 동식물 보호 구역이었다. 동림 저수지는 겨울 철새가 많이 찾는 곳으로 우리 가족도 혹시 철새 떼의 춤을 볼 수 있을까 하는 기대로 방문해 보았다. 그곳에서 여러 가지 설명을 읽어 보았는데, 고창군 전 지역은 2013년부터 유네스코 생물권 보존 지역으로 지정되어 환경을 해치
(여행 장소 ②)

는 행위를 해서는 안 된다는 안내도 있었다. 아주 많은 수의 철새는 아니었지만 간간이 물 위로 날아오르는 가창오리들을 구경할 수 있었다.

중심 내용 3 다음으로 동림 저수지에서 가창오리들을 구경했다.

4 마지막으로 고창의 유명한 절인 선운사를 방문했다. 선운사는 삼국 시대 때부터 지어진 오래된 절이다. 오래된 절답게 웅장한 건물과 많은 관광객이 있었다. 선운사에서 가장 인상 깊었던 것은 선운사 뒤편의 동백나무 숲이었다. 푸른 동백나무잎 위로 하얀 눈이 소복이 쌓여 아름다운 풍경을 만들어 내고 있었다. 내가 본 가장 아름다운 숲이었다.
(여행 장소 ③)

중심 내용 4 마지막으로 선운사에서 동백나무 숲을 봤다.

5 고창에서 아주 오래전 역사인 고인돌에서 삼국 시대의 선운사, 앞으로 보호해야 할 철새 떼까지 한번에 보고 나니 마치 시간을 거슬러 가는 기분이었다. 고창을 떠나는 마음은 아쉬웠지만, '다음에는 또 어떤 곳으로 여행을 갈까?' 하는 기대를 품고 이번 주말여행을 마쳤다.

중심 내용 5 아쉬움과 기대를 품고 주말여행을 마쳤다.

교과서 문제

34 무엇을 한 뒤에 쓴 글인가요? (　　)
① 주말여행　② 체험학습
③ 생신 잔치　④ 영화 관람
⑤ 음악 감상

교과서 문제

35 어디에서 어디로 이동했는지 알맞은 것에 ○표 하세요.
(1) 선운사 → 고인돌 박물관 → 동림 저수지
(　　)
(2) 고인돌 박물관 → 동림 저수지 → 선운사
(　　)
(3) 동림 저수지 → 고인돌 박물관 → 선운사
(　　)

36 동림 저수지를 방문한 까닭은 무엇인가요? (　　)
① 저수지에 핀 동백꽃을 보고 싶어서
② 저수지에 가창오리들을 놓아주려고
③ 저수지 주변의 여러 유물들을 보고 싶어서
④ 눈 오는 저수지의 풍경을 보려는 기대 때문에
⑤ 철새 떼의 춤을 볼 수 있을까 하는 기대 때문에

37 이 글을 간추릴 때에는 무엇에 따라 바뀌는 일을 간추려야 하나요? (　　)
① 계절 변화　② 일의 방법
③ 장소 변화　④ 원인과 결과
⑤ 밤과 낮의 변화

동물원에서

• **제재의 특징**: 과학 관찰 보고서를 쓰려고 동물원에 가서 날개가 있는 동물을 관찰하고 느낀 점을 쓴 글입니다.

❶ 어제 과학 관찰 보고서를 쓰려고 동물원에 갔다. 내 보고서 주제는 '날개가 있는 동물'로, 동물원의 많은 동물 가운데에서도 날개가 있는 동물을 찾아 관찰하는 것이다. 날씨가 추워서 **야외** 관람관은 문을 닫은 곳이 많아서 주로 실내 관람관에서 관찰했다.

✏️ **중심 내용 1** 어제 과학 관찰 보고서를 쓰려고 동물원에 갔다.

야외 집이나 건물의 밖.
전시되어 찾아온 사람들에게 보여 주도록 여러 가지 물품이 한곳에 차려져.

❷ 동물원 입구를 지나 가장 먼저 간 곳은 '곤충관'이
_{방문한 곳 ①}
었다. 곤충관에는 여러 지역의 곤충들이 **전시되어** 있었는데, 날개가 있는 동물로 나비와 벌, 메뚜기와 같
_{곤충관에서 본 날개가 있는 동물}
은 곤충들이 있었다. 곤충관에서 가장 관심이 갔던 곤충은 톱사슴벌레이다.

톱사슴벌레는 몸 색깔이 갈색이고 **톱날** 모양의 큰 턱이 있다. 원래 밤에 활동하는 곤충이지만 참나무 **수액**을 먹으려고 낮에도 돌아다니기 때문에, 먹이를 먹는 톱사슴벌레를 볼 수 있었다. 톱사슴벌레가 나뭇가지 꼭대기에 올라가서 날개를 펴고 날아가는 모습이 멋있었다.

✏️ **중심 내용 2** 곤충관에 가서 톱사슴벌레를 관찰했다.

톱날 톱니의 얇고 날카로운 부분.
수액(樹 나무 수 液 진 액) 나무에서 나오는 끈적한 액체.
例 나무에 수액이 올라서 나무가 싱싱해 보입니다.

8
단원

---

38 '내'가 동물원에 간 까닭은 무엇인가요? ( )

① 곤충을 잡으려고
② 봉사활동을 하려고
③ 가족 소풍을 가려고
④ 그림을 그리기 위하여
⑤ 과학 관찰 보고서를 쓰려고

39 '내' 보고서의 주제로 보아, 굳이 관찰할 필요가 <u>없는</u> 동물에 ×표 하세요.

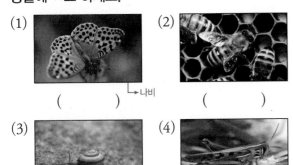

(1) ( ) →나비
(2) ( )
(3) ( ) →달팽이
(4) ( ) →메뚜기

40 동물원 입구를 지나 가장 먼저 간 곳은 어디인가요?

( )

41 곤충관에서 가장 관심이 갔던 곤충은 무엇인가요?

( )

① 벌 ② 나비
③ 메뚜기 ④ 무당벌레
⑤ 톱사슴벌레

📝 서술형·논술형 문제

42 톱사슴벌레의 생김새에 대해 관찰한 내용을 간추려 쓰세요.

_____

_____

❸ 곤충관 바로 옆은 <u>'야행관'</u>이었는데 주로 밤에 활동하는 동물들이 있는 곳이었다. 야행관에도 날개가 있는 동물들이 있었다. 바로 박쥐와 올빼미였다. 외국에서 산다는 <u>과일박쥐</u>도 인상 깊었지만, 내 눈길을 끈 것은 <u>수리부엉이</u>이다. 수리부엉이는 천연기념물로 몸 길이가 70센티미터나 될 정도로 큰 새이다. 날개를 접고 나뭇가지에 앉아 있는 것을 관찰했는데, 붉은 눈과 앞뒤로 자유롭게 움직이는 목이 신기했다. 가끔 날개를 펴고 앉은 자세를 고치기도 했는데, 날개를 **퍼덕이는** 모습에 큰 바람이 일 것 같았다. 이렇게 멋진 새가 **멸종 위기** 동물이라니, 자연을 보호해야겠다는 다짐을 했다.

(야행관에서 본 날개가 있는 동물)

(방문한 곳 ②)

중심 내용 ❸ 야행관에서 멸종 위기 동물인 천연기념물 수리부엉이를 관찰했다.

❹ 야행관 다음으로 간 곳은 <u>'열대 조류관'</u>이었다. 열대 조류관은 따뜻한 지역에 사는 새들이 사는 곳이었다. 열대 조류관은 아주 큰 실내 전시장으로, 천장이 높아서 머리 위로 화려한 색의 새들이 날아다니는 것을 볼 수 있었다. 앵무새는 책이나 텔레비전에서 본

(방문한 곳 ③)

(방이나 건물 등의 안)

적이 있었는데, 이렇게 많은 종류의 앵무새가 있는지는 몰랐다. <u>왕관앵무, 장미앵무, 회색앵무</u>와 같이 색과 크기도 다양한 앵무새를 관찰할 수 있었다. 말을 할 수 있는 앵무새를 찾지 못한 것이 아쉬웠다.

(열대 조류관에서 본 날개가 있는 동물)

중심 내용 ❹ 열대 조류관에서 다양한 앵무새들을 관찰했다.

❺ 마지막으로 간 곳은 야외에서도 황새를 볼 수 있는 <u>'큰물새장'</u>이었다. 황새 마을에서는 <u>황새</u> 외에도 <u>두루미나 고니</u>와 같이 물 근처에 사는 여러 새를 볼 수 있었다. 처음에는 깃털 색이 하얗고 까만 게 비슷해서 두루미와 황새를 **구별하지** 못했다. 설명을 읽고 나서야 키가 더 크고 머리가 붉은색이고 목과 다리가 까만색인 새가 두루미, 다리가 붉은색인 새가 황새라는 사실을 알게 되었다.

(방문한 곳 ④)

(큰물새장에서 본 날개가 있는 동물)

⊙ 두루미

⊙ 황새

중심 내용 ❺ 큰물새장에서 황새, 두루미, 고니와 같이 물 근처에 사는 여러 새들을 관찰했다.

퍼덕이는 큰 새가 가볍고 크게 날개를 치는.
멸종(滅 멸망할 멸 種 씨 종) 생물의 한 종류가 지구에서 완전히 없어짐.

위기 위험한 고비. 위험해서 아슬아슬한 순간.
구별하지 성질이나 종류에 따라 갈라놓지.

---

43 수리부엉이에 대한 설명으로 알맞지 <u>않은</u> 것에 X표 하세요.

(1) 천연기념물이다. ( )
(2) 멸종 위기 동물이다. ( )
(3) 사람의 말을 할 수 있다. ( )
(4) 몸길이가 70센티미터 정도로 크다. ( )

44 열대 조류관에는 어떤 새들이 사나요? ( )
① 날개가 큰 새들
② 날개가 작은 새들
③ 추운 지역에 사는 새들
④ 따뜻한 지역에 사는 새들
⑤ 눈이 많이 오는 지역에 사는 새들

45 두루미와 황새의 특징을 알맞게 선으로 이으세요.

(1) 황새 • • ① 다리가 붉은색이다.

(2) 두루미 • • ② 키가 더 크고 머리가 붉은색이고 목과 다리가 까만색이다.

46 이와 같은 글의 내용을 간추려 쓰려면 무엇을 중심으로 간추리는 것이 좋을까요?

• ☐☐☐ 변화에 따라 있었던 일을 중심으로 간추린다.

즐거운 직업 체험

· 글의 특징: 친구들과 직업 체험관에 가서 여러 가지 직업 체험학습을 하면서 느낀 점을 쓴 글입니다.

❶ 오래전부터 기다려 오던 직업 **체험**학습을 가는 날이다. 학교에서 모두 함께 출발해 열 시에 직업 체험관에 도착했다. 도착하자마자 우리 반은 모둠별로 흩어졌다. 우리 모둠은 나, 민기, 혜정, 병주까지 네 명으로 모두 활발한 친구들이다.
장소   시간   장소
모둠별로 직업 체험을 함.

📝 **중심 내용 ❶** 우리 반은 열 시에 직업 체험관에 도착했다.

❷ 우리 모둠은 가장 먼저 **소품** 설계관으로 출발했다. 소품 설계관은 작은 소품을 설계하고 직접 만들 수 있는 곳이다. 체험학습 계획을 세울 때 민기가 "집안 어른들께 선물로 드릴 만한 물건을 만들면 좋겠어."라고 의견을 냈기 때문에 소품 설계관을 첫 번째 체험활동 장소로 정했다. 민기는 어머니께 드릴 머리 끈을 만들고, 나는 할아버지께 드릴 손수건을 만들기로 했다. 내 손으로 만든 소품이 어딘가 부족해 보였지만 기분만은 진짜 디자이너가 된 것 같아 뿌듯했다.
장소
소품 설계관에서 체험하는 것

📝 **중심 내용 ❷** 가장 먼저 소품 설계관에서 디자이너 체험을 했다.

❸ 디자이너 체험을 끝내자 거의 열한 시가 되었다. 우리는 **제빵사** 체험을 하려고 제빵 학원으로 갔다. 제빵 학원 앞에는 크게 '크림빵'이라고 적혀 있었다. 체험관 안으로 들어가자 체험관 선생님께서 밀가루를 나누어 주셨다. 체험관 선생님께서 알려 주시는 차례를 그대로 따라 해서 크림빵을 완성했다.
소품 설계관에서 한 체험   시간

📝 **중심 내용 ❸** 열한 시에 제빵 학원에 가서 제빵사 체험을 했다.

❹ 제빵사 체험을 마치고 나오니 거의 열두 시가 되었다. 우리 모둠은 중앙 광장에서 아까 만든 크림빵과 각자 싸 온 점심을 먹으며 다른 모둠 친구들과 체험활동 이야기를 나누었다. 효지는 공항에서 한 비행기 **조종사** 체험이 가장 재미있었다고 했고, 준우는 문화재 발굴 현장에서 문화재를 찾는 체험이 가장 재미있었다고 했다.
제빵 학원에서 한 체험   시간
장소

📝 **중심 내용 ❹** 열두 시가 되어 중앙 광장에서 점심을 먹으며 체험활동 이야기를 나누었다.

체험 자기가 몸소 겪음. 또는 그런 경험.
소품 규모가 작은 예술 작품.

제빵사 빵을 만드는 일을 전문으로 하는 사람.
조종사 항공기를 조종할 수 있는 자격을 갖춘 사람.

---

47 무엇을 하고 나서 쓴 글인가요? (   )
① 전통놀이   ② 체력 단련
③ 봉사활동   ④ 친구 사귀기
⑤ 직업 체험학습

🏷️ **교과서 문제**

48 가장 먼저 소품 설계관으로 가기로 결정한 까닭은 무엇인가요? (   )
① 선생님께서 권해 주셔서
② 소품이 무엇인지 알아보려고
③ 집안 어른들께서 권해 주셔서
④ 소품 설계관이 가장 가까워서
⑤ 집안 어른들께 선물로 드릴 만한 물건을 만들려고

49 장소에 알맞은 직업 체험을 선으로 이으세요.

(1) 소품 설계관 •
(2) 제빵 학원 •

• ① 제빵사 체험
• ② 조종사 체험
• ③ 디자이너 체험

50 이 글은 어떤 흐름이 잘 드러나 있는지 두 가지를 고르세요. (,   )
① 일 차례   ② 계절 변화
③ 장소 변화   ④ 시간 흐름
⑤ 원인과 결과

8
단원

5 점심시간이 끝난 오후 한 시, 소방서에서 병주가
　　　　　　　　　　　시간　　　장소
가장 기대하던 ⊙소방관 체험으로 활동을 시작했다.
소방관 복장을 하고, 소방차를 타고 출동하고, 불이
난 곳에 물도 뿌렸다. 원래 소방관에는 관심이 없었는
데, 체험해 보니 내 **적성**에도 잘 맞고 보람도 있어서
미래에 소방관이 되어도 좋겠다고 생각했다.

중심 내용 5 오후 한 시부터 소방서에서 소방관 체험을 했다.

6 소방관 체험을 마치고 나서 시계를 보니 두 시가
　　　　　　　　　　　　　　　　　　　시간
조금 넘었다. 두 시 반까지 버스에 타기로 우리 반 선
생님과 약속했기 때문에 **아쉽지만** 체험활동을 끝낼 수
밖에 없었다.

돌아오는 버스 안에서 선생님께서 말씀하셨다.
　　　　　　　장소
"오늘 체험활동이 재미있었나요? 세상에는 직업 체
험관에 있는 직업 외에도 수많은 직업이 있어요. 여

러분이 앞으로 직업의 세계에 관심을 가지고 살펴본다
　　　　　　　　자기에게 딱 맞는 직업을 찾기 위해 할 일
면 여러분에게 딱 맞는 직업을 찾을 수 있을 거예요."

선생님 말씀을 들으며 앞으로도 직업의 세계에 관심
을 두어야겠다고 생각했다. 이번 체험은 내 미래를 **진
지하게** 생각해 볼 수 있는 좋은 경험이 되었다.

중심 내용 6 두 시 넘어서 체험 활동을 마치고 돌아왔다.

✿ 직업 체험관 지도

적성 어떤 일에 알맞은 사람의 성격이나 능력.
아쉽지만 미련이 남아 안타깝고 서운하지만.

진지하게 태도나 성격이 경솔하지 않고 신중하고 성실하게.
예 우정에 대해서 친구와 진지하게 대화를 나누었다.

---

51 ⊙은 어디에서 했는지 장소를 찾아 쓰세요.

(　　　　　　　　　)

[교과서 문제]

52 소방관이 되어도 좋겠다고 생각한 까닭은 무엇인가
요?

・ ☐☐☐☐에도 잘 맞고 ☐☐☐도
있어서

53 선생님의 말씀으로 보아, 직업 체험학습을 하는 까닭
에 ○표 하세요.

(1) 용돈을 벌기 위해　　　　　　　(　　　)
(2) 학교 성적을 올리기 위해　　　　(　　　)
(3) 자신에게 딱 맞는 직업을 찾기 위해 (　　　)

[교과서 문제]

54 직업 체험관을 다녀와서 생각한 것으로 알맞은 것의
기호를 쓰세요.

⑦ 당장 직업을 갖고 싶다.
⑭ 직업 체험관에 매일 가고 싶다.
⑮ 앞으로도 직업의 세계에 관심을 두어야겠다.

(　　　　　　　　　)

[서술형・논술형 문제]

55 위의 지도를 참고하여 자신이 직업 체험관에 간다면
어디에서 어떤 체험을 하고 싶은지 쓰세요.

(1) 체험하고 싶은 곳	(2) 하고 싶은 체험

[1~4] 베짱베짱 베 짜는 베짱이

(가) 끝이 보이지 않을 만큼 넓디넓은 땅에, ㉠잎이 세 개뿐인 나무들이 빽빽했습니다. 자세히 보니 그것은 클로버밭이었습니다. ㉮발목까지밖에 오지 않던 화단 턱이 절벽처럼 높았습니다. 도대체 무슨 일이 일어난 것일까요?

(나) "어, 이야기 할아버지 아니세요? 어쩌다 이렇게 작아지셨어요?"

할아버지만큼 커다란 베짱이가 말을 건넸습니다. 할아버지는 그제야 세상이 크게 변한 게 아니라 할아버지가 작게 줄어들었음을 알았습니다.

"글쎄, 나도 잘 모르겠다. 마당에 ㉯처음 보는 작은 열매가 있기에 먹어 보았을 뿐인데……."

베짱이는 할아버지 말을 듣고 이마를 '탁' 치며 말했습니다.

"그건 아마 '커졌다 작아졌다' 마법 열매였을 거예요! 그걸 한 알 더 먹어야 본래 크기로 돌아올 수 있어요."

"그래? 혹시 그걸 구할 방법을 알고 있니?"

"마루 밑에 사는 쥐들이 갖고 있는 걸 본 적은 있지만……."

"그럼 쥐를 찾아가서 부탁하면 되겠군. 지금 내 몸이라면 마루 밑에 들어갈 수 있으니!"

1 할아버지에게 무슨 일이 일어났습니까? (　　　)

① 할아버지가 커졌다.
② 할아버지가 작아졌다.
③ 할아버지가 넘어졌다.
④ 할아버지가 절벽에서 떨어졌다.
⑤ 나무가 할아버지에게로 넘어졌다.

2 ㉮와 ㉯ 중에서 할아버지에게 일어난 일의 까닭을 알 수 있는 것의 기호를 쓰시오.

(　　　　　　　)

3 ㉠은 실제로 무엇이었습니까? (　　　　)

① 나무　　　　　② 절벽
③ 클로버　　　　④ 감나무
⑤ 화단 턱

4 '커졌다 작아졌다' 마법 열매를 구하려면 누구를 찾아가야 할지 쓰시오.

• 마루 밑에 사는 [　　　　]

[5~6] 베짱베짱 베 짜는 베짱이

할아버지 말에 쥐들은 잠깐 자기네끼리 속닥이더니 말했습니다.

"좋아, 바꾸자." / 할아버지가 베를 내주자, 쥐들은 할아버지에게 마법 열매를 주었습니다.

마루 밑에서 나온 할아버지는 열매를 입에 넣고 꿀꺽 삼켰습니다. 순간 할아버지 몸이 풍선처럼 부풀어 오르는 듯한 기분이 드는가 싶더니 본래 크기로 돌아왔습니다.

클로버밭은 작고 아담해 보였습니다. 화단 턱도 가볍게 오르내릴 수 있을 만큼 낮았고요.

5 할아버지와 쥐들이 바꾼 것을 빈칸에 알맞게 쓰시오.

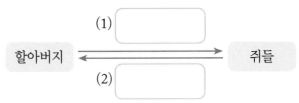

(1) [　　　　　]

할아버지 ⟷ 쥐들

(2) [　　　　　]

🔖 **서술형·논술형 문제**

6 쥐들이 준 마법 열매를 먹은 할아버지에게 어떤 일이 일어났는지 쓰시오.

_____

_____

[7~9] 세 가닥 땋기

세 가닥 땋기는 머리를 땋을 때 많이 쓰는 방법입니다. ㉠먼저, 왼쪽 첫 번째 그림과 같이 실 세 가닥을 나란히 폅니다. ㉡두 번째, 왼쪽 빨간색 실을 가운데 파란색 실 위로 올립니다. 그러면 왼쪽 실이 가운데로 오고, 가운데 실이 왼쪽으로 가게 됩니다. ㉢세 번째, 오른쪽 노란색 실을 가운데로 온 실 위에 올립니다. 다시 처음처럼 왼쪽으로 간 실을 가운데로, 오른쪽으로 간 실을 가운데로 올립니다. 이 방법을 계속 반복하면 실이 땋아집니다. 주의할 점은 실을 땋는 동안 실이 풀어지지 않도록 실 세 가닥을 단단히 잡아야 한다는 점입니다.

7 무엇에 대해 설명하고 있습니까?

· □□□□□□□ 를 하는 방법

8 ㉠~㉢은 어떤 특징을 가진 말입니까? (　　　)

① 위치를 나타내는 말
② 원인을 나타내는 말
③ 방향을 나타내는 말
④ 차례를 나타내는 말
⑤ 결과를 나타내는 말

9 세 가닥 땋기를 하는 방법에 맞게 다음 그림의 차례대로 기호를 쓰시오.

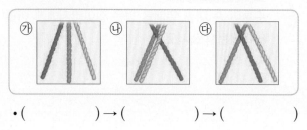

· (　　　) → (　　　) → (　　　)

[10~12] 실 팔찌 만들기

㈎ 여러 가지 색깔 실을 엮어 만든 팔찌를 실 팔찌라고 합니다. 실 팔찌는 팔목에 차다가 자연스럽게 닳아서 끊어지면 소원이 이루어진다는 이야기가 있어서 소원 팔찌라고도 합니다.

㈏ 실 팔찌 만들기의 준비물은 매우 간단합니다. 서로 다른 색깔 털실 세 줄, 셀로판테이프만 있으면 됩니다. 실은 굵을수록 엮기 쉬우므로 굵은 실을 준비하고 길이는 손목 둘레의 서너 배 정도로 자릅니다.

첫 번째, 서로 다른 색깔 실 세 가닥을 함께 잡고 매듭을 짓습니다. 실의 3~4센티미터를 남겨 두고 실 세 가닥을 한꺼번에 잡아 작은 원을 만듭니다. 그 뒤 짧은 쪽 실 세 가닥을 아까 만든 원 쪽으로 집어넣고 당기면 쉽게 매듭을 지을 수 있습니다.

㈐ 두 번째, 셀로판테이프로 매듭 위쪽을 책상에 붙입니다. 셀로판테이프는 실 팔찌를 만드는 동안 실이 움직이거나 꼬이지 않게 고정하는 역할을 합니다.

10 실 팔찌에 대한 설명으로 알맞은 것에 ○표 하시오.

(1) 실보다 얇게 만드는 팔찌　　　　(　　　)
(2) 여러 가지 고무줄을 엮어 만든 팔찌　(　　　)
(3) 여러 가지 색깔 실을 엮어 만든 팔찌　(　　　)

11 실 팔찌를 만들 때 굵은 실을 준비해야 하는 까닭은 무엇입니까? (　　　)

① 굵을수록 엮기 쉬워서
② 굵을수록 만들기 어려워서
③ 굵을수록 예쁜 팔찌가 되어서
④ 굵을수록 비싼 팔찌가 되어서
⑤ 굵을수록 소원이 잘 이루어져서

12 글 ㈐에서 차례를 나타내는 말을 찾아 쓰시오.

(　　　　　　　)

8 단원

[13~14] 감기약을 먹는 방법

어떻게 감기약을 먹어야 좋을까요?

먼저, 병원에서 의사와 충분하게 상담한 뒤 자신의 증세에 맞는 감기약을 처방받습니다. 어른들이 먹는 감기약이나 언제 샀는지 모르는 감기약을 먹으면 오히려 더 큰 병에 걸릴 수도 있습니다. 어린이들이 감기약을 먹을 때에는 꼭 의사의 지시에 따릅니다.

감기약은 끝까지 먹는 게 좋습니다. 감기약을 먹다가 몸이 나았다고 생각해 그만 먹으면 안 됩니다. 중간에 마음대로 감기약을 먹지 않으면 감기가 더 심해지거나 나중에 감기약을 먹어도 낫지 않을 수 있으므로, 의사가 처방한 날짜만큼 먹어야 합니다.

감기약을 먹을 때에는 물과 함께 먹어야 합니다. 우유나 녹차, 주스와 같은 다른 음료와 함께 먹어서는 안 됩니다. 또 물 이외에 밥이나 빵을 같이 먹어서도 안 됩니다.

감기약을 먹는 시간을 놓쳤다고 다음에 두 배로 먹어서도 안 됩니다. 두 배로 먹는다고 감기약 효과가 두 배가 되지는 않습니다. 오히려 몸에 부담만 될 뿐입니다. 감기약은 정해진 양만큼만 먹어야 합니다.

13 이 글의 내용을 바르게 이해한 사람은 누구입니까? ( )

① 철수: 감기약은 빵과 같이 먹으면 좋아.
② 수빈: 감기약은 정해진 양만큼만 먹어야 해.
③ 영진: 감기약은 우유와 먹어야 흡수가 잘 돼.
④ 주영: 감기약 먹는 시간을 놓치면 다음에 두 배로 먹어야 해.
⑤ 지호: 감기약은 의사가 처방한 날짜보다 더 길게 먹어야 해.

14 이 글의 특징으로 알맞지 <u>않은</u> 것에 ×표 하시오.
(1) 차례가 정해져 있다. ( )
(2) 어떤 일을 하는 방법을 알려 준다. ( )
(3) 어떤 일을 할 때의 주의할 점을 알려 준다. ( )

[15~16] 주말여행

㈎ 마지막으로 고창의 유명한 절인 선운사를 방문했다. 선운사는 삼국 시대 때부터 지어진 오래된 절이다. 오래된 절답게 웅장한 건물과 많은 관광객이 있었다. 선운사에서 가장 인상 깊었던 것은 선운사 뒤편의 동백나무 숲이었다. 푸른 동백나무잎 위로 하얀 눈이 소복이 쌓여 아름다운 풍경을 만들어 내고 있었다. 내가 본 가장 아름다운 숲이었다.

㈏ 다음으로 간 곳은 동림 저수지 야생 동식물 보호구역이었다. 동림 저수지는 겨울 철새가 많이 찾는 곳으로 우리 가족도 혹시 철새 떼의 춤을 볼 수 있을까 하는 기대로 방문해 보았다. 그곳에서 여러 가지 설명을 읽어 보았는데, 고창군 전 지역은 2013년부터 유네스코 생물권 보존 지역으로 지정되어 환경을 해치는 행위를 해서는 안 된다는 안내도 있었다. 아주 많은 수의 철새는 아니었지만 간간이 물 위로 날아오르는 가창오리들을 구경할 수 있었다.

㈐ 토요일 아침 일찍 출발해서, 맨 처음 도착한 고창 관광지는 고인돌 박물관이었다. 고인돌 박물관에서는 영화와 유물들을 보면서 고인돌의 역사를 알 수 있었다. 박물관 일 층에서는 고인돌 영화를 봤고 이 층에서는 고인돌과 관련된 여러 유물을 봤다. 박물관을 다 둘러보고 나니 고인돌 박사가 된 것 같은 기분이었다.

15 글 ㈎~㈐를 이동한 장소의 차례대로 기호를 쓰시오.
• 글 ( ) → 글 ( ) → 글 ( )

📋 **서술형·논술형 문제**

16 글 ㈎의 내용을 글쓴이가 한 일을 중심으로 간추려 쓰시오.

•_____

[17~18] 동물원에서

(가) 동물원 입구를 지나 가장 먼저 간 곳은 '곤충관'이었다. 곤충관에는 여러 지역의 곤충들이 전시되어 있었는데, 날개가 있는 동물로 나비와 벌, 메뚜기와 같은 곤충들이 있었다. 곤충관에서 가장 관심이 갔던 곤충은 톱사슴벌레이다. 톱사슴벌레는 몸 색깔이 갈색이고 톱날 모양의 큰턱이 있다. 원래 밤에 활동하는 곤충이지만 참나무 수액을 먹으려고 낮에도 돌아다니기 때문에, 먹이를 먹는 톱사슴벌레를 볼 수 있었다. 톱사슴벌레가 나뭇가지 꼭대기에 올라가서 날개를 펴고 날아가는 모습이 멋있었다.

(나) 곤충관 바로 옆은 '야행관'이었는데 주로 밤에 활동하는 동물들이 있는 곳이었다. 야행관에도 날개가 있는 동물들이 있었다. 바로 박쥐와 올빼미였다. 외국에서 산다는 과일박쥐도 인상 깊었지만, 내 눈길을 끈 것은 수리부엉이이다. 수리부엉이는 천연기념물로 몸길이가 70센티미터나 될 정도로 큰 새이다. 날개를 접고 나뭇가지에 앉아 있는 것을 관찰했는데, 붉은 눈과 앞뒤로 자유롭게 움직이는 목이 신기했다. 가끔 날개를 펴고 앉은 자세를 고치기도 했는데, 날개를 퍼덕이는 모습에 큰 바람이 일 것 같았다. 이렇게 멋진 새가 멸종 위기 동물이라니, 자연을 보호해야겠다는 다짐을 했다.

8 단원
진도 완료 체크

17 글쓴이가 간 곳의 차례에 따라 빈칸에 알맞은 장소를 쓰시오.

• 동물원 입구 → ☐ → 야행관

18 수리부엉이에 대한 설명으로 알맞지 <u>않은</u> 것은 무엇입니까? (　　)

① 천연기념물이다.
② 눈이 붉은색이다.
③ 멸종 위기 동물이다.
④ 다리 길이가 70센티미터이다.
⑤ 목이 앞뒤로 자유롭게 움직인다.

[19~20] 즐거운 직업 체험

(가) 오래전부터 기다려 오던 직업 체험학습을 가는 날이다. 학교에서 모두 함께 출발해 열 시에 직업 체험관에 도착했다.

(나) 우리 모둠은 가장 먼저 소품 설계관으로 출발했다. 소품 설계관은 작은 소품을 설계하고 직접 만들 수 있는 곳이다. 체험학습 계획을 세울 때 민기가 "집안 어른들께 선물로 드릴 만한 물건을 만들면 좋겠어."라고 의견을 냈기 때문에 소품 설계관을 첫 번째 체험활동 장소로 정했다.

(다) 디자이너 체험을 끝내자 거의 열한 시가 되었다. 우리는 제빵사 체험을 하려고 제빵 학원으로 갔다. 제빵 학원 앞에는 크게 '크림빵'이라고 적혀 있었다. 체험관 안으로 들어가자 체험관 선생님께서 밀가루를 나누어 주셨다. 체험관 선생님께서 알려 주시는 차례를 그대로 따라 해서 크림빵을 완성했다.

(라) 점심시간이 끝난 오후 한 시, 소방서에서 병주가 가장 기대하던 소방관 체험으로 활동을 시작했다. 소방관 복장을 하고, 소방차를 타고 출동하고, 불이 난 곳에 물도 뿌렸다. 원래 소방관에는 관심이 없었는데, 체험해 보니 내 적성에도 잘 맞고 보람도 있어서 미래에 소방관이 되어도 좋겠다고 생각했다.

19 글쓴이네 모둠이 가장 먼저 체험활동 장소로 정한 곳은 어디입니까?

(　　　　　　　)

20 직업 체험을 한 장소와 시간에 알맞게 선으로 이으시오.

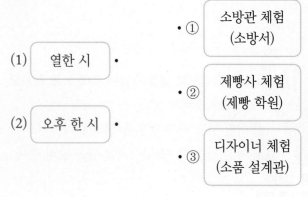

(1) 열한 시 •

(2) 오후 한 시 •

• ① 소방관 체험 (소방서)

• ② 제빵사 체험 (제빵 학원)

• ③ 디자이너 체험 (소품 설계관)

9

작품 속 인물이 되어

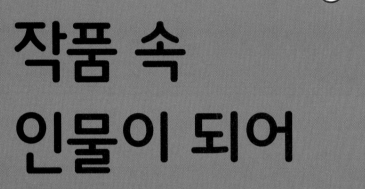

뭘 걱정하냐, 멍?
내가 있는데!

우리 인원수보다
배역이 한 명
더 많아.

그러면 한 사람이 1인
2역을 해야 되나?

연말 학예회 때 할 연극
극본은 다 만들었어?

응, 그런데
문제가 좀 있어.

 개념 웹툰

멍파고와 함께하는 연극은 어떨까요?
스마트폰에서 확인하세요!

개념 1 이야기 속 인물과 성격

① 인물: 이야기에 등장하여 일정한 상황에서 일정한 역할을 하는 사람, 동물, 사물 등을 통틀어 말합니다.

② 성격: 개인이 가지고 있는 본래의 성질이나 품성을 말합니다.

지문 이야기 속 인물의 여러 가지 성격

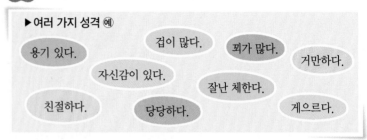

▶여러 가지 성격 ⑩

용기 있다. | 겁이 많다. | 꾀가 많다. | 거만하다.
자신감이 있다. | 잘난 체한다.
친절하다. | 당당하다. | 게으르다.

개념 2 이야기 속 인물의 성격 알아보기

① 인물이 어떤 말과 행동을 하는지 생각해 봅니다.

② 자신이 이야기 속 인물이라면 어떤 말과 행동을 할지 생각해 봅니다.

③ 이야기 속 인물과 비슷한 말이나 행동을 하는 친구의 성격이 어떤지 생각해 봅니다.

지문 인물의 말과 행동을 통해 성격 파악하기

너는 몸집이 가장 크다고 네가 가장 힘이 센 줄 알지? 난 줄다리기를 하면 널 언제든 이길 수 있어!

이 꼬맹이야! 감히 아침 식사 하는 나를 귀찮게 해?

→ • 당당하다
• 용기가 있다.
• 자신만만하다.

→ • 잘난 체한다.
• 상대를 무시한다.

개념 3 알맞은 표정, 몸짓, 말투를 생각하며 극본 읽기

① 어떤 상황에서의 인물의 말과 행동을 보고 인물의 성격이나 마음을 짐작해 봅니다.

② 극본에서 표정, 몸짓, 말투를 알려 주는 부분을 찾아봅니다.

③ 주변에서 등장인물과 성격이 비슷한 사람이 어떤 표정, 몸짓, 말투를 사용하는지 생각해 봅니다.

④ 자신이 그 인물이라면 어떤 표정, 몸짓, 말투를 사용할지 생각해 봅니다.

활동 말과 행동에 어울리는 표정, 몸짓, 말투를 생각하기

상황

나그네: 이게 무슨 짓이오? 약속을 지키지 않고…….

호랑이: 하하, 궤짝 속에서 한 약속을 궤짝 밖에 나와서도 지키라는 법이 어디 있어?

➡ 호랑이가 궤짝 속에 갇힌 자신을 구해 준 나그네를 잡아먹으려고 하는 상황

호랑이의 성격이나 마음	호랑이의 표정, 몸짓, 말투
• 은혜를 모른다. • 뻔뻔하다.	뻔뻔한 표정을 하고 크고 당당한 목소리로 말한다.

대단한 줄다리기

- **글쓴이**: 베벌리 나이두 • **옮긴이**: 강미라 • **글의 종류**: 이야기
- **글의 내용**: 자신을 무시하는 코끼리와 하마를 속여 하루 종일 줄다리기를 하게 만든 꾀 많은 토끼 무툴라의 이야기입니다.

❶ 산토끼 무툴라가 코끼리 투루에게 아침 인사를 하자 투루는 귀찮다고 화를 냈어요.

❷ 무툴라가 하마 쿠부에게 아침 인사를 하자 쿠부도 아침잠을 방해했다고 화를 냈어요.

❸ 무툴라는 자신과 줄다리기를 하자고 속여 긴 밧줄의 양쪽 끝을 투루와 쿠부에게 잡게 했어요.

❹ 투루와 쿠부는 무툴라에게 속은 줄도 모르고 하루 종일 힘껏 줄을 잡아당기느라 지치고 말았어요.

❶ 옛날옛날, 산토끼 무툴라가 코로로 언덕의 굴속
_{무툴라가 사는 곳}
에서 살고 있었어요. 어느 날 아침, 무툴라는 코가 따
_{일이 있었던 시간을 나타내는 말}
끔거려서 잠에서 깼어요. 무툴라는 코로로 언덕 아래
로 깡충 뛰어갔어요.

그런데 갑자기 뭔가가 "우두둑, 뚝, 쿵!" 하고 부러
지는 소리가 들렸어요. 코끼리 투루가 나타난 거예요.

"안녕, 투루." / 「투루는 질겅질겅 풀을 씹기만 할
_{질긴 물건을 거칠게 자꾸 씹는 모양}
뿐 아무 말도 하지 않았어요.

"안녕이라고 말했잖아. 투루!"

투루는 꼬리를 한 번 실룩 움직일 뿐 여전히 아무
_{근육의 한 부분이 한쪽으로 비뚤어지게 움직이는 모양}
말도 하지 않았어요.」┘: 무툴라를 무시하는 투루의 행동

"안녕이라고 말했잖아. 투루!"

무툴라는 이번에는 아주 크게 소리쳤어요.

"그래서 어쩌라고? 이 꼬맹이야! 감히 아침 식사 하
_{꼬마를 낮잡아 이르는 말}
는 나를 귀찮게 해?"

"투루, 그렇게 거만하게 굴 것까진 없잖아! 너는 몸
_{잘난 체하며 남을 업신여기는 데가 있게}
집이 가장 크다고 네가 가장 힘이 센 줄 알지? 난
줄다리기를 하면 널 언제든 이길 수 있어!"

㉠"네가? 너 같은 꼬맹이가? 흥, 푸우하하하!"

"내일 아침, 내가 밧줄을 가져올게. 그럼 내가 얼마
_{줄다리기를 하기 위해}
나 힘이 센지 알게 될 거야!"

무툴라가 자신만만하게 말했어요. 투루의 대답을 기
다리지도 않고 무툴라는 물가로 깡충깡충 뛰어갔지요.

✏️ **중심 내용 ❶** 산토끼 무툴라는 귀찮다고 화를 내는 코끼리 투루에게 줄다리기를 하면 자기가 이길 수 있다고 말했어요.

---

1 무툴라가 투루를 만났을 때 투루는 무엇을 하고 있었나요? (   )

① 잠을 자고 있었다.
② 코를 씻고 있었다.
③ 언덕을 산책하고 있었다.
④ 아침 식사를 하고 있었다.
⑤ 아침 운동을 하고 있었다.

2 투루는 왜 무툴라에게 화를 냈나요?

• [   ] 하는데 귀찮게 해서

3 ㉠을 말할 때 투루의 표정이나 몸짓, 말투로 알맞지 **않은** 것의 기호를 쓰세요.

> ㉮ 비웃는 표정으로 말한다.
> ㉯ 속삭이는 말투로 말한다.
> ㉰ 가소롭다는 듯이 웃으며 말한다.

(   )

4 글의 내용으로 보아 투루는 어떤 인물인지 짐작하여 두 가지를 고르세요. (,   )

① 다정하다.   ② 친절하다.
③ 잘난 체한다.   ④ 용기가 있다.
⑤ 다른 사람의 말을 잘 듣지 않는다.

9
단원

2 산토끼 무퉅라는 눈을 반쯤 감고 물속에 잠겨 있는 하마 쿠부를 찾아냈어요.

「"안녕, 쿠부." / 쿠부는 무퉅라를 쳐다보았지만 아무 말도 하지 않았어요. 「,」: 무퉅라를 무시하는 쿠부

"내가 안녕이라고 말했잖아, 쿠부."

쿠부는 눈을 감더니 아무 말 없이 물속으로 사라져 버렸어요.」 쿠부의 머리가 다시 물 밖으로 나오자 무퉅라는 아주 크게 소리쳤어요.

"쿠부, 내가 안녕이라고 말했잖아!"

㉠"그래서 어쩌라고, 이 꼬맹이야! 감히 내 아침잠을 방해하다니!"

㉡"쿠부, 그렇게 거만하게 굴 것까진 없잖아! 너는 몸집이 가장 크다고 네가 가장 힘이 센 줄 알지? 난 줄다리기를 하면 널 언제든 이길 수 있어!"

"네가? 너 같은 꼬맹이가? 푸우하하하!"

"내일 아침, 내가 밧줄을 가져올게. 그럼 내가 얼마나 힘이 센지 알게 될 거야!" 줄다리기를 하기 위해

무퉅라가 자신만만하게 말했어요.

쿠부의 대답을 기다리지도 않고 무퉅라는 깡충깡충 뛰어 그 자리를 떠났어요.

그날 내내 무퉅라는 아주아주 길고 무지무지 튼튼한 밧줄을 열심히 만들었어요.

중심 내용 2 무퉅라는 인사를 안 받는 하마 쿠부에게도 줄다리기를 하면 자기가 이길 수 있다고 말한 뒤 아주 길고 튼튼한 밧줄을 만들었어요. 「,」: 해가 뜨기 전

3 다음 날, 「해님이 오렌지색과 빨간색 햇살로 달님에게 길을 비키라는 경고를 보내기도 전에 무퉅라는 위험한 일을 조심하거나 삼가도록 미리 일러서 주의를 줌. 또는 그 주의 자리에서 일어났어요. 그리고 해님이 레농산 위로 고개를 내밀 때 무퉅라는 벌써 코로로 언덕 아래로 깡충깡충 뛰어 내려왔지요. 길고 튼튼한 밧줄을 한쪽 어깨에 걸치고요.

코끼리 투루는 역시나 언덕에 있었어요!

"안녕, 투루! 내가 밧줄을 가져왔어."

"흥!"

무퉅라는 가까이 가서 밧줄의 한쪽 끝을 투루에게 내밀었어요.

"이걸 잡아. 난 다른 쪽 끝을 잡고 저 너머로 달려갈게."

무퉅라는 빽빽한 덤불숲을 가리켰어요. 가는 가지나 덩굴들이 마구 엉클어져 자라는 나무 또는 그런 나무들의 수풀

"당길 준비가 되면 이렇게 휘파람을 불게. 휘이이이익!"

---

5 무퉅라가 쿠부에게 인사를 했을 때 쿠부의 행동입니다. 빈칸에 들어갈 말을 알맞게 쓰세요.

· 아무 말도 하지 않음. → 눈을 감고 물속으로 사라짐. → [＿＿＿＿＿＿]을 방해했다고 화를 냄.

6 ㉠을 실감 나게 읽으려면 어떻게 읽어야 할까요?

( )

① 겁먹은 표정으로 덜덜 떨며
② 놀라는 표정으로 부럽다는 듯이
③ 가엾다는 표정으로 따뜻하게 웃으며
④ 짜증 나는 표정으로 버럭 화를 내며
⑤ 아픈 듯한 표정으로 머리를 감싸안으며

7 ㉡을 말하는 무퉅라의 표정이나 몸짓, 말투로 알맞은 것에 ○표 하세요.

(1) 놀란 표정과 벌벌 떠는 몸짓 ( )
(2) 공손한 몸짓과 부드러운 목소리 ( )
(3) 자신감 있는 표정과 크고 또렷한 목소리

( )

8 글 **3**에서 무퉅라는 투루에게 무엇을 하게 하려고 밧줄의 한쪽 끝을 내밀었나요? ( )

① 줄넘기 ② 줄타기
③ 팔씨름 ④ 줄다리기
⑤ 매듭 만들기

그다음, 무툴라는 파리처럼 재빠르게 움직여 빽빽한 덤불숲 쪽으로 깡충깡충 뛰어갔어요. 하지만 무툴라는 덤불숲에서 멈추지 않았어요. 무툴라에게는 물웅덩이까지 닿을 수 있는 긴 밧줄이 있었어요.

하마 쿠부가 있는 곳
하마 쿠부는 무툴라를 못 본 척하며 물속에 들어가 있었어요.

"안녕, 쿠부! 내가 밧줄을 가져왔어."

"푸우우!" / 무툴라는 가까이 다가가서 밧줄의 한쪽
쿠부가 물 밖으로 나오는 것을 나타냄.
끝을 하마 쿠부에게 내밀었어요.

"이걸 잡아. 저 덤불숲이 보이지? 밧줄의 한쪽 끝을 저 뒤에다 두었어. 난 달려가서 그걸 잡을 거야. 내가 당길 준비가 되면 휘파람을 불게. 이렇게. 휘이이이익!"

무툴라는 쿠부가 밧줄을 꽉 물 때까지 숨죽이고 기다렸어요. 무툴라는 영양처럼 재빨리 덤불숲으로 뛰어갔어요.

중심 내용 3 무툴라는 투루와 쿠부가 서로 보지 못하게 밧줄을 덤불숲 뒤에 숨긴 채로 둘에게 각각 밧줄의 양 끝을 잡게 했어요.

4 무툴라는 꼭꼭 숨자마자 숨을 깊이깊이 들이마신 다음 있는 힘껏 휘파람을 불었어요. ㉠"휘이이이익!"

그러자 양쪽 끝에서 투루와 쿠부가 밧줄을 잡아당기기 시작하는 소리가 들렸어요. 둘은 밧줄을 당기고 당기고 또 당겼어요. 먼저 코끼리 투루가 영차영차 끙끙 밧줄을 잡아당기자 하마 쿠부는 몸을 부르르 떨며 버텼어요. 그다음엔 하마 쿠부가 영차영차 끙끙 밧줄을 잡아당기자 코끼리 투루가 몸을 부르르 떨며 버텼어요. ㉡무툴라는 너무 재미있어서 깔깔 웃느라 배가 다 아팠어요.

줄다리기는 해가 뜰 때 시작되어 해가 질 때까지 계속
하루 종일
되었어요. 투루와 쿠부는 둘 다 지고 싶지 않아서 줄다리기를 그만두지 않았어요. 하지만 해님이 달님에게 길을 양보하려는 순간, 코끼리 투루는 더 이상 1초도 버틸 수
해가 질 무렵
없었어요. 하마 쿠부 역시 이제 포기해야겠다고 느꼈어요. 그래서 둘은 동시에 밧줄을 놓았어요!
무승부가 됨.
'이제 가야겠다. 가서 저녁을 먹어야지.'

어느새 달님이 레농산 위로 고개를 빠끔히 내밀자 무툴라는 깡충깡충 뛰어갔어요. 그리고 마지막으로 한 번 더 크게 "휘이이이익!" 하고 휘파람을 불었답니다.

중심 내용 4 무툴라에게 속은 투루와 쿠부는 해가 질 때까지 밧줄을 당기느라 지치고 말았어요.

9 무툴라는 어디에 숨었나요? (　　　)

① 굴속　　　　② 덤불숲
③ 나무 뒤　　　④ 물웅덩이
⑤ 밧줄 더미 속

10 ㉠은 무엇을 하라는 신호인가요?

· ☐☐☐☐ 을 당기라는 신호

11 밧줄의 양쪽 끝을 잡고 당긴 것은 누구누구인가요?

· ☐☐☐ 와 ☐☐☐

12 글 ❹에서 알 수 있는 투루와 쿠부에 대한 설명 중에서 알맞지 않은 것은 무엇인가요? (　　　)

① 어리석다.
② 꾀가 많다.
③ 지기 싫어한다.
④ 힘의 세기가 비슷하다.
⑤ 쉽게 포기하지 않는다.

📝 서술형·논술형 문제
13 ㉡에서 무툴라의 마음은 어떠했을지 쓰세요.

_____

_____

토끼의 재판

옳고 그름을 따져 판단함.

- 글쓴이: 방정환 • 글의 종류: 극본
- 글의 내용: 궤짝 속에 갇힌 호랑이가 자신을 구해 준 나그네를 잡아먹으려다가 토끼에게 속아 다시 궤짝에 갇히는 이야기입니다.

❶ 사냥꾼들이 호랑이를 궤짝 속에 가둬 두고 자리를 떴습니다.

❷ 나그네가 궤짝 문을 열어 호랑이를 구해 주었으나 호랑이는 나그네를 잡아먹으려고 했습니다.

❸ 나그네와 호랑이는 누가 옳은지 소나무와 길에게 물어보았는데, 둘 다 호랑이 편을 들었습니다.

❹ 마지막으로 물어본 토끼에게 속아 호랑이는 다시 궤짝에 갇히게 되었습니다.

1
- 때: 옛날 옛적, 호랑이 담배 피우던 때
- 곳: 산속
- 등장인물: 호랑이, 사냥꾼 1, 사냥꾼 2, 나그네, 소나무, 길, 토끼

자기가 사는 곳을 떠나 돌아다니거나 잠시 다른 곳에 머물러 있는 사람

막이 열리면 산속 외딴길에 나무가 한 그루 서 있다. 커
홀로 따로 나 있는 작은 길
다란 호랑이를 넣은 궤짝이 놓여 있고, 나무 밑에서 사냥꾼
물건을 넣도록 나무로 네모나게 만든 상자
들이 땀을 씻으며 이야기를 하고 있다. 바람 부는 소리와
나무 흔들리는 소리가 들린다.

사냥꾼 1: 여보게, 목이 마른데 근처에 샘이 없을까?

사냥꾼 2: 나도 목이 마른데 같이 찾아볼까?

사냥꾼 1: 얼른 갔다 오세.

두 사람은 아래로 내려간다. 바람 부는 소리와 나무 흔들리는 소리가 들린다.

호랑이: ㉠아! 뛰쳐나가고 싶어 못 견디겠다. 아이고, 배고파. (머리로 문짝을 떼밀어 보고) 안 되겠는걸! 여기서 나가기만 하면 먼저 저 사냥꾼을 잡아먹고, 사슴이나 토끼를 닥치는 대로 잡아먹어야지. (머리로 또 문을 밀어 보고) ㉡아무리 해도 안 되겠는걸. (그냥
혼자서 문을 여는 것을 포기함.
쭈그리고 앉는다.)

중심 내용 1 사냥꾼이 호랑이를 궤짝에 가둬 두고 자리를 뜨자, 호랑이는 궤짝에서 나가고 싶어 못 견뎌 했습니다.

2 나그네가 지나간다.

호랑이: (반가운 목소리로) 나그네님!

나그네: 누가 나를 부르나? (사방을 둘러본다.)

호랑이: 나그네님, 저를 좀 구해 주십시오.

나그네: (궤짝을 들여다보고) 이크, 호랑이구려! 무슨 일이오?

14 어디에서 있었던 일인가요? ( )
① 들판 ② 산속
③ 강가 ④ 논두렁
⑤ 바닷가

15 호랑이가 갇혀 있는 곳은 어디인가요? ( )
① 굴속 ② 방 안
③ 동굴 속 ④ 궤짝 속
⑤ 사냥꾼의 집

16 ㉠에서 호랑이의 마음은 어떠할까요? ( )
① 답답하다.
② 자랑스럽다.
③ 신나고 즐겁다.
④ 춤을 추고 싶다.
⑤ 시끄러워 못 견디겠다.

17 ㉡은 무슨 뜻일까요?
- 혼자서 궤짝 문을 열기는 (어렵다 / 쉽다).

호랑이: ㉠나그네님, 제발 문고리를 따고 문짝을 좀 열어 주십시오.

나그네: 뭐요? 문을 열어 달라고? 열어 주면 뛰쳐나와서 나를 잡아먹을 것이 아니오?

호랑이: 아닙니다. 제가 은혜를 모르고 ㉡그런 짓을
<u>고맙게 베풀어 주는 마음</u>
할 리가 있겠습니까? (앞발을 비비며 자꾸 절을 한다.)

나그네: 허허, 알았소. 설마 거짓말이야 하겠소? 내가 이 궤짝 문을 열어 주리다. 그 대신 약속을 꼭 지키시오.

호랑이: 네, 얼른 좀 열어 주십시오. 배가 고파서 눈이 빠질 지경입니다.

나그네가 문을 열자, 호랑이가 뛰쳐나와서 나그네를 잡아먹으려고 덤빈다.

중심 내용 2 호랑이는 지나가는 나그네에게 자기를 구해 주면 잡아먹지 않겠다고 약속했으나 나그네가 궤짝 문을 열어 주자 나그네를 잡아먹으려고 했습니다.

3 나그네: 이게 무슨 짓이오? 약속을 지키지 않고…….

호랑이: ㉢하하, 궤짝 속에서 한 약속을 궤짝 밖에 나와서도 지키라는 법이 어디 있어?

나그네: 조금 전에 은혜를 모를 리가 있겠느냐고 하면서 애걸복걸하지 않았소?
<u>애처롭게 사정하며 간절하게 빌지</u>

호랑이: 은혜 모르기는 사람이 더하지. 그러니까 사람은 보는 대로 잡아먹어도 괜찮아.

나그네: 아니, 그런 법이 어디 있소? 우리, 누가 옳은지 한번 물어보세.

호랑이: 좋아, 소나무에게 물어보자.

나그네: 소나무님, 소나무님! 당신도 보셨으니까 사정을 아시지요? 호랑이가 옳습니까, 제가 옳습니까?

소나무: 물론 호랑이가 옳지. 왜냐하면 <u>사람은 내가 맑은 공기를 마시게 해 주는데도 나를 마구 꺾고 베어</u>
<u>소나무가 호랑이가 옳다고 말한 까닭</u>
<u>버리기 때문이야.</u> 호랑이야, 얼른 잡아먹어 버려라.

호랑이: 자, 어때? 내가 옳지?

나그네: (머리를 긁으며) 길한테 한 번 더 물어보세. 길님, 길님! 다 보고 들으셨지요? 호랑이가 옳습니까, 제가 옳습니까?

길: 물론 호랑이가 옳지. 왜냐하면 <u>사람들은 날마다 나를 밟고 다니면서도 고맙다는 말 한마디를 하지</u>
<u>길이 호랑이가 옳다고 말한 까닭</u>
<u>않기 때문이야. 코나 흥흥 풀어 팽개치고, 침이나 탁탁 뱉잖아?</u> 호랑이야, 얼른 잡아먹어 버려라.

호랑이가 입을 쩍 벌리고 나그네를 잡아먹으려고 한다.

나그네: (기운 없는 목소리로) 잠깐, 한 번 더 물어봐야지. 재판도 세 번은 해야 하지 않소?

---

18 ㉠에 어울리는 호랑이의 말투는 무엇인가요? ( )

① 간절한 말투 　　② 거만한 말투
③ 억울한 말투 　　④ 뽐내는 말투
⑤ 재미있는 말투

19 ㉡은 무엇을 가리키나요? ( )

① 은혜를 갚는 짓
② 궤짝 문을 여는 짓
③ 궤짝 속에 가두는 짓
④ 호랑이를 잡아먹는 짓
⑤ 나그네를 잡아먹는 짓

20 ㉢에 어울리는 호랑이의 표정은 무엇인가요?

( )

① 슬픈 표정 　　② 밝은 표정
③ 서운한 표정 　　④ 뻔뻔한 표정
⑤ 부끄러운 표정

21 호랑이가 나그네에게 한 행동과 어울리는 속담에 ○표 하세요.

(1) 은혜를 원수로 갚는다 　　( )
(2) 소 잃고 외양간 고친다 　　( )

호랑이: (자신만만하게) 그래? 그러면 이번이 마지막이다.

나그네: 이번에는 누구에게 물어보아야 하나? 마지막인데……. (풀이 죽은 모습으로 고개를 숙인다.)

📝 **중심 내용 ③** 나그네와 호랑이는 누가 옳은지 소나무와 길에게 물어보았지만 둘 다 호랑이가 옳다고 했습니다.

④ 하얀 토끼가 지나간다.

나그네: 토끼님, 토끼님! 재판 좀 해 주세요. 이 궤짝 속에 갇힌 호랑이를 살려 준 나하고, 살려 준 나를 잡아먹으려는 호랑이하고 누가 옳습니까?

토끼: (귀를 기울이고 한참 생각하다) 누가 누구를 살려
　　　<u>남의 이야기나 의견에 관심을 가지고</u>　　나그네가　호랑이를
주었어요? 누가 누구를 잡아먹으려 해요? 아, 당신
　　　　　　　　호랑이가　나그네를
이 이 호랑이를 잡아먹으려고 해요?

나그네: 아니지요. 내가 호랑이를 잡아먹으려 하는 게 아니라, 이 호랑이가 궤짝에 갇혀 있었는데 내가 살려 주었어요.

토끼: 네, 알았습니다. 그러니까 이 호랑이하고 당신이 궤짝 속에 갇혀 있었다고요?

나그네: 아니지요. 호랑이가…….

호랑이: ㉠(답답하다는 듯이 화를 내며) 왜 이렇게 말귀를 못 알아듣지? (궤짝 속으로 들어가며) 이 궤짝 속
　　　　　<u>토끼의 꾐에 빠져서 호랑이가 스스로 궤짝 속으로 들어감.</u>
에 내가 이렇게 있었어. 내가 이렇게 갇혀 있었단 말이야. 알았지?

㉡<u>토끼가 얼른 달려들어 문고리를 걸어 잠근다.</u>

토끼: (웃으면서) 이제야 알았습니다. 설명하시지 않아도 잘 알겠습니다. 호랑이님이 어떻게 이 궤짝 속에 들어갔는지 잘 알았습니다. 그럼 저는 바빠서 이만 가 보겠습니다.

나그네: (토끼를 쫓아가며) 토끼님, 대단히 고맙습니다. 이 은혜를 어떻게 갚아야 할지…….

호랑이는 궤짝 속에 쭈그려 울부짖고 사냥꾼들
　　　　　<u>마구 울면서 큰 소리를 내고</u>
이 돌아와 궤짝을 메고 고개를 넘어간다. 즐거운 음악이 흐르며 막이 내린다.

📝 **중심 내용 ④** 토끼는 말을 못 알아듣는 척하며 호랑이를 속여서, 호랑이를 다시 궤짝 속으로 들어가게 했습니다.

---

22 나그네는 토끼에게 어떤 재판을 해 달라고 부탁했나요? (　　　)

① 토끼와 나그네 중에서 누가 옳은가
② 토끼와 호랑이 중에서 누가 옳은가
③ 나그네와 호랑이 중에서 누가 옳은가
④ 나그네에게 어떤 상을 주어야 하는가
⑤ 호랑이에게 어떤 벌을 내려야 하는가

23 ㉠에 어울리는 호랑이의 표정이나 몸짓, 말투를 알맞게 말한 사람의 이름을 쓰세요.

> 승민: 두 눈을 가늘게 뜨고 작게 말해야 해.
> 인찬: 답답한 표정으로 가슴을 치며 크게 말해야 해.

　　　　　　　　　　　　　　(　　　　　　　　)

24 호랑이가 다시 궤짝으로 들어간 까닭에 ○표 하세요.

(1) 궤짝 속이 편안해서 　　　　　　(　　　)
(2) 토끼의 질문을 이해하지 못해서 　(　　　)
(3) 토끼에게 자기가 궤짝 속에 갇힌 상황을 이해시키려고 　　　　　　　　　(　　　)

25 ㉡에 나타난 토끼의 행동으로 보아 토끼의 재판 결과는 무엇일까요? (　　　)

① 호랑이와 나그네가 모두 옳다.
② 나그네를 살려 준 호랑이가 옳다.
③ 호랑이와 나그네가 모두 옳지 않다.
④ 나그네와 호랑이를 재판하는 토끼가 옳다.
⑤ 나그네를 잡아먹으려는 호랑이가 옳지 않다.

9 단원

정답 21쪽

국어 교과서 282쪽

2. 「토끼의 재판」 앞부분 이야기를 정리해 봅시다.

① 사냥꾼들은 잡은 호랑이를 궤짝에 넣어 두고 물을 마시러 감.

예시 답안

② 호랑이가 나그네에게 잡아먹지 않을 테니 구해 달라고 부탁함.

③ 나그네가 호랑이를 궤짝에서 꺼내 주자 호랑이는 나그네를 잡아먹겠다고 위협함.

④ 호랑이와 나그네가 소나무에게 묻자 소나무는 호랑이가 옳다고 함.

⑤ 호랑이와 나그네가 길에게 묻자 길은 호랑이가 옳다고 함.

풀이 「토끼의 재판」 앞부분 이야기를 정리하며 줄거리를 파악해 봅시다.

3. 「토끼의 재판」에 나오는 인물에게 물어보기 놀이를 해 봅시다.

① 교실 앞에 의자를 놓는다.
② 「토끼의 재판」에 나오는 인물 가운데에서 한 명을 정한다.
③ 한 친구가 정한 인물이 되어 의자에 앉는다.
④ 다른 친구들은 그 인물에게 궁금한 점을 묻는다.
⑤ 의자에 앉은 친구는 그 인물이 되어 대답한다.

예시 답안 질문: 궤짝에서 나오자마자 그렇게 마음을 바꾸는 것은 너무한 거 아닌가요?

대답: 나도 그러지 않으려고 했는데 나오자마자 너무 배가 고파 어쩔 수 없었어요.

풀이 「토끼의 재판」에 나오는 호랑이에게 묻고 싶은 것을 물어봅니다. 호랑이에게 묻고 싶은 것을 물으면 친구는 호랑이가 되어 대답합니다.

국어 교과서 283쪽

4. 호랑이와 나그네의 말투를 상상해 봅시다.

⑴ 호랑이의 성격과 상황에 알맞은 말투를 상상해 보세요.

예시 답안 호랑이가 나그네를 부를 때에는 빠르고 급한 말투일 것입니다.

⑵ 나그네의 성격과 상황에 알맞은 말투로 다음을 읽어 보세요. 그리고 잘 읽은 친구를 칭찬해 보세요.

허허, 알았소. 설마 거짓말이야 하겠소? 내가 이 궤짝 문을 열어 주리다.	예시 답안 나그네가 호랑이의 부탁을 들어주려는 상황이므로 다정하고 너그러운 말투로 읽습니다.
아니, 그런 법이 어디 있소? 우리, 누가 옳은지 한번 물어보세.	예시 답안 호랑이가 나그네를 잡아먹으려는 상황이므로 당황하고 놀란 말투로 읽습니다.

풀이 인물의 말과 행동을 바탕으로 하여 성격을 짐작해 보고 인물에게 어울리는 표정, 몸짓, 말투를 상상해 봅니다.

자습서 **확인 문제**

1 이 이야기에 나오는 인물로 알맞지 <u>않</u>은 것을 고르세요.

㉠ 나그네
㉡ 호랑이
㉢ 대나무

(   )

2 호랑이가 자신을 잡아먹으려고 할 때 나그네의 마음으로 알맞지 <u>않</u>은 것을 고르세요.

㉠ 두렵다.
㉡ 호랑이가 밉다.
㉢ 호랑이에게 고맙다.

(   )

9
단원

진도 완료
체크

3 이야기 속 인물의 성격을 알아보기 위해 살펴보아야 할 것의 기호를 모두 고르세요.

㉠ 인물의 말
㉡ 인물의 행동
㉢ 나오는 인물의 수

(   )

[1~2] 대단한 줄다리기

옛날옛날, 산토끼 무툴라가 코로로 언덕의 굴속에서 살고 있었어요. 어느 날 아침, 무툴라는 코가 따끔거려서 잠에서 깼어요. 무툴라는 코로로 언덕 아래로 깡충 뛰어갔어요.

그런데 갑자기 뭔가가 "우두둑, 뚝, 쿵!" 하고 부러지는 소리가 들렸어요. 코끼리 투루가 나타난 거예요.

"안녕, 투루." / 투루는 질겅질겅 풀을 씹기만 할 뿐 아무 말도 하지 않았어요.

"안녕이라고 말했잖아. 투루!"

투루는 꼬리를 한 번 실룩 움직일 뿐 여전히 아무 말도 하지 않았어요.

1 무툴라는 어디에서 살고 있습니까? (　　　)

① 물속　　　② 굴속　　　③ 숲속
④ 덤불숲　　⑤ 나무 위

2 투루의 성격은 어떠합니까? (　　　)

① 의심이 많다.　　　② 상대를 배려한다.
③ 자신감이 없다.　　④ 친절하고 상냥하다.
⑤ 다른 사람의 말을 잘 듣지 않는다.

[3~6] 대단한 줄다리기

"안녕이라고 말했잖아. 투루!"

무툴라는 이번에는 아주 크게 소리쳤어요.

"그래서 어쩌라고? 이 꼬맹이야! ㉠감히 아침 식사하는 나를 귀찮게 해?"

"투루, 그렇게 거만하게 굴 것까진 없잖아! 너는 몸집이 가장 크다고 네가 가장 힘이 센 줄 알지? 난 줄다리기를 하면 널 언제든 이길 수 있어!"

"네가? 너 같은 꼬맹이가? 흥, 푸우하하하!"

"내일 아침, 내가 ㉡　　　　을 가져올게. 그럼 내가 얼마나 힘이 센지 알게 될 거야!"

무툴라가 자신만만하게 말했어요.

3 투루가 무툴라에게 화를 낸 까닭은 무엇입니까?
(　　　)

① 반말을 해서
② 아침잠을 방해해서
③ 아침 식사를 방해해서
④ 아침 인사를 하지 않아서
⑤ 아침밥을 나눠 달라고 해서

4 ㉠을 읽을 때의 표정이나 말투로 알맞지 **않은** 것의 기호를 쓰시오.

㉮ 작게 소곤대는 목소리
㉯ 크고 거들먹거리는 말투
㉰ 귀찮다는 듯이 찌푸린 표정

(　　　　　)

5 ㉡ 에 들어갈 말로 알맞은 것은 무엇입니까?
(　　　)

① 실　　　　　　② 우산
③ 신발　　　　　④ 밧줄
⑤ 바늘

🖐 서술형·논술형 문제

6 이 글에서 알 수 있는 무툴라의 성격을 쓰고, 어떤 표정이나 몸짓, 말투가 어울릴지 쓰시오.

(1) 무툴라의 성격: ＿＿＿＿＿＿＿＿＿＿

＿＿＿＿＿＿＿＿＿＿＿＿＿＿＿＿＿＿

(2) 표정이나 몸짓, 말투: ＿＿＿＿＿＿＿

＿＿＿＿＿＿＿＿＿＿＿＿＿＿＿＿＿＿

9
단원

[7~13] 대단한 줄다리기

(가) 무툴라는 가까이 가서 밧줄의 한쪽 끝을 투루에게 내밀었어요.

"이걸 잡아. 난 다른 쪽 끝을 잡고 저 너머로 달려갈게."

무툴라는 <u>빽빽</u>한 덤불숲을 가리켰어요.

(나) 무툴라는 가까이 다가가서 밧줄의 한쪽 끝을 하마 쿠부에게 내밀었어요.

"이걸 잡아. 저 덤불숲이 보이지? ㉠<u>밧줄의 한쪽 끝을 저 뒤에다 두었어.</u> 난 달려가서 그걸 잡을 거야. 내가 당길 준비가 되면 휘파람을 불게. 이렇게. 휘이이이익!"

(다) 무툴라는 영양처럼 재빨리 덤불숲으로 뛰어갔어요. 무툴라는 꼭꼭 숨자마자 숨을 깊이깊이 들이마신 다음 있는 힘껏 휘파람을 불었어요. ㉡<u>"휘이이이익!"</u> 그러자 양쪽 끝에서 투루와 쿠부가 밧줄을 잡아당기기 시작하는 소리가 들렸어요. 둘은 밧줄을 당기고 당기고 또 당겼어요.

(라) 줄다리기는 ㉢<u>해가 뜰 때 시작되어 해가 질 때까지</u> 계속되었어요. 투루와 쿠부는 둘 다 지고 싶지 않아서 줄다리기를 그만두지 않았어요. 하지만 해님이 달님에게 길을 양보하려는 순간, 코끼리 투루는 더 이상 1초도 버틸 수 없었어요. 하마 쿠부 역시 이제 포기해야겠다고 느꼈지요. 그래서 둘은 동시에 밧줄을 놓았어요!

7 글 (다)에서 밧줄과 인물들의 위치를 생각하여 빈칸에 알맞은 이름을 쓰시오.

(1) ☐
투루 〰️ 덤불숲 〰️ (2) ☐

8 ㉠은 실제로 누가 잡고 있는 것입니까?

( )

9 ㉡은 무엇을 하라는 신호입니까? ( )

밧줄을 ☐.

① 놓아라 ② 끊어라
③ 당겨라 ④ 묶어라
⑤ 만들어라

10 ㉢과 뜻이 비슷한 말은 무엇입니까? ( )

① 한 달 ② 일 년
③ 일주일 ④ 사계절
⑤ 하루 종일

11 글 (라)에서 알 수 있는 투루와 쿠부의 성격은 어떠합니까? ( )

① 겁이 많다. ② 지기 싫어한다.
③ 용기가 없다. ④ 양보를 잘한다.
⑤ 친절하지 않다.

12 줄다리기의 결과는 어떠했는지 알맞은 것에 ○표 하시오.

(1) 무승부이다. ( )
(2) 투루가 이겼다. ( )
(3) 쿠부가 이겼다. ( )

13 이 글에서 알 수 있는 무툴라의 성격은 어떠합니까?

( )

① 겁이 많다. ② 꾀가 많다.
③ 용기가 없다. ④ 부끄럼이 많다.
⑤ 외로움을 잘 탄다.

[14~19] 토끼의 재판

(가) 나그네가 문을 열자, 호랑이가 뛰쳐나와서 나그네를 잡아먹으려고 덤빈다.

나그네: 이게 무슨 짓이오? ㉠약속을 지키지 않고…….

호랑이: 하하, 궤짝 속에서 한 약속을 궤짝 밖에 나와서도 지키라는 법이 어디 있어?

(나) 나그네: ㉡아니, 그런 법이 어디 있소? 우리, 누가 옳은지 한번 물어보세.

호랑이: 좋아, 소나무에게 물어보자.

나그네: 소나무님, 소나무님! 당신도 보셨으니까 사정을 아시지요? 호랑이가 옳습니까, 제가 옳습니까?

소나무: 물론 호랑이가 옳지. 왜냐하면 사람은 내가 맑은 공기를 마시게 해 주는데도 나를 마구 꺾고 베어 버리기 때문이야.

(다) 길: 물론 호랑이가 옳지. 왜냐하면 사람들은 날마다 나를 밟고 다니면서도 고맙다는 말 한마디를 하지 않기 때문이야. 코나 흥흥 풀어 팽개치고, 침이나 탁탁 뱉잖아? 호랑이야, 얼른 잡아먹어 버려라.

9
단원

진도 완료
체크

14 나그네가 궤짝 문을 열자 호랑이는 어떻게 했습니까?

• 나그네를 [   ] 덤볐다.

15 ㉠은 무슨 약속이겠습니까? (   )

① 토끼를 잡아 주겠다는 약속
② 어려울 때 도와주겠다는 약속
③ 나그네를 집에 초대하겠다는 약속
④ 나그네를 잡아먹지 않겠다는 약속
⑤ 나그네에게 궤짝을 주겠다는 약속

16 소나무와 길은 누가 옳다고 했습니까?

(   )

17 소나무와 길이 생각하는 사람들에 대한 불만으로 알맞은 것끼리 선으로 이으시오.

(1) 소나무 •   • ① 나무를 마구 꺾고 베어 버린다.

(2) 길 •   • ② 고맙다는 말도 없이 코를 풀거나 침을 뱉는다.

서술형·논술형 문제

18 호랑이가 자신을 잡아먹으려고 할 때 나그네의 마음은 어떠했을지 짐작하여 쓰시오.

_____

_____

19 ㉡은 어떤 말투로 말하는 것이 어울립니까? (   )

① 조용하고 친절한 말투
② 웃음을 참는 듯한 말투
③ 당황하고 억울해하는 말투
④ 신나고 기대하는 듯한 말투
⑤ 뿌듯하고 자랑스러워하는 말투

20 모둠별로 연극 발표회를 할 때 지킬 예절로 옳지 않은 것은 무엇입니까? (   )

① 앉아서 관람할 때에는 조용히 한다.
② 친구들의 공연을 진지하게 관람한다.
③ 발표가 끝난 모둠에게 박수를 쳐 준다.
④ 잘한 모둠에게는 발표 도중에라도 박수를 친다.
⑤ 다른 모둠이 발표할 때는 자기 모둠의 연극을 준비하지 않는다.

문제 읽을 준비는
저절로 되지 않습니다.

문해력을 키우는 시간

하루 10분

똑똑한 하루 국어 시리즈

문제풀이의 핵심, 문해력을 키우는 승부수

예비초~초6 각A·B

교재별14권

예비초A·B, 초1~초6: 1A~4C

총 14권

뭘 좋아할지 몰라 다 준비했어♥
전과목 교재

전과목 시리즈 교재

● **무등생 해법시리즈**

– 국어/수학	1~6학년, 학기용
– 사회/과학	3~6학년, 학기용
– 봄·여름/가을·겨울	1~2학년, 학기용
– SET(전과목/국수, 국사과)	1~6학년, 학기용

● **똑똑한 하루 시리즈**

– 똑똑한 하루 독해	예비초~6학년, 총 14권
– 똑똑한 하루 글쓰기	예비초~6학년, 총 14권
– 똑똑한 하루 어휘	예비초~6학년, 총 14권
– 똑똑한 하루 한자	예비초~6학년, 총 14권
– 똑똑한 하루 수학	1~6학년, 학기용
– 똑똑한 하루 계산	예비초~6학년, 총 14권
– 똑똑한 하루 도형	예비초~6학년, 총 8권
– 똑똑한 하루 사고력	1~6학년, 학기용
– 똑똑한 하루 사회/과학	3~6학년, 학기용
– 똑똑한 하루 봄/여름/가을/겨울	1~2학년, 총 8권
– 똑똑한 하루 안전	1~2학년, 총 2권
– 똑똑한 하루 Voca	3~6학년, 학기용
– 똑똑한 하루 Reading	초3~초6, 학기용
– 똑똑한 하루 Grammar	초3~초6, 학기용
– 똑똑한 하루 Phonics	예비초~초등, 총 8권

● **독해가 힘이다 시리즈**

– 초등 문해력 독해가 힘이다 비문학편	3~6학년
– 초등 수학도 독해가 힘이다	1~6학년, 학기용
– 초등 문해력 독해가 힘이다 문장제수학편	1~6학년, 총 12권

영어 교재

● **초등영어 교과서 시리즈**

파닉스(1~4단계)	3~6학년, 학년용
영단어(1~4단계)	3~6학년, 학년용
● LOOK BOOK 영단어	3~6학년, 단행본
● 원서 읽는 LOOK BOOK 영단어	3~6학년, 단행본

국가수준 시험 대비 교재

● 해법 기초학력 진단평가 문제집	2~6학년·중1 신입생, 총 6권

#홈스쿨링

우등생

개념 동영상 강의

단원평가 온라인 성적 피드백

온라인 학습북

서술형·논술형 동영상 강의

국어 3·2

온라인 학습북 포인트 3가지

▶ 「**개념 동영상 강의**」로 교과서 핵심만 정리!

▶ 「**서술형 문제 강의**」로 사고력도 향상!

▶ 「**온라인 성적 피드백**」으로 단원별로 내가 부족한 부분 꼼꼼하게 체크!

우등생 온라인 학습북 활용법

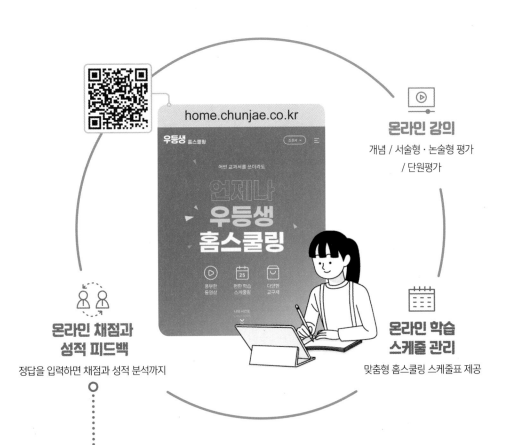

home.chunjae.co.kr

온라인 강의

개념 / 서술형 · 논술형 평가 / 단원평가

온라인 학습 스케줄 관리

맞춤형 홈스쿨링 스케줄표 제공

온라인 채점과 성적 피드백

정답을 입력하면 채점과 성적 분석까지

단원평가의 답을 입력하여 제출하면
틀린 문제에 대한 피드백과 동영상 강의 제공!

우등생 국어 3-2
홈스쿨링 스피드 스케줄표(9회)

스피드 스케줄표는 온라인 학습북을 9회로 나누어
빠르게 공부하는 학습 진도표입니다.

1. 작품을 보고 느낌을 나누어요	2. 중심 생각을 찾아요	3. 자신의 경험을 글로 써요
1회 온라인 학습북 4~9쪽	**2회** 온라인 학습북 10~15쪽	**3회** 온라인 학습북 16~20쪽
월 일	월 일	월 일

4. 감동을 나타내요	5. 바르게 대화해요	6. 마음을 담아 글로 써요
4회 온라인 학습북 21~26쪽	**5회** 온라인 학습북 27~32쪽	**6회** 온라인 학습북 33~38쪽
월 일	월 일	월 일

7. 글을 읽고 소개해요	8. 글의 흐름을 생각해요	9. 작품 속 인물이 되어
7회 온라인 학습북 39~44쪽	**8회** 온라인 학습북 45~50쪽	**9회** 온라인 학습북 51~56쪽
월 일	월 일	월 일

스피드
스케줄표
바로가기

차례

온라인 학습북

1
단원

개념 강의

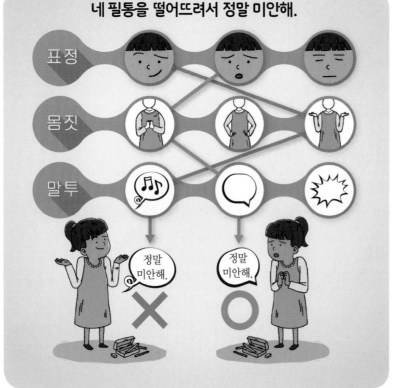

네 필통을 떨어뜨려서 정말 미안해.

표정 | 몸짓 | 말투

정말 미안해. ✕
정말 미안해. ◯

✳ 강의를 들으며 중요한 내용을 메모하세요!

● 표정, 몸짓, 말투에 주의해야 하는 까닭

● 표정, 몸짓, 말투에 주의하여 말하면 좋은 점

개념 확인하기   정답에 ✔표를 하시오.

정답 23쪽

1 다음 뜻을 가진 말은 무엇입니까?

> 사람의 마음이나 기분이 얼굴에 드러난 모습

㉠ 표정 ☐   ㉡ 몸짓 ☐   ㉢ 말투 ☐

2 다음 인물의 표정에 어울리는 말은 어느 것입니까?

㉠ 정말 축하해! ☐

㉡ 미안해, 어떡하지? ☐

㉢ 네가 뭔데 상관이니? ☐

3 다음 인물의 말에 어울리는 말투는 어느 것입니까?

그게 정말이야?

㉠ 작게 속삭이는 말투 ☐

㉡ 크게 소리치는 말투 ☐

4 다음 인물의 말에 어울리는 몸짓은 어느 것입니까?

> "정말 미안해. 실수로 네 필통을 떨어뜨렸어."

㉠ 어깨를 움츠리는 몸짓 ☐

㉡ 고개를 끄덕이는 몸짓 ☐

1
단원

연습 🐱 도움말을 참고하여 내 생각을 차근차근 써 보세요.

1 다음 말하는 이의 표정과 말투를 살펴보고 물음에 답하시오. [7점]

> ① 정말 미안해. 실수로 그랬어.
> ② 에헷, 미안하네. 내가 실수했네?

(1) ①과 ②의 말하는 이의 표정 중, 미안한 마음이 느껴지는 것은 어느 것입니까? [2점]

> 🐱 말하는 이의 표정을 보면 인물의 마음이 어떠할지 짐작할 수 있어요.

( )

(2) ②에서 말하는 이의 말투를 보면 어떠한 느낌이 듭니까? [2점]

> 🐱 미안하다고 말은 하지만 '에헷', '실수했네?'와 같은 말투는 그러한 느낌이 들지 않아요.

( )

(3) ①과 ②를 통해 마음을 전하는 말을 할 때에는 무엇에 주의하여야 하는지 쓰시오. [3점]

> 🐱 마음을 전하는 말을 할 때에는 말하는 내용뿐만 아니라 무엇 무엇에 주의하여야 하는지 구체적으로 써야 해요.
> **꼭 들어가야 할 말** 표정, 말투, 몸짓

---

2 다음 두 그림을 보고 물음에 답하시오. [8점]

(1) ①과 ②에서 말하는 이의 표정은 어떠합니까? [2점]

① ❶: _____

② ❷: _____

(2) ①과 ②에서 말하는 이는 어떤 말을 하고 있을지 쓰시오. [2점]

① ❶: _____

② ❷: _____

(3) 그림 ❶을 참고하여 친구에게 고맙다는 인사를 할 때에는 어떤 표정과 몸짓, 말투로 하는 것이 좋을지 쓰시오. [4점]

_____

_____

1
단원

[1~2] 다음 그림을 보고, 물음에 답하시오.

정말 미안하다. 내가 덤벙거려서 필통을 떨어뜨렸어.

가

정말 미안하다. 내가 덤벙거려서 필통을 떨어뜨렸네.

나

1 가의 표정에 대해 바르게 말한 것은 어느 것인가요?
( )

① 쓸쓸한 표정이다.　　② 즐거운 표정이다.
③ 화가 난 표정이다.　　④ 미안해하는 표정이다.
⑤ 빈정거리는 표정이다.

2 나의 표정에서 미안한 마음이 잘 느껴지지 <u>않는</u> 까닭은 무엇입니까? ( )

① 미안한 까닭을 말하지 않기 때문이다.
② 미안하다는 말을 하지 않았기 때문이다.
③ 글을 써서 마음을 전하지 않았기 때문이다.
④ 어떤 일이 있었는지 말하지 않았기 때문이다.
⑤ 표정이나 말투에서 놀리는 느낌이 들기 때문이다.

3 다음 인물의 표정으로 보아 빈칸에 들어갈 말로 가장 알맞은 것은 어느 것입니까? ( )

① 아이코!　　　　② 미안해.
③ 정말 축하해!　　④ 정말 고마워.
⑤ 도대체 무슨 일이지?

4 다음 장면에서 아이들의 말투로 알맞은 것은 어느 것입니까? ( )

우아, 대단해!

장금아, 멋져!

① 크고 높은 목소리　　② 더듬거리는 목소리
③ 느리고 굵은 목소리　④ 가늘고 작은 목소리
⑤ 크고 화가 난 목소리

5 다음 장금이의 표정에서 느껴지는 마음으로 알맞은 것은 어느 것입니까? ( )

① 쓸쓸한 마음　　② 무서운 마음
③ 궁금한 마음　　④ 화가 난 마음
⑤ 자랑스러운 마음

6 다음과 같이 말하는 궁녀의 표정과 말투를 보기에서 모두 고른 것은 어느 것입니까? ( )

"너희들 때문에 잔치에 쓸 국수가 모두 엉망이 되었잖아! 어떻게 할 거야!"

보기
㉠ 불안한 듯 눈을 감은 표정
㉡ 당황한 듯 얼버무리는 말투
㉢ 크게 꾸짖으며 소리치는 말투
㉣ 눈썹을 찡그리며 화를 내는 표정

① ㉠, ㉡　　　　　　　② ㉢, ㉣
③ ㉡, ㉣　　　　　　　④ ㉠, ㉢
⑤ ㉠, ㉡, ㉢

7 다음 장면에서 느껴지는 미미의 마음으로 알맞은 것은 어느 것입니까? (   )

과일 사러 온 거야, 언니 얘기 하러 온 거야?

① 무섭다.　　　② 미안하다.
③ 불만스럽다.　　④ 고민스럽다.
⑤ 감격스럽다.

8 다음 미미의 표정과 몸짓에서 느껴지는 마음으로 알맞은 것을 모두 고르세요. (,   )

① 즐겁다.
② 속상하다.
③ 화가 난다.
④ 자랑스럽다.
⑤ 걱정스럽다.

[9~12] 다음 글을 읽고 물음에 답하시오.

　부벨라는 거인이에요. 모든 사람들이 부벨라를 무서워했는데 이 자그마한 목소리의 주인공만은 예외였어요.

　부벨라는 발 근처 땅바닥을 자세히 들여다보았어요. 땅속에서 지렁이 한 마리가 고개만 빠끔히 내밀고는 말을 하고 있었어요.

　이번에는 부벨라가 말을 시작했어요.

　"난 부벨라야. 네 이름은 뭐니?"

　"이제야 뭔가 제대로 되네. 나는 지렁이라고 해."

　"아니, 네 이름 말이야. 제이미나 다니엘 같은."

　지렁이는 온몸이 흔들릴 정도로 고개를 가로저었어요.

　㉠"지렁이 이름이 제이미라고?"

　지렁이는 그렇게 되묻더니 요란하게 웃으며 말을 잇지 못했답니다.

　"정말 웃기지도 않네. 우리 지렁이들은 젠체하고 살지 않아. 우리는 그냥 지렁이야."

9 부벨라에 대해 바르게 말한 것은 어느 것입니까? (   )

① 몸이 작다.
② 목소리가 작다.
③ 사람들이 무서워한다.
④ 지렁이를 무서워한다.
⑤ 작은 동물을 하찮게 생각한다.

10 부벨라를 대하는 지렁이의 태도는 어떠합니까? (   )

① 부벨라를 귀찮아한다.
② 부벨라를 무서워한다.
③ 당당하고 자신감이 있다.
④ 부벨라를 불쌍하게 여긴다.
⑤ 대화하는 것을 부끄러워한다.

11 ㉠과 같이 말하는 지렁이의 말투로 알맞은 것은 무엇입니까? (   )

① 겁이 난 듯 떨리는 목소리
② 떼를 쓰며 우는 듯한 목소리
③ 속삭이듯이 아주 작은 목소리
④ 어이없다는 듯 크고 높은 목소리
⑤ 실망한 듯 점점 작아지는 목소리

12 부벨라가 지렁이에게 제이미나 다니엘 같은 이름을 물었을 때 지렁이는 어떤 마음이 들었겠습니까? (   )

① 고맙다.　　　② 창피하다.
③ 미안하다.　　④ 황당하다.
⑤ 행복하다.

1 단원

[13~16] 다음 글을 읽고 물음에 답하시오.

　　그러다 문득 지렁이가 바나나케이크를 싫어할지도 모른다는 생각이 들었어요. 그러자 초조하고 당황스러웠어요.

　　'그럼 차 마실 때 무엇을 내놓아야 할까? 누구에게 물어보지?'

　　부벨라는 예전에 보았던 아름다운 정원이 생각났어요. 어쩌면 그곳에서 일하는 정원사는 지렁이가 무엇을 먹고 사는지 알고 있을지도 몰라요. 부벨라는 서둘러 그 정원으로 갔어요. 그런데 정원사는 거인 부벨라가 오는데도 놀라지 않고 그저 물끄러미 바라보기만 했어요.

　　"아저씨는 도망을 가지 않네요."

　　"나는 이제 도망 다닐 나이가 아니야, 거인 아가씨."

　　정원사는 어쩐지 아파 보였어요.

　　"그런데 무슨 걱정거리라도 있니?"

　　부벨라는 정원사에게 걱정거리를 솔직히 털어놓았어요.

　　"지렁이가 저희 집에 차를 마시러 오기로 했어요. 그런데 저는 지렁이가 무얼 먹고 사는지, 무슨 음식을 좋아하는지 모르겠어요. 바나나케이크를 좋아할 것 같지는 않은데……."

　　정원사는 가만히 생각에 잠겼어요.

　　㉠"지렁이들은 멀리 다니지 않으니까 어쩌면 다른 집 정원의 흙을 좋아할 것 같구나. 진흙파이를 만들어 주면 어떻겠니?"

　　"아, 그게 좋겠네요! 하지만 어디에서 흙을 구하죠?"

　　"잠깐 여기서 기다려 봐라."

　　그러더니 정원사는 돌아서서 집 안으로 들어갔어요.

　　정원사는 허리가 굽어서 아주 천천히 움직였는데, 움직이는 게 무척이나 힘들어 보였어요.

　　정원사는 접시를 들고 다시 집 밖으로 나왔어요. 그리고는 천천히 움직이며 정원 세 곳에서 각기 다른 종류의 흙을 접시에 담은 뒤, 접시를 부벨라에게 건네주었어요.

　　"지렁이 친구가 정말 좋아할 거야."

　　"고맙습니다, 고맙습니다."

13 부벨라가 초조하고 당황스러워진 까닭은 무엇인가요? (　　　)

① 지렁이가 마실 차가 없어서
② 지렁이가 언제 올지 몰라서
③ 부벨라가 입을 청바지에 구멍이 나서
④ 바나나케이크를 만들 바나나가 없어서
⑤ 지렁이가 바나나케이크를 싫어할지도 몰라서

14 부벨라가 만난 정원사에 대해 바르지 <u>않은</u> 것은 어느 것인가요? (　　　)

① 욕심이 많다.
② 나이가 드셨다.
③ 친절한 성격이다.
④ 허리가 굽어 있다.
⑤ 부벨라를 무서워하지 않는다.

15 정원사의 말 ㉠에 가장 어울리는 말투는 어느 것인가요? (　　　)

① 다정한 목소리　　② 투덜대는 목소리
③ 소리치는 목소리　④ 화를 참는 목소리
⑤ 중얼거리는 목소리

16 정원사는 접시에 무엇을 담아 부벨라에게 주었나요?
(　　　)

① 수돗물　　② 바나나　　③ 정원의 흙
④ 정원의 잔디　⑤ 딸기케이크

[17~20] 다음 글을 읽고 물음에 답하시오.

"이 안에는 뭐가 들어 있니?"

㉠"물어보지 않으면 어쩌나 했어!"

부벨라는 그렇게 말하고는 과장된 몸짓으로 뚜껑을 들어 올렸어요. 지렁이는 신이 나서 진흙파이 속으로 파고 들어갔어요. 지렁이가 다시 위로 올라왔을 때에는 머리 위에 나뭇잎 조각이 얹어져 있었어요. 마치 모자를 쓴 듯 말이에요.

부벨라가 물었어요.

"특별한 대접을 받았으면 고맙다고 해야 정상 아니니?"

지렁이는 부벨라를 뚫어져라 쳐다보다가 온몸이 흔들릴 정도로 호탕하게 웃으며 말했어요.

"어쩐지 네가 좋아질 것 같아."

부벨라와 지렁이는 차를 마시면서 즐거운 시간을 보냈어요. 두 친구는 시간 가는 줄 모르고 이야기꽃을 피웠답니다.

㉡부벨라는 자기만 보면 무서워서 도망을 치는 사람들을 볼 때마다 어떤 기분이 드는지 지렁이에게 솔직하게 털어놓았어요. 사실 부벨라는 파리 한 마리도 해치지 못했거든요.

"그런데 지금 누구랑 살고 있니?"

"난 혼자 살아."

"왜?"

"부모님이 약초를 캐러 다부쉬타 정글로 가셨거든. 그동안 할머니가 돌보아 주셨는데, 갑자기 할아버지가 아프셔서 할아버지가 계시는 작은 섬으로 돌아가셨어."

지렁이는 부벨라가 안쓰러워 보였어요. 지렁이들은 수백 명이나 되는 친척들이 가까이에서 함께 살았기 때문에 홀로 지내는 것이 어떤 생활일지 그저 짐작할 수밖에 없었답니다.

17 ㉠과 같이 말할 때 부벨라의 마음으로 알맞은 것은 어느 것인가요? ( )

① 실망스럽다. ② 걱정스럽다.

③ 지렁이가 귀찮다. ④ 다행스럽고 기쁘다.

⑤ 지렁이에게 화가 난다.

18 ㉡에서 부벨라는 어떤 기분이 든다고 말하였을지 알맞은 것을 모두 고르세요. (,)

① 쓸쓸한 기분

② 서운한 기분

③ 유쾌한 기분

④ 자랑스러운 기분

⑤ 두근거리는 기분

19 부벨라가 혼자 살고 있는 까닭 두 가지를 고르세요.

(,)

① 부벨라의 집이 부자여서

② 부벨라의 부모님이 일찍 돌아가셔서

③ 부벨라의 부모님이 약초를 캐러 가셔서

④ 부벨라의 할머니가 부벨라를 무서워하셔서

⑤ 부벨라의 할머니가 할아버지를 돌보러 가셔서

20 이후에 이어질 이야기로 가장 자연스러운 것은 어느 것입니까? ( )

① 부벨라가 지렁이를 잡아먹는다.

② 부벨라와 지렁이는 다투게 된다.

③ 지렁이는 부벨라를 피해 도망친다.

④ 지렁이는 부벨라의 할머니에게 꾸중을 듣는다.

⑤ 부벨라와 지렁이는 둘도 없는 친한 친구가 된다.

・답안 입력하기 ・평가 분석표 받기

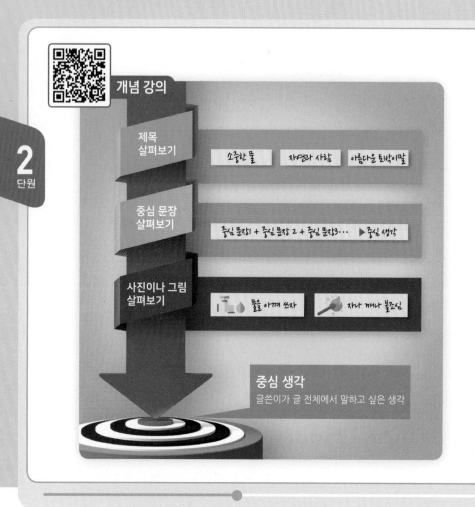

개념 강의

제목
살펴보기

소중한 물   자연과 사람   아름다운 토박이말

중심 문장
살펴보기

중심 문장1 + 중심 문장 2 + 중심 문장3…   ▶ 중심 생각

사진이나 그림
살펴보기

물을 아껴 쓰자   자나 깨나 불조심

중심 생각
글쓴이가 글 전체에서 말하고 싶은 생각

✳ 강의를 들으며 중요한 내용을 메모하세요!

● 아는 내용이나 겪은 일과 관련지어 글을 읽으
면 좋은 점은?

● 글의 중심 생각이란?

● 글을 읽고 중심 생각을 찾는 방법

개념 확인하기 정답에 ✔표를 하시오.

정답 25쪽

1 아는 내용이나 겪은 일과 관련지어 글을 읽으면 좋은
점은 무엇입니까?

ㅇ 글을 빨리 외울 수 있다. ☐

ㅇ 글 내용을 쉽게 이해할 수 있다. ☐

2 다음 빈칸에 들어갈 말로 알맞은 것은 어느 것입니까?

○ 아는 내용이나 겪은 일과 관련지어 글 읽기

자신의 ☐ 을 떠올리고, 알고 있던 내
용과 다른 내용을 비교하면서 글을 읽습니다.

ㅇ 경험 ☐   ㅇ 행동 ☐   ㅇ 추측 ☐

3 글의 중심 생각을 찾을 때 살펴볼 것이 <u>아닌</u> 것은 어느
것입니까?

ㅇ 글의 길이 ☐

ㅇ 글의 제목 ☐

ㅇ 문단의 중심 문장 ☐

4 다음과 같은 글의 제목에서 짐작할 수 있는 중심 생각
으로 알맞은 것은 어느 것입니까?

갯벌이 우리에게 주는 도움

ㅇ 갯벌을 개발하여 국토를 늘리자. ☐

ㅇ 소중한 갯벌을 아끼고 보호하자. ☐

연습 🦉 도움말을 참고하여 내 생각을 차근차근 써 보세요.

1 아는 내용이나 겪은 일과 관련지어 글을 읽고 물음에 답하시오. [8점]

(개) 전통 놀이 가운데에서 지금까지도 잘 보존된 놀이가 줄넘기입니다. 지금도 체육 시간이나 운동 경기로 줄넘기 놀이를 자주 합니다.

(내) 줄넘기는 혼자 하는 줄넘기, 두 사람이 긴 줄 끝을 잡고 돌리면 다른 사람이 그 줄을 넘는 긴 줄 넘기, 줄 양 끝을 두 사람이 잡고 있으면 다른 사람이 줄을 뛰어넘는 놀이가 있습니다.

고정된 줄을 뛰어넘는 줄넘기는 발목 높이에서 시작해 만세를 하듯 두 팔을 든 높이까지 합니다. 누가 더 높은 줄을 넘을 수 있는지 겨루는 놀이랍니다. 혼자서 줄넘기를 할 때에는 앞으로 뛰기, 손 엇걸어 뛰기, 이단 뛰기 같은 여러 놀이 방법이 있습니다. 긴 줄 넘기도 다양한 방법으로 할 수 있는데, 노래에 맞추어 놀이를 하는 특징이 있습니다.

(1) 이 글을 읽고 이미 알고 있는 내용이 있다면 쓰시오. [4점]

> 🦉 줄넘기와 관련하여 알고 있는 내용을 떠올려 보세요.

_____

_____

(2) 이 글을 읽을 때 아는 내용이나 겪은 일과 관련지어 읽으면 좋은 점을 쓰시오. [4점]

> 🦉 자신이 아는 내용이나 겪은 일을 떠올리며 글을 읽은 경험을 떠올려 보세요.

_____

_____

2 '닭싸움 놀이'에 대해 설명하는 글을 읽고 물음에 답하시오. [10점]

닭싸움 놀이는 한쪽 다리를 들어 올려 두 손으로 잡고, 다른 다리로 균형을 잡아 깨금발로 뛰면서 상대를 밀어 넘어뜨리는 놀이입니다. 준비물이 필요하지 않고 놀이 방법이 간단해 요즘도 어린이는 물론 청소년과 어른도 즐기는 놀이입니다.

'닭싸움'은 두 사람이 겨루는 모습이 닭이 싸우는 것과 비슷하다고 해서 지어진 이름입니다. 닭싸움 놀이는 한 발로 서서 하므로 '외발 싸움', '깨금발 싸움'이라고도 부르고, 무릎을 부딪쳐 싸운다고 해서 '무릎 싸움'이라고도 부릅니다. 닭싸움 놀이는 두 명이 할 수도 있고 여러 명이 할 수도 있습니다.

(1) 닭싸움 놀이 방법을 쓰시오. [3점]

_____

_____

(2) 닭싸움 놀이는 왜 '닭싸움'이라고 이름이 지어졌는지 쓰시오. [3점]

_____

_____

(3) 닭싸움 놀이와 관련하여 겪은 일을 한 가지 쓰시오. [4점]

_____

_____

1 아는 내용이나 겪은 일과 관련지어 글을 읽으면 좋은 점이 <u>아닌</u> 것은 무엇입니까? (   )

① 글의 내용을 기억하기 쉽다.
② 글의 내용에 더 흥미를 느끼게 된다.
③ 글의 내용을 더 쉽게 이해할 수 있다.
④ 글의 길이를 더 쉽게 짐작할 수 있다.
⑤ 글을 읽으면서 그 모습을 잘 상상할 수 있다.

[2~4] 다음 글을 읽고 물음에 답하시오.

> 첫째, 선생님께서 계시지 않을 때에는 과학 실험을 하지 않습니다. 과학실에는 조심히 다루어야 할 실험 기구와 위험한 화학 약품이 많습니다. 선생님의 말씀에 따라 실험 기구나 화학 약품을 다루어야 사고가 나는 것을 예방할 수 있습니다. 그러므로 선생님께서 계시지 않을 때에는 과학 실험을 해서는 안 됩니다.
> 둘째,　　　　　　　　⊙　　　　　　　　과학실에는 깨지기 쉽거나 위험한 실험 기구가 많습니다. 장난을 치다가 유리로 만든 실험 기구가 깨지면 날카로운 유리 조각이 생겨 이 유리 조각에 사람이 다칠 수 있습니다. 또 장난을 치다가 알코올램프가 바닥에 떨어지면 과학실에 화재가 발생할 수도 있습니다. 그러므로 과학실에서는 장난을 치지 말고 진지한 자세로 실험을 하여야 합니다.
> 셋째, 실험할 때 책상에 바짝 다가가지 않습니다. 실험하다가 만약 실험 기구가 넘어지면 깨진 기구의 조각이나 기구 속 화학 약품이 주변에 튈 수 있습니다. 이때 책상에 바짝 다가가 앉아 있으면 다칠 수가 있습니다. 그러므로 실험을 할 때에는 책상에 너무 바짝 다가가 앉지 않고 실험 기구와 어느 정도 거리를 유지하는 것이 안전합니다.

2 무엇에 대해 설명하는 글입니까? (   )

① 화재가 났을 때 대처하는 방법
② 과학 실험을 정확하게 하는 방법
③ 과학실에서 지켜야 할 안전 수칙
④ 거리에서 지켜야 할 교통안전 수칙
⑤ 학교에서 과학 실험을 하는 절차와 순서

3 선생님이 계시지 않을 때 과학 실험을 하면 안 되는 까닭은 무엇입니까? (   )

① 과학 실험을 통해 탐구 능력을 키울 수 있기 때문에
② 과학 실험을 정확히 하려면 선생님의 지시가 필요하기 때문에
③ 어린이들은 스스로 과학 실험 안전 수칙을 지키기 어렵기 때문에
④ 선생님이 계시지 않을 때에는 어린이들이 공부를 하지 않기 때문에
⑤ 선생님의 말씀에 따라 실험 기구나 화학 약품을 다루어야 사고를 예방할 수 있기 때문에

4 ⊙ 에 들어갈 중심 문장으로 가장 알맞은 것은 어느 것입니까? (   )

① 과학실에서 장난을 치면 안 됩니다.
② 과학실에서는 조용히 하여야 합니다.
③ 친구와 의논하며 과학 실험을 하지 않습니다.
④ 궁금한 점이 있으면 선생님께 여쭈어 보아야 합니다.
⑤ 과학 실험을 할 때에는 여러 가지 준비물이 필요합니다.

[5~8] 다음 글을 읽고 물음에 답하시오.

둘째, ㉠어민들은 갯벌에서 수산물을 키우고 거두어 돈을 법니다. 어민들은 갯벌에서 조개나 물고기, 낙지 따위를 잡아 팝니다. 또 ㉡갯벌은 생물이 살기에 좋은 환경이므로 어민들이 바다 생물들을 직접 키우기도 합니다. 이것을 양식이라고 하는데, 양식은 농민들이 밭이나 논에서 농작물을 키워 파는 것과 비슷합니다.

셋째, ㉢갯벌은 육지에서 나오는 오염 물질을 분해해 좋은 환경을 만듭니다. 갯벌은 겉으로는 그냥 진흙탕처럼 보이지만 작은 생물들이 갯벌에 많이 살고 있습니다. 이 생물들은 오염 물질 분해가 잘 이루어지게 합니다. ㉣갯벌에서 흔히 사는 갯지렁이도 오염 물질 분해를 돕습니다.

넷째, ㉤갯벌은 기후를 조절하고 홍수를 줄여 주는 역할을 합니다. 갯벌 흙은 물을 많이 흡수해 저장했다가 내보내는 기능을 합니다. 그러므로 ㉥갯벌은 비가 많이 오면 빗물을 저장해 갑작스런 홍수를 막아 줍니다. 그리고 주변의 온도와 습도에 따라 물을 흡수하고 내보내는 역할을 알맞게 수행해 기후를 알맞게 만들어 줍니다.

5 이 글의 중심 글감은 무엇입니까? (   )
① 홍수   ② 갯벌   ③ 양식
④ 밀물   ⑤ 바닷물

6 보기 와 같은 갯벌의 기능으로 우리는 어떤 도움을 받을 수 있는지 모두 고르세요. (,   )

보기
갯벌 흙은 물을 많이 흡수해 저장했다가 내보내는 기능을 한다.

① 홍수를 줄여 준다.
② 기후를 조절해 준다.
③ 오염 물질을 분해해 준다.
④ 농작물의 양을 늘려 준다.
⑤ 밀물과 썰물의 차를 만들어 준다.

7 다음 중 이 글의 중심 생각을 가장 잘 드러내는 제목은 어느 것입니까? (   )
① 갯벌과 다양한 생물
② 갯벌과 육지의 차이점
③ 갯벌을 보존해야 하는 까닭
④ 갯벌을 막아 육지를 늘려야 하는 까닭
⑤ 갯벌에서 만날 수 있는 여러 가지 생물들

8 ㉠~㉥ 중 이 글의 중심 문장을 모두 고른 것은 어느 것입니까? (   )
① ㉠, ㉡, ㉢   ② ㉠, ㉢, ㉤
③ ㉡, ㉢, ㉤   ④ ㉠, ㉢, ㉣, ㉤
⑤ ㉠, ㉢, ㉤, ㉥

9 글을 읽고 중심 생각을 찾을 때 살펴보아야 할 것이 아닌 것은 무엇인지 모두 고르시오. (,   )
① 글의 제목   ② 중심 문장
③ 글씨의 모양   ④ 글쓴이의 생김새
⑤ 글 속의 사진이나 그림

10 '날씨를 나타내는 토박이말'이라는 제목을 보고, 글쓴이의 생각을 바르게 짐작한 것을 모두 고르세요.
(,   )
① 우리나라에는 사계절이 있습니다.
② 날씨를 나타내는 토박이말이 많습니다.
③ 날씨를 나타내는 토박이말을 많이 알고 씁니다.
④ 날씨를 나타내는 말은 모두 토박이말로 바꾸어 씁니다.
⑤ 우리나라 말에는 한자어, 토박이말, 사투리 등이 있습니다.

[11~15] 다음 글을 읽고 물음에 답하시오.

가을 날씨를 나타내는 토박이말에는 '건들바람', '건들장마', '무서리', '올서리', '된서리' 같은 말이 있다. 여름이 지나고 가을이 되면 서늘한 바람이 불고 늦가을이 되면 서리가 내린다. 이른 가을날, 가볍고 부드럽게 건들건들 부는 서늘한 바람을 '건들바람'이라고 한다. ㉠ 이 무렵, 비가 쏟아져 내리다가 번쩍 개고 또 오다가 개는 장마를 '건들장마'라고 한다. 늦가을, 수증기가 땅이나 물체의 표면에 얼어붙은 것을 '서리'라고 한다. ㉡ 처음 생기는 묽은 서리를 '무서리'라고 하는데, '물+서리'로 무더위와 같은 짜임이다. ㉢ 다른 해보다 일찍 생기는 서리를 '올서리'라고 하고, 늦가을에 아주 되게 생기는 서리를 '된서리'라고 한다. ㉣ 겨울 날씨를 나타내는 토박이말에는 '가랑눈', '진눈깨비', '함박눈', '도둑눈' 같은 말이 있다. 겨울에는 눈이 와야 겨울답다고 한다. 같은 눈이라도 눈의 생김새나 크기에 따라 그 이름이 다르다. ㉤ '가랑눈'은 조금씩 잘게 부서져서 내리는 눈을 말한다. 가늘게 가루처럼 내리는 비를 '가랑비'라고 하는 것과 같다. 비가 섞여 내리는 눈은 '진눈깨비', 굵고 탐스럽게 내리는 눈은 '함박눈', 밤에 사람들이 모르게 내린 눈은 '도둑눈'이라고 한다. 이 도둑눈은 사람들 몰래 왔다는 뜻을 담은 말이다.

이처럼 계절에 따라 알고 쓰면 좋은 토박이말이 많다. 우리가 우리말의 말뜻을 배우고 익혀 제대로 쓰는 일에 더욱 힘을 쏟을 때, 더 아름답고 넉넉한 우리말과 우리글을 쓸 수 있게 될 것이다.

11 이른 가을날, 가볍고 부드럽게 부는 서늘한 바람을 뜻하는 말은 무엇인가요? (   )

① 무서리
② 올서리
③ 된서리
④ 건들바람
⑤ 소소리바람

12 ㉠~㉤ 중 문단을 나누기에 가장 적절한 부분은 어느 것입니까? (   )

① ㉠
② ㉡
③ ㉢
④ ㉣
⑤ ㉤

13 보기 의 토박이말을 계절에 따라 바르게 나눈 것은 어느 것입니까? (   )

> **보기**
>
> 무서리   도둑눈   된서리
> 진눈깨비   건들장마

① 된서리, 도둑눈, 진눈깨비 / 무서리, 건들장마
② 도둑눈, 무서리, 된서리 / 진눈깨비, 건들장마
③ 건들장마 / 무서리, 된서리, 도둑눈, 진눈깨비
④ 도둑눈, 무서리, 건들장마 / 된서리, 진눈깨비
⑤ 무서리, 건들장마, 된서리 / 진눈깨비, 도둑눈

14 가랑눈과 가랑비의 공통점은 무엇이겠습니까? (   )

① 밤에만 내린다.
② 겨울에만 내린다.
③ 눈과 비가 섞여 있다.
④ 한꺼번에 많이 내린다.
⑤ 가루처럼 잘고 가늘다.

15 이 글의 중심 생각으로 가장 알맞은 것은 어느 것입니까? (   )

① 날씨를 나타내는 토박이말을 많이 알고 쓰자.
② 겨울철을 건강하게 지내려면 운동을 해야 한다.
③ 날씨에 슬기롭게 대처해서 건강한 생활을 하자.
④ 장마철 피해를 줄일 수 있도록 지혜를 발휘해야 한다.
⑤ 서리가 내리면 곧 겨울이 온다는 뜻이므로 겨울 대비를 철저히 하자.

2 단원

진도 완료 체크

[16~18] 다음 글을 읽고 물음에 답하시오.

옛날과 오늘날 사람들의 옷차림에는 차이가 많이 있다. 사람들은 옛날에 우리나라 고유한 옷인 한복을 입었다. 오늘날에는 서양 사람들이 입던 차림의 옷인 양복을 주로 입는다. 그리고 명절이나 결혼식같이 특별한 행사가 있을 때에만 한복을 입는 경우가 많다. 지금부터 사람들이 입는 옷차림이 옛날과 오늘날에 어떻게 다른지 신분과 성별, 옷감 종류에 따라 나누어 알아보자.

먼저, 옛날에는 신분에 따라 옷차림이 달랐지만 오늘날에는 직업이나 유행에 따라 다른 경우가 많다. 옛날에는 양반과 평민의 신분에 따라 옷차림이 달랐다. 양반 가운데에서 남자는 소매가 넓은 저고리와 폭이 큰 바지를 입었고, 여자는 폭이 넓고 긴 치마를 입었다. 평민 가운데에서 남자는 비교적 폭이 좁은 저고리와 바지를 입었고, 여자도 폭이 좁은 치마를 입었다. 그리고 평민이 입는 치마 길이는 양반보다 짧은 편이었다. 하지만 오늘날에는 직업이나 유행에 따라 옷을 입는 경우가 많다. 또 사람들이 입는 옷 종류도 옛날보다 더 다양해졌다.

16 무엇에 대해 설명한 글입니까? (   )
① 옛날과 오늘날의 행사
② 옛날과 오늘날의 명절
③ 옛날과 오늘날 사람들의 직업
④ 옛날과 오늘날 사람들의 신분
⑤ 옛날과 오늘날 사람들의 옷차림

17 옛날 사람들이 입었던 옷차림에 대한 설명으로 틀린 것은 무엇입니까? (   )
① 신분에 따라 입는 옷이 달랐다.
② 직업이나 유행에 따라 옷을 입었다.
③ 남자와 여자가 입는 옷이 나뉘어 있었다.
④ 양반과 평민에 따라 옷을 달리 입었다.
⑤ 우리나라 고유한 옷인 한복을 입었다.

18 옛날 여자들이 입었던 치마의 폭과 길이는 무엇에 따라 달랐습니까? (   )
① 외모   ② 신분   ③ 성별
④ 직업   ⑤ 유행

[19~20] 다음 글을 읽고 물음에 답하시오.

옛날에는 사람들이 성별에 따라 다른 옷을 입었지만 오늘날에는 자신이 좋아하는 옷을 입는다. 옛날에 남자는 아래에 바지를 입고 위에는 저고리와 조끼, 마고자를 입었다. 그리고 춥거나 나들이를 갈 때에는 겉에 두루마기를 입었다. 여자는 아래에 속바지와 치마를 입고 위에는 저고리를 입었다. 여자도 두루마기를 입지만 남자가 입는 두루마기와 모양이 달랐다. 오늘날에는 남자와 여자의 옷차림을 엄격하게 구분하지 않는다. 대신 각자 좋아하는 옷을 입기 때문에 옷차림이 사람에 따라 다르다.

19 이 글에서 말한 옛날 남자들이 입었던 옷이 아닌 것은 어느 것입니까? (   )
① 조끼   ② 저고리   ③ 속바지
④ 마고자   ⑤ 두루마기

20 오늘날 옷차림이 옛날에 비해 다른 점은 무엇입니까? (   )
① 바지나 치마를 입지 않는다.
② 신분에 따라 다른 옷을 입는다.
③ 조끼와 마고자를 항상 같이 입는다.
④ 남녀가 입는 옷의 종류가 줄어들었다.
⑤ 남녀의 옷차림이 엄격하게 구분되지 않는다.

• 답안 입력하기   • 평가 분석표 받기

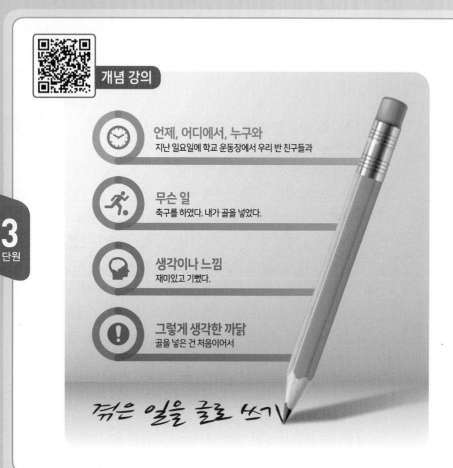

개념 강의

🕐 **언제, 어디에서, 누구와**
지난 일요일에 학교 운동장에서 우리 반 친구들과

🏃 **무슨 일**
축구를 하였다. 내가 골을 넣었다.

💡 **생각이나 느낌**
재미있고 기뻤다.

❗ **그렇게 생각한 까닭**
골을 넣은 건 처음이어서

겪은 일을 글로 쓰기

✽ 강의를 들으며 중요한 내용을 메모하세요!

● 인상 깊은 일을 글로 쓰는 방법은?

● 인상 깊은 일을 글로 쓸 때 글에 들어갈 내용은?

● 바르게 띄어쓰기를 하는 방법

개념 확인하기 정답에 ✔표를 하시오.

정답 27쪽

1 자신이 겪은 일에 대해 글로 쓰려면 어떠한 경험에 대해 쓰는 것이 좋습니까?

⊙ 매일 반복되고 평범한 일 ☐

ⓒ 특별히 기억에 남거나 인상적인 일 ☐

2 겪은 일에 대해 글을 쓰는 방법으로 알맞지 <u>않은</u> 것은 어느 것입니까?

⊙ 일어난 일을 자세히 쓴다. ☐

ⓒ 그때의 생각이나 느낌도 쓴다. ☐

ⓒ 누구와 있었던 일인지는 쓰지 않는다. ☐

3 띄어 쓰는 방법에 대해 <u>잘못</u> 말한 것은 어느 것입니까?

⊙ 낱말과 낱말 사이는 띄어 쓴다. ☐

ⓒ '이/가, 을/를'과 같은 말은 앞말에 붙여 쓴다. ☐

ⓒ 마침표나 쉼표 뒤에 오는 말은 붙여 쓴다. ☐

4 다음 중 띄어쓰기가 바른 것은 어느 것입니까?

⊙ 연필 두자루 ☐

ⓒ 연필 두 자루 ☐

연습 🦉 도움말을 참고하여 내 생각을 차근차근 써 보세요.

1 서연이가 하루 동안 겪은 일을 보고 물음에 답하시오. [7점]

(1) 서연이가 겪은 일과 자신이 겪은 일 가운데에서 비슷한 일과 다른 일은 무엇인지 쓰시오. [4점]

> 🦉 자신이 하루 동안 겪은 일을 떠올려 보세요.

① 비슷한 일	
② 다른 일	

(2) 자신이 하루 동안 겪은 일 가운데 글로 쓴다면 어떤 일을 쓰고 싶은지 쓰시오. [3점]

> 🦉 평소에 일어나는 일을 골라도 좋고, 평소와 다른 특별한 일이나 자신의 생각이나 느낌이 달라진 일을 골라 보세요.

---

2 서연이가 겪은 일에 대해 쓴 글을 읽고 물음에 답하시오. [7점]

동생이 아파요

"아이고, 배야."

동생 주혁이가 끙끙 앓는 소리에 잠에서 깼다.

"열이 39도가 넘잖아! 배도 많이 아파하고, 큰일이네."

걱정스럽게 말씀하시는 아빠의 목소리도 들렸다. 나는 눈을 비비고 자리에서 일어났다.

"아빠, 무슨 일이에요?"

나는 주혁이 머리맡에 앉아 계신 아빠 옆으로 다가갔다.

"주혁이가 열이 많이 나는구나. 아무래도 장염에 걸린 것 같다. 이번 가을에만 두 번째네."

아빠께서 걱정스럽게 말씀하셨다. 주혁이는 얼굴을 찡그리며 힘들어했다. 아빠께서 병원에 갈 채비를 하시는 동안 나는 주혁이 옆에 앉아 있었다.

"누나, 나 아파."

주혁이가 눈물이 그렁그렁한 얼굴로 말했다.

"병원 다녀오면 금방 나을 거야."

나는 주혁이의 이마에 차가운 물수건을 얹어 주었다.

㉠

(1) 서연이가 겪은 일은 무엇인지 쓰시오. [3점]

(2) ㉠ 에 겪은 일에 대한 생각이나 느낌이 어떠할지 써넣어 글을 완성하시오. [4점]

1 인상 깊은 일을 글로 쓰기 위해서 쓸 내용을 정리할 때, 필요한 내용이 <u>아닌</u> 것은 무엇입니까? (   )

① 무슨 일이 있었나요?

② 언제 있었던 일인가요?

③ 누구와 있었던 일인가요?

④ 어디에서 있었던 일인가요?

⑤ 읽는 사람에게 바라는 점은 무엇인가요?

[2~3] 다음 대화를 읽고 물음에 답하시오.

> 정수: 서연아, 너는 여러 가지 겪은 일 가운데에서 왜 동생이 아팠던 일을 골라서 글을 쓰려고 하니?
>
> 서연: 동생이 아팠을 때에는 평소와 다른 느낌이 들었거든. 평소에 동생이 장난꾸러기처럼 보여서 밉기도 했는데 아프니까 잘 못해 준 것이 생각나서 미안한 마음이 들었어. 그래서 그 마음을 써 보고 싶었어.

2 서연이는 자신이 겪은 일 가운데에서 어떤 일을 글로 쓰기로 했습니까? (   )

① 책을 읽었던 일

② 동생이 아팠던 일

③ 영화관에 갔던 일

④ 학교에서 공부한 일

⑤ 체험학습을 갔던 일

3 서연이는 동생에게 어떤 마음이 들어서 글을 썼습니까? (   )

① 미운 마음

② 귀여운 마음

③ 미안한 마음

④ 고마운 마음

⑤ 화가 나는 마음

4 띄어쓰기가 틀린 것은 무엇입니까? (   )

① 열 살

② 책 두 권

③ 소 세마리

④ 돼지 네 마리

⑤ 연필 다섯 자루

5 다음 문장에서 띄어 써야 할 곳이 <u>아닌</u> 곳은 어느 부분입니까? (   )

> 첫㉠째, ㉡규칙적인㉢생활을㉣해야㉤합니다.

① ㉠   ② ㉡   ③ ㉢   ④ ㉣   ⑤ ㉤

[6~7] 다음 표를 보고 물음에 답하시오.

언제	5월 14일
어디에서	학교 운동장
있었던 일	친구들과 공 굴리기, 장애물 달리기와 같은 운동을 했다.
생각이나 느낌	㉠

6 어떤 경험에 대해 정리하였습니까? (   )

① 운동회

② 갯벌 체험

③ 방송국 체험

④ 글짓기 대회

⑤ 그림 그리기

7 ㉠에 들어갈 내용으로 가장 알맞은 것은 어느 것입니까? (   )

① 선생님과 부모님도 함께 했다.

② 점심으로 김밥과 과일을 맛있게 먹었다.

③ 오전에는 잠깐 비가 내렸지만 오후에는 그쳤다.

④ 할머니를 도와드렸다는 생각에 마음이 뿌듯했다.

⑤ 친구들과 함께 여러 가지 운동을 해서 즐거웠다.

[8~13] 다음 글을 읽고 물음에 답하시오.

"아이고, 배야."

동생 주혁이가 끙끙 앓는 소리에 잠이 깼다.

"열이 39도가 넘잖아! 배도 많이 아파하고, 큰일이네."

걱정스럽게 말씀하시는 아빠의 목소리도 들렸다. 나는 눈을 비비고 자리에서 일어났다.

㉠"아빠, 무슨일이에요?"

나는 주혁이 머리맡에 앉아 계신 아빠 옆으로 다가갔다.

"주혁이가 열이 많이 나는구나. 아무래도 장염에 걸린 것 같다. 이번 가을에만 두 번째네."

아빠께서 걱정스럽게 말씀하셨다. 주혁이는 얼굴을 찡그리며 힘들어했다. 아빠께서 병원 갈 채비를 하시는 동안 나는 주혁이 옆에 앉아 있었다.

"누나, 나 아파."

주혁이가 눈물이 그렁그렁한 얼굴로 말했다.

㉡"병원 다녀오면 금방 나을 거야."

나는 주혁이의 이마에 차가운 물수건을 얹어 주었다. 마음이 [㉢]. 동생이 얼른 나았으면 좋겠다.

8 글쓴이가 겪은 일은 무엇입니까? ( )

① 아빠가 아파서 잠에서 깼다.
② 동생이 아파서 걱정을 했다.
③ 동생과 함께 수영장에 갔다.
④ 아빠와 동생이 먹을 약을 샀다.
⑤ 동생이 자고 있는 '나'를 깨웠다.

9 ㉠을 바르게 띄어 쓴 문장은 어느 것입니까? ( )

① 아빠,무슨∨일이에요?
② 아빠,∨무슨일이에요?
③ 아빠,∨무슨일∨이에요?
④ 아빠,∨무슨∨일이에요?
⑤ 아빠,∨무슨∨일∨이에요?

10 ㉡에 어울리는 목소리는 무엇입니까? ( )

① 놀란 목소리
② 냉정한 목소리
③ 다정한 목소리
④ 신나는 목소리
⑤ 짜증내는 듯한 목소리

11 [㉢]에 들어갈 말로 알맞은 것은 무엇입니까?

( )

① 기뻤다.
② 좋았다.
③ 아팠다.
④ 행복했다.
⑤ 화가 났다.

12 아픈 주혁이를 위해 '나'는 무엇을 하였습니까?

( )

① 죽을 끓여 주었다.
② 같이 병원에 가 주었다.
③ 약국에 가서 약을 사 왔다.
④ 체온계로 주혁이의 체온을 쟀다.
⑤ 주혁이의 이마에 물수건을 얹어 주었다.

13 이 글에 대한 설명으로 알맞지 <u>않은</u> 것은 무엇입니까? ( )

① 대화가 나타나 있다.
② 인상 깊은 일을 글로 썼다.
③ 있었던 일을 구체적으로 썼다.
④ 평소에 일어나는 일을 글로 썼다.
⑤ 겪은 일에 대한 생각이나 느낌을 썼다.

단원 평가

3 단원

진도 완료 체크

[14~16] 다음 글을 읽고 물음에 답하시오.

학교에서 출발해 시간이 흘러 드디어 목장에 도착했다. 도착하자마자 피자 만들기 체험장에 들어갔다. 우리는 모둠별로 의자에 앉았다. ㉠먼저, 밀가루 반죽을 동그랗게 만들고 여러 가지 재료를 그 위에 올려놓았다. 피자가 구워질 동안 우리는 치즈 만들기 체험장에 갔다.

치즈 만들기 체험장에서는 치즈와 관련된 영상을 보았다. 영상을 보고 나서 본격적으로 치즈 만들기를 시작했다. 조몰락조몰락하며 치즈를 만드는 모습이 체험장을 가득 채웠다. ㉡

14 글쓴이가 가장 먼저 한 일은 무엇입니까? (   )
① 우유 짜기   ② 의자 만들기
③ 치즈 만들기   ④ 피자 만들기
⑤ 치즈 동영상 보기

15 ㉠에서 띄어쓰기를 할 필요가 <u>없는</u> 곳은 어느 부분입니까? (   )

먼저,①밀②가루 반죽을③동그랗게 만들고④여러 가지 재료를 그⑤위에 올려놓았다.

16 ㉡에 들어갈 생각이나 느낌으로 가장 알맞은 것은 어느 것입니까? (   )
① 각자 자기가 만든 치즈를 먹었다.
② 치즈를 만드는 체험은 두 시간이 걸렸다.
③ 치즈를 만들고 나니 피자가 다 구워져 있었다.
④ 우리는 다시 피자 만들기 체험장으로 들어갔다.
⑤ 현장 체험학습은 새로운 것을 체험할 수 있어서 좋다.

[17~19] 다음 글을 읽고 물음에 답하시오.

㉠지난 주말에 남동생과 할아버지 댁에 놀러 갔다. ㉡할아버지 댁 감나무에는 빨갛게 익은 감들이 주렁주렁 열려 있었다. ㉢나는 할아버지, 남동생과 함께 긴 막대기로 감을 땄다. ㉣감을 따는 것은 참 재미있었다.

17 겪은 일이 잘 드러나는 이 글의 제목으로 알맞은 것은 무엇입니까? (   )
① 감나무   ② 감 따기   ③ 할아버지
④ 지난 주말   ⑤ 할아버지 댁

18 ㉠~㉣ 중 생각이나 느낌은 어느 것입니까? (   )
① ㉠   ② ㉡   ③ ㉢
④ ㉣   ⑤ ㉢, ㉣

19 ㉢문장에서 고쳐야 할 부분을 바르게 말한 것은 어느 것입니까? (   )
① 문장에서 '나는'을 뺀다.
② '남동생'과 '과'를 띄어 쓴다.
③ '긴'과 '막대기'를 붙여 쓴다.
④ '감을 땄다' 뒤에 마침표를 뺀다.
⑤ '할아버지,'와 '남동생과'를 띄어 쓴다.

20 다음 문장에서 띄어 써야 할 곳은 모두 몇 군데 입니까? (   )

배추두포기,파두단을샀다.

① 3군데 ② 4군데 ③ 5군데 ④ 6군데 ⑤ 7군데

· 답안 입력하기   · 평가 분석표 받기

개념 강의

곰 인형을 만지면
푹신푹신 부드러워요

한입 베어 물면
새콤달콤

감각적 표현으로 나타내기

둥글둥글 공처럼 둥근 귤

하늘이 쪼개지는 듯한 천둥소리

밤 굽는 냄새
향긋한 가을 냄새

✻ 강의를 들으며 중요한 내용을 메모하세요!

● 감각적 표현이란?

● 대상에 대한 느낌을 감각적으로 표현하기

4 단원

개념 확인하기 정답에 ✔표를 하시오.

정답 29쪽

1 감각적 표현이 <u>아닌</u> 것은 무엇입니까?

㉠ 새콤달콤한 귤 ☐   ㉡ 동생의 곰 인형 ☐

2 대상에 대한 느낌을 감각적으로 표현할 때 떠올리지 <u>않아도</u> 되는 것은 무엇입니까?

㉠ 소리 ☐   ㉡ 냄새 ☐   ㉢ 가격 ☐

3 감각적 표현으로 나타내면 좋은 점은 무엇입니까?

㉠ 느낌을 생생하게 표현할 수 있다. ☐   ㉡ 읽는 이가 궁금하게 할 수 있다. ☐

4 「감기」에서 '내 몸에 / 불덩이가 들어왔다' 부분은 무엇을 표현한 것입니까?

㉠ 떨리는 상태 ☐   ㉡ 열이 나는 상태 ☐

5 「진짜 투명 인간」에 나타난 감각적 표현을 <u>잘못</u> 나타낸 것은 무엇입니까?

㉠ 붉은색: 할아버지 밭에서 나는 토마토 맛 ☐

㉡ 푸른색: 옆집 수영장에서 헤엄치는 것 ☐

㉢ 흰색: 맨발로 걸을 때 느껴지는 풀잎 ☐

연습   🦉 도움말을 참고하여 내 생각을 차근차근 써 보세요.

1 감각적 표현에 주의하며 다음 시를 읽고 물음에 답하시오. [10점]

감기

내 몸에
불덩이가 들어왔다.
– 뜨끈뜨끈.
불덩이를 따라
몹시 추운 사람도 들어왔다.
– 오들오들.

약을 먹고 나니
느릿느릿,
거북이도 들어오고
까무룩,
잠꾸러기도 들어왔다.

---

(1) 감기에 걸려 열이 나는 모습을 생생하게 나타내는 흉내 내는 말을 찾아 쓰시오. [3점]

> 🦉 '뜨끈뜨끈, 오들오들, 느릿느릿, 까무룩' 중 열이 나는 모습을 생생하게 나타낸 표현을 찾아보세요.

(   )

(2) '내' 몸에 거북이가 들어왔다고 한 까닭은 무엇인가요? [7점]

> 🦉 감기약을 먹었던 경험을 떠올려 보고 그때 자신의 모습과 거북이의 모습 중 비슷한 점을 생각하여 보세요.

---

2 말하는 이의 모습을 생각하며 다음 시를 읽고 물음에 답하시오. [10점]

지구도 대답해 주는구나

강가 고운 모래밭에서
발가락 옴지락거려
두더지처럼 파고들었다.

지구가 간지러운지
굼질굼질 움직였다.

아, 내 작은 신호에도
지구는 대답해 주는구나.

그 큰 몸짓에
이 조그마한 발짓
그래도 지구는 대답해 주는구나.

---

(1) 이 시를 읽고 다음 물음에 답하시오. [각 2점]

물음	답
① 말하는 이가 말한 작은 신호는 무엇인가요?	
② 왜 지구가 굼질굼질 움직인다고 했을까요?	

(2) 어떤 모습을 두더지처럼 파고들었다고 표현하였는지 쓰시오. [6점]

1 다음 대상에 어울리는 표현이 <u>아닌</u> 것은 무엇입니까?
( )

① 와삭 　　② 아삭아삭 　　③ 매끈매끈
④ 동글동글 　　⑤ 쩌렁쩌렁

2 오른쪽 대상을 만졌을 때의 느낌을 표현한 말은 무엇입니까? ( )
① 미끌미끌 　　② 보들보들
③ 일렁일렁 　　④ 거칠거칠
⑤ 알록달록

3 그림에서 여자아이가 들은 소리로 알맞은 것은 무엇입니까? ( )

필통

① 꽥꽥 　　② 쿵쿵 　　③ 붕붕
④ 와장창 　　⑤ 달그락달그락

[4~5] 다음 시를 읽고 물음에 답하시오.

내 몸에
불덩이가 들어왔다
– 뜨끈뜨끈.
불덩이를 따라
몹시 추운 사람도 들어왔다.
– 오들오들.

약을 먹고 나니
느릿느릿
㉠거북이도 들어오고
까무룩,
잠꾸러기도 들어왔다.

내 몸에
너무 많은 것들이 들어왔다.
그래서
내 몸이 아주 무거워졌다.

4 이 시의 제목으로 알맞은 것은 무엇입니까?
( )

① 공부 　　② 감기 　　③ 내 몸
④ 거북이 　　⑤ 다이어트

5 ㉠은 무엇을 표현한 것입니까? ( )
① 감기를 이겨내려는 의지
② 감기에 걸려 몹시 추운 느낌
③ 감기에 걸려 몸에 열이 난 것
④ 약을 먹고 난 뒤 몸이 느려진 것
⑤ 약을 먹고 난 뒤 정신이 혼미해지는 느낌

4
단원

6 귤에 대한 느낌을 표현한 것으로 알맞은 것은 무엇입니까? (   )

① 새콤달콤하다.
② 까칠까칠하다.
③ 뾰족뾰족하다.
④ 사각사각하다.
⑤ 네모 모양이다.

8 말하는 이가 말한 작은 신호는 무엇입니까? (   )

① 지구를 보호한 것
② 두더지를 잡은 것
③ 강가에서 수영한 것
④ 모래밭 땅으로 귀를 댄 것
⑤ 발가락으로 모래밭을 파고든 것

[9~12] 다음 글을 읽고 물음에 답하시오.

나는 블링크 아저씨 집에 가서 초인종을 눌렀어요.
"안녕, 에밀. 들어오너라."
나는 아직 인사도 안 했는데 아저씨는 이미 나란 것을 알았어요.
"비(b) 플랫이 여전히 이상해서 왔어요."
"그래? 내일 가 보마. 주스 마실래?"
아저씨는 손끝으로 벽을 더듬어 주방에 들어갔다가 큰 유리잔을 들고 나왔어요. 주스를 한 방울도 흘리지 않았어요.
"질문 하나 해도 돼요?"
"물론이지, 에밀."
"조금 전에 어떻게 저란 걸 아셨어요? 앞이 보이지 않으시면서요."
아저씨는 웃으며 말했어요.
"그래, 난 태어날 때부터 앞을 보지 못했지. 그 대신 어릴 적부터 다른 감각들이 아주 발달되어 있단다. 촉각, 후각, 미각, 청각 이런 것들 말이야. 아까 네가 현관문을 열 때 너희 집 냄새와 네 바지가 구겨지는 소리, 그 밖에 설명하기 애매한 것들로 너란 걸 알았어."
"그러면 제가 투명 인간이어도 알아채실 수 있어요?"
"에밀, ㉠넌 나에게 투명 인간이란다."
나는 잠시 망설이다 말했어요.

[7~8] 다음 시를 읽고 물음에 답하시오.

강가 고운 모래밭에서
발가락 옴지락거려
두더지처럼 파고들었다.

지구가 간지러운지
㉠굼질굼질 움직였다.

아, 내 작은 신호에도
지구는 대답해 주는구나.

그 큰 몸짓에
이 조그마한 발짓
그래도 지구는 대답해 주는구나.

7 ㉠을 읽고 떠오르는 모습으로 알맞은 것은 무엇입니까? (   )

① 번개가 치는 모습
② 버스가 빠르게 지나가는 모습
③ 애벌레가 천천히 움직이는 모습
④ 호랑이가 먹이를 잡으러 가는 모습
⑤ 유치원 어린이들이 와자지껄 떠드는 모습

9 내가 블링크 아저씨 집에 간 까닭은 무엇입니까?

(   )

① 피아노 연주를 부탁하려고
② 피아노 연주를 들려주려고
③ 피아노 조율을 부탁하려고
④ 블링크 아저씨의 초대를 받고
⑤ 블링크 아저씨가 주는 주스를 마시려고

10 '나'가 블링크 아저씨에게 물어본 것은 무엇입니까?

(   )

① 피아노를 잘 치는 방법
② 피아노를 조율하는 방법
③ 주스를 한 방울도 흘리지 않는 방법
④ 앞이 보이지 않아도 다닐 수 있는 방법
⑤ 인사도 하기 전에 누가 왔는지 알아챈 방법

11 블링크 아저씨는 자기 집에 온 사람이 '나'라는 것을 어떻게 알았나요? (   )

① 초인종 소리를 듣고
② '나'의 목소리를 듣고
③ '나'의 모습이 어렴풋이 보여서
④ '나'의 엄마가 미리 알려 주어서
⑤ '나'의 바지가 구겨지는 소리를 듣고

12 ㉠과 바꾸어 쓸 수 있는 것은 무엇입니까? (   )

① 나는 너를 느낄 수 없단다.
② 나는 너를 만질 수 없단다.
③ 나는 너의 모습을 볼 수 없단다.
④ 나는 너의 냄새를 맡을 수 없단다.
⑤ 나는 너의 목소리를 들을 수 없단다.

[13~16] 다음 글을 읽고 물음에 답하시오.

엄마는 내 피아노 실력이 늘었다고 좋아했어요. 그럴 수밖에요. 난 블링크 아저씨가 돌아오면 세상 모든 색을 들려주려고 많이 연습했으니까요.

어느 날, 학교에서 돌아온 ㉠나는 눈이 휘둥그레졌어요.

진짜 투명 인간을 봤거든요.

투명 인간은 거실에 앉아 엄마와 얘기하고 있었어요.

얼굴을 붕대로 칭칭 감은 것이 책과 똑같았어요.

"에밀, 네 피아노 실력이 늘었다며?"

블링크 아저씨의 목소리였어요. 나는 말문이 막혔어요.

"블링크 아저씨는 외국에서 다른 사람에게서 안구를 기증받아 수술을 받고 돌아오셨어."

엄마가 말했어요.

㉡새하얀 침묵이 거실을 뒤덮었어요.

"한 달 뒤에 붕대를 풀 거야. 그러면 네가 어떻게 생겼는지 드디어 볼 수 있겠지?"

아저씨가 말했어요.

그제야 난 알았어요.

이제 새로운 이야기가 시작된다는 것을요.

13 이 글의 내용과 다른 것은 무엇입니까? (   )

① '나'의 피아노 실력은 많이 늘었다.
② 블링크 아저씨는 눈 수술을 받았다.
③ 블링크 아저씨는 그동안 외국에 있었다.
④ 블링크 아저씨는 다른 사람으로부터 안구를 기증받았다.
⑤ '나'의 엄마는 아저씨가 눈 수술을 받게 될 것이라고 미리 알고 있었다.

14 내가 피아노 연습을 많이 한 이유는 무엇입니까?
( )

① 피아노 조율하는 방법을 알고 싶어서
② 훌륭한 피아니스트들과 친구가 되고 싶어서
③ 피아노 경연 대회에 나가 상을 받고 싶어서
④ 피아노 선생님인 엄마를 만족시키기 위해서
⑤ 블링크 아저씨에게 세상 모든 색을 들려주고 싶어서

15 ㉠처럼 눈이 휘둥그레진 까닭은 무엇인지 빈칸에 들어갈 알맞은 말은 무엇입니까? ( )

> 진짜 ☐☐☐을/를 봤다고 생각했기 때문에

① 유령   ② 그림자   ③ 도깨비
④ 인조인간   ⑤ 투명 인간

16 ㉡의 분위기로 적절한 것은 무엇입니까? ( )

① 몹시 불안한 분위기
② 매우 긴장된 분위기
③ 매우 흥분된 분위기
④ 몹시 조용한 분위기
⑤ 매우 시끄러운 분위기

17 다음 빈칸에 들어갈 알맞은 말은 무엇입니까?
( )

> ☐☐☐처럼 귀여운 아기

① 벌레   ② 축구공   ③ 강아지
④ 텔레비전   ⑤ 아이스크림

18 느낌을 살려 시를 쓰는 방법으로 알맞지 <u>않은</u> 것은 무엇입니까? ( )

① 대상을 노래하듯이 표현한다.
② 되도록 시의 내용을 긴 글로 쓴다.
③ 시를 쓸 대상을 주의 깊게 관찰한다.
④ 대상을 떠올리고 그 느낌을 다른 대상에 빗대어 표현한다.
⑤ 대상을 떠올리고 그 느낌을 흉내 내는 말을 사용하여 표현한다.

19 빈칸에 들어갈 알맞은 말은 무엇입니까? ( )

> 사건의 흐름을 살펴보며 이야기의 내용 파악하기 → 이야기에 나타난 ☐☐☐ 표현 찾기 → 이야기에 대한 생각이나 느낌 말하기

① 긴   ② 짧은   ③ 감각적
④ 효율적   ⑤ 어려운

20 다음 빈칸에 알맞은 말은 무엇입니까? ( )

> 사과를 만지면 ☐☐☐☐해요.

① 꼬불꼬불   ② 데굴데굴   ③ 펄럭펄럭
④ 매끈매끈   ⑤ 철썩철썩

· 답안 입력하기   · 평가 분석표 받기

온라인 개념 강의

개념 강의

자신이 누구인지 밝히고 상대가 누구인지 확인하기

상대의 말을 끝까지 듣고 공손하게 말하기

공공장소에서는 작은 목소리로 말하기

상대의 말 귀 기울여 듣기

전화로 대화할 때 지켜야 할 **예절**

✱ 강의를 들으며 중요한 내용을 메모하세요!

5
단원

● 대화할 때 고려해야 할 점

● 알맞은 높임 표현을 사용해 말하기

● 전화할 때의 바른 대화 예절 알기

개념 확인하기 정답에 ✔표를 하시오.

정답 31쪽

1 세영이는 친구가 화가 난 것 같아서 조심스럽게 대화를 시작했습니다. 세영이가 고려한 점은 무엇입니까?

　　㉠ 대화하는 목적 ☐　　㉡ 상대의 기분 ☐

2 대화 상대가 웃어른일 때에는 어떤 표현을 사용해야 합니까?

　　㉠ 쉬운 표현 ☐　　㉡ 높임 표현 ☐

3 높임 표현이 <u>아닌</u> 것은 무엇입니까?

　　㉠ -어요 ☐　　㉡ -해요 ☐　　㉢ -해라 ☐

4 전화로 대화할 때의 예절에 어긋나는 것은 무엇입니까?

　　㉠ 자신이 누구인지 제대로 밝히지 않고 숨긴다. ☐　　㉡ 공공장소에 있을 때에는 작은 목소리로 말한다. ☐

5 다음 중 알맞지 <u>않은</u> 것은 무엇입니까?

　　㉠ 상황에 어울리는 말투로 대화한다. ☐
　　㉡ 누구에게든 높임 표현을 사용한다. ☐
　　㉢ 언어 예절을 지키며 대화한다. ☐

5 단원

연습 도움말을 참고하여 내 생각을 차근차근 써 보세요.

1 대화하는 사람의 마음을 생각하며 다음 장면을 보고 물음에 답하시오. [10점]

진수야, 몸은 좀 괜찮니?

엄마 많이 좋아졌어.

진수

수정아, 내일 준비물이 뭐야? 그리고…….

진수

풀이랑 가위야.

수정

(1) 대화 ①과 ②는 각각 어떤 상황인지 쓰시오. [각 2점]

누구와 어떤 내용의 대화를 하고 있는지 정리하여 써 봅니다.

① 대화 ①	
② 대화 ②	

(2) 대화 ①의 엄마와 ②의 진수의 마음을 생각하며 대화할 때 고려하여야 할 점을 한 가지 더 쓰시오. [6점]

상대의 기분을 생각하며 상대와 기분 좋게 대화할 수 있는 방법을 써 봅니다.

• 대화하는 상대가 누구인지 생각한다.

• _____

2 대화할 때 고려해야 할 점을 생각하며 다음 장면을 보고 물음에 답하시오. [10점]

진영아, 네가 그린 그림 정말 멋지다!

진영

아픈 친구를 도와주는 것을 보니 진영이는 마음이 참 따뜻하구나!

(1) 대화 ①, ②에서 진영이가 고마운 마음을 각각 어떻게 말할지 쓰시오. [각 3점]

① 대화 ①	
② 대화 ②	

(2) (1)번 문제에서 답한 것처럼 같은 뜻이지만 형태가 다르게 말하는 까닭은 무엇인지 쓰시오. [4점]

_____

_____

[1~3] 다음 대화를 읽고 물음에 답하시오.

> (가) 엄마: 진수야, 몸은 좀 괜찮니?
>
> 진수: ㉠엄마, 어제보다 많이 좋아졌어. 내일은 학교
> 에 갈 거야.
>
> 엄마: 그래.
>
> (나) 수정: 여보세요?
>
> 진수: 수정이니? 나, 진수야. 수정아, 내일 준비물이
> 뭐야?
>
> 수정: 풀이랑 가위야.
>
> 진수: 그리고…….
>
> 수정: (전화를 뚝 끊는다.)

1 글 (가)의 엄마가 한 첫 번째 말에는 어떤 마음이 들어 있겠습니까? (   )

① 기쁘다.   ② 무섭다.   ③ 즐겁다.
④ 걱정스럽다.   ⑤ 자랑스럽다.

2 ㉠을 언어 예절에 맞게 잘 고친 것은 무엇입니까?
(   )

① 엄마, 어제보다 많이 좋아졌음. 내일은 학교에
  갈 거임.
② 엄마, 어제보다 많이 좋아졌어. 내일은 학교에
  갈 거예요.
③ 엄마, 어제보다 많이 좋아졌구나. 내일은 학교
  에 갈 거야.
④ 엄마, 어제보다 많이 좋아졌다. 내일은 학교에
  갈 것이다.
⑤ 엄마, 어제보다 많이 좋아졌어요. 내일은 학교
  에 갈 거예요.

3 (나)에서 수정이가 잘못한 점은 무엇입니까?
(   )

① 높임 표현을 사용하지 않았다.
② 질문에 상관없는 말을 하였다.
③ 공공장소에서 큰 소리로 통화하였다.
④ 한 번 했던 말을 계속해서 반복하였다.
⑤ 진수의 말을 더 듣지 않고 전화를 끊었다.

[4~6] 다음 대화를 읽고 물음에 답하시오.

> (가) 친구: 승민아, 네가 그린 그림 정말 멋지다!
>
> 승민: [   ]
>
> (나) 선생님: 아픈 친구를 도와주는 것을 보니 승민이
> 는 마음이 참 따뜻하구나!
>
> 승민: [   ]

4 (가)의 [   ]에 들어갈 알맞은 말은 무엇입니까?
(   )

① 미안해.   ② 고마워.   ③ 저리 가.
④ 고맙습니다.   ⑤ 감사합니다.

5 (나)의 [   ]에 들어갈 알맞은 말은 무엇입니까?
(   )

① 정말?   ② 그래.   ③ 그래서요?
④ 죄송합니다.   ⑤ 고맙습니다.

6 ㈎와 ㈏에서 승민이의 대답이 같은 뜻이지만 다른 형태의 말을 하는 까닭은 무엇입니까? (   )

① 대화 시간이 다르기 때문에
② 대화 장소가 다르기 때문에
③ 대화 상대가 다르기 때문에
④ 대화 목적이 다르기 때문에
⑤ 대화의 사람 수가 다르기 때문에

7 다른 사람과 대화할 때 고려해야 할 점으로 알맞은 것은 무엇입니까? (   )

① 자신의 기분만 생각한다.
② 누구에게나 반말을 한다.
③ 자신이 하고 싶은 말만 한다.
④ 상대의 기분을 생각하지 않는다.
⑤ 대화하는 목적이 무엇인지 생각한다.

8 다음 [____]에 들어갈 알맞은 말은 무엇입니까?

(   )

> 엄마: 할아버지 지금 [_____]?
> 승민: 할아버지께서 주스를 드시고 계세요.

① 뭐 해?   ② 어디야?   ③ 뭐라고 해?
④ 뭐 하시니?   ⑤ 뭐라고 하셔?

[9~12] 다음 전화 대화를 읽고 물음에 답하시오.

㈎ 지원: 나, 아까 학교 앞 문구점에서 미술 준비물을 샀는데 망가져 있어.
민지: 뭐가? 물감에 구멍이 났니? 아니면 물통?
지원: 아니, 물통에 물이 샌다고.
민지: 아, 물통을 말하는 거구나.

㈏ 예원이 언니: 여보세요?
수진: 예원아! 우리 내일 어디에서 만나서 놀기로 했지?
예원이 언니: (생각) 나는 예원이 언니인데……. 누구지?

㈐ 유진: 여보세요?
할머니: 유진이냐? 할머니다.
유진: 네, 할머니! 안녕하세요?
할머니: 그래, 여기는 괜찮은데, 요즘 한국은 많이 덥지?
유진: 네, 많이 더워요.
할머니: 네 엄마는?
유진: 시장에 장 보러 가셨어요.
할머니: 엄마 오시면 할머니가 이번 토요일에 한국에 간다고 전해 다오.
유진: 네.(전화를 끊는다. 전화 끊는 소리 "찰칵 뚜뚜 뚜…….")
할머니: 세 시까지 공항에 데리러 오라고 말해야 하는데…….

9 ㈎에서 지원이가 말한 망가진 미술 준비물은 무엇입니까? (   )

① 붓   ② 물감   ③ 물통
④ 벼루   ⑤ 스케치북

10 ㈎에서 처음에 민지가 지원이의 말을 듣고 물통과 물감을 모두 떠올린 까닭은 무엇입니까? (   )

① 지원이가 자기 말만 해서
② 지원이가 어려운 말을 사용해서
③ 지원이의 목소리가 잘 안 들려서
④ 지원이가 조그마한 목소리로 말해서
⑤ 지원이가 구체적으로 설명하지 않아서

11 ㈏에서 수진이가 지키지 못한 전화 예절은 무엇입니까? (   )

① 알맞은 길이로 통화한다.
② 장난 전화를 하지 않는다.
③ 늦은 시간에 전화하지 않는다.
④ 건 사람은 자신이 누구인지 밝힌다.
⑤ 공공장소에서는 작은 목소리로 통화한다.

12 ㈐를 설명한 것 중 알맞지 <u>않은</u> 것은 무엇입니까?
(   )

① 할머니는 외국에 계신다.
② 엄마는 지금 집에 없으시다.
③ 할머니는 전화한 목적을 다 이루었다.
④ 할머니는 토요일 날 한국에 오실 예정이다.
⑤ 유진은 할머니의 말씀이 다 끝나기도 전에 전화를 끊었다.

[13~15] 다음 전화 대화를 읽고 물음에 답하시오.

> 지수: 정아야, 어제 우리 반 회의에서 책 당번을 정하기로 했잖아. 내 생각에는 책 당번을 일주일에 한 번씩 바꾸는 건 잘못된 것 같아. 각자 맡고 있는 역할도 있는데 일주일 동안 책을 관리하는 건 너무 힘들어.
> 정아: 응, 그런데…….
> 지수: ㉠내 생각에는 하루에 한 번씩 책 당번을 바꾸는 게 맞아. 회의 시간에 강력하게 말했어야 하는데, 내가 괜히 의견을 말 안 했나 봐. 내일 선생님께 다시 한 번 말씀드려 볼까?
> 정아: (생각) 내 생각에는 하루에 한 번씩 바꾸면 친구들도 헷갈리고, 책 관리가 안 될 수도 있다고 말하고 싶었는데. 지수는 계속 자기 말만 하네. 지수에게 내 생각을 언제 말하지?
> 지수: 내 의견 어때? 왜 말이 없니?
> 정아: 그래.

13 지수와 정아는 무엇에 대하여 이야기를 나누고 있습니까? (   )

① 책을 관리하는 방법
② 학급 회의를 하는 시간
③ 다음 번 학급 회의의 주제
④ 학급 회의를 다시 하는 것
⑤ 일주일에 한 권씩 책을 읽어야 하는 것

14 지수의 말하기에 나타난 문제는 무엇입니까? (   )

① 높임 표현을 쓰지 않았다.
② 너무 늦은 시간에 전화했다.
③ 공공장소에서 크게 말하였다.
④ 전화를 건 까닭을 밝히지 않았다.
⑤ 상대를 배려하지 않고 자기의 말만 하였다.

15 ㉠에 대한 정아의 생각은 무엇입니까? (   )
① 아주 좋은 의견이다.
② 나도 같은 생각을 해서 반갑다.
③ 선생님께 다시 말씀드려야 한다.
④ 회의 시간에 강하게 말했어야 한다.
⑤ 친구들이 헷갈려 책 관리가 안 될 수도 있다.

17 강이의 엄마는 언제 밝은색 옷을 입으라고 하였습니까? (   )
① 눈이 오는 날   ② 비가 오는 날
③ 안개가 낀 날   ④ 바람이 부는 날
⑤ 햇빛이 강하게 비친 날

18 강이가 ❸과 같은 상황을 보았을 때, 강이의 행동으로 자연스럽지 <u>않은</u> 것은 무엇입니까? (   )
① 놀란 표정을 지을 것이다.
② 다급한 말투로 말할 것이다.
③ 놀라면서 당황한 마음이 들 것이다.
④ 고소해하는 듯한 목소리를 낼 것이다.
⑤ 친구를 말리기 위해 뛰어가며 잡는 몸짓을 할 것이다.

[16~19] 다음 만화 영화 내용을 보고 물음에 답하시오.

훈이가 강이의 노란색 옷과 우산을 보고 유치원생 같다고 놀렸습니다.

엄마는 비가 와서 어두운 날에는 밝은색 옷을 입으라고 하셨습니다.

훈이는 앞을 잘 보지 않고 뛰어가다가 교통사고가 날 뻔했습니다.

강이는 비 오는 날엔 밝은색 옷을 입는 것이 더 멋지다고 말했습니다.

19 ❹에서 강이가 말할 때 지을 수 있는 표정으로 어울리는 것은 무엇입니까? (   )
① 웃는 표정   ② 슬픈 표정
③ 졸린 표정   ④ 놀리는 표정
⑤ 화를 내는 표정

20 ㉠ 에 들어갈 알맞은 말은 무엇입니까? (   )

할아버지: 영민아, 용돈 부족하지? 받으려무나.
영민: (기쁜 표정으로) ㉠

① 즐거워.   ② 고마워.
③ 재밌습니다.   ④ 고맙습니다.
⑤ 잘 모르겠습니다.

16 ❶에서 훈이의 표정으로 적절한 것은 무엇입니까? (   )
① 아픈 표정   ② 기쁜 표정
③ 화난 표정   ④ 억울한 표정
⑤ 놀리는 듯한 표정

· 답안 입력하기   · 평가 분석표 받기

온라인 개념 강의

6
단원

개념 강의

인물의 마음 짐작하기

1 인물의 말 살펴보기 → "난 운동회가 정말 싫어!" → 운동을 못해서 속상한 기찬이의 마음

2 인물의 행동 살펴보기 → 이호는 갑자기 뛰쳐나갔어요. 가로질러 달려갔어요. 더 이상 참을 수가 없었던 거예요! → 빨리 화장실에 가고 싶은 이호의 마음

3 인물이 겪은 일 살펴보기 → 기찬이가 이어달리기에서 꼴찌를 했지만 친구들은 기찬이와 친구들은 웃으며 운동장을 달렸어요. → 꼴찌를 했지만 최선을 다해서 뿌듯한 기찬이의 마음

✳ 강의를 들으며 중요한 내용을 메모하세요!

● 자신의 마음을 전하는 방법

● 인물의 마음을 짐작하는 방법

개념 확인하기   정답에 ✔표를 하시오.

정답 33쪽

1 마음을 전하는 방법으로 알맞은 것은 무엇입니까?

㉠ 내 말을 들으면 상대의 마음이 어떨지 생각한다. ☐   ㉡ 화가 났을 때에는 하고 싶은 말을 곧바로 한다. ☐

2 「규리의 하루」에서 발표할 차례가 다가왔을 때 규리의 마음은 어떠하였습니까?

㉠ 즐겁다 ☐   ㉡ 기쁘다 ☐   ㉢ 걱정된다 ☐

3 「꼴찌라도 괜찮아!」에서 달리기를 못한다며 친구들이 놀렸을 때 기찬이의 마음은 어떠하였습니까?

㉠ 떨린다 ☐   ㉡ 기대된다 ☐   ㉢ 속상하다 ☐

4 인물의 마음을 짐작할 때 살펴보지 <u>않아도</u> 되는 것은 무엇입니까?

㉠ 인물의 이름 ☐   ㉡ 인물이 처한 상황 ☐

5 친구에게 사과하는 쪽지를 주고받는 방법으로 알맞지 <u>않은</u> 것은 무엇입니까?

㉠ 진심을 담아서 쓴다. ☐

㉡ 따지는 듯한 말투로 쓴다. ☐

㉢ 쪽지를 정성껏 손으로 쓴다. ☐

연습 👓 도움말을 참고하여 내 생각을 차근차근 써 보세요.

1 다음 그림을 보고 물음에 답하시오. [8점]

지호

(1) 그림에는 어떤 상황이 나타나 있는지 쓰시오. [3점]

> 👓 지호가 시계를 보며 뛰어가는 까닭이 무엇일지 생각해 보세요.
> **꼭 들어가야 할 말** 약속 시간

(   )

(2) 그림 속 상황에서 지호는 어떤 마음을 전해야 할지 쓰시오. [2점]

> 🐱 그림의 상황과 비슷한 경험을 떠올려 보고 그때 어떤 마음이 들었는지 생각해 보세요.

(   )

(3) 지호가 자신의 마음을 전하기 위해 할 말을 쓰시오.
[3점]

> 🐱 마음을 전하는 말을 쓸 때에는 상대의 기분을 생각하며 진심으로 말하는 것이 중요해요.

_____

_____

2 규리의 마음이 어떻게 변하는지 생각하며 다음 글을 읽고 물음에 답하시오. [10점]

> (가) 1교시는 사회 시간이었다. 우리 지역의 자랑거리를 조사해서 발표하는 시간이었다.
>   우리 모둠 발표자는 나였다. 앞 모둠 발표가 거의 끝나 가자 나는 가슴이 콩닥콩닥 뛰기 시작했다.
>   '어쩌지? 실수하면 안 되는데…….'
>   발표 내용이 갑자기 뒤죽박죽되는 느낌이었다.
> (나) 3교시는 내가 가장 좋아하는 음악 시간이었다. 나는 여러 가지 악기를 잘 다루고 노래도 잘 부르는 편이다. 오늘 음악 시간에는 리코더를 연주했다. 내 짝 민호는 리코더 연주가 서툴다. 선생님께서는 민호가 리코더를 연주하는 것을 보시더니 내게 말씀하셨다.
>   "규리야, 네가 민호 좀 도와주렴."
>   나는 음악 시간 내내 민호의 리코더 선생님이 되었다.
>   "규리야, '솔' 음은 어떻게 소리 내니?"
>   "응, 내가 가르쳐 줄게."
>   민호는 가르쳐 주는 대로 잘 따라 했다.
>   "아, 이렇게 하는 거구나. 고마워, 규리야."
>   민호가 잘하자 나도 덩달아 기분이 좋아졌다.

(1) 규리가 한 일이나 겪은 일을 정리하여 쓰시오. [6점]

① 글 (가)	
② 글 (나)	

(2) 글 (가)와 (나)에서 규리의 마음이 어떻게 변했는지 쓰시오. [4점]

(   ) → (   )

[1~4] 다음 그림을 보고 물음에 답하시오.

1 (가)에는 어떤 상황이 나타나 있습니까? (   )

① 가을 현장 체험학습을 감
② 친구에게 생일 선물을 받음
③ 이웃집 아주머니께서 음식을 주심
④ 병원에 입원해 있는 친구를 찾아감
⑤ 친구와의 약속 시간에 늦어서 뛰어감

2 ㉮에 들어갈 말로 알맞은 것은 무엇입니까? (   )

① 생일 축하해.
② 늦어서 미안해.
③ 하루 빨리 나아.
④ 찾아와서 고마워.
⑤ 너무 슬퍼하지 마.

3 '신나는 마음'이 느껴지는 그림을 알맞게 고른 것은 무엇입니까? (   )

① (가)   ② (나)   ③ (다)
④ (라)   ⑤ (가), (라)

4 (라)에서 친구의 말을 듣고 할 대답으로 알맞은 것은 무엇입니까? (   )

① 너는 아직 안 걸렸니?
② 고마워, 너도 감기 조심해.
③ 내 마음대로 나을 수가 있겠니?
④ 너도 감기에 걸려 봐야 알 텐데.
⑤ 감기에 걸린 사람이 너무 많은 것 같지?

5 다음과 같은 마음을 느낄 수 있는 상황으로 가장 알맞은 것은 무엇입니까? (   )

> 행복한 마음

① 길을 가다가 넘어졌을 때
② 아는 문제를 아쉽게 틀렸을 때
③ 가족과 음식을 만들어 먹었을 때
④ 힘들게 쌓은 쌓기 나무가 무너졌을 때
⑤ 준비물을 깜빡 잊고 챙겨 오지 못했을 때

6 다음 그림에서 넘어진 친구에게 할 말로 알맞은 것은 무엇입니까? (   )

① 또 넘어졌니?
② 다친 데는 없니?
③ 잘 좀 했어야지.
④ 넌 잘하는 게 없니?
⑤ 다음에도 넘어질 거야?

6단원

[7~11] 다음 글을 읽고 물음에 답하시오.

㉮ "규리야, 얼른 일어나. 학교 가야지!"
엄마 목소리가 귀에 울려 퍼졌다.
"5분만요."
"지금 안 일어나면 지각이야."
엄마 손이 이불을 걷어 냈다.
㉠"아이참! 엄마, 알았다고요."
나는 눈을 비비며 부스스 자리에서 일어났다. 차가운 물로 세수를 하자, 졸음이 싹 달아났다. 아침밥을 먹는 둥 마는 둥 하고 서둘러 집을 나섰다.

㉯ "규리야, 왜 이렇게 늦었어? 걱정했잖아."
짝 민호는 핀잔 투로 말했다.
"그랬어? 늦잠 자는 바람에……."
곧 수업 시작을 알리는 종이 울렸다.
1교시는 사회 시간이었다. 우리 지역의 자랑거리를 조사해서 발표하는 시간이었다.
우리 모둠 발표자는 나였다. 앞 모둠 발표가 거의 끝나 가자 나는 가슴이 콩닥콩닥 뛰기 시작했다.
'어쩌지? 실수하면 안 되는데…….'
발표 내용이 갑자기 뒤죽박죽되는 느낌이었다.
우리 모둠 차례가 되었고 겨우겨우 발표를 끝내고 자리로 돌아왔다. ㉡얼른 이 시간이 지나가면 좋겠다고 생각했다.

7 다음 중 규리가 한 일이나 겪은 일은 무엇입니까?
( )
① 친구와 함께 학교에 갔다.
② 일찍 일어나 운동을 했다.
③ 더 자고 싶었는데 억지로 일어났다.
④ 늦게 일어나는 바람에 지각을 했다.
⑤ 우리 지역에 있는 문화재에 대해 발표하였다.

8 민호가 걱정한 까닭은 무엇입니까? ( )
① 규리가 늦게 와서
② 발표를 준비 못해서
③ 시험을 보는 날이어서
④ 규리가 아프다고 해서
⑤ 준비물을 가져오지 못해서

9 ㉠에서 느껴지는 규리의 마음은 무엇입니까? ( )
① 기뻐함 ② 슬퍼함 ③ 못마땅함
④ 지루해함 ⑤ 수줍어함

10 ㉯의 규리와 비슷한 경험을 말한 것은 무엇입니까?
( )
① 친구 때문에 지각을 하게 됐어.
② 열심히 공부해서 시험을 참 잘 쳤어.
③ 요리를 할 때 실수하지 않아서 다행이었어.
④ 학교에 동생이 찾아 와서 조금 부끄러웠어.
⑤ 읽은 책을 친구들에게 소개할 때 참 긴장했어.

11 규리가 ㉡과 같이 생각한 까닭은 무엇입니까? ( )
① 반 친구들이 놀릴까 봐
② 다음 시간이 기다려져서
③ 선생님이 꾸중을 하실까 봐
④ 화장실에 빨리 가고 싶어서
⑤ 발표를 잘하지 못했다고 생각해서

[12~16] 다음 글을 읽고 물음에 답하시오.

"힘껏 던져!"

친구들이 책가방을 향해 ㉠얌체공을 던졌어요. 박 터뜨리기 연습을 하고 있는 거예요. 운동회가 코앞으로 다가왔지만 기찬이는 멀찍이 앉아 물끄러미 친구들을 쳐다보았어요.

㉡'치, 하나도 재미없어!'

기찬이는 운동에 자신이 없었거든요. ㉢심술이 나 돌멩이를 발로 뻥 차 버렸어요. 그런데 기찬이가 찬 돌멩이가 그만 책가방을 맞혀 버렸어요.

"으악!"

공책과 연필이 친구들의 머리 위로 [   ] 쏟아 졌어요.

"나기찬, 방해하지 말고 집에나 가!"

머리에 혹이 난 친구들이 화가 나서 한마디씩 거들었어요. ㉮기찬이는 사과를 하려고 했지만 할 말이 생각나지 않았어요.

㉣"난 운동회가 정말 싫어!"

기찬이는 교문 밖으로 후다닥 달려 나갔어요.

12 친구들이 겪은 일은 무엇입니까? (   )

① 달리기 연습을 하였다.
② 얌체공에 머리를 맞았다.
③ 기찬이의 사과를 받았다.
④ 친구를 놀린다고 꾸중을 들었다.
⑤ 머리 위로 공책과 연필이 쏟아졌다.

13 ㉠~㉣ 중에서 기찬이의 마음을 알 수 없는 부분을 알맞게 고른 것은 무엇입니까? (   )

① ㉠   ② ㉡   ③ ㉢
④ ㉣   ⑤ ㉡, ㉣

14 다음 빈칸에 알맞은 말은 무엇입니까? (   )

기찬이는 [   ] 때문에 운동 회 연습을 하지 않았습니다.

① 운동에 자신 있었기
② 운동에 자신이 없었기
③ 운동을 너무 좋아하였기
④ 숙제할 시간이 부족했기
⑤ 학원에 다니느라 피곤했기

15 기찬이가 ㉮에서 할 말이 생각나지 않은 까닭은 무엇이겠습니까? (   )

① 운동회가 정말 싫어서
② 친구들에게 미안하지 않아서
③ 자기가 뭘 잘못했는지 몰라서
④ 친구들과 이야기를 해 본 적이 없어서
⑤ 친구들이 화를 내는 모습을 보고 당황해서

16 [   ] 안에 들어가기에 알맞은 말은 무엇입니까?
(   )

① 슬며시   ② 지긋이   ③ 우수수
④ 질렁질렁   ⑤ 모락모락

[17~20] 다음 장면을 보고 물음에 답하시오.

주은이의 행동에 화가 난 원호

○ 주은이가 딱지치기를 하다가 마음대로 되지 않자 "다시 해!", "집에 갈 거야."와 같은 예의 없는 말과 행동을 했습니다.

그래. 결심했어! 가서 원호에게 사과하자!

주은

○ 주은이는 자신의 예의 없는 말과 행동 때문에 화가 난 원호에게 사과를 하려고 했습니다.

미안해, 미안하다고. 됐냐?

○ 주은이의 표정이나 분위기, 말한 내용이나 행동이 사과하는 것처럼 느껴지지 않아서 원호는 사과를 받지 않았습니다.

○ 주은이는 친구들의 의견을 듣고 원호에게 미안한 마음을 전하는 편지를 썼습니다.

6 단원

진도 완료 체크

17 다음 빈칸에 들어갈 알맞은 내용은 무엇입니까?

( )

> 원호와 주은이가 딱지치기를 할 때 주은이가 [_____] 원호는 화가 났습니다.

① 이기기만 했기 때문에
② 원호를 계속 놀렸기 때문에
③ 원호를 계속 방해했기 때문에
④ 예의 없는 말과 행동을 했기 때문에
⑤ 이기자 그냥 가 버리려고 했기 때문에

18 원호에게 사과할 때 주은이가 고려해야 할 점이 <u>아닌</u> 것은 무엇입니까? ( )

① 상냥하게 말한다.
② 상황을 잘 설명한다.
③ 진심을 담아 사과한다.
④ 상대의 마음을 헤아려 본다.
⑤ 표정과 말투를 재미있게 한다.

19 사과하는 쪽지를 쓰려는 주은이에게 해 줄 충고로 알맞지 <u>않은</u> 것은 무엇입니까? ( )

① 정성껏 바른 글씨로 쓰면 좋겠어.
② 원호의 마음을 헤아려서 쓰면 좋겠어.
③ 주은이가 자신의 감정을 솔직하게 쓰면 좋겠어.
④ 다른 아이들이 잘못한 점도 자세히 쓰면 좋겠어.
⑤ 주은이가 앞으로 바라는 점이 무엇인지 쓰면 좋겠어.

20 ④의 주은이의 편지에 담길 내용으로 알맞지 <u>않은</u> 것은 무엇입니까? ( )

① 앞으로 친하게 지내자.
② 너도 잘못한 점이 있는지 곰곰이 생각해 봐.
③ 내가 사과할 때 툭툭 치면서 말해서 기분 나빴지?
④ 쑥스러운 마음이 들어서 화를 내는 말투로 말했나 봐. 미안해.
⑤ 교실에서 활동할 때 네게 예의 없이 행동하고 제대로 사과하지 못했어.

· 답안 입력하기   · 평가 분석표 받기

온라인 개념 강의

개념 강의

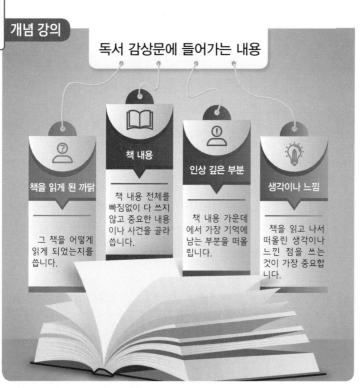

독서 감상문에 들어가는 내용

책을 읽게 된 까닭

그 책을 어떻게 읽게 되었는지를 씁니다.

책 내용

책 내용 전체를 빠짐없이 다 쓰지 않고 중요한 내용이나 사건을 골라 씁니다.

인상 깊은 부분

책 내용 가운데에서 가장 기억에 남는 부분을 떠올립니다.

생각이나 느낌

책을 읽고 나서 떠올린 생각이나 느낀 점을 쓰는 것이 가장 중요합니다.

✳ 강의를 들으며 중요한 내용을 메모하세요!

● 글을 읽고 친구에게 소개하면 좋은 점

● 여러 가지 방법으로 책 소개하기

● 독서 감상문

7 단원

개념 확인하기 정답에 ✔표를 하시오.

정답 35쪽

1 글을 읽고 친구에게 소개하면 좋은 점으로 알맞지 <u>않은</u> 것은 무엇입니까?

㉠ 새로운 사실을 알려 줄 수 있다. ☐

㉡ 친구가 읽은 책의 내용을 상상할 수 있다. ☐

2 '책 보여 주며 말하기'로 책을 소개하는 방법으로 알맞지 <u>않은</u> 것은 무엇입니까?

㉠ 책 표지는 보여주지 않는다. ☐

㉡ 책 내용 가운데에서 친구들에게 소개하고 싶은 부분을 말한다. ☐

3 어떤 책을 읽고 책 내용과 생각이나 느낌을 정리한 글을 무엇이라고 합니까?

㉠ 노랫말 ☐   ㉡ 독서 감상문 ☐

4 독서 감상문에 들어가는 내용으로 알맞지 <u>않은</u> 것은 무엇입니까?

㉠ 글쓴이의 나이 ☐

㉡ 인상 깊은 부분 ☐

㉢ 책을 읽게 된 까닭 ☐

7단원

연습 🦉 도움말을 참고하여 내 생각을 차근차근 써 보세요.

1 다음 글을 읽고 물음에 답하시오. [8점]

'앉아서 하는 피구'는 공 하나로 교실에서 쉽게 즐길 수 있는 놀이이다. 먼저 교실에 있는 책상을 모두 뒤로 밀어 가로로 긴 네모 모양으로 피구장을 만든다. 그다음에는 학급 친구 전체를 두 편으로 나누고 두 편 대표가 가위바위보를 해서 먼저 공격할 쪽을 정한다.

규칙은 피구와 같지만 앉은 자세로 하는 것이 특징이다. 공을 굴리는 사람이나 피하는 사람 모두 앉은 자세로 해야 한다. 앉은 자세에서 무릎을 한쪽이라도 펴서 일어나는 자세가 되면 누구든 피구장 밖으로 나가야 한다. 상대를 맞힐 때에는 공을 바닥에 굴려서 맞혀야 한다. 공을 튀기거나 던져서 맞히면 맞은 사람은 밖으로 나가지 않는다. 공을 피할 때에는 옆으로 이동해 피하거나, 무릎을 가슴에 붙여 앉은 자세로 뜀을 뛰어 피할 수 있다.

(1) 이 글에서 소개한 놀이는 무엇입니까? [2점]

( )

(2) 이 글에서 소개한 놀이의 규칙을 쓰시오. [6점]

🦉 놀이 방법을 설명한 부분에서 중요한 내용을 찾아 정리해요.

① _____

앉은 자세로 한다.

② 무릎을 한쪽이라도 펴서 일어나는 자세가 되면

_____

③ 상대를 맞힐 때에는 _____

_____

2 다음 글을 읽고 물음에 답하시오. [9점]

국기에는 그 나라의 자연이 담겨 있어.

캐나다에는 설탕단풍 나무가 많이 자라.

설탕단풍 나무는 캐나다처럼 추운 날씨에 잘 자라거든.

가을에 붉은색으로 단풍이 들면 얼마나 고운지 몰라.

캐나다 사람들은 설탕단풍 나무에서 나오는 즙으로 달콤한 메이플시럽을 만들어 먹기도 해.

그래서 캐나다 사람들은 국기에 빨간 단풍잎을 그려 넣었어.

(1) 어느 나라의 국기를 소개했습니까? [2점]

( )

(2) 설탕단풍 나무의 특징을 한 가지 쓰시오. [3점]

_____

_____

(3) 이 나라의 국기에 자연이 담겨 있다고 한 까닭을 쓰시오. [4점]

_____

_____

[1~4] 다음 글을 읽고 물음에 답하시오.

'앉아서 하는 피구'는 공 하나로 교실에서 쉽게 즐길 수 있는 놀이이다. 먼저 교실에 있는 책상을 모두 뒤로 밀어 가로로 긴 네모 모양으로 피구장을 만든다. 그다음에는 학급 친구 전체를 두 편으로 나누고 두 편 대표가 가위바위보를 해서 먼저 공격할 쪽을 정한다.

규칙은 피구와 같지만 앉은 자세로 하는 것이 특징이다. 공을 굴리는 사람이나 피하는 사람 모두 앉은 자세로 해야 한다. 앉은 자세에서 무릎을 한쪽이라도 펴서 일어나는 자세가 되면 누구든 피구장 밖으로 나가야 한다. 상대를 맞힐 때에는 공을 바닥에 굴려서 맞혀야 한다. 공을 튀기거나 던져서 맞히면 맞은 사람은 밖으로 나가지 않는다. 공을 피할 때에는 옆으로 이동해 피하거나, 무릎을 가슴에 붙여 앉은 자세로 뜀을 뛰어 피할 수 있다.

굴린 공이 아무도 맞히지 못하고 벽에 닿으면, 수비하던 친구가 공을 잡아 공격할 기회를 얻는다. 그러나 굴린 공이 벽에 닿기도 전에 잡으면 공에 맞은 것과 똑같이 밖으로 나가야 한다.

1 이 놀이는 어디에서 즐길 수 있다고 하였습니까?

( )

① 집안 ② 교실 ③ 운동장
④ 놀이터 ⑤ 수영장

2 이 놀이를 준비할 때 가장 먼저 하는 것은 무엇입니까? ( )

① 먼저 공격할 쪽을 정한다.
② 교실의 책상을 뒤로 민다.
③ 두 편 대표가 가위바위보를 한다.
④ 긴 네모 모양으로 피구장을 만든다.
⑤ 학급 친구 전체를 두 편으로 나눈다.

3 이 놀이가 정식 피구와 다른 특징은 무엇입니까?

( )

① 규칙이 없다.
② 앉은 자세로 한다.
③ 피구장이 필요 없다.
④ 여학생만 하는 놀이이다.
⑤ 참여하는 사람의 수가 제한이 없다.

4 다음 빈칸에 알맞은 말은 무엇입니까? ( )

공을 피할 때에는 □□□을/를 가슴에 붙여 앉은 자세로 뜀을 뛰어 피한다.

① 손 ② 발 ③ 무릎
④ 팔꿈치 ⑤ 허벅지

5 다음에서 글을 읽고 소개한 경험을 말하지 <u>않은</u> 사람은 누구입니까? ( )

① 효린: 안중근 열사를 소개한 영화를 보았어.
② 재호: 우주에 대한 책을 읽고 친구들에게 소개했어.
③ 새봄: 지구에 대한 책을 읽고 친구들 앞에서 발표했어.
④ 지우: 돌고래에 대한 책을 읽고 친구들에게 소개한 적이 있어.
⑤ 세호: 책을 보고 벌레를 먹는 식물이 있다는 것을 알게 되어 친구에게 말했어.

[6~10] 다음 글을 읽고 물음에 답하시오.

(가) 두근두근, 두근두근!

드디어 월드컵 개막식이 시작되었어.

각 나라를 대표하는 선수들이 운동장으로 줄지어 들어오고 있어.

커다란 국기를 펼쳐 들고서 말이야.

갖가지 무늬와 색깔의 국기들이 물결처럼 출렁거려.

그런데 왜 국기를 들고 입장하냐고?

국기는 그 나라를 나타내는 깃발이거든.

(나) 국기에는 그 나라의 [   ]이/가 담겨 있어.

멕시코 국기 이야기를 들어 볼래?

어느 날, 아즈텍족이 신의 계시를 받았어.

"독사를 물고 날아가는 독수리가 선인장 위에 앉으면 그곳에 도시를 세워라!"

계시대로 독수리가 내려앉은 곳에 도시를 세웠더니 점점 강해져 아즈텍 제국으로 발전했고, 오늘날의 멕시코가 되었대.

그래서 나라를 세운 이야기를 국기에 그려 넣은 거야.

6 선수들이 국기를 들고 입장한 까닭은 무엇입니까?
(   )

① 줄을 맞추어 걷기 위해
② 자기 나라를 나타내기 위해
③ 다른 나라의 국기와 바꾸기 위해
④ 개막식의 화려함을 보여 주기 위해
⑤ 자기 나라의 자신감을 보여 주기 위해

7 아즈텍족은 어떤 곳에 도시를 세웠습니까? (   )
① 독사가 사는 곳
② 선인장이 많은 곳
③ 신을 만날 수 있는 곳
④ 독사와 독수리가 싸우는 곳
⑤ 독사를 물고 가는 독수리가 앉은 곳

8 멕시코 국기에 담긴 내용은 무엇입니까? (   )
① 아즈텍족이 침략을 당한 이야기
② 아즈텍족이 나라를 세운 이야기
③ 아즈텍족이 독수리를 잡은 이야기
④ 아즈텍족이 선인장을 키운 이야기
⑤ 아즈텍족이 다른 나라와 싸운 이야기

9 글쓴이가 (나)를 통해 말하고자 하는 것은 무엇입니까?
(   )

① 모든 나라는 국기가 있다.
② 모든 국기는 신과 관계되어 있다.
③ 그 나라의 전설이 담긴 국기도 있다.
④ 그 나라의 자연을 담은 국기도 있다.
⑤ 멕시코 국기는 가장 아름다운 국기이다.

10 글 (나)의 [   ] 안에 들어갈 말로 알맞은 것은 무엇입니까? (   )
① 땅   ② 도시   ③ 전설
④ 날씨   ⑤ 분위기

[11~15] 다음 글을 읽고 물음에 답하시오.

(가) 국기에는 그 나라의 땅이 담겨 있어.

미국 국기에는 줄과 별이 참 많지?

도대체 몇 개인지 한번 세어 볼까?

줄이 열세 개, 별이 오십 개야.

미국이 처음 나라를 세울 때에는 주가 열세 개였대.

열세 개의 줄은 그걸 기념하는 거야.

미국 땅이 점점 커져 주가 생길 때마다 국기의 별이 하나씩 늘어났는데 지금은 주가 오십 개라서 별도 오십 개가 된 거야.

㉠ 땅과 함께 국기도 변한 거지.

(나) 우리나라 국기인 태극기도 궁금하지?

일본에 나라를 빼앗긴 시대에는 태극기를 마음대로 사용하지 못했어.

일본이 태극기 사용을 금지했거든.

하지만 우리는 독립하려고 열심히 싸울 때마다 태극기를 힘차게 휘날렸어.

마침내 1945년에 나라를 되찾았고, 그동안 무늬가 조금씩 달랐던 태극기는 1949년에 지금의 태극기 모습으로 정해졌어.

우리나라 사람들의 평화를 사랑하는 마음은 태극기의 흰색에 담겨 있어.

태극 문양은 조화로운 우주를 뜻하고, 네 모서리의 사괘는 하늘, 땅, 물, 불을 나타낸 거야.

11 미국 국기에 대한 설명으로 알맞지 <u>않은</u> 것은 무엇입니까? (   )

① 지금 국기의 별은 오십 개다.

② 국기의 모습이 변화되어 왔다.

③ 처음의 국기는 줄이 열세 개였다.

④ 지금 국기는 줄과 별이 각각 오십 개다.

⑤ 처음의 국기는 지금의 국기와는 달랐다.

12 미국 국기에 있는 줄이 의미하는 것은 무엇입니까?

(   )

① 미국 대통령의 수

② 지금 미국에 있는 주

③ 미국에 있는 유명한 도시의 수

④ 처음 나라를 세울 때의 주의 수

⑤ 처음 나라를 세울 때의 대학의 수

13 ㉠이 의미하는 것은 무엇입니까? (   )

① 국기의 크기가 커졌다.

② 국기의 색깔이 달라졌다.

③ 국기를 땅과 같은 색으로 바꾸었다.

④ 땅이 커져 국기의 모양이 바뀌었다.

⑤ 땅 모양과 비슷하게 국기를 만들었다.

14 태극기에 대한 설명 중 알맞지 <u>않은</u> 것은 무엇입니까? (   )

① 태극 문양은 조화로운 우주를 뜻한다.

② 흰색은 평화를 사랑하는 마음을 뜻한다.

③ 사괘는 하늘, 땅, 물, 불을 각각 뜻한다.

④ 1949년에 지금의 태극기 모습으로 정해졌다.

⑤ 처음의 태극기와 지금의 태극기는 무늬가 같다.

15 은혜는 이 책을 어떤 방법으로 소개하려고 합니까?

(   )

은혜: 책을 들고 태극기가 나오는 부분을 펼쳐서 보여 주면서 인상 깊게 읽은 까닭을 소개할 거야.

① 책 보여 주며 말하기

② 노랫말을 바꾸어 소개하기

③ 책갈피를 만들어 소개하기

④ 책 보물 상자를 만들어 소개하기

⑤ 새롭게 안 내용을 그림으로 만들어 보여 주며 소개하기

[16~19] 다음 글을 읽고 물음에 답하시오.

(가) 오늘은 학교에서 『바위나리와 아기별』이라는 책을 읽었다. ㉠앞표지에 있는 바위나리와 아기별 그림이 무척 예뻐서 내용이 궁금했기 때문이다.

(나) ㉡바위나리는 바닷가에 핀 아름다운 꽃이었다. 하지만 친구가 없어 늘 외로웠다. 어느 날 밤, 아기별이 하늘에서 내려와 둘은 친구가 되었고, 바위나리와 아기별은 밤마다 만나 즐겁게 놀았다.

(다) 그러던 어느 날, ㉢병이 든 바위나리를 간호하던 아기별은 너무 늦게 하늘 나라로 올라가 그 벌로 다시는 바닷가에 내려오지 못했다. 아기별을 기다리던 바위나리는 점점 시들다가 그만 모진 바람에 바다로 날려 갔다. 아기별은 밤마다 울다가 빛을 잃어 바다로 떨어졌다. ㉣바위나리가 날려 간 바로 그 바다였다.

(라) ㉤나는 이 책에서 바위나리를 그리워하며 울다가 빛을 잃은 아기별이 하늘 나라에서 쫓겨나 바다로 떨어진 장면이 가장 기억에 남는다. 왜냐하면 살아 있을 때에는 만나지 못하다가 죽은 뒤에야 같이 있을 수 있게 된 것이 너무 슬펐기 때문이다.

(마) 이 책을 읽고 주위에 바위나리처럼 외로운 친구가 있는지 생각해 보았다. 그리고 그 친구에게 아기별과 같은 친구가 되어야겠다는 생각이 들었다.

16 이 글에 대한 설명으로 알맞지 <u>않은</u> 것은 무엇입니까? (   )

① 책 내용을 소개했다.
② 책을 읽게 된 까닭을 소개했다.
③ 『바위나리와 아기별』을 읽고 썼다.
④ 책을 읽고 난 느낌에 대해 소개했다.
⑤ 책을 읽는 방법에 대해 설명하는 글이다.

17 ㉠~㉤ 중에서 책을 어떻게 읽게 되었는지를 알 수 있는 부분은 어디입니까? (   )

① ㉠   ② ㉡   ③ ㉢
④ ㉣   ⑤ ㉤

18 책을 읽고 난 뒤의 다짐이 나타나 있는 곳은 어디입니까? (   )

① (가)   ② (나)   ③ (다)
④ (라)   ⑤ (마)

19 다음과 같은 뜻을 가진 낱말은 어느 것입니까?

(   )

> 기세가 몹시 매섭고 사납다.

① 외롭다   ② 시들다   ③ 모질다
④ 예쁘다   ⑤ 떨어지다

20 독서 감상문을 쓸 때 주의할 점으로 알맞은 것은 무엇입니까? (   )

① 책의 앞부분만 읽고 쓴다.
② 책의 제목을 상상해서 쓴다.
③ 책의 줄거리는 절대 쓰지 않는다.
④ 책 내용 전체를 빠짐없이 다 쓴다.
⑤ 책에서 중요한 내용이나 사건을 골라 쓴다.

7 단원

진도 완료 체크

· 답안 입력하기   · 평가 분석표 받기

온라인 개념 강의

개념 강의

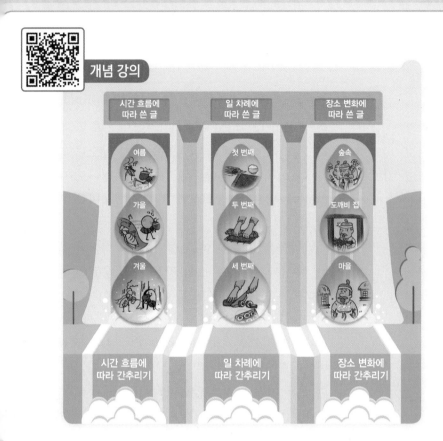

시간 흐름에 따라 쓴 글	일 차례에 따라 쓴 글	장소 변화에 따라 쓴 글
여름	첫 번째	숲속
가을	두 번째	도깨비 집
겨울	세 번째	마을
시간 흐름에 따라 간추리기	일 차례에 따라 간추리기	장소 변화에 따라 간추리기

✳ 강의를 들으며 중요한 내용을 메모하세요!

● 시간 흐름에 따라 내용을 파악하면 좋은 점

● 글의 흐름에 따른 글 읽기 방법

● 글의 흐름에 따라 내용을 간추리는 방법

8 단원

개념 확인하기 정답에 ✔표를 하시오.

정답 37쪽

1 시간 흐름에 따라 내용을 파악하면 좋은 점으로 알맞지 <u>않은</u> 것은 무엇입니까?

ㄱ 내용이 한눈에 들어온다. ☐

ㄴ 사건의 원인과 결과가 잘 파악된다. ☐

ㄷ 사건이 일어난 차례를 파악하기 어렵다. ☐

2 시간의 흐름에 따라 쓴 글은 어떻게 읽어야 합니까?

ㄱ 시간의 흐름을 파악하며 읽는다. ☐

ㄴ 장소의 바뀜에 주의하며 읽는다. ☐

ㄷ 일하는 차례를 상상하며 읽는다. ☐

3 장소를 나타내는 말이 <u>아닌</u> 것은 무엇입니까?

ㄱ 학교 ☐   ㄴ 먼저 ☐   ㄷ 도서관 ☐

4 다음 글은 무엇을 중심으로 간추리는 것이 좋습니까?

• 동물원 입구를 지나 가장 먼저 간 곳은 '곤충관'이었다.
• 곤충관 바로 옆은 '야행관'이었는데 주로 밤에 활동하는 동물들이 있는 곳이었다.
• 야행관 다음으로 간 곳은 '열대 조류관'이었다.

ㄱ 일 차례 ☐   ㄴ 이동한 장소 ☐

연습 🦉 도움말을 참고하여 내 생각을 차근차근 써 보세요.

1 일하는 차례를 생각하며 실 팔찌 만드는 방법을 읽고 물음에 답하시오. [6점]

> 첫 번째, 서로 다른 색깔 실 세 가닥을 함께 잡고 매듭을 짓습니다. 실의 3~4센티미터를 남겨 두고 실 세 가닥을 한꺼번에 잡아 작은 원을 만듭니다. 그 뒤 짧은 쪽 실 세 가닥을 아까 만든 원 쪽으로 집어넣고 당기면 쉽게 매듭을 만들 수 있습니다.
> ㉠두 번째, 셀로판테이프로 매듭 위쪽을 책상에 붙입니다. 셀로판테이프는 실 팔찌를 만드는 동안 실이 움직이거나 꼬이지 않게 고정하는 역할을 합니다.

(1) 이 글은 어떤 특징이 있는 글입니까? [2점]

> 🦉 글에서 다루고 있는 내용이 무엇인지 살펴보며 글의 특징을 생각해 보세요.
> **꼭 들어가야 할 말** 일 / 방법(차례)

( )

(2) ㉠에서 차례를 나타내는 말과 그 차례와 관련되는 중요한 내용을 찾아 쓰시오. [4점]

> 🦉 차례를 나타내는 말을 찾고, ㉠ 부분에서 중요한 내용이 무엇인지 생각해 보세요.

① 차례를 나타내는 말

( )

② 차례와 관련되는 중요한 내용

2 감기약을 먹을 때 주의할 점을 생각하며 다음 글을 읽고 물음에 답하시오. [6점]

> ㈎ 감기약은 끝까지 먹는 게 좋습니다. 감기약을 먹다가 몸이 나았다고 생각해 그만 먹으면 안 됩니다. 중간에 마음대로 감기약을 먹지 않으면 감기가 더 심해지거나 나중에 감기약을 먹어도 낫지 않을 수 있으므로, 의사가 처방한 날짜만큼 먹어야 합니다.
> 감기약을 먹을 때에는 물과 함께 먹어야 합니다. 우유나 녹차, 주스와 같은 다른 음료와 함께 먹어서는 안 됩니다. 또 물 이외에 밥이나 빵을 같이 먹어서도 안 됩니다.
> 감기약을 먹는 시간을 놓쳤다고 다음에 두 배로 먹어서도 안 됩니다. 두 배로 먹는다고 감기약 효과가 두 배가 되지는 않습니다. 오히려 몸에 부담만 될 뿐입니다. 감기약은 정해진 양만큼만 먹어야 합니다.
> ㈏ 감기약을 안전하고 효과적으로 먹는 것도 중요하지만, 감기에 걸리지 않게 예방하는 것도 중요합니다. 평소에 손을 깨끗이 씻고, 따뜻한 물을 많이 마시고, 몸을 따뜻하게 합시다.

(1) 글 ㈎는 무엇에 대해서 설명한 글입니까? [2점]

_____

_____

(2) 감기에 걸리지 않게 예방하는 방법을 찾아 쓰시오. [4점]

> • 손을 깨끗이 씻는다.
> • _____
> • _____

[1~5] 다음 글을 읽고 물음에 답하시오.

(가) 할아버지는 베짱이에게 고맙다는 인사를 하고 마루 밑으로 들어갔습니다. 쥐들은 ㉠자기 크기만 한 작은 사람이 찾아오자 깜짝 놀랐습니다.

"이 집에 사는 영감님이잖아! 이렇게 작아져서는 웬일이지?"

"인간도 우리만 해지니 무섭지 않군. 한입에 ☐ 삼켜 버릴까?"

쥐들은 날카로운 이빨을 번뜩였습니다.

할아버지는 침착하게 쥐들에게 베를 내밀어 보였습니다. 쥐들은 아까보다 더 놀라워했습니다.

"오호, 베짱이가 짠 베잖아! 이 베를 우리가 가진 보물이랑 바꾸지 않겠어? 반쯤 갉아먹은 비누는 어떠냐? 맛이 기가 막히지!"

"난 비누는 먹지 않아."

"그럼 이건 어떠냐? 썩은 사과다. 향긋한 썩은 내에 군침이 절로 돈다고!"

"아니, 너희가 갖고 있는 '커졌다 작아졌다' 마법 열매를 주면 바꾸지."

할아버지 말에 쥐들은 잠깐 자기네끼리 속닥이더니 말했습니다.

"좋아, 바꾸자."

할아버지가 베를 내주자, 쥐들은 할아버지에게 마법 열매를 주었습니다.

마루 밑에서 나온 할아버지는 열매를 입에 넣고 ☐ 삼켰습니다. 순간 할아버지 몸이 풍선처럼 부풀어 오르는 듯한 기분이 드는가 싶더니 본래 크기로 돌아왔습니다.

(나) 다음 날 밤, 이야기 할아버지 방으로 동네 아이들이 모여들었습니다. 할아버지가 새로 지은 시 「베짱이」를 들려주신다고 했거든요.

1 ㉠이 가리키는 것은 무엇입니까? ( )

① 쥐　　　② 베　　　③ 마루
④ 베짱이　　　⑤ 할아버지

2 이야기 할아버지가 쥐들을 찾아간 까닭은 무엇입니까? ( )

① 쥐들을 혼내려고
② 비누를 선물하려고
③ 쥐들에게 이야기를 들려주려고
④ 베짱이와 쥐를 만나게 해 주려고
⑤ 쥐들이 가진 마법 열매와 베를 바꾸려고

3 ☐ 안에 공통으로 들어가기에 알맞은 흉내 내는 말은 무엇입니까? ( )

① 징징　　　② 꿀꺽　　　③ 벌떡
④ 엉금엉금　　　⑤ 야금야금

4 빈칸에 알맞은 말은 무엇입니까? ( )

이야기 할아버지는 쥐들에게 베를 주고 바꾼 ☐ 를 먹어서 몸이 본래 크기로 돌아왔다.

① 베　　　② 비누　　　③ 사과
④ 썩은 사과　　　⑤ 마법 열매

5 다음은 (나)를 간추린 내용입니다. 빈칸에 알맞은 말은 무엇입니까? ( )

다음 날 밤, 이야기 할아버지는 동네 아이들에게 새로 지은 시 ☐ 를 들려주었어요.

①「베」　　　②「마법」　　　③「보물」
④「열매」　　　⑤「베짱이」

8

단원

[6~10] 다음 글을 읽고 물음에 답하시오.

(가) 여러 가지 색깔 실을 엮어 만든 팔찌를 실 팔찌라고 합니다. 실 팔찌는 팔목에 걸다가 자연스럽게 닳아서 끊어지면 소원이 이루어진다는 이야기가 있어서 소원 팔찌라고도 합니다. 중국에서는 단오절에 실 팔찌를 손목에 걸면 나쁜 기운을 막는다고 하고, 브라질에서는 축구 경기 전에 승리를 기원하며 손목에 실 팔찌를 건다고 합니다.

(나) ㉠첫 번째, 서로 다른 색깔 실 세 가닥을 함께 잡고 매듭을 짓습니다. 실의 3~4센티미터를 남겨 두고 실 세 가닥을 한꺼번에 잡아 작은 원을 만듭니다. 그 뒤 짧은 쪽 실 세 가닥을 아까 만든 원 쪽으로 집어넣고 당기면 쉽게 매듭을 만들 수 있습니다.

(다) ㉡두 번째, 셀로판테이프로 매듭 위쪽을 책상에 붙입니다. 셀로판테이프는 실 팔찌를 만드는 동안 실이 움직이거나 꼬이지 않게 고정하는 역할을 합니다.

(라) ㉢세 번째, 실 세 가닥을 잡고 세 가닥 땋기를 합니다. ㉣이때 자신이 원하는 길이보다 길게 땋아야 합니다. 손목 둘레의 두세 배 정도 길이로 땋는 것이 좋습니다.

(마) ㉤네 번째, 땋은 실 끝 쪽에 매듭을 짓습니다. 매듭은 첫 번째 매듭을 만들 때 사용한 방법으로 지으며, 자신이 땋은 부분이 끝나는 곳보다 좀 더 앞쪽에 짓습니다. 매듭을 짓고 보면 줄이 짧아진 게 느껴질 겁니다.

6 실 팔찌를 다르게 부르는 이름은 무엇입니까?
( )

① 금팔찌
② 은팔찌
③ 소원 팔찌
④ 사랑 팔찌
⑤ 구슬 팔찌

7 다음 빈칸에 알맞은 말은 무엇입니까? ( )

> 브라질에서는 축구 경기 전에 [ ]을/를 기원하며 손목에 실 팔찌를 건다.

① 승리   ② 기운   ③ 원인
④ 소원   ⑤ 매듭

8 셀로판테이프의 역할로 알맞은 것은 무엇입니까?
( )

① 실을 늘이는 역할
② 매듭을 짓는 역할
③ 손을 고정하는 역할
④ 실을 고정하는 역할
⑤ 손을 보호하는 역할

9 이 글의 내용으로 알맞은 것은 무엇입니까?
( )

① 중국에서는 실 팔찌를 하지 않는다.
② 서로 같은 색깔의 실로 매듭을 짓는다.
③ 실의 길이는 손목 둘레에 맞게 자른다.
④ 셀로판테이프로 매듭 아래쪽을 책상에 붙인다.
⑤ 세 가닥 땋기를 할 때에는 자신이 원하는 길이보다 길게 땋아야 한다.

10 ㉠~㉤ 중 차례를 나타내는 말이 아닌 것은 무엇입니까? ( )

① ㉠   ② ㉡   ③ ㉢
④ ㉣   ⑤ ㉤

[11~15] 다음 글을 읽고 물음에 답하시오.

(가) 토요일 아침 일찍 출발해서, 맨 처음 도착한 고창 관광지는 고인돌 박물관이었다. 고인돌 박물관에서는 영화와 유물들을 보면서 고인돌의 역사를 알 수 있었다. 박물관 일 층에서는 고인돌 영화를 봤고 이 층에서는 고인돌과 관련된 여러 유물을 봤다. 박물관을 다 둘러보고 나니 고인돌에 대한 박사가 된 것 같은 기분이었다.

(나) 다음으로 간 곳은 동림 저수지 야생 동식물 보호 구역이었다. 동림 저수지는 겨울 철새가 많이 찾는 곳으로 우리 가족도 혹시 철새 떼의 춤을 볼 수 있을까 하는 기대로 방문해 보았다. 그곳에서 여러 가지 설명을 읽어 보았는데, 고창군 전 지역은 2013년부터 유네스코 생물권 보존 지역으로 지정되어 환경을 해치는 행위를 해서는 안 된다는 안내도 있었다. 아주 많은 수의 철새는 아니었지만 ㉠간간이 물 위로 날아오르는 가창오리들을 구경할 수 있었다.

(다) 마지막으로 고창의 유명한 절인 선운사를 방문했다. 선운사는 삼국 시대 때부터 지어진 오래된 절이다. 오래된 절답게 웅장한 건물과 많은 관광객이 있었다. 선운사에서 가장 인상 깊었던 것은 선운사 뒤편의 동백나무 숲이었다.

11 고인돌 박물관을 방문하여 알게 된 것은 무엇입니까?
( )

① 고인돌의 뜻
② 고인돌의 크기
③ 고인돌의 역사
④ 고인돌의 생김새
⑤ 고인돌이 있는 곳

12 동림 저수지를 방문한 까닭은 무엇입니까? ( )

① 낚시를 하기 위해
② 해가 지는 것을 보기 위해
③ 배를 타고 저수지를 둘러보기 위해
④ 저수지에 사는 동식물을 조사하려고
⑤ 철새 떼의 춤을 볼 수 있을까 하는 기대로

13 ㉠과 바꾸어 쓰기에 알맞은 것은 무엇입니까?
( )

① 계속   ② 자주   ③ 훨씬
④ 매우   ⑤ 이따금

14 글쓴이가 마지막으로 방문한 곳은 어디입니까?
( )

① 바다   ② 선운사   ③ 천문대
④ 동림 저수지 ⑤ 고인돌 박물관

15 다음은 이 글을 정리하여 간추리는 방법입니다. 빈칸에 알맞은 말은 무엇입니까? ( )

| 이 글은 □□□ 변화와 각 □□□에서 한 일에 주의하며 글을 간추린다. |

① 장소   ② 차례   ③ 시간
④ 태도   ⑤ 가치관

[16~20] 다음 글을 읽고 물음에 답하시오.

(가) 우리 모둠은 가장 먼저 ㉠소품 설계관으로 출발했다. 소품 설계관은 작은 소품을 설계하고 직접 만들 수 있는 곳이다. 체험학습 계획을 세울 때 민기가 "집안 어른들께 선물로 드릴 만한 물건을 만들면 좋겠어."라고 의견을 냈기 때문에 소품 설계관을 첫 번째 체험활동 장소로 정했다.

(나) 디자이너 체험을 끝내자 거의 ㉡열한 시가 되었다. 우리는 제빵사 체험을 하려고 제빵 학원으로 갔다. 제빵 학원 앞에는 크게 '크림빵'이라고 적혀 있었다. 체험관 안으로 들어가자 체험관 선생님께서 밀가루를 나누어 주셨다. 체험관 선생님께서 알려 주시는 차례를 그대로 따라 해서 크림빵을 완성했다.

(다) 제빵사 체험을 마치고 나오니 거의 열두 시가 되었다. 우리 모둠은 ㉢중앙 광장에서 아까 만든 크림빵과 각자 싸 온 점심을 먹으며 다른 모둠 친구들과 체험활동 이야기를 나누었다. 효지는 ㉣공항에서 한 비행기 조종사 체험이 가장 재미있었다고 했고, 준우는 문화재 발굴 현장에서 문화재를 찾는 체험이 가장 재미있었다고 했다.

(라) 점심시간이 끝난 오후 한 시, ㉤소방서에서 병주가 가장 기대하던 소방관 체험으로 활동을 시작했다. 소방관 복장을 하고, 소방차를 타고 출동하고, 불이 난 곳에 물도 뿌렸다. 원래 소방관에는 관심이 없었는데, 체험해 보니 내 적성에도 잘 맞고 보람도 있어서 미래에 소방관이 되어도 좋겠다고 생각했다.

16 이 글은 무엇을 하고 나서 쓴 글입니까? ( )
① 토론
② 운동회
③ 봉사활동
④ 직업 체험
⑤ 우리 지역 탐방

8 단원
진도 완료 체크

17 우리 모둠이 방문한 장소가 <u>아닌</u> 곳은 어디입니까? ( )
① 소방서
② 제빵 학원
③ 중앙 광장
④ 소품 설계관
⑤ 문화재 발굴 현장

18 소품 설계관을 첫 번째 체험활동 장소로 정한 것은 누구의 의견에 따른 것입니까? ( )
① 효지　　② 병주　　③ 준우
④ 민기　　⑤ 나(글쓴이)

19 ㉠~㉤ 중 시간을 나타내는 말은 무엇입니까? ( )
① ㉠　　② ㉡　　③ ㉢
④ ㉣　　⑤ ㉤

20 다음은 장소와 시간의 흐름에 맞게 내용을 정리한 것입니다. 빈칸에 알맞은 말은 무엇입니까? ( )

시간	장소	한 일
열 시	소품 설계관	디자이너 체험
열한 시	제빵 학원	제빵사 체험
오후 한 시		소방관 체험

① 공항
② 학원
③ 소방서
④ 중앙 광장
⑤ 문화재 발굴 현장

· 답안 입력하기　· 평가 분석표 받기

✳ 강의를 들으며 중요한 내용을 메모하세요!

● 이야기 속 인물과 성격

● 이야기 속 인물의 성격을 짐작하는 방법

● 「토끼의 재판」에 나타난 인물의 성격이나 마음

개념 확인하기   정답에 ✔표를 하시오.

정답 39쪽

1 이야기에 등장하여 일정한 상황에서 일정한 역할을 하는 사람, 동물, 사물 등을 통틀어 무엇이라고 합니까?

ㄱ 인물 ☐   ㄴ 성격 ☐

2 다음 상황에서 호랑이 역할을 맡은 사람은 어떻게 말해야 합니까?

> 호랑이: (답답하다는 듯이 화를 내며) 왜 이렇게 말 귀를 못 알아듣지?

ㄱ 재미있는 표정으로 박수를 치며 ☐

ㄴ 답답해서 가슴을 치며 큰 소리로 ☐

ㄷ 얼굴에 미소를 띠며 부드러운 목소리로 ☐

3 이야기 속 인물의 성격을 알아보기 위해 살펴보아야 할 것으로 알맞지 <u>않은</u> 것은 무엇입니까?

ㄱ 인물의 말 ☐

ㄴ 인물의 행동 ☐

ㄷ 나오는 인물의 수 ☐

4 알맞은 표정, 몸짓, 말투로 실감 나게 소리 내어 읽는 방법으로 알맞지 <u>않은</u> 것은 무엇입니까?

ㄱ 극본을 보지 않고 아무렇게나 읽는다. ☐

ㄴ 자신이 그 인물이라면 어떤 표정, 몸짓, 말투를 사용할지 생각해 본다. ☐

연습 도움말을 참고하여 내 생각을 차근차근 써 보세요.

1 인물의 성격을 생각하며 다음 글을 읽고 물음에 답하시오. [6점]

> "안녕, 투루."
> 투루는 질경질경 풀을 씹기만 할 뿐 아무 말도 하지 않았어요.
> "안녕이라고 말했잖아. 투루!"
> 투루는 꼬리를 한 번 실룩 움직일 뿐 여전히 아무 말도 하지 않았어요.
> "안녕이라고 말했잖아. 투루!"
> 무툴라는 이번에는 아주 크게 소리쳤어요.
> "그래서 어쩌라고? 이 꼬맹이야! 감히 아침 식사하는 나를 귀찮게 해?"

(1) 투루는 무툴라가 아침 인사를 하자 어떻게 행동했는지 쓰시오. [3점]

> 투루가 어떤 말을 하고 어떤 행동을 했는지 살펴보고 그 내용을 잘 정리해서 써 보세요.

_____

_____

(2) 투루의 성격은 어떠한지 쓰시오. [3점]

> 투루가 한 말과 행동을 찾아보고 그것을 통해서 투루가 어떤 인물인지 생각해 보세요.

_____

_____

2 인물의 성격과 상황에 따라 어떤 표정, 몸짓, 말투가 어울릴지 생각하며 글을 읽고 물음에 답하시오. [8점]

> 산토끼 무툴라는 눈을 반쯤 감고 물속에 잠겨 있는 하마 쿠부를 찾아냈어요.
> "안녕, 쿠부."
> 쿠부는 무툴라를 쳐다보았지만 아무 말도 하지 않았어요.
> "내가 안녕이라고 말했잖아, 쿠부."
> 쿠부는 눈을 감더니 아무 말 없이 물속으로 사라져 버렸어요. 쿠부의 머리가 다시 물 밖으로 나오자 무툴라는 아주 크게 소리쳤어요.
> "쿠부, 내가 안녕이라고 말했잖아!"
> ㉠"그래서 어쩌라고, 이 꼬맹이야! 감히 내 아침잠을 방해하다니!"
> ㉡"쿠부, 그렇게 거만하게 굴 것까진 없잖아! 너는 몸집이 가장 크다고 네가 가장 힘이 센 줄 알지? 난 줄다리기를 하면 널 언제든 이길 수 있어!"
> "네가? 너 같은 꼬맹이가? 푸우하하하!"
> "내일 아침, 내가 밧줄을 가져올게. 그럼 내가 얼마나 힘이 센지 알게 될 거야!"
> 무툴라가 자신만만하게 말했어요.

(1) ㉠에서 쿠부의 표정과 말투는 어떠할지 쓰시오. [2점]

_____

_____

(2) ㉡에서 알 수 있는 무툴라의 성격을 쓰고, ㉡과 어울리는 표정이나 몸짓, 말투를 쓰시오. [6점]

① 무툴라의 성격	
② 표정이나 몸짓, 말투	

9
단원

[1~5] 다음 글을 읽고 물음에 답하시오.

(가) "안녕, 투루."

투루는 ☐☐☐☐ 풀을 씹기만 할 뿐 아무 말도 하지 않았어요.

"안녕이라고 말했잖아. 투루!"

투루는 꼬리를 한 번 실룩 움직일 뿐 여전히 아무 말도 하지 않았어요.

"안녕이라고 말했잖아. 투루!"

무툴라는 이번에는 아주 크게 소리쳤어요.

"그래서 어쩌라고? 이 꼬맹이야! 감히 아침 식사하는 나를 귀찮게 해?"

"투루, 그렇게 거만하게 굴 것까진 없잖아! 너는 몸집이 가장 크다고 네가 가장 힘이 센 줄 알지? 난 줄다리기를 하면 널 언제든 이길 수 있어!"

㉠"네가? 너 같은 꼬맹이가? 흥, 푸우하하하!"

"내일 아침, 내가 밧줄을 가져올게. 그럼 내가 얼마나 힘이 센지 알게 될 거야!"

(나) "안녕, 쿠부."

쿠부는 무툴라를 쳐다보았지만 아무 말도 하지 않았어요.

"내가 안녕이라고 말했잖아, 쿠부."

쿠부는 눈을 감더니 아무 말 없이 물속으로 사라져 버렸어요. 쿠부의 머리가 다시 물 밖으로 나오자 무툴라는 아주 크게 소리쳤어요.

"쿠부, 내가 안녕이라고 말했잖아!"

"그래서 어쩌라고, 이 꼬맹이야! 감히 내 아침잠을 방해하다니!"

"쿠부, 그렇게 거만하게 굴 것까진 없잖아! 너는 몸집이 가장 크다고 네가 가장 힘이 센 줄 알지? 난 줄다리기를 하면 널 언제든 이길 수 있어!"

1 ☐☐☐☐에 들어가기에 알맞은 말은 무엇입니까?

( )

① 방긋방긋   ② 울렁울렁   ③ 새록새록
④ 번쩍번쩍   ⑤ 질겅질겅

2 이 글의 내용과 <u>다른</u> 것은 무엇입니까?

( )

① 쿠부는 아침잠을 자고 있었다.
② 투루는 아침 식사를 하고 있었다.
③ 투루와 쿠부는 무툴라를 귀찮아하였다.
④ 무툴라는 투루와 쿠부에게 먼저 인사를 했다.
⑤ 투루와 쿠부는 무툴라의 인사를 받아 주었다.

3 무툴라는 무엇을 하면 투루와 쿠부를 언제든지 이길 수 있다고 하였습니까? ( )

① 팔씨름   ② 제기차기   ③ 줄다리기
④ 오래달리기   ⑤ 멀리 던지기

4 이 글에서 알 수 있는 투루와 쿠부의 성격으로 알맞은 것은 무엇입니까? ( )

① 친절하다.
② 명랑하다.
③ 수줍음이 많다.
④ 상대를 무시한다.
⑤ 외로움을 잘 탄다.

5 ㉠에 어울리는 표정이나 몸짓, 말투는 무엇입니까?

( )

① 다정한 말투로 말한다.
② 놀라며 엄지를 치켜든다.
③ 가소롭다는 듯이 비웃는다.
④ 작고 부드러운 목소리로 말한다.
⑤ 두려운 듯이 숨을 죽이며 쳐다본다.

[6~10] 다음 글을 읽고 물음에 답하시오.

(개) 무툴라는 가까이 가서 밧줄의 한쪽 끝을 투루에게 내밀었어요.

"이걸 잡아. 난 다른 쪽 끝을 잡고 저 너머로 달려갈게."

무툴라는 빽빽한 덤불숲을 가리켰어요.

(내) 무툴라는 가까이 다가가서 밧줄의 한쪽 끝을 하마 쿠부에게 내밀었어요.

"이걸 잡아. 저 덤불숲이 보이지? 밧줄의 한쪽 끝을 저 뒤에다 두었어. 난 달려가서 그걸 잡을 거야. 내가 당길 준비가 되면 휘파람을 불게. 이렇게. 휘이이이익!"

(대) 무툴라는 꼭꼭 숨자마자 숨을 깊이깊이 들이마신 다음 있는 힘껏 휘파람을 불었어요. "휘이이이익!" 그러자 양쪽 끝에서 투루와 쿠부가 밧줄을 잡아당기기 시작하는 소리가 들렸어요. 둘은 밧줄을 당기고 당기고 또 당겼어요. 먼저 코끼리 투루가 영차영차 끙끙 밧줄을 잡아당기자 하마 쿠부는 몸을 부르르 떨며 버텼어요. 그다음엔 하마 쿠부가 영차영차 끙끙 밧줄을 잡아당기자 코끼리 투루가 몸을 부르르 떨며 버텼어요. 무툴라는 너무 재미있어서 깔깔 웃느라 배가 다 아팠어요.

(래) ㉠줄다리기는 해가 뜰 때 시작되어 해가 질 때까지 계속되었어요. 투루와 쿠부는 둘 다 지고 싶지 않아서 줄다리기를 그만두지 않았어요. 하지만 해님이 달님에게 길을 양보하려는 순간, 코끼리 투루는 더 이상 1초도 버틸 수 없었어요. 하마 쿠부 역시 이제 포기해야겠다고 느꼈지요. 그래서 둘은 동시에 밧줄을 놓았어요!

6 줄다리기를 한 인물은 누구와 누구입니까? ( )
① 투루와 쿠부
② 투루와 무툴라
③ 쿠부와 무툴라
④ 무툴라와 해님
⑤ 무툴라와 달님

7 줄다리기를 할 때 무툴라는 어디에 있었습니까?
( )
① 물속　　　　　② 나무 뒤
③ 덤불숲　　　　④ 물웅덩이
⑤ 밧줄 더미 속

8 ㉠에 나타난 투루와 쿠부의 행동으로 보아 둘의 성격은 어떠합니까? ( )
① 용감하다.　　　② 친절하다.
③ 상냥하다.　　　④ 겸손하다.
⑤ 지기 싫어한다.

9 줄다리기의 결과로 알맞은 것은 무엇입니까?
( )
① 무승부　　　　② 쿠부의 승리
③ 투루의 승리　　④ 달님의 승리
⑤ 무툴라의 승리

10 이 글에서 알 수 있는 무툴라의 성격으로 알맞은 것은 무엇입니까? ( )
① 게으르다.　　　② 꾀가 많다.
③ 겁이 많다.　　　④ 화를 잘 낸다.
⑤ 참을성이 없다.

[11~15] 다음 글을 읽고 물음에 답하시오.

(가)
> • 때: 옛날 옛적, 호랑이 담배 피우던 때
> • 곳: 산속
> • 등장인물: 호랑이, 사냥꾼 1, 사냥꾼 2, 나그네, 소나무, 길, 토끼

막이 열리면 산속 외딴길에 나무가 한 그루 서 있다. 커다란 호랑이를 넣은 궤짝이 놓여 있고, 나무 밑에서 사냥꾼들이 땀을 씻으며 이야기를 하고 있다.

(나) 호랑이: 아! 뛰쳐나가고 싶어 못 견디겠다. 아이고, 배고파. (머리로 문짝을 떼밀어 보고) 안 되겠는걸! 여기서 나가기만 하면 먼저 저 사냥꾼을 잡아먹고, 사슴이나 토끼를 닥치는 대로 잡아먹어야지. (머리로 또 문을 밀어 보고) ㉠아무리 해도 안 되겠는걸. (그냥 쭈그리고 앉는다.)

(다) 호랑이: 나그네님, 제발 문고리를 따고 문짝을 좀 열어 주십시오.

나그네: 뭐요? 문을 열어 달라고? 열어 주면 뛰쳐나와서 나를 잡아먹을 것이 아니오?

호랑이: 아닙니다. 제가 은혜를 모르고 그런 짓을 할 리가 있겠습니까? (앞발을 비비며 자꾸 절을 한다.)

나그네: 허허, 알았소. 설마 거짓말이야 하겠소? 내가 이 궤짝 문을 열어 주리다. 그 대신 약속을 꼭 지키시오.

(라) 나그네가 문을 열자, 호랑이가 뛰쳐나와서 나그네를 잡아먹으려고 덤빈다.

나그네: 이게 무슨 짓이오? 약속을 지키지 않고…….

호랑이: ㉡하하, 궤짝 속에서 한 약속을 궤짝 밖에 나와서도 지키라는 법이 어디 있어?

11 호랑이가 갇혀 있는 곳은 어디입니까? ( )

① 궤짝 속
② 동굴 속
③ 나무 사이
④ 사냥꾼의 집
⑤ 나그네의 집

12 이 이야기의 내용과 다른 것은 무엇입니까?
( )

① 산속에서 일어난 일이다.
② 옛날 옛적에 일어난 일이다.
③ 호랑이는 사냥꾼에 붙잡혔다.
④ 호랑이는 처음의 약속을 지키지 않았다.
⑤ 호랑이는 궤짝에서 나와 사슴을 잡아먹었다.

13 호랑이가 나그네에게 부탁한 것은 무엇입니까?
( )

① 물을 가져다 달라는 것
② 사냥꾼을 불러 달라는 것
③ 궤짝 문을 고쳐 달라는 것
④ 궤짝 문을 열어 달라는 것
⑤ 궤짝을 다른 곳으로 옮겨 달라는 것

14 ㉠에서 짐작할 수 있는 호랑이의 마음은 무엇입니까?
( )

① '이제 혼자 있고 싶구나.'
② '사냥꾼은 어디로 갔지?'
③ '이곳에 있는 것이 편안하구나.'
④ '뭔가 재미있는 일은 없을까?'
⑤ '혼자 힘으로 궤짝 밖으로 나가기는 어렵겠구나.'

15 ㉡에서 호랑이의 말투로 알맞은 것은 무엇입니까?
( )

① 뽐내는 말투   ② 간절한 말투
③ 화가 난 말투   ④ 부끄러워하는 말투
⑤ 당당하고 뻔뻔한 말투

[16~20] 다음 글을 읽고 물음에 답하시오.

⑺ 나그네: 소나무님, 소나무님! 당신도 보셨으니까 사정을 아시지요? 호랑이가 옳습니까, 제가 옳습니까?

소나무: 물론 ☐☐가 옳지. 왜냐하면 사람은 내가 맑은 공기를 마시게 해 주는데도 나를 마구 꺾고 베어 버리기 때문이야. 호랑이야, 얼른 잡아먹어 버려라.

⑻ 나그네: (머리를 긁으며) 길한테 한 번 더 물어보세. 길님, 길님! 다 보고 들으셨지요? 호랑이가 옳습니까, 제가 옳습니까?

길: 물론 ☐☐가 옳지. 왜냐하면 사람들은 날마다 나를 밟고 다니면서도 고맙다는 말 한마디를 하지 않기 때문이야. 코나 흥흥 풀어 팽개치고, 침이나 탁탁 뱉잖아? 호랑이야, 얼른 잡아먹어 버려라.

⑼ 나그네: 토끼님, 토끼님! 재판 좀 해 주세요. 이 궤짝 속에 갇힌 호랑이를 살려 준 나하고, 살려 준 나를 잡아먹으려는 호랑이하고 누가 옳습니까?

토끼: (귀를 기울이고 한참 생각하다) 누가 누구를 살려 주었어요? 누가 누구를 잡아먹으려 해요? 아, 당신이 이 호랑이를 잡아먹으려고 해요?

나그네: 아니지요. 내가 호랑이를 잡아먹으려 하는 게 아니라, 이 호랑이가 궤짝에 갇혀 있었는데 내가 살려 주었어요.

토끼: 네, 알았습니다. 그러니까 이 호랑이하고 당신이 이 궤짝 속에 갇혀 있었다고요?

나그네: 아니지요. 호랑이가…….

호랑이: ㉠(답답하다는 듯이 화를 내며) 왜 이렇게 말귀를 못 알아듣지? (궤짝 속으로 들어가며) 이 궤짝 속에 내가 이렇게 있었어. 내가 이렇게 갇혀 있었단 말이야. 알았지?

토끼가 얼른 달려들어 문고리를 걸어 잠근다.

16 ☐☐에 공통적으로 들어갈 말은 무엇입니까?
( )

① 토끼 ② 소나무 ③ 호랑이
④ 나그네 ⑤ 사냥꾼

17 소나무가 말한 사람들의 좋지 않은 점은 무엇입니까?
( )

① 나쁜 공기를 만드는 것
② 소나무에 침을 뱉는 것
③ 소나무를 밟고 지나는 것
④ 소나무를 꺾고 베어 버리는 것
⑤ 소나무에 코를 풀어 팽개치는 것

18 호랑이가 옳다고 한 까닭을 다음과 같이 말한 인물은 누구입니까? ( )

> 사람은 고맙다는 말도 없이 코를 풀거나 침을 뱉기 때문이다.

① 길 ② 토끼 ③ 호랑이
④ 나그네 ⑤ 소나무

19 나그네는 소나무와 길에게 어떤 마음이 들었겠습니까? ( )

① 기쁜 마음 ② 고마운 마음
③ 두려운 마음 ④ 서운한 마음
⑤ 자랑스러운 마음

20 ㉠에서 호랑이의 말투로 어울리는 것은 무엇입니까?
( )

① 느리고 슬픈 말투
② 즐겁고 명랑한 말투
③ 친근하게 달래는 말투
④ 크게 호통을 치는 말투
⑤ 부끄러워서 기어들어가는 말투

• 답안 입력하기 • 평가 분석표 받기

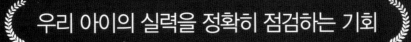

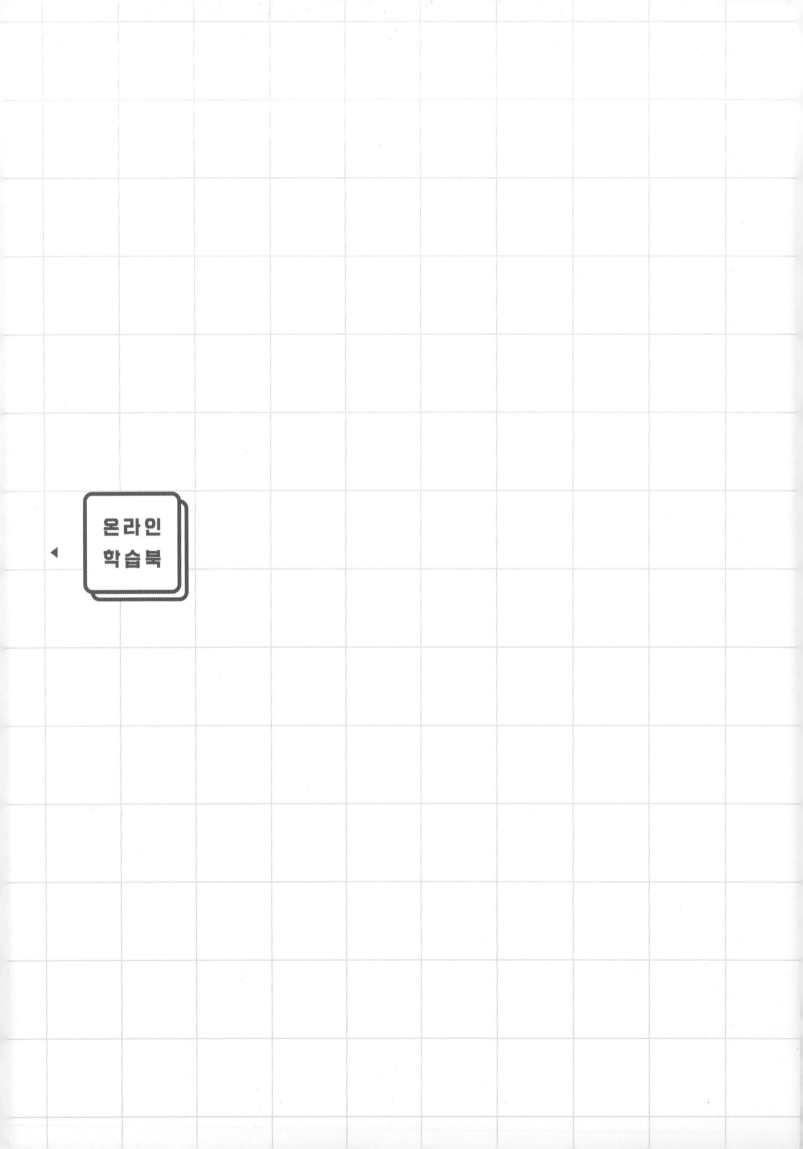

온라인
학습북

수학 전문 교재

● 연산 학습

빅터연산	예비초~6학년, 총 20권
창의융합 빅터연산	예비초~4학년, 총 16권

● 개념 학습

개념클릭 해법수학	1~6학년, 학기용

● 수준별 수학 전문서

해결의법칙(개념/유형/응용)	1~6학년, 학기용

● 단원평가 대비

수학 단원평가	1~6학년, 학기용

● 단기완성 학습

초등 수학전략	1~6학년, 학기용

● 상위권 학습

최고수준 S 수학	1~6학년, 학기용
최고수준 수학	1~6학년, 학기용
최강 TOT 수학	1~6학년, 학년용

● 경시대회 대비

해법 수학경시대회 기출문제	1~6학년, 학기용

예비 중등 교재

● 해법 반편성 배치고사 예상문제	6학년
● 해법 신입생 시리즈(수학/영어)	6학년

맞춤형 학교 시험대비 교재

● 열공 전과목 단원평가	1~6학년, 학기용(1학기 2~6년)

한자 교재

● 해법 NEW 한자능력검정시험 자격증 한번에 따기	6~3급, 총 8권
● 씽씽 한자 자격시험	8~7급, 총 2권
● 한자전략	1~6학년, 총 6단계

배움으로 행복한 내일을 꿈꾸는
천재교육 커뮤니티 안내

. . .

교재 안내부터 구매까지 한 번에!
천재교육 홈페이지

자사가 발행하는 참고서, 교과서에 대한 소개는 물론
도서 구매도 할 수 있습니다. 회원에게 지급되는 별을 모아
다양한 상품 응모에도 도전해 보세요!

다양한 교육 꿀팁에 깜짝 이벤트는 덤!
천재교육 인스타그램

천재교육의 새롭고 중요한 소식을 가장 먼저 접하고 싶다면?
천재교육 인스타그램 팔로우가 필수!
깜짝 이벤트도 수시로 진행되니 놓치지 마세요!

수업이 편리해지는
천재교육 ACA 사이트

오직 선생님만을 위한, 천재교육 모든 교재에 대한 정보가 담긴
아카 사이트에서는 다양한 수업자료 및 부가 자료는 물론
시험 출제에 필요한 문제도 다운로드하실 수 있습니다.

https://aca.chunjae.co.kr

천재교육을 사랑하는 샘들의 모임
천사샘

학원 강사, 공부방 선생님이시라면 누구나 가입할 수 있는 천사샘!
교재 개발 및 평가를 통해 교재 검토진으로 참여할 수 있는 기회는 물론
다양한 교사용 교재 증정 이벤트가 선생님을 기다립니다.

아이와 함께 성장하는 학부모들의 모임공간
튠맘 학습연구소

튠맘 학습연구소는 초·중등 학부모를 대상으로 다양한 이벤트와 함께
교재 리뷰 및 학습 정보를 제공하는 네이버 카페입니다.
초등학생, 중학생 자녀를 둔 학부모님이라면 튠맘 학습연구소로 오세요!

단계별 수학 전문서

[개념·유형·응용]

수학의 해법이 풀리다!

해결의 법칙
시리즈

단계별 맞춤 학습

개념, 유형, 응용의 단계별 교재로
교과서 차시에 맞춘 쉬운 개념부터
응용·심화까지 수학 완전 정복

혼자서도 OK!

이미지로 구성된 핵심 개념과 셀프 체크,
모바일 코칭 시스템과 동영상 강의로
자기주도 학습 및 홈 스쿨링에 최적화

300여 명의 검증

수학의 메카 천재교육 집필진과
300여 명의 교사·학부모의
검증을 거쳐 탄생한 친절한 교재

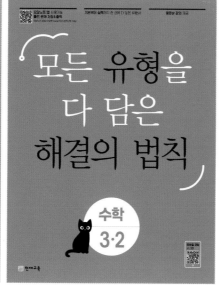

흔들리지 않는 탄탄한 수학의 완성! (초등 1~6학년 / 학기별)

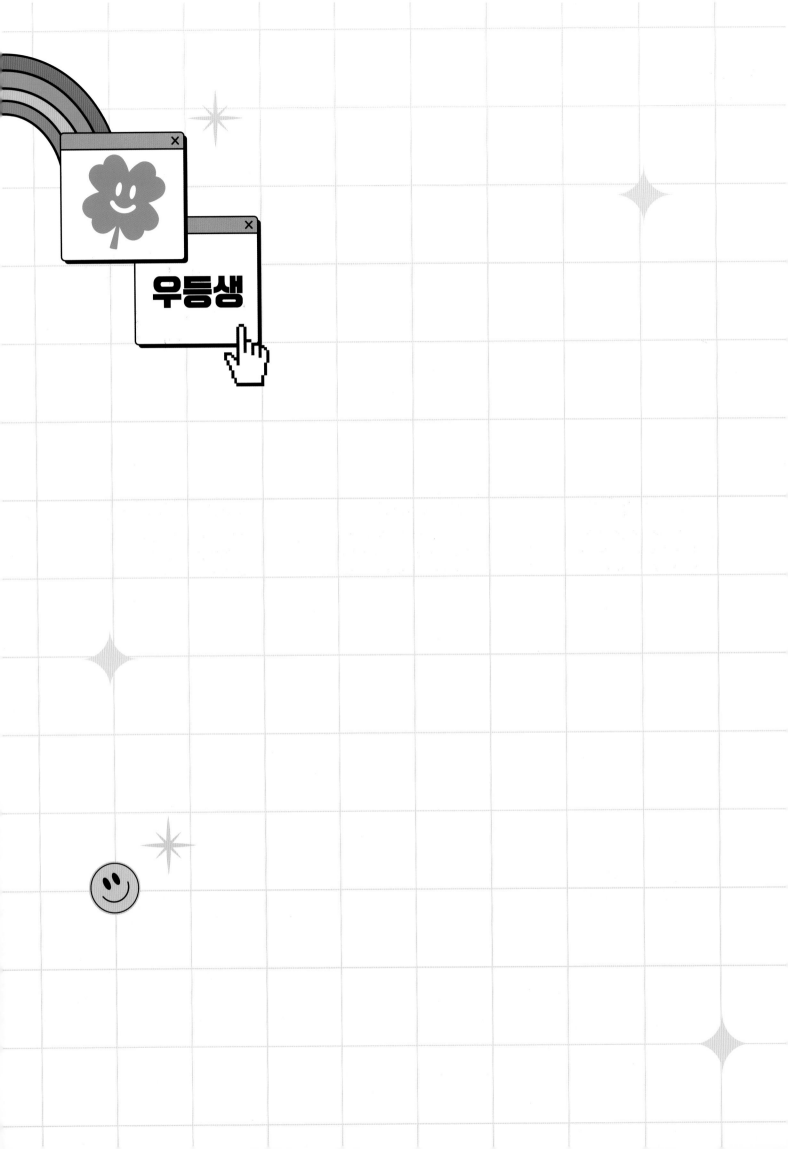

우등생

#홈스쿨링

우등생

정답은 정확하게
풀이는 자세하게

홈북
풀이집

국어 3·2

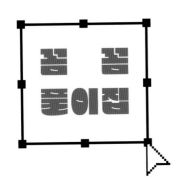

정답과 풀이

3-2

1. 작품을 보고 느낌을 나누어요

진도 학습

교과서 진도북 11~21 쪽

1 (1) ① (2) ③ (3) ② (4) ②   **2** (1) ② (2) ② (3) ①
3 필통   **4** ②   **5** ⑤   **6** 하율, 슬비
7 (1) ○ (3) ○   **8** (1) ② (2) ①
9 (1) ① (2) ②   **10** ③   **11** (1) ② (2) ①
12 (1) ① (2) ②   **13** (1) ⓒ, ⓜ, ⓩ (2) ⓛ, ⓗ, ⓢ
14 ②, ⑤   **15** ⓛ, ⓒ   **16** ⑤   **17** ⑩ 행복하고 즐거운
마음   **18** (1) ② (2) ③ (3) ① (4) ④
19 ⑩ "내 이름을 불러 주세요."라고 말했을 것입니다.
20 (1) 마음 (2) 줄거리 (3) 재미   **21** ②
22 (1) ② (2) ①   **23** ②   **24** 계속 입을 다물고
살아야 했을 것이라고 하였습니다. 등   **25** ④
26 ⑤   **27** ④   **28** ③   **29** ④   **30** ③, ④
31 ①   **32** ②   **33** ③   **34** ②
35 ⑩ 서운하고 쓸쓸한   **36** 커다란 성냥갑으로 만든 작은 상
자 등   **37** ①   **38** 부벨라가 손으로 정원사를 가리
키자 허리가 나은 정원사가 덩실덩실 춤을 추는 장면

자습서 확인 문제 22쪽

1 ⓔ   **2** 파이   **3** ⑩ 활짝 웃는 표정

1 가와 나는 고마운 마음을 표현하는 상황이고, 다와
라는 미안한 마음을 표현하는 상황입니다.

2 고마운 마음을 표현할 때에는 밝게 웃는 표정이 어울리
고, 친구의 우유를 엎지른 상황에서는 미안해하는 말
투로 사과하는 것이 어울립니다.

3 영수가 실수로 친구의 필통을 떨어뜨린 뒤 사과를 하고
있습니다.

4 가에서 영수의 표정과 말투로 보아 미안해하는 마음이
잘 느껴집니다.

5 영수가 미안하다고 말은 하지만 표정은 빈정거리는 듯
한 표정이고 말투도 놀리는 듯하여 미안해하는 마음이
잘 느껴지지 않습니다.

7 표정, 몸짓, 말투에 주의하며 말하면 자신의 마음이나
생각을 더 정확하게 전할 수 있고, 자신의 느낌도 더
실감 나게 전달할 수 있습니다.

8 친구들이 멋지다고 칭찬할 때에는 장금이의 뿌듯한 표
정이, 수라간 궁녀들을 처음 볼 때에는 호기심 가득한
표정이 어울립니다.

9 친구들이 칭찬했을 때에는 즐겁고 신나는 마음이 들었
을 것이고, 수라간 궁녀들을 처음 보았을 때에는 놀랍
고 궁금한 마음이 들었을 것입니다.

10 장금이가 처음으로 수라간 상궁과 궁녀들을 보는 장면
이므로 호기심이 가득한 표정으로 눈을 크게 뜨고 입을
벌린 표정이 어울립니다.

11 몽몽이 때문에 꾸중을 듣는 장면에서는 죄송한 표정,
궁에 들어갈 수 있게 되었을 때에는 감격스러워하는 표
정이 어울립니다.

12 ❸은 몽몽이 때문에 꾸중을 듣는 장면이므로 죄송하다
는 말이, ❹는 궁녀가 된다는 장면이므로 궁에 들어갈
수 있게 되었다고 하는 말이 어울립니다.

13 ❸과 같이 죄송할 때에는 눈썹이 처진 표정과 고개를
숙이는 몸짓, 진지하고 낮은 목소리가 어울리고, ❹와
같이 돌아가신 어머니를 떠올리며 감격스러울 때에는
눈물이 글썽이는 표정과 떨리는 목소리가 어울립니다.
돌아가신 어머니를 생각하며 하는 말이므로 하늘을 올
려다보는 몸짓이나 두 손에 힘을 꼭 쥔 몸짓을 할 수
있습니다.

14 미미는 사람들이 언니 자두가 아닌 자신에게도 관심을
가져 주기를 바라고 있습니다. 미미는 어른들이 엄마
를 '미미 엄마'가 아닌 '자두 엄마'로만 부르고, 친구와
선생님도 언니 자두에게만 관심을 갖자 화가 났습니다.

15 찡그린 표정과 울부짖는 몸짓에서 속상하고 화가 난 마
음을 알 수 있습니다.

16 자두는 미미를 돋보이게 하고 싶어서 학예회에서 일부
러 자신의 무대를 망쳤습니다.

> **왜 틀렸을까?**
> 미미는 주변 어른들이 엄마를 '자두 엄마'로만 부르자 섭섭함을
> 느꼈고, 학교 친구들과 선생님도 언니 자두에게만 관심을 기울이
> 자 화가 났습니다. 자두는 미미가 자신보다 더 유명해지고 싶어
> 서 몰래 열심히 발레를 연습했다는 사실을 알게 되고 미미를 돋
> 보이게 하고 싶어서 학예회에서 일부러 자신의 무대를 망치게
> 되었습니다.

17 학예회에서 인기상을 탄 미미가 자두와 화해하고 있는
장면입니다. 이 장면에서 웃고 있는 미미와 자두의 표
정을 보면 흐뭇한 마음, 행복한 마음, 즐거운 마음 등
을 느낄 수 있습니다.

18 각 장면의 인물이 한 일을 보고 생각하거나 느낀 점,
감동 받은 내용을 연결해 봅니다.

19 미미는 사람들이 자신을 자두 동생이라고 부를 때 속상

했습니다. 내가 미미라면 그 상황에서 어떻게 할지 다양하게 생각해 볼 수 있습니다.

채점 기준

평가	답안 내용
상	예 자두 동생이라고 부르지 말고 내 이름 '미미'로 불러 달라고 했을 것입니다. / 자신에게도 관심을 갖고 '미미'라고 불러 달라고 했을 것입니다.
	→ 미미가 속상한 까닭이 무엇인지 이해하고 자신의 이름을 불러 달라는 내용으로 씀.
중	예 나는 자두가 아니라 미미라고 했을 것입니다.
	→ 미미가 속상한 까닭을 알고 있지만 자신의 이름을 불러 달라는 내용은 쓰지 못함.
하	예 화를 내지 않았을 것입니다.
	→ 미미가 속상한 까닭을 이해하지 못하고 주어진 상황에서 미미가 할 수 있는 반응에 대해서만 씀.

20 인물의 표정, 몸짓, 말투에 주의하며 만화 영화를 보면 만화 영화의 줄거리를 이해하는 데 도움이 되고 인물의 표정, 몸짓, 말투에서 재미를 느낄 수도 있습니다.

21 사람들은 거인 부벨라를 무서워하였습니다.

22 부벨라는 지렁이도 덩치가 큰 자신을 무서워할 것이라고 생각하였지만 지렁이는 부벨라를 무서워하지 않았습니다.

23 부벨라를 겁내지 않고 당당하게 이야기하는 지렁이의 표정을 찾아봅니다. ①은 무서워하는 표정, ③은 부끄러워하는 표정입니다.

24 지렁이는 세상 모든 것이 다 자신보다 크기 때문에 큰 것들에게 말 붙이기를 겁낸다면 한 마디도 할 수 없을 거라고 생각하고 있습니다.

25 부벨라는 지렁이를 초대한 뒤 집 안을 청소하고 몸을 깨끗이 씻었습니다. 지렁이를 초대한 뒤 지렁이를 기쁘게 맞이하고 싶은 부벨라의 마음을 알 수 있습니다.

26 지렁이가 바나나케이크를 싫어할지도 모른다는 생각이 들자 부벨라는 초조하고 당황스러웠습니다.

27 지렁이에게 무엇을 대접해야 할지 고민하고 있으므로 곰곰이 생각하는 몸짓인 ④가 어울립니다.

28 정원사가 부벨라를 걱정하며 묻는 말이므로 궁금해하는 표정이 알맞습니다. ①은 슬픈 표정, ②는 화가 난 표정입니다.

29 정원사는 지렁이들이 멀리 다니지 않으니까 다른 집 정원의 흙을 좋아할 것 같다고 하였습니다.

30 정원사에게 고맙다고 말하는 장면이므로 고개를 아래로 숙이며 인사하는 몸짓과 웃는 표정이 어울립니다.

31 부벨라가 손을 들어 정원사를 가리키자 손이 점점 따뜻해지더니 정원사가 허리를 꼿꼿이 폈습니다.

32 부벨라는 정원사가 준 흙으로 지렁이에게 대접할 진흙파이를 만들었습니다.

33 지렁이가 안에 무엇이 들어 있는지 묻기를 기다렸던 부벨라는 지렁이가 ㉠과 같이 물어보자 즐겁고 기뻤을 것입니다.

34 신이 나서 진흙파이 속을 파고들어 갔다 온 지렁이는 만족스러운 표정을 지었을 것입니다.

35 부벨라는 사실 파리 한 마리도 해치지 못하는 착한 마음씨를 가졌습니다. 그런 부벨라는 자신을 보면 무서워 도망을 치는 사람들을 보고 속상하고 슬펐을 것입니다.

36 부벨라가 지렁이에게 준 성냥갑 상자는 가죽 줄이 달려 있었고, 안은 검은흙으로 채워져 있었습니다.

37 부벨라는 지렁이에게 친구가 되어 달라고 하였습니다.

38 한 아이는 손가락으로 어딘가를 가리키는 몸짓을 하고 있고, 맞은편의 아이는 손과 발을 흔들며 덩실덩실 춤을 추는 듯한 몸짓을 하고 있습니다. 이 장면은 부벨라가 정원사의 허리를 낮게 하는 장면을 떠올리게 합니다.

채점 기준

부벨라가 정원사의 허리를 낮게 하는 장면에 대해 썼으면 모두 정답으로 합니다.

단원 평가 | 교과서 진도북 23~26쪽

1 예 앗, 발을 밟아서 미안해. **2** ② **3** ②
4 (1) ○ (2) ○ **5** ⑤ **6** ③ **7** ②
8 ④ **9** 지렁이 **10** ③ **11** ④ **12** ②
13 예 지렁이가 부벨라의 집에 왔을 때 지렁이를 기쁘게 해 주고 싶었기 때문에 **14** ② **15** (1) ① ○ (2) ③ ○
(3) ⑥ ○ **16** ⑤ **17** ② **18** ① **19** ⑤
20 예 장난스럽게 웃지 말고 미안한 표정을 지으며 진지한 말투로 미안하다고 말해야 한다.

1 친구의 발을 밟아서 미안하다고 말해야 합니다. 미안하다는 표현이 들어 있으면 정답으로 합니다.

2 친구들이 장금이를 칭찬해 주는 장면이 나오므로 장금이가 기뻐하는 표정이 알맞습니다.

3 놀라움을 느꼈을 때에는 눈을 크게 뜨고 입을 조금 벌린 표정이 어울립니다.

4 인물의 표정, 몸짓, 말투에 주의하며 만화 영화를 보면 인물의 마음을 잘 알 수 있고, 만화 영화의 줄거리를 이해하는 데에도 도움이 됩니다.

6 미미의 표정에서 불만스럽고 짜증이 난 듯한 마음이 느껴집니다.

7 언니인 자두에게만 모든 관심을 빼앗기자 미미는 속상하였을 것입니다.

8 밝게 웃으며 박수를 치는 모습에서 미미가 인기상 탄 것을 축하해 주는 자두의 마음을 알 수 있습니다.

10 지렁이는 거인인 부벨라를 무서워하지 않고 당당하게 이야기하고 있습니다.

11 부벨라의 질문을 다시 되물으면서 한참을 크게 웃는 것으로 보아 부벨라의 말에 지렁이는 어이없다는 생각을 하였을 것입니다.

12 자신을 무서워하지 않는 지렁이를 보고 궁금한 마음이 들었을 부벨라의 표정으로는 ②가 가장 어울립니다.

13 부벨라는 지렁이를 초대하였고 지렁이를 기쁘게 해 주기 위해 집을 청소하고 몸도 깨끗이 씻었을 것입니다.

채점 기준	
평가	답안 내용
상	예 다음 날 지렁이가 차를 마시러 왔을 때 지렁이를 기쁘게 해 주고 싶어서 / 집으로 초대한 지렁이를 잘 대접하고 싶어서 → 부벨라가 지렁이를 초대한 상황과 관련하여 지렁이를 기쁘게 해 주고 싶기 때문이라는 내용으로 씀.
중	예 지렁이를 집으로 초대했기 때문에 / 지렁이가 다음 날 집에 올 것이기 때문에 → 부벨라가 지렁이를 초대한 상황과 관련하여 썼지만 부벨라가 지렁이를 위하는 마음을 답안에 드러내지는 못함.
하	예 부벨라의 집이 지저분해서 / 부벨라가 오랫동안 씻지 않아서 → 부벨라가 지렁이를 초대한 상황과 관련이 없는 답안을 씀.

14 무언가를 깨닫거나 새롭게 알게 되었을 때 손뼉을 치거나 무릎을 탁 치는 몸짓을 할 수 있습니다.

> **왜 틀렸을까?**
> 부벨라는 정원사 아저씨에게 초대한 지렁이에게 무엇을 대접해야 할지 모르는 걱정거리에 대하여 털어놓았습니다. 정원사 아저씨가 다른 집 정원의 흙으로 만든 진흙파이를 대접해 주는 것이 좋을 것 같다고 하자 부벨라는 좋은 생각이라며 정원사 아저씨의 말에 동의를 하고 있는 상황입니다.

15 고민을 해결해 준 정원사의 친절한 마음에 고마워하는 마음이 잘 드러나도록 밝게 웃는 표정과 고개를 끄덕이며 인사하는 몸짓, 감격스러워서 조금 떨리는 목소리가 어울립니다.

부벨라의 표정	부벨라의 몸짓

16 부벨라는 자신에게 친절을 베풀어 준 정원사에게 보답을 하고 싶었습니다.

17 정원사는 이제 하나도 아프지가 않다며 활짝 웃으며 소리쳤습니다. ①은 놀라는 표정, ③은 화를 내는 표정으로 기쁜 마음을 표현하는 것과는 거리가 멉니다.

18 앞에서 정원사가 덩실덩실 춤을 추었다고 하였으므로 이와 가장 어울리는 몸짓으로는 ①이 알맞습니다. ②는 허리를 숙인 몸짓입니다.

> **왜 틀렸을까?**
> ③은 정원사가 꼿꼿이 서 있는 모습입니다. 정원사의 허리가 꼿꼿하게 펴진 것은 맞지만 "이제 하나도 아프지가 않아!" 라고 큰 소리로 외쳤을 때에는 덩실덩실 춤을 추었다고 하였습니다.

19 실망한 표정과 두 손을 들어 보인 진호의 몸짓에서 현장 체험학습 장소가 마음에 들지 않았음을 짐작할 수 있습니다.

20 그림 ①에서 여자아이는 남자아이의 팔을 치고 지나갔기 때문에 미안하다고 사과를 해야 하는 상황입니다. 미안하다고 사과할 때에는 진지한 표정과 말투로 진심을 담아 해야 합니다.

채점 기준	
평가	답안 내용
상	예 진지한 표정과 말투로 진심이 느껴지게 말해야 한다. / 미안한 마음이 느껴지는 표정, 몸짓, 말투로 말해야 한다. → 미안한 마음을 잘 전하려면 어떻게 해야 하는지 알맞은 표정, 몸짓, 말투에 대해 씀.
중	예 웃으면서 말하면 안 된다. / 장난치듯이 말하면 안 된다. → 여자아이의 말에서 미안한 마음이 들지 않는 까닭은 알고 있지만, 어떻게 하여야 미안한 마음을 잘 전할 수 있는지 그 방법에 대해서는 쓰지 않음.
하	예 미안한 까닭을 들어 말해야 한다. → 여자아이의 말에서 미안한 마음이 느껴지지 않는 까닭으로 알맞은 표정, 몸짓, 말투에 대해 쓰지 않음.

2. 중심 생각을 찾아요

진도 학습

교과서 진도북 **29~38**쪽

1 ②　　**2** ㉠　　**3** (2) ○　　**4** ②　　**5** ②
6 수정　　**7** 선생님　　**8** (1) 선생님 (2) 장난 (3) 책상
9 ⑳ 주변에 튀어　　**10** ⑳ 알코올램프가 바닥에 떨어지면 화재가 발생할 수 있다는 것을 알게 되었다.　　**11** (2) ○
12 ㉢　　**13** 배　　**14** ❺　　**15** ⑳ 사과에 종이봉투를 씌워 두면 벌레를 막고 사과 맛도 좋아진다는 것을 알게 되었다.　　**16** 갯벌　　**17** (1) 생물 (2) 수산물 (3) 오염 물질 (4) 기후　　**18** 수지　　**19** (2) ○　　**20** 토박이말(고유어, 순우리말)　　**21** ④　　**22** (1) 소소리바람 (2) 불볕더위
23 (1) ○　　**24** ⑤　　**25** 도둑눈　　**26** ⑳ 밤새 함박눈이 내려서 눈이 많이 쌓여 있다.　　**27** (2) ○
28 (1) ② (2) ①　　**29** (1) 한복 (2) 양복　　**30** ②
31 양반　　**32** 가희　　**33** (1) ⑳ 남자와 여자의 옷차림을 엄격하게 구분을 하지는 않고 자신이 좋아하는 옷을 골라 입는다. (2) ⑳ 자연에서 얻은 실로 짠 옷감으로 옷을 만든다.
34 치마　　**35** ⑤　　**36** ⑤

자습서 확인 문제　36쪽

1 ④　　**2** (1) 꽃샘추위 (2) 무더위 (3) 된서리 (4) 도둑눈
3 (1) 다르다 (2) 춥다 (3) 모르다

---

1 줄넘기 놀이 중 '긴 줄 넘기'를 할 때 노래에 맞추어 놀이를 하는 특징이 있습니다.

더 알아보기

'긴 줄 넘기'를 할 때 노래에 맞추어 놀이를 하는 특징이 있는데, 다음과 같은 노래를 불렀습니다. 노래를 부르며 줄넘기를 한 경험을 떠올려 봅니다.

> 꼬마야 꼬마야, 줄넘기
>
> 꼬마야 꼬마야 뒤로 돌아라
> 꼬마야 꼬마야 땅을 짚어라
> 꼬마야 꼬마야 만세를 불러라
> 꼬마야 꼬마야 잘 가거라

2 글의 내용과 관련된 아는 내용이 있거나 겪은 일이 있으면 글의 내용을 이해하기 더 쉽습니다.

3 아는 내용이나 겪은 일과 관련지어 글을 읽으면 글의 내용을 더 잘 이해할 수 있습니다.

4 아는 내용이나 겪은 일과 관련지어 글을 읽는다고 해서 글의 길이를 짐작하기는 어렵습니다.

5 선생님께서 계신 곳에서 안전하게 실험하고 있는 친구는 ②입니다.

6 과학실에는 조심히 다뤄야 할 실험 기구와 위험한 화학 약품이 많기 때문에 안전 수칙을 지켜 안전사고의 위험을 줄여야 합니다.

7 선생님의 말씀에 따라 실험 기구나 화학 약품을 다루어야 사고가 나는 것을 예방할 수 있습니다.

9 실험 중 실험 기구가 깨지거나 화학 약품이 튀면 위험하기 때문에 어느 정도 거리를 유지하면서 실험을 하는 것이 안전합니다.

10 자신이 아는 내용이나 겪은 일을 글의 내용과 관련지어 정리해 봅니다.

채점 기준

평가	답안 내용
상	⑳ 알코올램프가 바닥에 떨어지면 화재가 발생할 수 있다는 것을 알게 되었다.
	→ 글의 내용과 관련하여 새롭게 안 내용을 씀.
중	⑳ 실험할 때 책상과 최대한 멀리 떨어져서 실험해야 함을 알게 되었다.
	→ 글에 나온 정보와 다소 틀린 부분이 있음.
하	⑳ 과학실에서는 장난을 치면 안 된다는 것을 알고 있었다.
	→ 이미 알고 있었던 내용을 씀.

12 기침이 나거나 가래가 생겼을 때는 복숭아씨를 갈아서 먹습니다.

17 각 문단의 첫 번째 문장이 중심 문장 역할을 하고 있습니다.

18 갯벌을 보존해야 하는 까닭에 대해 설명하려는 글임을 짐작할 수 있습니다.

19 중심 생각이란 글쓴이가 글 전체에서 말하고 싶은 생각을 뜻합니다. 중심 생각은 글의 제목, 중심 문장, 글 속의 사진이나 그림을 살펴 확인할 수 있습니다.

20 토박이말은 우리말에 본디부터 있던 말이나 그것에 더해 새로 만들어진 말입니다. 다른 말로 순우리말, 고유어라고도 합니다.

21 '날씨를 나타내는 토박이말'이라는 제목을 보고 알 수 있는 글쓴이의 생각을 찾습니다.

22 봄 날씨와 여름 날씨를 나타내는 토박이말에는 어떤 것들이 있는지 살펴봅니다.

26 가을 날씨나 겨울 날씨를 나타내는 토박이말이 들어 있는 문장을 써 봅니다.

채점 기준

평가	답안 내용
상	예 밤새 함박눈이 내려서 눈이 많이 쌓여 있다.
	→ 가을 날씨나 겨울 날씨를 나타내는 토박이말을 넣어 문장을 씀.
중	예 밤새 가랑눈이 내려 눈이 많이 쌓여 있다.
	→ 가을 날씨나 겨울 날씨를 나타내는 토박이말을 넣어 썼으나 토박이말과 문장의 내용이 다소 어울리지 않음.
하	예 불볕더위로 팔이 까맣게 탔다.
	→ 다른 계절과 관련된 토박이말을 넣어 문장을 씀.

27 날씨를 나타내는 토박이말이 많이 있으니 알고 자주 사용하자는 것이지 토박이말만 사용하자는 뜻으로 쓴 글은 아닙니다.

28 '같다'의 반대말은 '틀리다'가 아닌 '다르다'입니다.

30 옛날에 신분에 따라 어떤 옷을 입었는지 알 수 있습니다.

33 옛날과 오늘날의 옷차림을 성별과 옷감 종류에 따라 어떻게 다른지 비교하며 읽어 봅니다.

35 합성 섬유는 공장에서 만든 옷감으로 석유, 석탄 따위를 원료로 만든 옷감입니다.

36 옛날과 오늘날의 옷차림이 많이 달랐다는 것을 알려 주는 글입니다.

단원 평가
교과서 진도북 39~42쪽

1 ④ **2** 줄넘기 (놀이) **3** 긴 줄 넘기
4 ①, ③, ④ **5** 보영 **6** ⑤ **7** ③
8 ㉡ **9** 안전 **10** ② **11** ③
12 갯벌은 다양한 생물이 살 수 있는 장소입니다. / 어민들은 갯벌에서 수산물을 키우고 거두어 돈을 법니다. / 갯벌은 육지에서 나오는 오염 물질을 분해해 좋은 환경을 만듭니다. / 갯벌은 기후를 조절하고 홍수를 줄여 주는 역할을 합니다.
13 (2) ○ **14** 예 비가 많이 올 때 빗물을 갯벌 안에 저장하여 홍수를 막아 준다. **15** ⑤ **16** ② **17** (1) ㉠, ㉢ (2) ㉡, ㉣ **18** (1) 무서리 (2) 올서리 (3) 된서리
19 예 나는 여름에만 장마가 있는 줄 알았는데 가을에도 장마가 있다는 것을 알게 되었다. **20** (1) 춥다 (2) 다르다

3 긴 줄 넘기는 노래에 맞추어 놀이를 하는 특징이 있다고 하였습니다.

4 닭싸움 놀이는 한 발로 서서 하므로 '외발 싸움', '깨금발 싸움'이라고도 부르고, 무릎을 부딪쳐 싸운다고 해서 '무릎 싸움'이라고도 부릅니다.

5 친구들과 닭싸움 놀이를 한 적이 있거나 책에서 관련된 내용을 읽은 경험이 있다면 아는 내용과 관련지어 글을 읽어 이해하기 쉽습니다.

7 과학실에서 장난을 치면 위험한 일이 발생할 수 있으므로 주의해야 합니다.

8 실험할 때 책상에 바짝 다가가면 다칠 위험이 있으므로 적당히 어느 정도 거리를 유지하면서 실험해야 합니다.

9 과학 실험을 할 때에는 무엇보다 안전이 중요하다고 하였습니다.

10 아는 내용이나 겪은 일과 관련지어 글을 읽으면 글의 내용을 더 잘 이해할 수 있습니다.

11 개구리는 보통 강가나 연못, 논 등에서 삽니다.

12 (나)~(마) 각 문단의 첫 문장이 중심 문장입니다.

14 갯벌 흙은 물을 많이 흡수해 저장했다가 내보내는 기능을 합니다.

채점 기준

평가	답안 내용
상	예 비가 많이 오면 갯벌 안에 빗물을 저장해 갑작스러운 홍수를 막아 준다.
	→ 갯벌이 빗물을 저장하여 홍수를 막아 준다는 내용으로 씀.
중	예 갯벌 흙은 물을 흡수해 저장했다가 내보내는 기능을 한다.
	→ 갯벌의 기능을 쓰고 홍수를 막는 방법이 구체적으로 드러나지 않음.
하	예 갯벌에 사는 생물들이 오염 물질을 분해하는 역할을 한다.
	→ 갯벌이 홍수를 막아 주는 방법과 관련이 없는 내용을 씀.

15 문단의 중심 문장과 제목을 보아 갯벌을 보존해야 하는 까닭을 알고 소중한 갯벌을 보존해야 한다는 것을 말하고 있음을 알 수 있습니다.

17 문단의 내용을 대표하는 문장이 중심 문장이고, 중심 문장을 덧붙여 설명해 주는 문장은 뒷받침 문장입니다.

19 날씨를 나타내는 토박이말과 관련하여 새롭게 알게 된 점을 써 봅니다.

20 '덥다'의 반대말은 '춥다', '같다'의 반대말은 '다르다'입니다.

3. 자신의 경험을 글로 써요

1 ①   **2** 수영   **3** ❹   **4** ⑤   **5** ②
6 ①   **7** 동생이 아팠던 일   **8** (2) ○   **9** 예 친구
와 재미있게 놀았던 일입니다. / 동생이 아팠던 일입니다.
10 ㉡, ㉢   **11** (2) ○   **12** ④   **13** 예 마음이 아프고
동생이 얼른 나았으면 좋겠다고 생각했다.   **14** (1) "아
이고.∨배야." (2) 이번 가을에만 두∨번째네. (3) 주혁이가∨
눈물이 그렁그렁한 얼굴로 말했다. (4) 마음이 아팠다.∨동생
이 얼른 나았으면 좋겠다.   **15** 사과   **16** 봄
17 ③, ④   **18** (2) ○   **19** (1) ③ (2) ① (3) ② (4) ④
20 ㉢   **21** 피자, 치즈   **22** (1) ② (2) ①
23 ③, ②, ①, ④   **24** ②   **25** ㉡   **26** ㉡
27 (2) ○ (3) ○   **28** (1) ㉠ (2) ㉠ (3) ㉡ (4) ㉠ (5) ㉡
29 (1) ㉠ (2) ㉡ (3) ㉢   **30** (1) 하늘은 높고, 단풍은 붉게 물
든다. (2) 소 아홉 마리 (3) 열 살 (4) 연필 한 자루

1 농구를 하는 모습은 없습니다.

2 수영을 하고 있는 그림입니다.

3 친구들과 운동회를 한 일에 대해 정리하였습니다.

4 겪은 일에 대해 생각이나 느낌을 쓴 부분입니다.

5 기억에 남는 일을 정리해 보는 일로 일어날 일을 미리
알 수는 없습니다.

6 친구와 축구를 하며 즐겁게 놀았습니다.

7 동생이 아팠던 일을 글로 쓰기로 하였습니다.

8 평소 겪는 일과 달리 동생이 아팠을 때 마음이 아팠던
일이 서연이의 기억에 특별히 남았기 때문일 것입니다.

9 서연이에게 일어난 일 중 인상 깊은 일은 무엇이었는지
생각해 봅니다.

채점 기준	
평가	답안 내용
상	예 친구와 재밌게 놀았던 일입니다. / 동생이 아팠던 일입니다.
	→ 서연이가 겪은 일 다섯 가지 중에서 자신이 쓰고 싶은 일 한 가지를 골라 쓰고 싶은 일을 씀.
중	예 학교에서 공부를 한 일입니다.
	→ 서연이가 겪은 일이지만 특별히 인상적이거나 기억에 남을 만한 일이 아님.
하	예 아빠께 꾸중을 들은 일입니다.
	→ 서연이가 겪은 일이라는 것을 그림을 통해 알 수 없음.

10 평소와 다른 특별한 일이나 자신의 생각과 느낌이 달라
진 일은 평소에 겪는 일과 다른 인상 깊은 일이 될 수
있습니다.

11 인상 깊은 일을 글로 쓸 때는 자신이 경험한 일 중 한
가지를 골라 글을 씁니다.

12 동생 주혁이가 끙끙 앓는 소리에 잠에서 깼습니다.

13 서연이는 아픈 동생이 걱정되어 마음이 아팠고, 동생
이 얼른 나았으면 좋겠다고 생각했습니다.

채점 기준	
평가	답안 내용
상	예 마음이 아프고 동생이 얼른 나았으면 좋겠다고 생각했다.
	→ 있었던 일에 대해 서연이의 마음을 모두 적음.
중	예 마음이 아프다. / 동생이 얼른 나았으면 좋겠다.
	→ 있었던 일에 대해 서연이의 마음을 한 가지만 적음.
하	예 주혁이 때문에 잠에서 깨서 기분이 좋지 않았다.
	→ 있었던 일에 대해 서연이의 마음과 관련 없는 내용을 적음.

14 띄어쓰기 방법을 알고 띄어 써야 할 곳을 찾을 수 있어
야 합니다.

15 과수원에서 사과를 따 본 일을 그림으로 나타내었습니다.

16 정리한 내용으로 보아 도자기 만들기 체험을 했음을 알
수 있습니다.

17 인상 깊은 일을 구체적으로 정리하면 일어난 일을 자세
히 표현할 수 있고, 자신이 한 일을 되돌아볼 수 있습니
다.

18 제목은 겪은 일을 생각하고 어떤 마음을 표현하고 싶은
지를 생각해서 정해야 합니다.

19 언제, 어디에서, 누가, 무엇을 했는지 살펴봅니다.

20 ㉢에 현장 체험학습에 대한 생각이나 느낌이 나타나
있습니다.

21 희망 목장에서는 '내'가 좋아하는 피자와 치즈를 만들
수 있다고 하였습니다.

22 피자 만들기 체험장에서 피자를 만들고, 치즈 만들기
체험장에서 치즈와 관련된 영상을 보고 나서 치즈를 만
들었습니다.

23 희망 목장에 도착해 피자 만들기를 한 뒤 치즈 만들기
체험장으로 갔습니다.

24 쓴 글에서 고쳐 쓸 부분을 점검하고 있습니다.

25 쓴 글을 고쳐 쓸 때 문단을 길게 쓰는 것은 중요하지
않습니다. 글 전체의 내용과 어울리는지, 또 있었던 일

이 자세하게 드러나는지 등을 고려하여 글을 고쳐 써야 합니다.

26 낱말과 낱말 사이는 띄어 써야 합니다.

27 글을 쓴 뒤에 고쳐쓰기를 하면 자신이 전하고자 한 내용을 효과적으로 표현했는지 확인할 수 있고, 잘못된 띄어쓰기나 표현을 고칠 수 있습니다.

30 낱말과 낱말 사이는 띄어 쓰되, '이/가', '을/를', '은/는', '의'와 같은 말은 앞말에 붙여 씁니다.

단원 평가
교과서 진도북 **52~54**쪽

1 ①, ②, ③　　**2** ❷　　**3** (1) 5월 (2) 학교 운동장　　**4** 예 학교에서 공부하고 있다.　　**5** ❹
6 예 동생이 아팠을 때 평소와 다른 느낌이 들었기 때문에
7 (1) 누구 (2) 무슨 일 (3) 마음　　**8** (1) 열 (2) 배　　**9** ⑤
10 (2) ○　　**11** ⓒ　　**12** 이번 가을에만 두 번째네.
13 ④　　**14** ⑤　　**15** ⑤　　**16** (1) 지난주 월요일
(2) 희망 목장 (3) 현장 체험학습은 새로운 것을 체험할 수 있어서 좋다.　　**17** ③　　**18** 현장 체험학습은 새로운 것을 체험할 수 있어서 좋다.∨다음에 또∨오고 싶다.　　**19** ⑤
20 ③

2 친구들과 함께 한 운동회가 기억에 남는다고 하였습니다.

3 5월에 학교 운동장에서 친구들과 함께 운동회를 했다고 하였습니다.

4 학교에서 공부하고 있는 모습입니다.

5 평소와 다른 느낌이 들었던 일로 동생이 아팠던 일을 글로 쓰려고 합니다.

6 동생이 아팠을 때에는 잘 못해 준 것이 생각나 미안한 마음을 표현해 보고 싶었다고 하였습니다.

채점 기준	
평가	답안 내용
상	예 동생이 아팠을 때 평소와 다른 느낌이 들었기 때문에
	→ 서연이가 한 말을 바탕으로 그 까닭을 찾아 씀.
중	예 글로 쓰기에 적당한 주제라고 생각했기 때문에
	→ 동생이 아팠던 일을 왜 글로 쓰려고 했는지가 잘 드러나지 않음.
하	예 누구에게나 매일 일어나는 일이기 때문에
	→ 서연이가 일을 쓰기로 한 까닭과 전혀 관련 없음.

7 언제, 어디에서, 누구와, 무슨 일이 있었는지, 또 어떤 마음이 들었는지 떠올려 정리합니다.

8 아빠께서는 주혁이가 열이 많이 나고 배도 많이 아파하는 것으로 보아 장염에 걸린 것 같다고 하셨습니다.

9 아픈 동생이 걱정스러웠고 주혁이가 얼른 나았으면 좋겠다고 생각했습니다.

10 쉼표(,) 뒤에 오는 말은 띄어 씁니다.

11 수를 나타내는 말과 단위를 나타내는 말 사이는 띄어 씁니다. "이번 가을에만 두∨번째네."로 띄어 써야 바른 표현이 됩니다.

12 수를 나타내는 말 '두'와 단위를 나타내는 말 '번' 사이를 띄어 씁니다.

채점 기준	
평가	답안 내용
상	이번 가을에만 두 번째네.
	→ '두'와 '번' 사이를 띄어 씀.
중	예 이 번 가을에만 두 번째네.
	→ '두'와 '번' 사이를 띄어 쓰고, 띄어쓰기가 잘못된 부분이 아닌 곳도 고쳐 씀.
하	예 주혁이가 눈물이 그렁그렁 한 얼굴로 말했다.
	→ ⓒ이나 ⓔ 문장을 고쳐 씀.

13 쉼표 뒤에 오는 말은 띄어 씁니다.

14 띄어쓰기를 바르게 하면 전하고자 하는 뜻을 정확히 전할 수 있습니다.

15 인상 깊은 일에 대해 언제, 어디에서, 누구와, 무슨 일이 있었는지 어떤 생각이나 느낌이 들었는지 정리합니다. 글을 길게 쓸 수 있는지 여부는 인상 깊은 일을 정하는 것과 관련이 없습니다.

16 첫 번째 문장에서 언제, 어디에서 겪은 일인지 드러나 있고, 끝부분에 겪은 일에 대한 생각이나 느낌이 드러나 있습니다.

17 피자 만들기 체험을 한 후 치즈 만들기 체험장에 가서 치즈와 관련된 영상을 보고 치즈를 만들었습니다. 치즈 만들기가 가장 마지막에 한 일입니다.

18 낱말과 낱말 사이는 띄어 쓰고, 마침표 뒤에 오는 말도 띄어 씁니다.

19 제목은 글에서 자신이 가장 하고 싶은 말은 무엇인지, 어떤 마음을 표현하고 싶은지를 생각하고 겪은 일이 잘 드러나게 정해야 합니다.

20 글을 고쳐 쓸 때는 이해하기 쉬운 표현을 썼는지 확인하고 띄어쓰기를 바르게 했는지 확인합니다.

4. 감동을 나타내요

진도 학습 교과서 진도북 57~64쪽

1 ①, ②　**2** 예 와삭 / 아삭아삭　**3** 뻥　**4** 예 아이들이 공을 뻥 차고 있다. / 공을 차니 뻥 소리가 난다.
5 ⑤　**6** 예 달그락달그락　**7** ①　**8** ②
9 ㉮　**10** ②　**11** 정호　**12** 잠꾸러기
13 넣고　**14** 두더지　**15** ③　**16** (1) ○
17 선미　**18** 예 추석날 밤에 할머니 댁에서 풀벌레 소리를 들으니 지구가 숨 쉬는 소리 같았다. / 등산을 갔다가 단풍잎이 떨어지는 모습을 보고 지구가 나를 반겨 준다고 생각하였다.　**19** ①　**20** (2) ○　**21** 조율　**22** ①
23 ③　**24** 시각 장애인 등　**25** ①, ③
26 예 피아노 조율　**27** (3) ○　**28** 아무것도 없는 것 등　**29** (1) ④ (2) ② (3) ① (4) ③　**30** ③
31 풀밭　**32** 예 색깔에 대한 느낌을 연주하였다.
33 ④　**34** 강판　**35** (3) ○　**36** ⑤　**37** ⑤
38 예 블링크 아저씨가 눈 수술을 받고 돌아온 장면이 인상 깊었다. 왜냐하면 블링크 아저씨가 앞으로 색깔을 볼 수 있다는 것이 기뻤기 때문이다.

자습서 확인 문제 65쪽

1 에밀　**2** ⑤　**3** 블링크 아저씨

1 곰 인형을 손으로 만져 보면 보들보들하고 푹신푹신합니다.

2 '와삭'이나 '아삭아삭' 등과 같이 사과에 어울리는 표현을 생각하여 봅니다.

3 공이나 아이들의 모습에 어울리는 감각적 표현을 찾아봅니다.

4 그림 속 아이들은 축구를 하고 있습니다.

채점 기준

답안 내용
정답 키워드 뻥
'뻥'을 넣어 축구를 하고 있는 모습을 표현하였으면 정답으로 합니다.

5 남자아이가 돋보기로 하얀 화분에 핀 분홍색 꽃을 관찰하고 있습니다.

6 '달그락달그락' 등과 같이 필통을 흔들 때 나는 소리를 써 봅니다.

7 새콤달콤하고 푹신푹신하고 공처럼 둥그스름한 것은

굴입니다.

8 시의 제목 등으로 보아 말하는 이는 감기에 걸려 힘들어하고 있습니다.

9 감기에 걸려 몸에서 열이 나는 모습을 불덩이가 들어왔다고 표현하였습니다.

10 '추운 사람'과 가장 어울리는 표현은 '오들오들'입니다.

11 감기약을 먹고 몸이 무거워진 것을 몸에 거북이가 들어왔다고 하였습니다. 느릿느릿도 무거운 몸을 잘 나타내는 표현입니다.

12 감기약을 먹고 몹시 졸린 것을 잠꾸러기가 들어왔다고 하였습니다.

13 사물을 감각적으로 표현하면 사물에 대한 느낌을 더 실감 나게 표현할 수 있습니다.

14 "강가 고운 모래밭에서 / 발가락 옴지락거려 / 두더지처럼 파고들었다."라고 하였습니다.

15 '굼질굼질'은 느리게 조금씩 움직이는 모양을 흉내 내는 말입니다.

16 '내'가 발가락으로 모래밭에 파고들자 지구가 움직였기 때문입니다.

17 아이가 있는 장소, 아이가 한 행동과 생각을 바탕으로 떠오르는 장면을 생각하여 봅니다.

18 자연을 체험한 경험을 떠올려 봅니다.

채점 기준

평가	답안 내용
상	예 추석날 밤에 할머니 댁에서 풀벌레 소리를 들으니 지구가 숨 쉬는 소리 같았다. / 등산을 갔다가 단풍잎이 떨어지는 모습을 보고 지구가 나를 반겨 준다고 생각하였다.
	→ 자연을 체험한 경험을 썼고 그때 어떤 느낌이 들었는지 잘 나타남.
중	예 숲에서 풀벌레 소리를 들었다. / 단풍잎이 떨어지는 것을 보았다.
	→ 어떤 경험을 하였는지 나타나 있지만 지구가 살아있다고 느낀 까닭이 나타나 있지 않음.
하	자연과 관련 없는 내용을 씀.

19 '나'와 폴은 책에서 읽은 투명 인간에 대한 이야기를 나누고 있습니다.

20 엄마가 피아노 선생님이기 때문에 '내'가 엄마의 제자 중에서 피아노를 제일 잘 치기를 원하였습니다.

21 엄마는 '내' 탓이 아니라며 피아노 조율이 안 됐기 때문에 '내'가 피아노를 잘 치지 못하는 것이라고 생각하였습니다.

22 블링크 아저씨는 피아노를 조율하려고 '나'의 집에 왔습니다.

23 블링크 아저씨의 웃음소리가 피아노 줄 위에서 통통 뛰었다고 표현하였습니다.

24 시각 장애인인 블링크 아저씨를 도와주기 위해 한 행동입니다.

25 '나'는 정확한 음을 자동으로 연주하는 피아노를 보고 마치 투명 인간이 치는 것 같았고 사고 싶다고 생각하였습니다.

26 '나'는 피아노 음정이 맞지 않아서 조율을 부탁하려고 블링크 아저씨 집에 갔습니다.

27 블링크 아저씨는 "난 태어날 때부터 앞을 보지 못했지. 그 대신 어릴 적부터 다른 감각들이 아주 발달되어 있단다. 촉각, 후각, 미각, 청각 이런 것들 말이야."라고 말하였습니다. 태어날 때부터 앞을 보지 못한 것이 원인이고 대신 시각 외의 다른 감각들이 발달한 것이 결과입니다.

28 블링크 아저씨는 '나'에게 "아무것도 없는 게 보여."라고 말하였습니다.

29 '나'는 색깔을 맛이나 감촉, 기분으로 표현하였습니다. 각 색깔에 맞는 느낌을 찾아봅니다.

30 '나'는 붉은색을 설명하기 위해 할아버지네 토마토를 블링크 아저씨 집에 가져갔습니다.

31 '나'는 블링크 아저씨를 풀밭에 데려가 걸었고 아저씨는 그곳에서 아코디언을 가져와 초록색인 곡을 연주하였습니다.

32 블링크 아저씨는 붉은색과 초록색을 악기로 연주하였습니다.

33 '나'는 블링크 아저씨가 진짜 색깔을 볼 수 있으면 얼마나 좋을까 생각하였습니다.

34 감자를 갈 때 쓰는 강판을 만지는 것 같았다고 하였습니다.

35 (1)은 어떤 사람이나 물건이 사라졌을 때 흔히 사용하는 표현이므로 헷갈릴 수 있습니다. (2)도 투명 인간처럼 보이지 않게 되었다는 의미이므로 블링크 아저씨가 떠났음을 나타낼 수 있습니다. 하지만 이 문제는 글에 나타난 표현을 찾는 것이므로 정답은 (3)입니다.

36 '나'는 도서관에서 투명 인간에 대한 책을 한 아름 빌렸습니다.

37 '나'는 블링크 아저씨가 돌아오면 세상 모든 색을 들려주려고 피아노 연습을 많이 하였습니다. 그래서 피아노 실력이 늘었습니다.

38

채점 기준	
평가	답안 내용
상	이야기의 내용이나 표현을 바탕으로 인상적인 부분을 그렇게 생각한 까닭과 함께 씀.
중	인상적인 부분을 그 까닭과 함께 썼으나 '~ 때문에', '~해서' 등과 같은 표현을 쓰지 않은 경우.
하	인상적인 부분만 쓰고 그렇게 생각한 까닭을 제대로 쓰지 못한 경우.

단원 평가
교과서 진도북 66~68쪽

1 (1) ② (2) ①　　**2** ①　　**3** 예 뻥 / 왁자지껄
4 ③　　**5** 도윤　　**6** 예 젤리처럼 말랑말랑하다.
7 (2) ×　　**8** ①, ④　　**9** 거북이　　**10** ⑤
11 힘없는 목소리 등　　**12** ㉰　　**13** ④　　**14** 모래
15 ④　　**16** (3) ○　　**17** 풀잎　　**18** ②　　**19** 블링크
아저씨　　**20** 예 한여름 바다에서 물장구치는 소리

1 곰 인형은 보들보들 부드러운 느낌이고 사과는 매끈매끈한 느낌입니다.

2 ㉠에는 하얀색인 대상이, ㉡에는 둥근 모양의 대상이 들어가야 합니다.

3 공을 뻥 차는 소리나 왁자지껄 떠드는 소리 등 어울리는 흉내 내는 말을 써 봅니다.

4 돋보기를 사용하여 꽃을 관찰하고 있습니다.

5 ㈏의 여자아이와 도윤이는 대상의 소리를 관찰하였습니다.

6 지우개를 만질 때의 느낌을 다른 대상에 빗대어 표현하거나 흉내 내는 말을 사용하여 나타냈으면 정답으로 합니다.

채점 기준	
평가	답안 내용
상	예 젤리처럼 말랑말랑하다. / 휴대전화처럼 사각형이다.
	→ 만졌을 때의 느낌을 감각적 표현을 사용하여 씀.
중	예 지우개처럼 부드럽다.
	→ 빗댄 대상이 적절하지 않은 경우.
하	예 냄새를 맡아 보니 고무줄 같은 냄새가 난다.
	→ 만졌을 때의 느낌이 아닌 보거나 냄새를 맡은 느낌 등으로 쓴 경우.

7 귤의 맛은 새콤달콤하고 모양이 공처럼 둥그스름합니다. 귤은 만지면 폭신폭신합니다.

8 감기에 걸려 열이 많이 나는 것을 "불덩이가 들어왔다. / -뜨끈뜨끈."이라고 표현하였습니다.

9 2연에서 감기약을 먹고 몸이 거북이처럼 무거워졌다고 하였습니다.

10 거북이처럼 느릿느릿 움직이다 고개를 떨구는 몸짓이 어울립니다.

> **더 알아보기**
> 1연은 더운 듯이 땀을 닦다가 추운 듯이 몸을 떠는 몸짓이 어울립니다.

11 감기에 걸린 듯 힘없는 목소리가 어울립니다.

12 발가락을 구부려서 두더지 발톱처럼 만들어 모래밭에 파고드는 모습을 표현한 것입니다.

13 발가락으로 모래밭을 파고든 것이 말하는 이가 말한 작은 신호입니다.

14 모래의 움직임을 지구가 움직이는 것으로 생각하였습니다.

15 "엄마의 제자 중에서 내가 제일 잘 치기를 원하지만 난 그렇지 못해요."라고 하였습니다.

16 시각 장애인인 블링크 아저씨에게 색깔을 설명해 주기 위해서 시각을 제외한 다른 감각으로 표현하였습니다.

17 글 ㉣에 '내'가 초록색을 어떻게 표현하였는지 나타나 있습니다.

18 가장 붉은색인 것은 할아버지 밭에서 나는 토마토 맛이라고 하였습니다.

19 엄마께서 "블링크 아저씨는 외국에서 다른 사람에게서 안구를 기증받아 수술을 받고 돌아오셨어."라고 말씀하셨습니다.

20

평가	답안 내용
상	**예** 한여름 바다에서 물장구치는 소리 / 구름 한 점 없는 맑은 가을날 시원한 바람을 맞는 느낌
	→ 푸른색의 느낌이 잘 살아나고 시각을 제외한 다른 감각을 이용하여 설명함.
중	**예** 가을 하늘을 본 느낌
	→ 푸른색의 느낌이지만 눈으로 본 느낌으로 씀.
하	**예** 밤하늘에 떠 있는 구름
	→ 푸른색이라는 느낌이 잘 나타나지 않는 표현을 사용하여 쓴 경우.

5. 바르게 대화해요

진도 학습
교과서 진도북 71~77쪽

1 ❶, ❸ **2** 엄마 **3** ② **4** (2) ○ **5** ④
6 ⑤ **7** 고마워. 등 **8** ② **9** ①
10 할아버지, 어머니 **11** ⑤ **12** ③, ④
13 (1) ② (2) ① **14** ④ **15** (1) **예** 네. 책을 사러 서점에 갔습니다. (2) **예** 네, 이 책이 재미있습니다.
16 ⑤ **17** 물감, 물통 **18** ⑤ **19** ④
20 ⑤ **21** ㉣ **22** 지수 **23** ⑤
24 **예** 공공장소에서는 작은 목소리로 통화해 줄래?
25 (1) ❷ ○ - ① (2) ❶ ○ - ② **26** ④ **27** ③
28 작은 등 **29** ④ **30** (1) ○
31 훈이가 검은 옷을 입고 있어서 등 **32** ② **33** ④

1 상대가 웃어른일 때에는 높임 표현을 사용하여 말합니다. 대화 ❶에서는 엄마와, ❸에서는 문구점 주인아저씨와 대화를 나누고 있으므로 높임 표현을 사용하여 말하여야 합니다.

2 엄마가 진수에게 몸이 괜찮은지 물어보는 상황입니다.

3 수정이가 준비물만 알려 준 뒤에 진수의 말을 더 듣지 않고 전화를 끊었기 때문에 진수가 당황스러운 기분이 들었을 것입니다. 대화를 할 때에는 상대의 말을 끝까지 들어야 합니다.

4 큰 소리로 대화하는 친구들 때문에 문구점 주인아저씨가 제대로 듣지 못하여 진수에게 다시 말해 달라고 하는 상황입니다.

5 여자아이는 진수가 가위를 빌려주지 않아서 섭섭한 마음이 들 것입니다. 진수는 여자아이의 마음을 헤아려 보며 대화하여야 합니다.

6 승민이는 공손하게 높임 표현을 사용하여 대화하고 있습니다.

7 대화 상대가 동생이면 높임 표현을 사용하지 않고 예사말을 사용합니다.

8 높임의 대상은 할머니입니다.

9 사과주스는 사물이므로 "나오셨습니다."와 같이 높임 표현을 사용할 수 없습니다.

10 할아버지와 어머니를 모두 높여야 합니다.

11 '드시다', '계시다'로 할아버지를 높이고, 끝말에 '-요'를 붙여 어머니도 높입니다.

12 친구들과 대화할 때에는 높임 표현 없이 예사말을 사용하고 선생님과 대화할 때에는 '네', '–습니다'와 같이 높임 표현을 사용합니다. 항상 상대를 바라보고 말하여야 합니다.

13 대화를 할 때에는 상대의 말에 알맞은 반응을 하여야 합니다. 물음에 알맞은 대답을 하여야 대화가 자연스럽게 이어집니다. ㉠에는 주말에 한 일을, ㉡에는 어떤 책이 재미있는지를 말해 주어야 합니다.

14 선생님은 웃어른이므로 '–습니다' 또는 '–요'를 써서 문장을 끝맺어야 합니다.

15 13번 문제에서 답한 내용을 웃어른께 하는 말로 바꾸어 봅니다.

| 채점 기준 |
평가	답안 내용
상	(1) 예 네, 책을 사러 서점에 갔습니다. (2) 예 네, 이 책이 재미있습니다. → '응'을 '네'로, '–어'를 '–습니다' 또는 '–요'로 바꾸어 씀.
중	높임 표현을 알맞게 사용하였지만 내용을 줄여서 답하였거나 전혀 다른 내용으로 바꾸어 씀.
하	높임 표현을 바르게 사용하지 않은 부분이 있거나 물음에 알맞은 내용으로 쓰지 못한 경우.

16 전화를 건 지원이가 자신이 누구인지를 밝히지 않아 민지가 전화를 건 사람이 누구인지 몰랐습니다. "여보세요. 저는 지원이입니다. 민지 있나요?"와 같이 자신이 누구인지 밝혀야 합니다.

17 민지는 정확히 무엇을 말하는지 몰라서 물통과 물감을 모두 생각하였습니다.

18 민지는 지원이가 들고 있는 망가진 물통을 볼 수 없습니다. 전화 통화에서는 상황을 볼 수 없기 때문에 구체적으로 말하여야 합니다.

19 어떤 미술 준비물이 망가졌는지 잘 드러나게 말하여야 합니다.

20 전화로는 상황을 볼 수 없기 때문에 정확하고 구체적으로 말하여야 합니다.

21 전화 대화는 상대를 볼 수 없기 때문에 전화를 건 사람이 자신이 누구인지 밝혀야 하며, 누가 받을지 모르므로 높임 표현을 사용해야 합니다.

22 정아도 할 말이 있는데 지수가 계속 자신이 할 말만 하고 있는 상황입니다.

23 할머니께서 하실 말씀이 남아 있는데 유진이가 그것을 듣지 않고 갑자기 전화를 끊었습니다. 전화 대화를 할 때에는 상대의 말을 끝까지 듣고 끊는다는 표현을 한 뒤 전화를 끊어야 합니다.

24 남자아이는 공공장소인 지하철 안에서 큰 소리로 통화를 하고 있습니다.

| 채점 기준 |
평가	답안 내용
상	정답 키워드 공공장소, 작은 목소리 예 공공장소에서는 작은 목소리로 통화해 줄래? / 여럿이 사용하는 공공장소에서는 작은 목소리로 통화하는 것이 좋을 것 같아. → 남자아이가 전화로 대화할 때 지켜야 할 예절을 예의 바르게 알려 줌.
중	예 주위 사람에게 피해를 주지 않았으면 해. → 전화로 대화할 때 지켜야 할 예절 중 어떤 점을 지키지 않았는지 구체적으로 쓰지 못함.
하	예 조용히 해! / 전화로 대화할 때에는 상대의 말을 귀 기울여 들어야 해. → 남자아이의 기분이 상하는 말을 쓴 경우. 전혀 관련 없는 전화 예절을 알려 준 경우.

25 (1)에서는 여자아이가 자신이 누구인지 밝혀야 합니다. (2)에서는 상대의 상황을 헤아려 보아야 합니다.

26 여자아이는 할머니와 전화 대화를 하고 있으므로 공손하게 높임 표현을 사용하여 말하여야 합니다.

27 여자아이는 자신이 누구인지 밝히지 않고 바로 용건을 말하였습니다.

> **더 알아보기**
> • 전화로 대화할 때의 바른 예절
> ① 자신이 누구인지 밝히고 상대가 누구인지 확인합니다.
> ② 상대의 상황을 헤아려 봅니다.
> ③ 상대에게 공손하게 말합니다.

28 공공장소에서는 작은 목소리로 말합니다.

29 장면 ❶에서 강이는 유치원생 같다는 놀림을 듣고 속상해하였습니다.

30 엄마께서 비가 와서 어둡기 때문에 검은색 옷보다 밝은색 옷을 입으라고 하셨습니다.

31 훈이가 검은 옷을 입고 있어서 운전하던 아저씨가 훈이를 잘 보지 못하였습니다.

32 인물이 처한 상황, 인물의 마음에 어울리는 것을 찾습니다. 친구가 위험한 행동을 하는 것을 보는 장면이므로 친구를 잡으려는 몸짓 등이 어울립니다.

33 훈이와 강이는 비 오는 날에는 밝은색 옷을 입어야 한다는 것을 깨달았을 것입니다.

단원 평가

1 ④ **2** (3) ○ **3** ❹ **4** ③ **5** ❷
6 (1) 예 고마워. (2) 예 고맙습니다. **7** ⑤ **8** ④
9 ㉡ **10** ③ **11** 지원 **12** ④
13 물감과 물통 **14** ⑤ **15** (1) 할머니 (2) 유진
16 ① **17** 예 네, 전해 드릴게요. 할머니, 혹시 더 하실
말씀 있으세요? / 네, 어머니께 그렇게 말씀드릴게요. 더 시
키실 것 있으세요? **18** (1) ① (2) ② **19** ②
20 ④

1 '많이 좋아졌어요.' 등과 같이 웃어른과 대화할 때에는 높임 표현을 사용합니다.

2 그림을 살펴보면 수정이는 진수의 말을 끝까지 듣지 않고 "풀이랑 가위야."라고 말하며 수화기를 내려놓고 있는 모습을 볼 수 있습니다. 이처럼 전화를 일방적으로 끊는 것은 예의에 어긋납니다.

3 ❹에서 진수가 자신이 쓸 것이라며 가위를 빌려주지 않았으므로, 진수에게 섭섭한 마음을 느낄 수 있습니다.

4 친구로부터 자신이 그린 그림을 칭찬받았고, 선생님으로부터 마음이 따뜻하다고 칭찬을 들은 진영이는 고마운 마음이 들었을 것입니다.

5 웃어른인 선생님께는 높임 표현을 사용하여 대답해야 합니다.

6 고마운 마음을 대화 상대에 맞게 알맞은 높임 표현을 사용하여 말합니다.

채점 기준	
평가	답안 내용
상	(1) 예 고마워. / 고맙다. (2) 예 고맙습니다. / 감사합니다.
	➡ 칭찬을 들은 것에 고마운 마음을 상대에 알맞게 높임 표현을 사용하여 씀.
중	(1) 예 고마워 / 고맙다 (2) 예 고맙습니다 / 감사합니다
	➡ 알맞은 내용을 썼으나 문장 부호를 빠뜨림.
하	(1) 예 그런가? / 글쎄. (2) 예 네.
	➡ 고마운 마음이 잘 드러나지 않는 표현이거나 상황에 어울리지 않는 경우.

7 상대에 따라 높임말이나 예사말을 사용하여 대화하여야 합니다.

8 승민이는 할머니의 눈을 바라보며 예의 바르게 대화를 하고 있습니다.

9 '주세요'는 승민이가 가게 아저씨를 높이는 표현이므로 알맞습니다. 사과주스는 높일 필요가 없습니다.

10 사물을 높이는 표현은 사용하지 않습니다. 높임 표현을 사용할 때에는 듣는 사람이 누구인지, 대상이 누구인지 잘 생각해야 합니다.

11 대화의 내용을 보면 지원이가 건 전화를 민지가 받은 상황임을 알 수 있습니다.

12 지원이가 자기가 누구인지 밝히지도 않고 "여보세요, 민지 있나요?"라고 말해서 민지가 전화를 건 사람이 누구인지 몰랐습니다.

13 서로를 볼 수 없는 전화 통화에서는 말만으로는 상황을 정확히 알 수 없기 때문에 민지가 지원이의 말을 알아듣지 못하였습니다.

14 영상 통화가 아닌 경우에는 전화 대화에서 서로의 상황을 볼 수가 없으므로 정확하고 구체적인 표현을 사용해야 합니다.

15 할머니께서 거신 전화를 유진이가 받은 상황입니다.

16 "세 시까지 공항에 데리러 오라고 말해야 하는데……." 라는 할머니의 말씀으로 보아, 할머니께서 하실 말씀이 남아 있는데 유진이가 그것을 듣지 않고 갑자기 전화를 끊었다는 것을 알 수 있습니다.

17 할머니께서 당황하신 까닭을 생각하며 유진이가 대답할 말을 고쳐 써 봅니다.

채점 기준	
평가	답안 내용
상	예 네, 어머니께 그렇게 말씀드릴게요. 더 시키실 것 있으세요?
	➡ 높임 표현을 사용하여 할머니가 시키신 일에 대한 대답을 하고, 용건이 더 남았는지 물음.
중	예 네, 어머니께 그렇게 말씀드릴게요.
	➡ 높임 표현을 사용하여 할머니가 시키신 일에 대한 대답을 썼으나, 용건이 더 있는지 묻는 말은 쓰지 않은 경우.
하	예 네, 알겠습니다.
	➡ 높임 표현이 들어간 대답으로만 아주 간단하게 고쳐 쓴 경우.

18 놀림을 당한 경험, 위험한 행동을 하는 사람을 본 경험을 떠올려 봅니다.

19 친구가 위험할 수 있으므로 친구를 말리듯 다급한 말투가 가장 어울립니다.

20 자동차를 운전하던 아저씨는 훈이가 어두운 색 옷을 입어서 보이지 않았다고 하였습니다.

6. 마음을 담아 글을 써요

진도 학습

교과서 진도북 83~91 쪽

1 ②　**2** (1) 고맙습니다. (2) 정말 미안해. (3) 와, 신난다!
3 예 빨리 나아야 해. / 네가 아파서 걱정돼.
4 (1) 예 달리기 (2) ②　**5** ⑤　**6** ③　**7** (2) ×
8 ㉣　**9** (3) ○　**10** 강아지　**11** ⑤
12 (1) 예 학교 갈 때 (2) 예 친한 친구를 만남. (3) 예 반가운
마음　**13** ⑤　**14** ③　**15** 예 죽었기 때문이다
16 ㉣　**17** 책가방　**18** ④　**19** ⑤　**20** ⑤
21 ①　**22** ④　**23** ③　**24** ③
25 (1) 배 (2) 화장실　**26** 예 친구들의 착각이나 야유, 응원
을 신경 쓰지 않고 이호가 올 때까지 묵묵히 이어달리기를 끝
까지 했다.　**27** ①　**28** 준열　**29** ⑤　**30** ⑤
31 표정　**32** 예 미안한 마음에 네게 미안하다는 말을 하
려고 했는데, 쑥스러운 마음이 많이 들어서 그런 행동을 했나
봐. 미안해.　**33** (3) ×

자습서 확인 문제 90쪽

1 ②　**2** ④　**3** 최선을 다했기 때문에 등

1 이웃집 아주머니께서 음식을 주셨으므로 고마운 마음
을 표현해야 합니다.

2 가에는 고마운 마음을, 나에는 미안한 마음을, 다에
는 기쁜 마음을 나타내는 말이 어울립니다.

3 아픈 친구를 걱정하는 마음이 드러나게 씁니다.

4 (1) 달리기를 하던 아이가 넘어졌습니다. (2) ②는 넘어
진 친구를 위로하는 말로 알맞지 않습니다.

5 규리는 더 자고 싶었지만 엄마께서 깨우셔서 억지로 일
어났습니다.

6 규리는 더 잘 수 없어서 속상했을 것입니다.

7 규리가 발표 준비를 하지 않았다는 내용은 나타나 있지
않습니다.

8 규리는 발표할 차례가 다가오자 가슴이 콩닥콩닥 뛰기
시작했고, '실수하면 안 되는데……'라고 생각했습니
다. 이를 통해 실수를 할까 봐 걱정스럽고 불안한 마음
을 짐작할 수 있습니다. 규리처럼 불안하고 떨리는 마
음을 느낄 수 있는 상황은 ㉣입니다.

9 음악 시간 내내 민호에게 연주 방법을 가르쳐 준 규리
는 민호의 리코더 실력이 나아지고 있어서 기분이 좋아
졌습니다.

10 규리는 놀이터를 지나다가 수호네 강아지를 보고 털을
쓰다듬어 주었습니다.

11 규리는 수호네 강아지 덕분에 하루가 행복하게 마무리
되었다고 했습니다.

12 자신의 하루를 되돌아보고 언제 어떤 일이 일어났는지
알맞은 내용을 씁니다.

13 친구에게서 생일잔치에 초대한다는 편지를 받고 몹시
기뻐하였습니다.

14 "야호, 신난다!"와 같은 말이나 재주를 넘는 모습에 신
나고 기쁜 마음이 드러나 있습니다.

15 여자아이는 오랫동안 기르던 찌돌이가 죽었다고 말하
며 슬퍼했습니다.

16 ㉠, ㉡에는 슬픈 마음, ㉢에는 보고 싶은 마음이 나타
나 있습니다. ㉣에는 마음을 나타내는 표현이 들어 있
지 않습니다.

17 친구들은 운동회 연습을 하기 위해 책가방에 얌체공을
던지고 있었습니다.

18 운동에 자신이 없는 기찬이는 친구들과 운동회 연습을
하는 대신 멀찍이 앉아 친구들의 모습을 바라보기만 했
습니다.

19 기찬이가 찬 돌멩이가 책가방을 맞혀서 친구들의 머리
위로 공책과 연필이 쏟아졌습니다. 운동회 연습도 제
대로 하지 않는 기찬이가 자신들이 연습하는 것을 방해
하기까지 하자 친구들은 화가 났을 것입니다. 친구들
이 기찬이에게 소리친 내용을 통해 화가 난 마음을 짐
작할 수 있습니다.

20 기찬이는 머리에 혹이 나서 화를 내는 친구들을 보고
당황했습니다. 사과를 하려고 했지만 할 말이 생각나
지 않자 교문 밖으로 달려 나갔습니다.

21 선생님께서는 누구나 한 경기씩 나갈 수 있도록 제비뽑
기를 하자고 하셨습니다.

22 이호는 걱정하는 친구들을 향해 쪽지를 흔들며 자신만
믿으라고 했습니다.

23 이호는 이어달리기를 해야 하는데 배가 아파서 불안하
고 초조했을 것입니다.

24 친구들은 달리기가 느린 기찬이가 질 것이 뻔하다고 생
각했기 때문에 제대로 응원을 하지 않고 딴전을 부리고
있었습니다.

25 배가 아픈 것이 원인, 화장실에 간 것이 결과에 해당합
니다.

26

채점 기준	
평가	답안 내용
상	친구들의 행동에도 흔들리지 않고 최선을 다해 이어달리기를 했다는 내용으로 씀.
중	이어달리기를 계속했다는 내용만 간단하게 씀.
하	당황스러웠을 것이라는 기찬이의 마음을 짐작하여 씀.

27 ㉮를 통해 기찬이의 마음을 알 수 있습니다. ㉯와 ㉰는 기찬이의 행동, ㉱는 친구들의 마음을 나타낸 표현입니다.

28 기찬이는 화장실에 갔다 온 이호에게 핀잔을 주었지만 화를 내지는 않았습니다.

29 원호는 딱지치기를 할 때 주은이가 말을 함부로 해서 화가 났습니다.

30 주은이는 자신의 예의 없는 말 때문에 화가 난 원호에게 사과하려고 했습니다.

31 주은이의 표정, 분위기, 말, 행동에는 사과하는 마음이 담겨 있지 않았습니다.

32

채점 기준	
평가	답안 내용
상	예 쑥스러워서 너에게 제대로 사과하지 못했어. 정말 미안해. → 원호의 마음을 헤아리며 주은이의 감정을 솔직하게 씀.
중	예 미안해. / 사과할게. → 미안한 마음을 나타내는 말만 간단하게 씀.

33 전하고 싶은 마음을 장난스럽게 표현하면 그 마음에 진심이 담겨 있지 않다고 생각할 수도 있습니다.

단원 평가
교과서 진도북 **92~94**쪽

1 ① **2** ② **3** ⑤ **4** ④ **5** 리코더
6 ⑤ **7** 누구나 **8** ① **9** ④ **10** ④
11 ④ **12** 예 목청껏 기찬이의 이름을 부른 것으로 보아 친구들은 백군을 이긴 줄 알고 기뻤을 것이다. **13** ③
14 ②, ④ **15** 예 미안한 마음 **16** 예 예의 없이 행동해서 미안해. **17** (3) × **18** 자신의 마음
19 ⑤ **20** ②

1 첫 번째 그림에서 아이들은 현장 체험학습을 가게 되어 신난 표정과 몸짓을 보이고 있습니다.

2 아픈 친구를 위로하거나 격려하는 말이 들어가기에 알맞습니다.

3 민호가 규리를 도와주었다는 내용은 없습니다.

4 규리는 발표할 차례가 다가와서 걱정했습니다.

5 규리는 민호가 리코더를 잘 불 수 있도록 연주 방법을 가르쳐 주었습니다.

6 규리는 민호에게 리코더를 잘 분다고 잘난 체하는 행동을 하지는 않았습니다.

7 선생님께서는 누구나 한 경기씩 나갈 수 있도록 운동회에 나갈 선수를 제비뽑기로 뽑자고 하셨습니다.

8 기찬이는 운동회를 싫어하고 달리기도 느린데 이어달리기에 나가게 되어서 울상이 됐습니다.

9 친구들은 기찬이가 이어달리기에 나가면 질 것이라고 생각하여 실망하고 있습니다.

11 기찬이는 친구들이 목청껏 자신의 이름을 불러서 어리둥절했습니다.

12

채점 기준	
평가	답안 내용
상	예 "기적이야! 우리가 이겼어!"라는 말을 통해 백군을 이겨서 신나는 마음을 짐작할 수 있다. → 친구들이 한 일, 생각, 말이나 행동을 까닭으로 들어 마음을 짐작하여 씀.
하	예 기쁜 마음 / 신나는 마음 → 친구들의 마음을 표현하는 말만 간단하게 씀.

13 인물의 생김새를 떠올리는 것은 인물의 마음을 짐작하는 방법으로 적절하지 않습니다.

15 주은이는 자신이 교실에서 원호에게 예의 없이 행동한 일에 대해 미안한 마음을 전하고 있습니다.

16

채점 기준	
평가	답안 내용
상	예 원호야, 아까 내가 예의 없이 말해서 미안해. → 원호의 마음을 헤아리는 표현으로 미안한 마음을 전하는 말을 씀.
하	예 미안해. → 미안한 마음을 나타내는 말만 간단히 씀.

17 미안한 마음을 전하는 쪽지를 쓸 때 상대가 잘못한 점을 쓰는 것은 알맞지 않습니다.

18 '마음을 전하는 우리 반' 행사는 자신의 마음을 다른 사람에게 전하는 행사입니다.

19 마음을 전하는 편지에 편지를 쓴 장소나 시간을 반드시 쓸 필요는 없습니다.

20 상대방의 잘못을 꾸짖는 표현은 상대방의 마음을 생각한 표현으로 볼 수 없습니다.

7. 글을 읽고 소개해요

1 ⑤   **2** (3) ○   **3** ②   **4** 예 나는 스무고개 놀
이를 좋아한다. 내가 낱말을 하나 생각하고 친구들이 질문을
해서 어떤 낱말인지 알아맞히는 놀이이다. 질문은 스무 개까
지만 할 수 있다.   **5** 나라   **6** ⑤
7 (1) 독수리 (2) 선인장   **8** (1) 멕시코 (2) 캐나다
9 (1) 열세 (2) 오십   **10** ①   **11** ⑤   **12** ③, ④
13 『바위나리와 아기별』   **14** ⑤   **15** (2) ○
16 (1) 예 매우 아프다. (2) 예 가슴이 찢어지는 듯이 심한 고
통이나 슬픔을 느끼다.

1 '앉아서 하는 피구'를 소개한 글입니다.

2 공은 한 개만 필요하고 교실에서 하는 놀이입니다.

3 공을 굴리는 사람도 앉은 자세로 합니다.

4 놀이 이름, 준비할 내용, 규칙 등을 소개합니다.

채점 기준

평가	답안 내용
상	예 나는 빙고 놀이를 좋아한다. 스물다섯 개의 네모 칸에 숫자나 나라 이름 같은 것을 쓰고, 친구와 돌아가면서 쓴 낱말을 말한다. 먼저 세 줄이나 다섯 줄을 완성하면 이긴다.
	→ 놀이 이름과 놀이 방법 등을 구체적으로 소개함.
중	예 나는 달팽이 놀이를 좋아한다. 친구들과 함께 하면 재미있기 때문이다.
	→ 좋아하는 놀이를 소개했지만 놀이를 하는 방법이나 규칙은 설명하지 않음.
하	예 나는 술래잡기를 좋아한다.
	→ 좋아하는 놀이 이름만 소개함.

더 알아보기

글을 읽고 친구에게 소개하면 좋은 점
① 새로운 사실을 알려 줄 수 있습니다.
② 읽은 글의 내용을 잘 정리할 수 있습니다.
③ 소개하면서 친구들과 많은 이야기를 나눌 수 있습니다.
④ 자신이 관심 있는 분야를 더 다양하게 생각할 수 있습니다.

5 국기는 그 나라를 나타내는 깃발이기 때문에 국기를 들
고 입장합니다.

6 캐나다에는 설탕단풍 나무가 많이 자라기 때문에 캐나
다 국기에는 단풍잎을 그려 넣었습니다. 국기에 그 나
라에 많이 자라는 나무를 그려 넣어서 캐나다 국기에는
자연이 담겨 있다고 했습니다.

7 멕시코 국기에는 선인장 위에 독수리가 내려앉자 그 곳
에 도시를 세웠다는 멕시코의 전설이 담겨 있습니다.

더 알아보기

멕시코의 전설, 멕시코 국기 이야기, 아즈텍족이 나라를 세운 이
야기는 모두 독사를 물고 날아가는 독수리가 선인장 위에 앉으면
그곳에 도시를 세우라는 신의 계시를 가리키는 것입니다.

8 독수리와 뱀, 선인장이 그려진 것은 멕시코의 국기이
고, 빨간 단풍잎이 그려진 것은 캐나다의 국기입니다.

9 미국 국기에는 열세 개의 줄과 오십 개의 별이 있습니다.

10 국기에 그려진 별의 수는 늘어났고, 줄의 수는 변하지
않았습니다.

   ◆ 처음의 미국 국기   ◆ 현재 미국 국기

11 태극기의 흰색에는 우리나라 사람들의 평화를 사랑하
는 마음이 담겨 있습니다.

12 우리는 독립하려고 싸울 때마다 태극기를 힘차게 휘날
렸습니다. 지금의 모습은 1949년에 정해진 것입니다.

왜 틀렸을까?

①: 1945년에 나라를 되찾기 전에도 태극기가 있었습니다.
②: 일본에 나라를 빼앗겨 일본이 태극기 사용를 금지했습니다.
⑤: 무늬가 조금씩 달라서 1949년에 지금의 모습으로 정했습니다.

13 『바위나리와 아기별』을 읽고 쓴 독서 감상문입니다.

14 독서 감상문에는 책을 읽게 된 까닭, 책 내용, 인상 깊은
부분, 책을 읽은 뒤에 든 생각이나 느낌이 들어가야 합니
다. 글쓴이가 책을 읽고 나서 떠올린 생각이나 느낀 점은
㉤에 나타나 있습니다. ㉠은 책을 읽게 된 까닭이 ㉡, ㉢
은 책 내용이, ㉣은 인상 깊은 부분이 드러나 있습니다.

15 독서 감상문을 쓸 때 전체 내용을 쓸 필요는 없습니다.

더 알아보기

독서 감상문에 들어가는 내용

책을 읽게 된 까닭	그 책을 어떻게 읽게 되었는지를 씁니다.
책 내용	책에 있는 이야기의 줄거리나 책에 담긴 중요한 정보를 씁니다.
인상 깊은 부분	책 내용 가운데에서 가장 기억에 남는 부분을 씁니다.
책을 읽은 뒤에 든 생각이나 느낌	책을 읽고 나서 떠올린 생각이나 느낀 점을 씁니다.

16 문맥에 맞는 뜻을 짐작하여 쓴 뒤 국어사전에서 정확한
뜻을 찾아 썼으면 정답으로 인정합니다.

　　　　教科書 진도북 **101~104**쪽

1 ②	**2** ④	**3** ①, ⑤	**4** ⑤

5 (1) 예 「아낌없이 주는 나무」 (2) 예 아낌없이 주는 나무의 마음이 정말 착하다고 생각했고, 나도 그런 친구가 있으면 좋겠다고 소개했다. 　**6** ② 　**7** ⑤ 　**8** ⑤

9 ③, ④ 　**10** ㉣ 　**11** (1) ○ 　**12** 예 미국 국기에 있는 오십 개의 별은 지금 미국의 주의 수를, 열세 개의 줄은 처음 나라를 세울 때 있었던 주의 수를 나타낸다는 것을 알게 되었다. 　**13** ③ 　**14** (1) ○ (3) ○ 　**15** ③

16 앞표지 　**17** ④ 　**18** (다) 　**19** ③, ⑤

20 (1) 간호하다 (2) 예 아픈 사람을 돌보다.

1 앉아서 하는 피구는 공 하나로 교실에서 쉽게 즐길 수 있는 놀이입니다.

2 이 글에서 놀이를 할 때 필요한 준비물을 어디에서 파는지는 소개하지 않았습니다.

> **더 알아보기**
>
> 글에서 소개한 내용 찾기
> ①: 가로로 긴 네모 모양으로 경기장을 만든다.
> ②: 규칙은 피구와 같지만 앉은 자세로 하는 것이 특징이다.
> ③: 두 편 대표가 가위바위보를 해서 먼저 공격할 쪽을 정한다.
> ⑤: 굴린 공이 아무도 맞히지 못하고 벽에 닿으면, 수비하던 친구가 공을 잡아 공격할 기회를 얻는다.

3 공을 피할 때에는 옆으로 이동해 피하거나, 무릎을 가슴에 붙여 앉은 자세로 뜀을 뛰어 피할 수 있습니다.

> **왜 틀렸을까?**
>
> ②: 놀이를 하다가 무릎을 한쪽이라도 펴면 피구장 밖으로 나가야 합니다.
> ③, ④: 이 놀이를 할 때에는 공을 굴려야 하지 공을 머리로 받아치거나 발로 차서는 안 됩니다.

4 어느 한 편의 친구 모두가 밖으로 나가면 놀이가 끝납니다.

5 책이 아니더라도 생활 정보지나 신문, 제품 설명서, 인터넷 블로그 등을 읽고 소개한 경험을 떠올려 쓸 수 있습니다.

> **채점 기준**
>
> | 평가 | 답안 내용 |
> |---|---|
> | 상 | (1)에 어떤 글을 소개했는지 쓰고 (2)에 글의 내용이나 자신의 생각이나 느낌 등 소개한 내용을 구체적으로 씀. |
> | 중 | (1)에 소개한 글을 쓰고 (2)에 소개한 내용을 썼지만 '재미있었다.', '신기했다.' 등과 같이 간단한 느낌만을 씀. |
> | 하 | 소개한 글이 무엇인지만 쓰고 무슨 내용을 소개했는지는 쓰지 못함. |

6 캐나다에 많이 자라는 설탕단풍 나무는 추운 날씨에 잘 자랍니다.

7 캐나다에 많이 자라는 설탕단풍 나무의 잎이 국기에 그려져 있기 때문에 국기에 그 나라의 자연이 담겨 있다고 했습니다.

8 아즈텍족은 독사를 물고 날아가는 독수리가 선인장 위에 앉자 그곳에 도시를 세웠습니다.

9 멕시코가 주변 나라를 모두 멸망시켰다거나 멕시코 사람들이 독사를 좋아한다는 내용은 나타나 있지 않습니다.

10 멕시코 국기에는 나라를 세운 이야기를 그려 넣었다고 했으므로 빈칸에는 '전설'이 들어가는 것이 알맞습니다.

11 줄과 별이 모두 열세 개인 것이 처음 나라를 세웠을 때의 국기입니다.

12
> **채점 기준**
>
> | 평가 | 답안 내용 |
> |---|---|
> | 상 | 예 미국 국기는 열세 개의 줄과 오십 개의 별로 이루어져 있다. / 미국 땅이 커져서 국기에 있는 별의 수가 늘어났다.　→ 글을 읽고 자신이 새롭게 안 내용을 정리하여 씀. |
> | 중 | 예 국기에 줄과 별이 많다.　→ 미국 국기의 특징을 간단히 씀. |
> | 하 | 미국과 관련된 내용을 썼으나 그 내용이 글에 나타나 있지 않음. |

13 ③은 나라를 빛내는 순간이나 대표하는 자리라고 보기 어렵습니다.

14 글 (나)의 첫 번째 문장과 마지막 문장을 살펴봅니다.

15 독서 감상문을 쓸 때 책을 산 곳을 소개할 필요는 없습니다.

16 앞표지에 있는 바위나리와 아기별 그림이 무척 예뻐서 책을 읽게 되었습니다.

17 바닷가에 내려가지 못하는 벌을 받게 된 아기별은 바위나리가 보고 싶어서 울었습니다.

18 글 (다)의 첫 번째 문장에 인상 깊게 읽은 부분이 나타나 있습니다.

19 ①, ②, ④는 책 내용입니다.

20 '간호하던'의 기본형은 '간호하다'입니다. '간호하다'의 뜻은 '다쳤거나 앓고 있는 환자나 노약자를 보살피고 돌보다.'이므로 문맥에 맞게 뜻을 짐작했으면 정답으로 인정합니다.

8. 글의 흐름을 생각해요

---

1 윤아   **2** '커졌다 작아졌다' 마법 열매

3 예 '커졌다 작아졌다' 마법 열매를 한 알 더 먹어야 한다.

4 ⑤   **5** ③   **6** ②, ⑤   **7** (3) ○   **8** ④

9 ㉡   **10** ②   **11** (1) ② (2) ①   **12** ⑤

13 (2) ○   **14** ④   **15** 차례   **16** ④   **17** 실 팔찌

18 (2) ×   **19** 소원 팔찌   **20** ④, ⑤   **21** 첫 번째

22 준석   **23** (1) 세 번째 (2) 실 세 가닥을 잡고 세 가닥 땋기를 합니다.   **24** ①

25 예 일하는 차례(일 차례)를 파악하며 읽는다.

26 (1) 매듭 위쪽 (2) 양쪽   **27** ②

28 예 물과 함께 먹어야 한다.   **29** (1) 방법 (2) 차례 (3) 정해져 있지 않다.   **30** (1) ② (2) ③   **31** ③

32 ❹→❷→❶→❸   **33** (1) ×   **34** ①   **35** (2) ○

36 ⑤   **37** ③   **38** ⑤   **39** (3) ×   **40** 곤충관

41 ⑤   **42** 예 톱사슴벌레는 몸 색깔이 갈색이고 톱날 모양의 큰턱을 가지고 있다.   **43** (3) ×

44 ④   **45** (1) ① (2) ②   **46** 장소

47 ⑤   **48** ⑤   **49** (1) ③ (2) ①   **50** ③, ④

51 소방서   **52** 적성, 보람   **53** (3) ○

54 ㉡   **55** (1) 예 로봇 연구소 (2) 예 우리 생활에 도움을 주는 로봇을 직접 눈으로 보고 조종도 해 보고 싶다.

자습서 확인 문제 113쪽

1 ㉠   **2** ㉢   **3** 차례 등

---

3 정답 키워드를 빠뜨리지 않고 마법 열매를 한 알 더 먹어야 본래 크기로 돌아올 수 있다는 내용과 비슷하게 썼으면 정답으로 인정합니다.

채점 기준

평가	답안 내용
상	정답 키워드 마법 열매 예 '커졌다 작아졌다' 마법 열매를 한 알 더 먹어야 한다. → 마법 열매를 한 알 더 먹어야 한다는 내용을 포함하여 모범 답안과 비슷한 내용을 씀.
중	예 마법 열매를 먹는 것 → 마법 열매를 '한 알 더' 먹어야 한다는 명확한 내용이 잘 드러나지 않음.
하	예 마법 열매 → 마법 열매를 어떻게 해야 하는지를 쓰지 않고 단순히 낱말만 제시함.

4 마루 밑에 사는 쥐들이 마법 열매를 가지고 있다고 했습니다.

5 베짱이는 할아버지에게 마법 열매를 구해 주기 위해서 베를 짰습니다.

6 베짱이는 「개미와 베짱이」 이야기에서 놀기만 하는 곤충으로 나왔기 때문에 늘 게으른 곤충 취급을 당해서 속상하다고 했습니다.

7 베짱이는 자기가 「개미와 베짱이」 이야기에 나오는, 놀기만 하는 게으른 곤충이 아니라는 것을 글로 써 달라고 했습니다.

8 이야기 할아버지는 베짱이에게 '너같이 솜씨 좋고 부지런한 베짱이'라고 말했습니다.

9 이야기 할아버지는 베짱이가 짜 준 베를 쥐들이 가진 마법 열매와 바꾸려고 쥐들을 찾아갔습니다.

10 쥐들에게 베를 주고 바꾼 마법 열매를 먹고 이야기 할아버지는 몸이 본래 크기로 돌아왔습니다.

11 이야기 할아버지가 갑자기 작아진 일, 베짱이가 베를 짜 준 일, 베를 주고 얻은 마법 열매를 먹고 몸이 커진 일, 새로 지은 시 「베짱이」를 아이들에게 들려준 일 등을 정리해 봅니다.

12 이 글은 세 가닥 땋기를 하는 방법을 설명한 글입니다.

13 머리를 두 갈래로 나누어 땋은 (2)번 그림이 땋기와 관련 있는 그림입니다.

14 세 가닥 땋기 방법은 머리카락, 실처럼 가늘면서 기다랗고 부드러운 물건을 이용하는 것이 알맞습니다.

15 '먼저', '세 번째'는 차례를 나타내는 말입니다.

16 '먼저'와 '세 번째' 사이에 올 수 있는, 차례를 나타내는 말은 '두 번째'입니다.

17 이 글은 실 팔찌를 만드는 방법에 대해 일 차례대로 설명한 글입니다.

18 실 팔찌를 어디에서 파는지는 나와 있지 않습니다.

19 실 팔찌를 팔목에 걸다가 자연스럽게 끊어지면 소원이 이루어진다는 말이 있기 때문에 실 팔찌를 소원 팔찌라고도 합니다.

20 서로 다른 색깔 털실 세 줄과 셀로판테이프만 있으면 실 팔찌를 만들 수 있습니다.

21 차례를 나타내는 말은 '첫 번째'입니다.

22 실 팔찌를 만들 때 사용하는 실의 두께는 두꺼울수록 좋으며, 처음에는 실 세 가닥을 함께 잡아 매듭을 지어

야 합니다.

23 ㉠에서 차례와 관련되는 중요한 내용은 '실 세 가닥을 잡고 세 가닥 땋기를 합니다.'입니다.

24 이 글은 실 팔찌를 만드는 방법에 대해 설명한 글로, 차례를 나타내는 말이 쓰여서 일하는 차례가 잘 드러나 있다는 특성이 있습니다.

25 이 글은 실 팔찌를 만드는 방법에 대한 일 차례가 잘 드러나 있으므로 일하는 차례에 주의하며 읽습니다.

채점 기준

평가	답안 내용
상	**정답 키워드** 일 차례 **예** 일하는 차례를 파악하며 읽는다. → 이 글의 특성에 따라 글을 읽는 방법을 알맞게 씀.
중	**예** 내용을 파악하며 읽는다. → 글의 흐름에 따른 특성이 드러나지 않는 일반적인 방법을 씀.

26 차례를 나타내는 말 뒤에 오는 중요한 내용을 살펴보아 빈칸에 알맞은 말을 찾아 씁니다.

27 이 글은 감기약을 안전하고 효과적으로 먹는 방법에 대해 설명한 글입니다.

28 감기약을 먹을 때 물과 함께 먹어야 한다는 내용을 올바른 문장으로 완성하면 정답으로 인정합니다.

29 「실 팔찌 만들기」와 「감기약을 먹는 방법」은 둘 다 일을 하는 방법을 알려 주는 글인데, 「실 팔찌 만들기」는 차례가 정해져 있지만, 「감기약을 먹는 방법」은 차례가 정해져 있지 않습니다.

30 글 **가**는 술래잡기하는 방법, 글 **나**는 소화기로 불 끄는 방법에 대해 쓴 글입니다.

31 일 차례에 따라 내용을 설명하고 있으므로, '첫 번째' 뒤에 나오기에 알맞은 말은 '두 번째'임을 알 수 있습니다.

32 **4**, **2**, **1**, **3**의 차례대로 되어야 글의 흐름에 맞습니다.

33 바람을 뒤에 두고 불을 꺼야 합니다.

34 이 글은 여행을 하고 난 뒤에 쓴 글입니다.

36 철새 떼를 보고 싶어서 동림 저수지를 방문했습니다.

37 이 글은 여행한 장소에 따라 한 일과 생각이 드러나 있으므로 장소 변화에 따라 간추리는 것이 좋습니다.

38 '나'는 과학 관찰 보고서를 쓰려고 동물원에 갔습니다.

39 '내' 보고서 주제는 날개가 있는 동물이므로 날개가 없

는 달팽이는 굳이 관찰할 필요가 없습니다.

41 곤충관에서 가장 관심이 갔던 곤충은 톱사슴벌레라고 했습니다.

42 글의 내용을 바탕으로 톱사슴벌레의 색깔과 턱의 모양을 자연스러운 문장으로 썼으면 정답으로 인정합니다.

채점 기준

평가	답안 내용
상	톱사슴벌레의 생김새를 모범 답안과 비슷하게 씀.
중	**예** 톱사슴벌레는 몸 색깔이 갈색이고 큰턱이 있었다. → 톱사슴벌레의 생김새 중 일부만 씀.
하	**예** 톱사슴벌레가 가장 관심이 갔다. → 톱사슴벌레의 구체적인 모습을 쓰지 않음.

43 사람의 말을 할 수 있는 것은 앵무새입니다.

더 알아보기

수리부엉이의 특징
• 천연기념물이다.
• 멸종 위기 동물이다.
• 몸길이가 70센티미터 정도로 크다.
• 붉은 눈과 앞뒤로 자유롭게 움직이는 목을 갖고 있다.

44 열대 조류관은 따뜻한 지역에 사는 새들이 있는 곳입니다.

45 키가 더 크고 머리가 붉은색, 목과 다리가 까만색이면 두루미, 다리가 붉은색이면 황새라고 했습니다.

46 이와 같이 장소가 바뀌면서 사건이 변하는 글은 장소의 바뀜과 그 장소에서 일어난 일을 중심으로 간추리는 것이 좋습니다.

47 친구들과 직업 체험관에 가서 직업 체험학습을 하고 나서 쓴 글입니다.

48 집안 어른들께 드릴 만한 선물을 만들면 좋겠다는 민기의 의견에 따라 선물로 드릴 만한 물건을 만들려고 가장 먼저 소품 설계관으로 갔습니다.

49 소품 설계관에서는 디자이너 체험을 했고, 제빵 학원에서는 제빵사 체험을 했습니다.

50 이 글에는 열 시, 열한 시, 열두 시 등의 시간 흐름과 소품 설계관, 제빵 학원, 중앙 광장 등의 장소 변화가 함께 나타나 있습니다.

51 소방관 체험은 소방서에서 했습니다.

52 소방관 체험을 해 보니 적성에도 잘 맞고 보람도 있어서 소방관이 되어도 좋겠다고 생각했습니다.

53 선생님께서는 직업 체험을 하고 앞으로도 직업의 세계에 관심을 가지면 여러분에게 딱 맞는 직업을 찾을 수 있을 거라고 하셨습니다.

54 직업 체험관을 다녀와서 앞으로도 직업의 세계에 관심을 두어야겠다고 생각했습니다.

55 직업 체험을 할 수 있는 장소와 하고 싶은 활동을 연관되게 썼으면 정답으로 인정합니다.

채점 기준	
평가	답안 내용
상	예 (1) 로봇 연구소 (2) 우리 생활에 도움을 주는 로봇을 직접 눈으로 보고 조종도 해 보고 싶다.
	→ 체험하고 싶은 장소와 하고 싶은 체험을 연관성 있게 바른 문장으로 나타냄.
중	예 (1) 로봇 연구소 (2) 로봇을 체험하고 싶다.
	→ 체험하고 싶은 장소와 하고 싶은 체험을 연관성 있게 썼으나 내용이 간단함.
하	예 (1) 로봇 연구소 (2) 로봇을 보고 싶다.
	→ 체험하고 싶은 장소에 알맞은 체험을 구체적으로 쓰지 않음.

단원 평가
교과서 진도북 **121~124** 쪽

1 ②   **2** ④   **3** ③   **4** 쥐(쥐들)
5 (1) 베 (2) 마법 열매   **6** 예 몸이 본래 크기로 돌아왔다.
7 세 가닥 땋기   **8** ④   **9** ㉮ → ㉯ → ㉰
10 (3) ○   **11** ①   **12** 두 번째 **13** ②   **14** (1) ×
15 (다) → (나) → (가)   **16** 예 선운사를 방문하여 아름다운 동백나무 숲을 보았다.   **17** 곤충관 **18** ④
19 소품 설계관   **20** (1) ② (2) ①

1 세상이 커졌다고 했지만 사실은 할아버지가 마법 열매를 먹고 작아진 것입니다.

2 '처음 보는 작은 열매'는 '커졌다 작아졌다' 마법 열매를 가리키는 것으로, 이것을 먹었기 때문에 할아버지 몸이 줄어든 것입니다.

3 할아버지 몸이 줄어들어서 클로버가 나무처럼 크게 보인 것입니다.

4 베짱이는 '커졌다 작아졌다' 마법 열매를 마루 밑에 사는 쥐들이 갖고 있는 것을 보았다고 했습니다.

5 할아버지는 쥐들에게 베를 주고 마법 열매를 받았습니다.

6 할아버지의 몸이 본래대로 커졌다는 내용을 썼으면 정답으로 인정합니다.

채점 기준	
평가	답안 내용
상	예 '몸이 본래 크기로 돌아왔다.(몸이 본래대로 커졌다.) 등
	→ 마법 열매를 먹은 뒤에 일어난 일을 명확하게 씀.
중	예 몸이 커졌다.
	→ 마법 열매를 잘못 먹기 전에 몸이 컸다는 사실이 잘 드러나지 않음.
하	예 커졌다.
	→ 무엇이 커졌는지 구체적으로 쓰지 않음.

7 이 글은 세 가닥 땋기를 하는 방법에 대해 설명한 글입니다.

8 '먼저, 우선, 첫째, 두 번째, 끝으로' 등은 일 차례를 나타내는 말입니다.

9 먼저, 두 번째, 세 번째라고 쓴 부분을 자세히 읽으면 알 수 있습니다.

10 여러 가지 색깔 실을 엮어 만든 팔찌를 실 팔찌라고 합니다.

11 실이 두꺼울수록 엮기 쉬우므로 두꺼운 실을 준비하라고 하였습니다.

12 차례를 나타내는 말은 '첫 번째, 두 번째'입니다.

13 감기약은 물과 함께 정해진 양만큼만 먹어야 합니다.

14 이 글은 일하는 방법을 알려 주고는 있지만 일 차례가 정해져 있지 않은 글입니다.

15 고인돌 박물관, 동림 저수지, 선운사의 차례대로 여행을 했습니다.

16 선운사에서 본 것을 중심으로 내용을 간추려 썼으면 정답으로 인정합니다.

채점 기준	
평가	답안 내용
상	정답 키워드 동백나무 숲
	예 선운사를 방문하여 아름다운 동백나무 숲을 보았다.
	→ 선운사에서 본 것을 중심으로 내용을 간추려 씀.
중	예 선운사를 방문하여 하얀 눈이 쌓인 것을 보았다.
	→ '동백나무 숲'이라는 중요한 내용을 쓰지 않음.

18 수리부엉이는 다리 길이가 70센티미터가 아니라 몸길이가 70센티미터나 되는 큰 새입니다.

19 가장 먼저 소품 설계관에서 디자이너 체험을 했습니다.

20 열한 시에는 제빵 학원에서 제빵사 체험을 했으며, 오후 한 시에는 소방서에서 소방관 체험을 했습니다.

9. 작품 속 인물이 되어

진도 학습

교과서 진도북 127~133쪽

1 ④	2 아침 식사	3 ④	4 ③, ⑤
5 아침잠	6 ④	7 (3) ○	8 ④	9 ②
10 밧줄	11 투루(쿠부), 쿠부(투루)		12 ②
13 ⑩ 즐겁고 속이 시원하다.(기분 좋고 속이 후련하다.)			
14 ②	15 ④	16 ①	17 어렵다	18 ①
19 ⑤	20 ④	21 (1) ○	22 ③	23 인찬
24 (3) ○	25 ⑤		

자습서 확인 문제 133쪽

1 ㉢	2 ㉢	3 ㉠, ㉡

1~2 무툴라가 인사를 했을 때 투루는 질겅질겅 풀을 씹으면서 아침 식사를 하고 있다가 무툴라가 귀찮게 한다면서 화를 냈습니다.

3 투루가 잘난 체하는 태도로 무툴라를 무시하는 말을 하고 있으므로 속삭이는 말투는 어울리지 않습니다.

4 투루는 다른 사람의 말을 잘 듣지 않고 잘난 체하는 거만한 태도로 상대를 무시하는 말을 하고 있습니다.

5 무툴라가 아침 인사를 했을 때, 하마 쿠부는 아무 말도 하지 않았다가 다시 인사를 하자 아침잠을 방해했다면서 화를 냈습니다.

6 쿠부는 무툴라를 꼬맹이라고 무시하며 아침잠을 방해했다고 화를 내고 있으므로 쿠부의 말은 짜증 나는 표정으로 버럭 화를 내며 읽는 것이 어울립니다.

7 무툴라는 자기가 힘이 세고 줄다리기를 하면 자기가 이길 수 있다고 자신만만하게 말하고 있으므로 자신감 있는 표정과 크고 또렷한 목소리가 어울립니다.

8 무툴라는 코끼리 투루에게 줄다리기를 하게 하려고 밧줄의 한쪽 끝을 잡으라고 했습니다.

9 밧줄의 양쪽 끝을 투루와 쿠부에게 잡게 한 뒤 무툴라는 덤불숲에 숨어서 투루와 쿠부가 줄다리기를 하는 모습을 보며 재미있어하고 있습니다.

10 휘파람을 부는 것은 밧줄을 당기라는 신호입니다.

11 무툴라에게 속은 투루와 쿠부가 밧줄의 양쪽 끝을 잡고 당겼습니다.

12 무툴라에게 속은 투루와 쿠부는 어리석지만 지기 싫어

해서 쉽게 포기하지 않습니다. 하루 종일 줄다리기를 해도 승부가 나지 않은 것으로 보아 힘의 세기도 비슷합니다. 그러나 꾀가 많은지는 알 수 없습니다.

13 잘난 체하며 자기를 무시한 투루와 쿠부를 속여 하루 종일 줄다리기를 하게 했으므로 즐겁고 속이 시원할 것입니다. 즐겁고 기분 좋다는 내용과 비슷하게 썼으면 정답으로 인정합니다.

채점 기준

평가	답안 내용
상	⑩ 기분 좋고 속이 후련하다. / 즐겁고 속이 시원하다.
	→ 자기를 무시한 투루와 쿠부를 골탕 먹인 무툴라의 마음을 적절하게 씀.
중	⑩ 투루와 쿠부의 행동이 우습다.
	→ 속이 후련하고 즐거운 무툴라의 마음이 잘 드러나지 않음.
하	⑩ 재미있다.
	→ 투루와 쿠부를 골탕 먹인 뒤 즐거워하는 무툴라의 마음을 제대로 드러내지 못함.

14 '곳: 산속'으로 보아 산속에서 있었던 일입니다.

15 호랑이는 사냥꾼들에게 잡혀서 커다란 궤짝 속에 갇혀 있습니다.

16 궤짝 속에 갇혀 있는 호랑이는 답답해서 밖에 나가고 싶어 합니다.

17 아무리 해도 혼자서 궤짝 문을 여는 것은 어렵겠다는 뜻입니다.

18 호랑이가 나그네에게 자기를 구해 달라고 부탁하는 상황이므로 절실하고 간절한 말투가 어울립니다.

19 호랑이가 궤짝 밖에 나와서 나그네를 잡아먹는 짓을 가리킵니다.

20 고마움과 은혜를 모르고 나그네를 잡아먹겠다고 하는 상황이므로 뻔뻔한 표정과 크고 당당한 말투가 어울립니다.

21 도와준 사람에게 오히려 해를 끼친다는 내용의 속담이 어울립니다.

22 나그네는 지나가던 하얀 토끼에게 호랑이와 나그네 중에서 누가 옳은지 재판을 해 달라고 부탁했습니다.

23 호랑이는 토끼가 말귀를 못 알아들어서 답답해하며 화를 내고 있습니다.

24 토끼가 말을 자꾸 못 알아듣는 척하는 것도 모르고, 호랑이는 답답해하며 자기가 궤짝에 갇힌 상황을 설명하려고 다시 궤짝 속으로 들어갔습니다.

25 토끼가 호랑이를 궤짝 속에 다시 가두어 버렸으므로 토끼는 나그네가 옳다는 판결을 한 것입니다.

단원 평가
교과서 진도북 **134~136**쪽

1 ② **2** ⑤ **3** ③ **4** ㉮ **5** ④

6 (1) **예** 자신만만하다. / 당당하다. / 용감하다. / 용기가 있다. 등 (2) **예** 자신감 있는 표정으로 크고 또렷한 목소리로 말한다. / 손을 허리에 얹거나 팔짱을 끼고 말한다.

7 (1) 무툴라 (2) 쿠부 **8** 투루 **9** ③ **10** ⑤

11 ② **12** (1) ○ **13** ② **14** 잡아먹으려고

15 ④ **16** 호랑이 **17** (1) ① (2) ②

18 **예** 약속을 지키지 않은 호랑이가 밉고 억울하다. / 호랑이를 구해 준 것이 후회스럽다. / 호랑이에게 잡아먹히게 될까 봐 두렵다. **19** ③ **20** ④

1 산토끼 무툴라는 코로로 언덕의 굴속에서 살고 있습니다.

2 투루는 무툴라의 인사에도 여러 번 답하지 않는 것으로 보아 다른 사람이 하는 말을 잘 듣지 않으며 상대를 무시하고 있습니다.

3 투루는 무툴라에게 '감히 아침 식사 하는 나를 귀찮게 해?'라고 했습니다.

4 아침 식사를 방해받은 상황이므로 기분 나쁜 듯이 고개를 뒤로 젖히고 큰 목소리로 거들먹거리며 읽습니다.

6 자신감 있는 무툴라의 성격을 쓰고 그 성격에 알맞은 표정, 몸짓, 말투를 쓰면 정답으로 인정합니다.

채점 기준

평가	답안 내용
상	(1) **예** 당당하고 자신만만하다. / 용기가 있다. (2) **예** 자신감 있는 표정으로 크고 또렷한 목소리로 말한다. → 당당하고 자신감 있는 무툴라의 성격과 그에 어울리는 표정이나 몸짓, 말투를 알맞게 씀.
중	(1)번에 모범 답안과 비슷하게 무툴라의 성격을 쓰고, (2)번에 그와 어울리는 표정이나 몸짓, 말투를 간단히 씀.
하	(1)번과 (2)번 중에서 한 가지만 모범 답안과 비슷하게 씀.

7 무툴라는 덤불숲에 숨어 있고, 투루와 쿠부가 밧줄의 양쪽 끝을 잡고 있습니다.

8 덤불숲 너머 반대편에 있는 투루가 밧줄의 한쪽 끝을 잡고 있습니다.

9 무툴라는 밧줄을 당길 준비가 되면 휘파람을 분다고 했습니다. 그러므로 휘파람을 부는 것은 밧줄을 당기라는 신호입니다.

10 '해가 뜰 때부터 해가 질 때'까지는 '하루 종일'을 말합니다.

11 투루와 쿠부는 지기 싫어서 하루 종일 줄다리기를 계속했습니다.

12 동시에 밧줄을 놓았다고 했으므로 무승부입니다.

13 무툴라는 투루와 쿠부를 속여 하루 종일 줄다리기를 하게 만들 정도로 꾀가 많습니다.

> #### 더 알아보기
> 이야기 속 인물의 성격 알아보기
> ① 인물이 어떤 말과 행동을 하는지 생각해 봅니다.
> ② 자신이 이야기 속 인물이라면 어떻게 할지 생각해 봅니다.
> ③ 이야기 속 인물과 비슷한 말이나 행동을 하는 친구의 성격이 어떤지 생각해 봅니다.

15 호랑이는 자기를 궤짝에서 꺼내 주면 나그네를 잡아먹지 않겠다고 약속을 했습니다.

16 소나무와 길은 호랑이가 옳다고 했습니다.

17 소나무는 사람들이 자기를 마구 꺾고 베어 버린다고 했고, 길은 사람들이 날마다 자기를 밟고 다니면서도 고맙다는 말도 없이 코를 풀고 침을 뱉는다며 사람들에 대한 불만을 말했습니다.

18 호랑이에게 잡아먹히게 된 상황에 알맞게 나그네의 마음을 짐작하여 썼으면 정답으로 인정합니다.

채점 기준

평가	답안 내용
상	**예** 약속을 지키지 않은 호랑이가 밉고 억울하다. / 호랑이를 구해 준 것이 후회스럽다. / 호랑이에게 잡아먹힐까 봐 무섭고 두렵다. → 자기가 구해 준 호랑이가 약속을 어기고 덤벼드는 상황에 어울리는 마음을 알맞게 씀.
중	**예** 억울하고 두렵다. → 모범 답안과 비슷한 내용을 담아서 간단하게 씀.

19 호랑이가 약속을 지키지 않고 자신을 잡아먹으려고 하므로 당황하고 억울해하는 말투가 어울립니다.

> #### 더 알아보기
> 알맞은 표정, 몸짓, 말투를 생각하며 극본 읽기
> ① 어떤 상황에서의 인물의 말과 행동을 보고 인물의 성격이나 마음을 짐작해 봅니다.
> ② 극본에서 표정, 몸짓, 말투를 알려 주는 부분을 찾아봅니다.

20 연극을 하는 도중에 박수를 치면 방해가 되므로 다 끝난 다음에 박수를 쳐야 합니다.

1. 작품을 보고 느낌을 나누어요

개념 확인하기

온라인 학습북 **4**쪽

1 ㉠ **2** ㉡ **3** ㉡
4 ㉠

서술형·논술형

온라인 학습북 **5**쪽

|연습|

1 (1) ❶
(2) 예 듣는 사람을 놀리는 듯한 느낌이 든다. (빈정거리는 듯한 느낌이 든다.)
(3) 예 전하고자 하는 마음에 알맞은 표정, 몸짓, 말투로 말해야 한다. 등

|실전|

2 (1) ① 밝게 웃고 있다. 등
② 미안하고 당황한 표정이다. 등
(2) ① 예 고마워.
② 예 미안해.
(3) 예 밝게 웃는 표정으로 손을 흔들며 높고 큰 소리로 말한다.

|연습|

1 (1) 그림 ❶에서 말하는 이는 미안하다고 사과하며 눈썹이 처지고 시무룩한 표정을 짓고 있지만 그림 ❷에서는 입꼬리가 올라간 표정이어서 진심으로 사과를 하고 있다는 느낌이 들지 않습니다.

(2) '에헷', '실수했네?'와 같은 말에서 상대방을 놀리는 듯한 느낌이 듭니다. 사과를 할 때에는 정중하고 진지하게 사과를 해야 합니다.

(3) 마음을 전하는 말을 할 때에는 말하는 내용뿐만 아니라 알맞은 표정, 몸짓, 말투로 말해야 그 마음을 잘 전할 수 있습니다.

> **더 알아보기**
> 상황에 알맞은 표정, 몸짓, 말투를 사용하게 되면 듣는 사람에게 자신의 생각과 마음을 더 정확하게 전달할 수 있습니다. 예를 들어, 친구와의 약속에 늦어 사과를 해야 하는 경우 풀이 죽은 표정, 움츠린 몸짓, 진지한 말투를 통해 듣는 사람에게 자신의 마음을 더 실감 나게 전달할 수 있을 것입니다.

채점 기준

	'❶'이라고 썼는가?		배점 2점
(1)	그렇다.	아니다.	
	2점	0점	
	말하는 이의 말투를 봤을 때 미안한 마음이 느껴지지 않는다는 내용으로 썼는가?		배점 2점
(2)	그렇다.	아니다.	
	2점	0점	
	표정, 말투, 몸짓 세 가지를 모두 포함하여 썼는가?		배점 3점
(3)	모두 씀.	두 가지만 씀.	한 가지만 씀.
	3점	2점	1점

|실전|

2 (1) 웃고 있는 표정, 미안해하는 표정과 같이 그림 속 인물의 표정에 대해 씁니다. 말하는 이의 표정에 주의하여 그림을 보도록 합시다.

(2) 고맙다는 말과 미안하다는 말을 할 수 있습니다. 그림 ❶에서는 문을 잡아 주는 친구에게 웃는 표정으로 고마움을 표시하는 말이 알맞고, 그림 ❷에서는 친구의 우유를 쏟아 미안하고 당황한 표정을 짓고 있기 때문에 사과를 하는 말이 알맞습니다.

(3) 고맙다는 인사를 할 때에는 밝게 웃는 표정으로 말하는 것이 어울립니다.

채점 기준

	그림 ❶은 밝게 웃고 있는 표정, 그림 ❷는 미안하고 당황한 표정으로 말한다는 내용을 썼는가?		배점 2점
(1)	모두 맞음.	하나만 맞음.	모두 틀림.
	2점	1점	0점
	그림 ❶은 고마움, 그림 ❷는 미안함을 표현하는 내용을 썼는가?		배점 2점
(2)	모두 맞음.	하나만 맞음.	모두 틀림.
	2점	1점	0점
	웃는 표정으로 말한다는 내용을 썼는가?		배점 2점
(3)	그렇다.	아니다.	
	2점	0점	
	고맙다는 말과 어울리는 몸짓, 말투를 썼는가?		배점 2점
	모두 씀.	하나만 씀.	모두 쓰지 않음.
	2점	1점	0점

정답을 확인하기 전에 자기가 푼 단원평가의 정답을 **큐알**을 찍어 올려 보세요.

단원 평가

온라인 학습북 **5~8**쪽

문항 번호	정답	평가 내용	난이도
1	④	인물의 표정 파악하기	쉬움
2	⑤	표정, 몸짓, 말투 파악하기	보통
3	⑤	인물의 표정에 알맞은 말 짐작하기	쉬움
4	①	상황에 알맞은 인물의 말투 파악하기	보통
5	③	인물의 표정을 보고 마음 짐작하기	보통
6	②	인물의 표정과 말투 파악하기	어려움
7	③	인물의 표정을 보고 마음 짐작하기	보통
8	②, ③	인물의 표정과 몸짓 파악하기	보통
9	③	이야기의 내용 파악하기	쉬움
10	③	이야기 속 인물의 태도 파악하기	보통
11	④	이야기 속 인물의 말투 파악하기	보통
12	④	이야기 속 인물의 마음 짐작하기	보통
13	⑤	이야기의 내용 파악하기	보통
14	①	이야기의 내용 파악하기	쉬움
15	①	이야기 속 인물의 말투 파악하기	보통
16	③	이야기의 내용 파악하기	쉬움
17	④	이야기 속 인물의 마음 짐작하기	어려움
18	①, ②	이야기 속 인물의 기분 짐작하기	보통
19	③, ⑤	이야기의 내용 파악하기	보통
20	⑤	이어질 내용 추측하기	어려움

1 처진 눈썹과 작게 벌린 입 모양 등으로 보아 미안해하는 표정을 짓고 있음을 알 수 있습니다.

2 표정이나 말투에서 빈정거리는 마음이 느껴집니다.

3 눈을 커다랗게 뜬 표정으로 보아 무슨 일인지 궁금해하는 상황임을 짐작할 수 있습니다.

4 대단하고 멋지다고 말하고 있으므로 크고 높은 목소리가 어울립니다.

5 눈을 크게 뜨고 입도 동그랗게 벌린 표정으로 보아 무언가를 보고 놀라거나 궁금한 마음이 느껴집니다.

6 잔치에 쓸 국수가 모두 엉망이 되어 화가 난 수라간 궁녀가 크게 꾸짖고 소리치는 말입니다.

7 시장에서 엄마와 아주머니들이 언니 얘기만 하자 불만스러운 미미의 마음을 느낄 수 있습니다.

8 인상을 잔뜩 찌푸린 표정과 떼를 쓰는 몸짓에서 속상하고 화가 난 마음을 느낄 수 있습니다.

9 부벨라는 지렁이의 이름을 물었을 뿐 작은 동물을 하찮게 생각하고 있지는 않습니다.

10 지렁이는 부벨라를 무서워하지 않고 당당하고 자신감 있게 대화하고 있습니다.

11 지렁이에게도 이름이 있냐는 부벨라의 질문에 어이없다는 듯 대답하였을 것입니다.

12 부벨라의 질문을 다시 되묻는 것으로 보아 부벨라의 말에 황당한 마음이 들었을 것입니다.

13 지렁이가 바나나케이크를 싫어할지도 모른다는 생각이 들자 부벨라는 초조하고 당황스러워졌습니다.

14 정원사 아저씨는 부벨라의 걱정거리를 친절하게 묻고 도와주었습니다.

15 부벨라의 고민을 들어 주고 해결 방법을 알려 주는 말이므로 다정하고 친절한 목소리가 어울립니다.

16 정원사는 정원 세 곳에서 각기 다른 종류의 흙을 접시에 담아 부벨라에게 주었습니다.

17 지렁이가 자신이 준비한 선물에 관심을 가지자 부벨라는 다행스럽고 기뻤을 것입니다.

18 부벨라는 자신을 보고 도망치는 사람들을 볼 때마다 슬프고 서운한 기분이 들었을 것입니다.

19 부벨라의 부모님은 다부쉬타 정글로 가셨고, 할머니는 할아버지를 돌보러 가셨다고 하였습니다.

20 부벨라가 안쓰러웠던 지렁이는 부벨라의 친구가 되어 줄 것이라고 예상할 수 있습니다.

2. 중심 생각을 찾아요

1 ㉡   **2** ㉠   **3** ㉠
4 ㉡

서술형·논술형   온라인 학습북 11쪽

|연습|

1 (1) 예 혼자서 줄넘기를 할 때 앞으로 뛰기, 손 엇갈려 뛰기, 이단 뛰기 등 여러 가지 방법이 있다는 것을 알고 있었다.

(2) 예 글의 내용이 더 쉽게 이해가 된다. / 글의 내용에 더 흥미를 느끼게 된다.

|실전|

2 (1) 한쪽 다리를 들어 올려 두 손으로 잡고, 다른 다리로 균형을 잡아 깨금발로 뛰면서 상대를 밀어 넘어뜨린다.

(2) 두 사람이 겨루는 모습이 닭이 싸우는 것과 비슷하다고 해서 지어졌다.

(3) 예 체육 시간에 친구들과 닭싸움 놀이를 하다가 진 적이 있다.

|연습|

1 (1) 글을 읽고 나서 줄넘기와 관련하여 이미 알고 있는 내용을 떠올려 보고, 글의 내용을 참고하여 말할 수 있습니다.

> **더 알아보기**
>
> 한국 전통 놀이
> ① 윷놀이: 편을 갈라 윷으로 승부를 겨루는 놀이입니다. 둘 또는 두 편 이상의 사람이 교대로 윷을 던져서 도·개·걸·윷·모의 끗수를 가리며, 그에 따라 윷판 위에 네 개의 말을 움직여 모든 말이 먼저 최종점을 통과하는 편이 이깁니다.
> ② 제기차기: 제기를 가지고 발로 차는 놀이입니다. 제기는 엽전이나 그와 비슷한 것을 종이나 헝겊에 싼 다음 나머지 부분을 먼지떨이처럼 여러 갈래로 늘여 발로 차고 노는 장난감입니다. 발로 받아 땅에 떨어뜨리지 않고 많이 차는 사람이 이깁니다.
> ③ 줄다리기: 여러 사람이 편을 갈라서 굵은 밧줄을 잡고 당겨서 승부를 겨루는 놀이입니다.
> ④ 강강술래: 정월 대보름날이나 팔월 한가위에 남부 지방에서 행하는 민속놀이입니다. 여러 사람이 함께 손을 잡고 원을 그리며 빙빙 돌면서 춤을 추고 노래를 부릅니다. 2009년에 유네스코 세계 무형 유산으로 지정되었습니다. 우리나라 국가 무형 문화재입니다.

(2) 자신이 아는 내용이나 겪은 일과 관련지어 글을 읽으면 좋았던 점을 생각해 봅니다.

> **더 알아보기**
>
> 아는 내용이나 겪은 일과 관련지어 글을 읽으면 좋은 점
> ① 글의 내용을 기억하기가 쉽습니다.
> ② 글의 내용을 더 쉽게 이해할 수 있습니다.
> ③ 글의 내용에 더 흥미를 느끼게 됩니다.
> ④ 글을 읽으면서 그 모습을 잘 상상할 수 있습니다.

채점 기준

	글에 나온 내용 중에 알고 있는 내용을 썼는가?	**배점** 4점
(1)	그렇다.	아니다.
	4점	0점

	아는 내용이나 겪은 일과 관련지어 글을 읽으면 좋은 점을 알맞게 썼는가?	**배점** 4점
(2)	그렇다.	아니다.
	4점	0점

|실전|

2 (1) 닭싸움 놀이 방법과 관련한 내용은 첫 번째 문단 처음 부분에서 설명하고 있습니다. 글을 읽고 설명하는 대상에 대하여 찾을 수 있습니다.

(2) 닭싸움 놀이가 왜 '닭싸움'이라고 이름이 지어졌는지와 관련한 내용은 두 번째 문단 처음 부분에서 설명하고 있습니다. 글을 읽고 주요 내용을 중심으로 각 문단의 중심 문장을 찾을 수 있습니다.

(3) 자신이 닭싸움 놀이를 직접 했거나 본 경험, 관련된 내용을 담은 책을 읽었던 경험 등을 떠올려 봅니다.

채점 기준

	닭싸움 놀이 방법을 글에서 찾아 썼는가?	**배점** 3점
(1)	그렇다.	아니다.
	3점	0점

	두 사람이 겨루는 모습이 싸우는 '닭'의 모습과 닮았다는 내용으로 썼는가?	**배점** 3점
(2)	그렇다.	아니다.
	3점	0점

	닭싸움 놀이를 직접 했거나 본 경험, 관련된 내용을 담은 책을 읽었던 경험 등을 썼는가?	**배점** 4점
(3)	그렇다.	아니다.
	4점	0점

정답을 확인하기 전에 자기가 푼 단원평가의 정답을 **큐알**을 찍어 올려 보세요.

단원 평가

온라인 학습북 **12~15**쪽

문항 번호	정답	평가 내용	난이도
1	④	아는 내용이나 겪은 일과 관련지어 글 읽기	보통
2	③	중심 글감 파악하기	쉬움
3	⑤	글의 내용 파악하기	보통
4	①	문단의 중심 문장 파악하기	보통
5	②	중심 글감 파악하기	쉬움
6	①, ②	글의 내용 파악하기	보통
7	③	글의 제목 짐작하기	보통
8	②	문단의 중심 문장 파악하기	어려움
9	③, ④	글의 중심 생각 파악하기	보통
10	②, ③	제목에서 글쓴이의 생각 짐작하기	어려움
11	④	글의 내용 파악하기	쉬움
12	④	주요 내용 중심으로 문단 나누기	어려움
13	⑤	글의 내용 파악하기	어려움
14	⑤	글의 내용 비교하기	어려움
15	①	글의 중심 생각 파악하기	보통
16	⑤	중심 글감 파악하기	쉬움
17	②	글의 내용 파악하기	보통
18	②	글의 내용 파악하기	보통
19	③	글의 내용 파악하기	보통
20	⑤	글의 내용 파악하기	보통

1 아는 내용이나 겪은 일과 관련지어 글을 읽는다고 해서 글의 길이를 짐작할 수는 없습니다.

2 과학실에서 지켜야 할 안전 수칙 세 가지에 대해 설명하고 있는 글입니다.

3 선생님의 말씀에 따라 실험 기구나 화학 약품을 다루어야 사고가 나는 것을 예방할 수 있습니다.

4 이어지는 문단의 내용으로 보아 과학실에서는 장난을 치면 안 된다는 중심 문장을 떠올릴 수 있습니다.

5 갯벌 보존의 중요성을 알려 주는 글입니다.

6 갯벌은 비가 많이 오면 빗물을 저장해 갑작스러운 홍수를 막아 줍니다. 또 주변의 온도와 습도에 따라 물을 흡수하고 내보내어 기후를 알맞게 만듭니다.

7 갯벌의 장점을 설명하는 것으로 보아 갯벌을 잘 보존해야 한다는 중심 생각을 담은 글입니다.

8 각 문단의 중심 내용이 첫 문장에서 잘 드러납니다.

9 글씨의 모양이나 글쓴이의 생김새는 중심 생각을 찾을 때 중요하지 않습니다.

10 제목에서 날씨와 관련된 토박이말에 대한 설명과 그 가치에 대해 이야기할 것임을 짐작할 수 있습니다.

11 이른 가을날, 가볍고 부드럽게 부는 서늘한 바람을 '건들바람'이라고 합니다.

12 가을 날씨를 나타내는 말과 겨울 날씨를 나타내는 말로 문단을 나눌 수 있습니다.

13 무서리, 된서리, 건들장마는 가을 날씨를 나타내는 토박이말이고, 도둑눈, 진눈깨비는 겨울 날씨를 나타내는 토박이말입니다.

14 가랑눈은 조금씩 잘게 부서져서 내리는 눈이고 가랑비는 가늘게 가루처럼 내린다고 하였으므로 둘 다 가루처럼 작고 가늘다는 특징이 있습니다.

15 계절에 따라 알고 쓰면 좋은 토박이말을 많이 배우고 익히자는 중심 생각을 찾을 수 있습니다.

16 글의 첫 문장에서 옛날과 오늘날 옷차림의 다른 점에 대해 설명하고 있는 글임을 알 수 있습니다.

17 직업이나 유행에 따라 옷차림이 다른 경우가 많은 것은 오늘날의 모습입니다.

18 신분에 따라 치마의 폭과 길이가 달랐습니다.

19 옛날 여자들이 속바지와 치마를 입었습니다.

20 오늘날에는 각자 좋아하는 옷을 입기 때문에 남녀의 옷차림이 엄격하게 구분되지 않습니다.

3. 자신의 경험을 글로 써요

온라인 학습북 **16**쪽

개념 확인하기

1 ㉡   **2** ㉢   **3** ㉢   **4** ㉡

서술형·논술형

온라인 학습북 **17**쪽

|연습|

1 (1) ① 예 아침에 학교에 갈 준비를 한 일
　　② 예 학교에서 친구들과 축구를 한 일
　(2) 예 엄마랑 텃밭에서 상추를 딴 일

|실전|

2 (1) 예 동생이 아파서 잠에서 깼다.
　(2) 예 아픈 주혁이를 보니 마음이 너무 아팠다.

|연습|

1 (1) 서연이가 겪은 일과 자신이 겪은 일을 떠올려 비교해 봅니다. 자신이 하루 동안 한 일을 곰곰이 되돌아보면 서연이와 비슷한 경험을 했을 수도 있고, 다를 수도 있습니다.

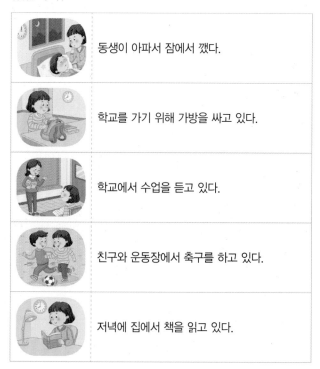

	동생이 아파서 잠에서 깼다.
	학교를 가기 위해 가방을 싸고 있다.
	학교에서 수업을 듣고 있다.
	친구와 운동장에서 축구를 하고 있다.
	저녁에 집에서 책을 읽고 있다.

(2) 자신이 하루 동안 겪은 경험 가운데 글로 쓰고 싶은 경험은 무엇인지 생각해 봅시다. 평소에 일어나는 일을 골라도 좋고, 평소와 다른 특별한 일이나 자신의 생각과 느낌이 달라진 일을 골라도 좋습니다.

더 알아보기

자신의 경험에서 인상 깊은 일을 글로 쓰는 방법 알기

겪은 일 가운데에서 어떤 일을 글로 쓸지 정하기

↓

쓸 내용을 정리하기

① 언제, 어디에서 누구와 있었던 일인지 정리하기
② 무슨 일이 있었는지 자세히 떠올리기
③ 어떤 마음이 들었는지 생각하기

↓

띄어쓰기에 주의하며 글쓰기

① 낱말과 낱말 사이는 띄어 쓰되, '이/가, 을/를, 은/는, 의'와 같은 말은 앞말에 붙여 씀.
② 마침표(.)나 쉼표(,) 뒤에 오는 말은 띄어 씀.
③ 수를 나타내는 말과 단위를 나타내는 말 사이는 띄어 씀.

↓

잘못된 띄어쓰기나 표현을 고치기

채점 기준

	서연이가 겪은 일 가운데 자신이 겪은 일과 비교해 비슷한 일, 다른 일을 썼는가?		배점 4점
(1)	그렇다.	아니다.	
	4점	0점	
	자신이 하루 동안 겪은 일을 떠올려 쓰고 싶은 일을 썼는가?		배점 3점
(2)	그렇다.	아니다.	
	3점	0점	

|실전|

2 (1) 동생 주혁이가 끙끙 앓는 소리에 서연이는 잠에서 깼습니다. 걱정스럽게 말씀하시는 아빠의 목소리도 듣고 아파하는 주혁이의 옆으로 다가갔습니다.

(2) 서연이의 마음을 짐작하여 알맞은 표현을 써 봅니다. 서연이는 동생 주혁이가 아파하는 모습을 보며 마음이 아프고 속상했을 것입니다. 아픈 동생을 걱정하는 누나의 마음을 담은 표현을 써 봅시다.

채점 기준

	글에 나온 서연이가 겪은 일을 알맞게 썼는가?		배점 3점
(1)	그렇다.	아니다.	
	3점	0점	
	서연이의 상황과 관련하여 서연이의 마음으로 알맞은 표현을 썼는가?		배점 4점
(2)	그렇다.	아니다.	
	4점	0점	

정답을 확인하기 전에 자기가 푼 단원평가의 정답을 큐알을 찍어 올려 보세요.

단원 평가

온라인 학습북 18~20쪽

문항 번호	정답	평가 내용	난이도
1	⑤	인상 깊은 일을 글로 쓰는 방법 알기	보통
2	②	겪은 일을 글로 쓰기	보통
3	③	인물의 마음 파악하기	쉬움
4	③	단위를 나타내는 말 띄어 쓰기	보통
5	①	문장을 바르게 띄어 쓰기	어려움
6	①	경험 파악하기	쉬움
7	⑤	경험에 대한 생각이나 느낌 정리하기	보통
8	②	글쓴이가 겪은 일 파악하기	보통
9	④	문장을 바르게 띄어 쓰기	보통
10	③	인물의 말투 짐작하기	보통
11	③	인물의 마음 파악하기	쉬움
12	⑤	인물이 한 일 파악하기	보통
13	④	인상 깊은 일을 글로 쓰기	어려움
14	④	글쓴이의 경험 파악하기	쉬움
15	②	문장을 바르게 띄어 쓰기	어려움
16	⑤	경험에 대한 생각이나 느낌 정리하기	보통
17	②	글의 제목 파악하기	보통
18	④	경험에 대한 생각이나 느낌 정리하기	보통
19	⑤	문장을 바르게 띄어 쓰기	보통
20	④	문장을 바르게 띄어 쓰기	어려움

1 인상 깊은 글을 쓸 때에 읽는 사람에게 바라는 점을 쓸 필요는 없습니다.

2 서연이는 평소와 다른 느낌이 들었던 동생이 아팠던 일을 글로 쓰기로 했습니다.

3 서연이는 평소에 동생이 장난꾸러기처럼 보여서 미워하기도 했습니다. 그런데 동생이 아프니까 잘 못해 준 것이 생각나서 동생에게 미안한 마음이 들었고 그 마음을 써 보고 싶다고 했습니다.

4 수를 나타내는 말과 단위를 나타내는 말 사이는 띄어 써야 합니다.

5 '첫째', '둘째'는 순서를 나타내는 하나의 낱말이므로 띄어 쓰지 않습니다.

6 친구들과 운동회를 한 일에 대해 정리한 내용임을 알 수 있습니다.

7 친구들과 함께 한 운동회에 대해서 생각이나 느낌을 정리한 내용이 들어가야 합니다.

8 글쓴이는 동생이 아파서 걱정을 했고, 그 일을 글로 썼습니다.

9 쉼표 다음에는 띄어 쓰고, '무슨'은 '일'을 꾸며 주는 말이므로 띄어 씁니다.

10 동생이 걱정되어 다정스러운 목소리로 말했을 것입니다.

11 동생이 아팠기 때문에 서연이는 마음이 아팠을 것입니다.

12 주혁이의 이마에 차가운 물수건을 얹어 주었습니다.

13 동생이 아팠던 일은 평소에 겪지 않는 인상 깊은 일입니다.

14 목장에 도착해서 피자 만들기 체험장에 들어가 피자를 만들었습니다.

15 쉼표 다음에는 띄어 씁니다. 하지만 '밀가루'는 하나의 낱말이므로 붙여 씁니다.

16 현장 체험학습에 대한 생각이나 느낌을 넣어야 하므로 ⑤가 알맞습니다. ①~④는 일어난 일에 대한 설명입니다.

17 할아버지 댁에서 할아버지, 남동생과 감을 딴 일에 대해 쓴 글입니다.

18 ㉣이 감을 딴 일에 대한 생각이나 느낌입니다.

19 쉼표 뒤에서 띄어 써야 하므로 '할아버지,' 뒤에서 띄어 써야 합니다.

20 '배추∨두∨포기,∨파∨두∨단을∨샀다.'와 같이 띄어 씁니다.

4. 감동을 나타내요

온라인 학습북 **21**쪽

개념 확인하기

1 ㉡   **2** ㉢   **3** ㉠
4 ㉡   **5** ㉢

서술형·논술형

온라인 학습북 **22**쪽

|연습|

1 (1) 뜨끈뜨끈
   (2) 예 감기약을 먹고 몸이 무거워졌기 때문이다. / 감기약을 먹어서 멍한 느낌이 들고, 몸 상태가 좋지 않아서 느린 느낌이 들었기 때문이다.

|실전|

2 (1) ① 예 발가락으로 모래밭에 파고든 것을 말한다.
   ② 예 모래가 움직이는 모습을 지구가 천천히 움직이는 모습이라고 생각했기 때문이다.
   (2) 예 발가락을 구부려서 두더지 발톱처럼 만들어 모래밭으로 파고드는 모습이다.

|연습|

1 (1) 감기에 걸려 열이 나는 모습을 생생하게 나타내는 흉내 내는 말은 '뜨끈뜨끈'입니다. '오들오들'은 무섭거나 추워서 떠는 모습을 흉내 내는 말이고, '까무룩'은 정신이 갑자기 흐려지는 모양을 나타내는 말로 잠에 빠지게 될 때에도 쓸 수 있습니다.

(2) 몸이 무거워지는 것은 공부를 너무 열심히 해서, 열심히 놀아서 등 다양한 까닭이 있기 때문에 감기약을 먹었기 때문이라는 내용을 빠뜨리지 않고 써야 정답이 될 수 있습니다.

채점 기준

시에서 '뜨끈뜨끈'을 찾아 썼는가?		배점 3점
(1)	그렇다.	아니다.
	3점	0점

감기약을 먹고 몸이 무거워졌기 때문이라는 내용을 썼는가?		배점 7점
(2)	'감기약', '몸이 무거워져서'가 모두 드러나게 썼다.	몸이 무거워졌기 때문이라는 내용만 썼다.	감기약을 먹었기 때문이라는 내용만 썼다.
	7점	3점	1점

|실전|

2 (1) 발가락으로 모래밭에 파고든 것이 말하는 이가 말한 작은 신호입니다. 모래가 움직이는 모습을 지구가 천천히 움직이는 모습이라고 생각하여서 지구가 굼질굼질 움직인다고 표현하였습니다.

더 알아보기

- 시를 읽고 감각적 표현 말하기
① 시에 나타난 감각적 표현을 찾습니다.
② 감각적 표현의 의미를 생각해 봅니다.
③ 감각적 표현에 주의하며 시에 대한 생각이나 느낌을 말해 봅니다.
   예 지구가 굼질굼질 움직였다는 표현이 재미있습니다. / 모래의 움직임을 지구의 대답이라고 생각한 점이 재미있습니다. / 우리가 하는 작은 행동에도 자연이 대답해 준다는 생각이 듭니다.

(2) 시의 1연 부분에 잘 나타나 있습니다. 강가 고운 모래밭에서 맨발로 서 있을 때, 발가락을 아래쪽으로 힘주어 구부리면 모래밭으로 조금 파고드는 것을 알 수 있습니다. 이 모습을 두더지처럼 파고들었다고 표현한 것입니다.

더 알아보기

- 이 시에 나타난 표현
① 강가 고운 모래밭에서 / 발가락 옴지락거려 / 두더지처럼 파고들었다.
   → 모래밭을 파고드는 모습을 다른 대상에 빗대어 표현하였습니다.
② 지구가 간지러운지 / 굼질굼질 움직였다.
   → 흉내 내는 말을 사용하여 지구를 사람처럼 표현한 부분입니다.
③ 지구는 대답해 주는구나.
   → 3연과 4연에 반복되어 나타난 표현입니다.

채점 기준

	①에 발가락으로 모래밭을 파고들었다는 내용을, ②에 모래가 움직이는 모습이라는 내용을 썼는가?		배점 4점
(1)	그렇다.	①과 ② 중에서 한 가지만 알맞게 썼다.	
	4점	2점	

(2)	발가락을 구부리는 동작을 분명하게 드러나게 썼는가?		배점 3점
	그렇다.	아니다.	
	3점	0점	
	모래밭으로 발이 파고드는 모습에 대하여 썼는가?		배점 3점
	그렇다.	아니다.	
	3점	0점	

온라인 학습북 **18~22**쪽

정답을 확인하기 전에 자기가 푼 단원평가의 정답을 큐알을 찍어 올려 보세요.

단원 평가

온라인 학습북 23~26쪽

문항 번호	정답	평가 내용	난이도
1	⑤	감각적 표현 사용하기	쉬움
2	②	감각적 표현 사용하기	보통
3	⑤	감각적 표현 사용하기	보통
4	②	시의 제목 짐작하기	쉬움
5	④	시에 쓰인 감각적 표현	보통
6	①	감각적 표현 사용하기	보통
7	③	시를 읽고 떠오르는 장면	보통
8	⑤	시의 내용 파악하기	어려움
9	③	이야기의 내용 파악하기	쉬움
10	⑤	이야기의 내용 파악하기	쉬움
11	⑤	이야기의 내용 파악하기	보통
12	③	이야기에 나타난 감각적 표현	어려움
13	⑤	이야기의 내용 파악하기	보통
14	⑤	이야기의 내용 파악하기	쉬움
15	⑤	이야기의 내용 파악하기	보통
16	④	이야기의 분위기 파악하기	보통
17	③	감각적 표현 사용하기	보통
18	②	느낌을 살려 시 쓰는 방법	보통
19	③	이야기를 읽고 생각이나 느낌 표현하기	어려움
20	④	감각적 표현 사용하기	보통

1 '쩌렁쩌렁'은 목소리가 자꾸 크고 높게 울리는 소리나 그 모양을 나타내는 말입니다.

2 곰 인형을 만지면 보들보들한 느낌이 날 것입니다.

3 '달그락달그락'은 작고 단단한 물건이 잇따라 부딪쳐 흔들리면서 맞닿는 소리를 나타내는 말입니다.

4 이 시는 감기에 걸려 힘든 모습을 표현하였습니다.

5 거북이가 들어왔다는 것은 약을 먹고 느려진 몸의 상태를 표현한 것입니다.

6 귤을 먹으면 새콤달콤한 맛을 느낄 수 있습니다.

7 '굼질굼질'은 몸을 계속 천천히 움직이는 모양을 나타내는 말이므로 애벌레가 천천히 움직이는 모습을 떠올릴 수 있습니다.

8 말하는 이는 두더지처럼 발가락으로 모래밭을 파고들었다고 하였습니다.

9 '나'는 피아노 조율을 부탁하려고 블링크 아저씨 댁을 방문하였습니다.

10 '나'는 아저씨에게 내가 인사도 하기 전에 내가 온 걸 어떻게 알았느냐고 물었습니다.

11 블링크 아저씨는 자기 집에 온 사람이 '나'라는 것을 '나'의 집 냄새, '나'의 바지가 구겨지는 소리 등을 통해 알았다고 하였습니다.

12 투명 인간은 사람에게 보이지 않습니다. 아저씨에게 내가 투명 인간이라는 것은 내가 보이지 않는다고 하는 것과 같은 말입니다.

13 아저씨가 눈 수술을 받게 될 것이라는 사실을 엄마가 알고 있었다는 내용은 알 수 없습니다.

14 '나'는 블링크 아저씨에게 세상 모든 색을 들려주고 싶어서 피아노 연습을 많이 하였습니다.

15 에밀은 얼굴을 붕대로 칭칭 감은 아저씨를 투명 인간이라고 생각했습니다.

16 새하얀 침묵이 거실을 뒤덮었다는 것은 매우 조용한 분위기였다는 것을 뜻합니다.

17 '아기'와 '강아지'의 공통점은 귀여움입니다.

18 시의 내용을 길게 쓴다고 해서 느낌이 잘 살아난다고 보기는 어렵습니다.

19 이야기를 읽고 생각이나 느낌을 표현할 때에는 이야기에 나타난 감각적 표현을 찾아봅니다.

20 사과처럼 겉이 윤기가 나도록 매끄러운 것에는 '매끈매끈'이라는 말을 사용할 수 있습니다.

5. 바르게 대화해요

개념 확인하기   온라인 학습북 **27**쪽

1 ㉡   **2** ㉡   **3** ㉢
4 ㉠   **5** ㉡

서술형·논술형   온라인 학습북 **28**쪽

|연습|

1 (1) ① 대화 **1** 예 엄마가 진수에게 몸이 괜찮은지 물어보는 상황

② 대화 **2** 예 진수가 수정이에게 전화로 준비물을 물어보는 상황

(2) 예 상대의 기분을 생각하여야 한다. / 상대가 웃어른일 때에는 높임 표현을 사용한다.

|실전|

2 (1) ① 대화 **1** 예 고마워. / 고맙다.

② 대화 **2** 예 고맙습니다. / 감사합니다.

(2) 예 대화 상대가 다르기 때문이다. / 친구와 대화할 때에는 높임 표현을 사용하지 않고, 웃어른과 대화할 때에는 높임 표현을 사용해야 하기 때문이다.

|연습|

1 (1) 대화 **1**에서는 아파서 누워 있는 진수에게 엄마가 몸은 좀 괜찮냐며 걱정을 해 주고 있습니다. 대화 **2**에서는 진수가 수정이에게 전화를 걸어 내일 준비물이 무엇인지 물어보자, 수정이가 풀이랑 가위라고 대답해 주고 있습니다.

(2) 아픈 사람에게 몸은 좀 어떤지 묻는 것, 상대에 따라 높임 표현을 사용하거나 사용하지 않는 것을 알 수 있는 그림입니다. 대화할 때에는 대화 상대가 누구인지, 상대의 기분은 어떠할지 고려해야 기분 좋은 대화를 할 수 있습니다.

채점 기준

	대화 상대와 대화 내용을 모두 알맞게 썼는가?		배점 4점
(1)	①과 ② 모두 알맞음.	①과 ② 중 하나만 맞음.	
	4점	2점	
	대화할 때 주의할 점으로 알맞은 내용을 썼는가?		배점 6점
(2)	그렇다.	아니다.	
	6점	0점	

|실전|

2 (1) 대화 **1**에서는 친구가 자신의 그림을 칭찬하였으므로 친구에게 말하듯이 '고마워.' 등으로 대답할 수 있습니다. 대화 **2**에서는 선생님께서 자신에게 아픈 친구를 도와준다며 마음이 따뜻하다고 칭찬해 주셨으므로, '고맙습니다.', '감사합니다.' 등으로 대답하는 것이 알맞습니다.

더 알아보기

• 상대에 따라 알맞은 높임 표현을 사용해 말하기
① 상황에 어울리는 말을 해야 합니다.
② 친구에게는 예사말을, 웃어른께는 알맞은 높임 표현을 사용해 대화해야 합니다.
③ 대화하는 상대를 바라보고 상대의 말을 존중하며 대화해야 합니다.

(2) 친구에게 대답할 때에는 높임 표현을 사용하지 않고, 웃어른께 대답할 때에는 높임 표현을 사용하였습니다. 이처럼, 대화 상대에 따라 알맞은 표현을 사용해야 한다는 점을 알 수 있습니다.

더 알아보기

• 높임 표현 바르게 사용하기
① 웃어른께 높임 표현을 알맞게 사용해야 합니다.
② 친구나 동생에게는 높임 표현을 사용하지 않습니다.
③ 물건을 높이는 표현은 사용하지 않습니다.
  예 주문하신 음식 나오셨습니다. (×)
    → 주문하신 음식 나왔습니다. (○)

채점 기준

	①에 고마운 마음을 표현하는 말을 친구에게 말하듯이 썼는가?		배점 3점
	그렇다.	아니다.	
	3점	0점	
(1)	②에 고마운 마음을 표현하는 말을 알맞은 높임 표현을 사용하여 썼는가?		배점 3점
	그렇다.	아니다.	
	3점	0점	
	대화 상대가 다르기 때문이라는 내용이 잘 드러나도록 썼는가?		배점 3점
	그렇다.	웃어른께는 높임 표현을 쓴다는 내용만 드러난다.	아니다.
(2)	3점	2점	0점
	틀린 글자 없이 정확한 문장으로 썼는가?		배점 1점
	그렇다.	아니다.	
	1점	0점	

정답을 확인하기 전에 자기가 푼 단원평가의 정답을 큐알을 찍어 올려 보세요.

단원 평가			온라인 학습북 **29~32**쪽
문항 번호	정답	평가 내용	난이도
1	④	대화의 내용 파악하기	쉬움
2	⑤	알맞은 높임 표현 사용하기	보통
3	⑤	전화로 대화할 때의 예절	보통
4	②	대화할 때에 고려할 점	쉬움
5	⑤	알맞은 높임 표현 사용하기	보통
6	③	대상에 따라 알맞은 높임 표현을 사용해 말하기	보통
7	⑤	대화할 때에 고려할 점	보통
8	④	알맞은 높임 표현 사용하기	어려움
9	③	전화 대화의 내용 파악하기	쉬움
10	⑤	전화로 대화할 때의 예절	보통
11	④	전화로 대화할 때의 예절	보통
12	③	전화 대화 분석하기	어려움
13	①	전화 대화의 주제 파악하기	보통
14	⑤	전화 대화 분석하기	쉬움
15	⑤	인물의 의견 파악하기	보통
16	⑤	인물의 마음 짐작하기	보통
17	②	만화 영화의 내용 파악하기	쉬움
18	④	상황에 어울리는 표정, 몸짓, 말투로 대화하기	어려움
19	①	상황에 어울리는 표정, 몸짓, 말투로 대화하기	보통
20	④	상황에 어울리는 표정, 몸짓, 말투로 대화하기	보통

1 아픈 진수에게 괜찮은지 묻는 말이므로 걱정해 주는 마음을 알 수 있습니다.

2 웃어른께는 높임 표현을 사용해야 하므로 '좋아졌어요', '학교에 갈 거예요'와 같이 고쳐야 합니다.

3 진수가 더 물으려고 하였으나 수정이는 듣지 않고 전화를 끊어 버렸습니다.

4 친구에게는 높임 표현을 사용하지 않습니다.

5 웃어른인 선생님께는 높임 표현을 씁니다.

6 ㈎와 ㈏에서 승민은 친구에게는 예사말을, 선생님께는 높임말을 써야 합니다. 즉 대화 상대가 누구냐에 따라 표현을 달리하고 있습니다.

7 다른 사람과 대화를 할 때에는 상대가 누구인지, 대화하는 목적이 무엇인지 생각해야 합니다.

8 엄마에게 할아버지는 웃어른이므로 높임 표현을 써야 합니다.

9 지원이는 처음에 무엇이 망가졌는지 정확하게 말하지 않았다가 민지가 물어보자 물통에서 물이 샌다고 말해 주었습니다.

10 지원이는 처음에 망가진 것이 무엇인지 구체적으로 말하지 않았습니다.

11 전화를 건 수진이가 자신이 누구인지 밝히지 않아 예원이 언니가 전화한 사람이 누구인지 생각하고 있습니다.

12 할머니는 유진이가 먼저 전화를 끊는 바람에 전화의 목적을 다 이루지 못했습니다.

13 지수와 정아는 책 당번을 얼마 만에 바꿀지에 대해 이야기하고 있습니다.

14 지수는 정아의 말을 듣지 않고 자기의 말만 하고 있습니다.

15 정아는 지수의 의견대로 하루에 한 번씩 책 당번을 바꾸면 친구들이 헷갈려 하고 책 관리도 안 될 수 있다고 생각하였습니다.

16 훈이는 강이를 놀리고 있으므로 놀리는 듯한 표정이 나타나는 것이 자연스럽습니다.

17 강이의 엄마는 비가 오는 날 강이에게 밝은색 옷을 입으라고 하였습니다.

18 친구가 교통사고가 날 뻔한 상황에서 고소해하는 듯한 목소리를 내는 것은 자연스럽지 않습니다.

19 훈이에게 웃으면서 말하는 것이 자연스럽습니다.

20 알맞은 높임 표현으로 고마운 마음을 나타내야 합니다.

6. 마음을 담아 글을 써요

개념 확인하기

온라인 학습북 **33**쪽

1 ㉠　　　　**2** ㉢　　　　**3** ㉡

4 ㉠　　　　**5** ㉡

서술형·논술형

온라인 학습북 **34**쪽

|연습|

1 (1) 예 지호가 약속 시간에 늦어서 뛰어가고 있다.

(2) 예 미안한 마음

(3) 예 "다음엔 약속 꼭 지킬게, 미안해." / "늦어서 미안해. 다음엔 꼭 늦지 않을게."

|실전|

2 (1) ① 예 사회 시간에 발표를 했다. / 1교시에 모둠을 대표해서 발표를 했다.

② 예 음악 시간에 민호에게 리코더를 가르쳐 주었다. / 음악 시간에 민호의 리코더 선생님이 되어 도와주었다.

(2) 예 불안한 마음 → 자랑스러운 마음 / 걱정되는 마음 → 뿌듯한 마음

|연습|

1 (2) 약속 시간에 늦은 지호는 친구에게 미안한 마음이 들었을 것입니다.

(3) 미안한 마음이 잘 드러나는 말을 친구의 기분을 생각하며 써 봅니다.

채점 기준

(1)	약속 시간에 늦어서 뛰어가는 상황이라는 내용이 드러나게 썼는가?		배점 3점
	그렇다.		아니다.
	3점		0점

(2)	미안한 마음 등의 내용으로 썼는가?		배점 2점
	그렇다.		아니다.
	2점		0점

(3)	지호의 마음을 전하는 말을 구체적으로 썼는가?		배점 3점
	친구의 마음을 헤아리는 표현으로 마음을 전했다.	미안하다는 내용만 간단히 썼다.	친구의 마음을 헤아리지 않고 썼다.
	3점	2점	0점

|실전|

2 (1) 규리는 사회 시간에 발표를 하였고, 음악 시간에는 민호에게 리코더를 가르쳐 주었습니다. 사회 시간에는 발표를 제대로 하지 못할까 봐 걱정하였고, 음악 시간에는 노래와 악기에 자신이 있었기 때문에 기분이 좋았다고 하였습니다.

더 알아보기

· 규리가 겪은 일

① 사회 시간에 모둠을 대표하여 발표를 맡았습니다.

→ 규리는 실수하면 안 된다는 걱정에 가슴이 콩닥콩닥 뛰었습니다.

② 음악 시간에 리코더를 연주했습니다.

→ 여러 가지 악기를 잘 다루는 규리는 음악 시간이 가장 좋았습니다.

(2) 규리는 사회 시간에 발표를 제대로 하지 못할까 봐 불안해하였고, 음악 시간에는 자신감이 있어서 기분이 좋았다고 했습니다. 첫 번째 칸에는 불안하거나 걱정하는 마음을, 두 번째 칸에는 기쁘거나 자랑스러운 마음을 써야 합니다.

더 알아보기

· 인물의 마음을 짐작하는 방법

① 이야기 속 인물이 한 일이나 겪은 일을 살펴봅니다.

② 인물의 생각, 말이나 행동을 살펴봅니다.

③ 그렇게 헤아린 까닭을 생각하며 인물의 마음을 짐작해 봅니다.

채점 기준

(1)	①에 사회 시간에 한 일을 알맞게 썼는가?		배점 3점
	그렇다.		아니다.
	3점		0점
	②에 음악 시간에 겪은 일을 정확하게 썼는가?		배점 3점
	그렇다.		아니다.
	3점		0점

(2)	첫 번째 칸에 불안하거나 걱정스러운 마음 등을 썼는가?		배점 2점
	그렇다.		아니다.
	2점		0점
	두 번째 칸에 뿌듯하거나 자랑스러운 마음 등을 썼는가?		배점 2점
	그렇다.		아니다.
	2점		0점

정답을 확인하기 전에 자기가 푼 단원평가의 정답을 큐알을 찍어 올려 보세요.

단원 평가

온라인 학습북 **35~38**쪽

문항 번호	정답	평가 내용	난이도
1	③	그림의 내용 파악하기	쉬움
2	②	상황에 알맞은 표현 사용하기	보통
3	③	그림의 내용 파악하기	보통
4	②	다른 사람에게 마음 전하기	쉬움
5	③	마음을 전해 본 경험 떠올리기	보통
6	②	마음을 전해 본 경험 떠올리기	쉬움
7	③	인물이 한 일이나 겪은 일 찾기	보통
8	①	이야기의 내용 파악하기	보통
9	③	인물의 마음 짐작하기	보통
10	⑤	인물이 겪은 일 찾기	어려움
11	⑤	인물의 마음 짐작하기	보통
12	⑤	이야기의 내용 파악하기	쉬움
13	①	인물의 마음이 드러나는 부분	어려움
14	②	이야기의 내용 파악하기	보통
15	⑤	인물의 마음 짐작하기	보통
16	③	알맞은 흉내 내는 말 찾기	어려움
17	④	장면의 내용 파악하기	보통
18	⑤	친구에게 사과하는 쪽지를 쓸 때 주의할 점	어려움
19	④	친구에게 사과하는 쪽지를 쓸 때 주의할 점	어려움
20	②	다른 사람에게 마음을 전하는 글 쓰기	보통

1 ㈎의 '고맙습니다.'라는 말은 어른에게 고마움을 나타내는 말입니다.

2 약속 시간에 늦었을 때에는 상대방에게 미안하다고 사과해야 합니다.

3 ㈐에는 가을 현장 체험학습을 가는 신나는 마음이 나타나 있습니다.

4 상대가 자기를 위해 걱정해 주는 말을 하면 고맙다고 대답하는 것이 좋습니다.

5 가족과 함께할 때 행복한 마음을 느낄 수 있습니다.

6 넘어진 친구가 괜찮은지 걱정해 주는 말을 하는 것이 좋습니다.

7 규리는 아침에 엄마께서 깨워 주셔서 간신히 일어났습니다.

8 민호는 규리가 늦게 와서 걱정하였습니다.

9 '아이참'은 못마땅하거나 초조할 때 쓰는 표현입니다. 5분만 더 자고 싶은데 일어나야 해서 못마땅한 마음을 느낄 수 있습니다.

10 규리는 발표를 하기 전에 실수를 할까 봐 긴장하고 있습니다.

11 규리는 발표를 잘하지 못했다고 생각해서 사회 시간이 빨리 지나가길 바랐습니다.

12 기찬이가 찬 돌멩이가 책가방에 맞아 그 속에 있던 공책과 연필이 쏟아졌습니다.

13 얌체공을 던지는 것은 반 친구들이 운동회를 연습하기 위해서입니다.

14 기찬이는 운동에 자신이 없었기 때문에 운동회 연습을 하지 않았습니다.

15 기찬이는 친구들이 화를 내는 모습을 보고 당황해서 사과를 하지 못했습니다.

16 '우수수'는 물건이 수북하게 쏟아지는 모양을 나타내는 말입니다.

17 주은이가 예의 없는 말과 행동을 했기 때문에 원호는 화가 났습니다.

18 사과를 할 때에는 상냥한 표정을 짓고 부드러운 말투로 사과하는 것이 좋습니다.

19 사과하는 글을 쓸 때 다른 아이들이 잘못한 점은 쓸 필요가 없습니다.

20 사과할 때 상대방의 마음을 상하게 하지 않도록 조심해야 합니다.

7. 글을 읽고 소개해요

개념 확인하기
온라인 학습북 **39**쪽

1 ㉡　　　　**2** ㉠　　　　**3** ㉡
4 ㉠

서술형·논술형
온라인 학습북 **40**쪽

|연습|

1 (1) 앉아서 하는 피구
(2) ① 예 공을 굴리는 사람이나 피하는 사람 모두
② 예 피구장 밖으로 나가야 한다.
③ 예 공을 바닥에 굴려서 맞혀야 한다.

|실전|

2 (1) 캐나다
(2) 예 캐나다에 많이 자란다. / 추운 날씨에 잘 자란다. /
가을에 붉은색으로 단풍이 든다. / 즙으로 메이플시럽
을 만든다.
(3) 예 캐나다에 많이 자라는 설탕단풍 나무의 잎이 국기에
그려져 있기 때문이다.

|연습|

(1) 이 글은 '앉아서 하는 피구'를 소개한 글입니다.

> **더 알아보기**
> 글을 읽고 친구에게 소개하면 좋은 점
> ① 새로운 사실을 알려 줄 수 있습니다.
> ② 읽은 글의 내용을 잘 정리할 수 있습니다.
> ③ 소개하면서 친구들과 많은 이야기를 나눌 수 있습니다.
> ④ 자신이 관심 있는 분야를 더 다양하게 생각할 수 있습니다.

(2) 규칙을 설명한 부분에서 중요한 내용을 찾아 정리합니다.

채점 기준

(1)	'앉아서 하는 피구'를 정확하게 썼는가?		배점 2점
	그렇다.	아니다.	
	2점	0점	

(2)	놀이 규칙을 알맞게 정리하여 썼는가?		배점 6점
	①~③ 모두 알맞은 내용을 썼다.	두 가지만 알맞게 썼다.	한 가지만 알맞게 썼다.
	6점	4점	2점

|실전|

(1) 이 글은 '캐나다'의 국기를 소개한 글입니다.

(2) 설탕단풍 나무의 특징을 찾아 씁니다.

> **더 알아보기**
> 설탕단풍 나무의 특징
> ① 캐나다에 많이 자란다.
> ② 추운 날씨에 잘 자란다.
> ③ 가을에 붉은색으로 단풍이 든다.
> ④ 즙으로 메이플시럽을 만든다.

(3) 설탕단풍 나무는 캐나다에 많이 자라기 때문에 캐나다
의 자연을 대표하는 것이라고 보았습니다.

> **더 알아보기**
> 책을 소개하는 여러 가지 방법
>
> | 책 보여 주며 말하기 | 책을 직접 보여 주며 제목, 내용, 인상 깊은 부분 등을 소개합니다. |
> |---|---|
> | 새롭게 안 내용을 그림으로 소개하기 | 책을 읽고 새롭게 안 내용을 정리해 그림으로 보여 주며 책을 소개합니다. |
> | 노랫말을 바꾸어 소개하기 | 노랫말을 책을 소개하는 내용으로 바꾸어 부릅니다. |
> | 책 보물 상자를 만들어 소개하기 | 책 내용과 관련된 물건을 책 보물 상자에 넣고 하나씩 꺼내며 소개합니다. |
> | 책갈피를 만들어 소개하기 | 기억에 남는 문장을 책갈피 앞쪽에 씁니다. 그리고 책갈피 뒤쪽에 그 까닭을 써서 책을 소개합니다. |

채점 기준

(1)	'캐나다'라고 정확하게 썼는가?		배점 2점
	그렇다.	아니다.	
	2점	0점	

(2)	모범 답안에 제시한 내용 중 한가지를 썼는가?		배점 3점
	그렇다.	아니다.	
	3점	1점	

(3)	캐나다에 많이 자라는 설탕단풍 나무의 잎이 국기에 그려져 있다는 내용으로 썼는가?		배점 4점
	국기에 담긴 뜻을 구체적으로 썼다.	단풍잎이 있기 때문이라는 내용으로 썼다.	알맞은 답을 쓰지 못하였다.
	4점	2점	0점

정답을 확인하기 전에 자기가 푼 단원평가의 정답을 **큐알**을 찍어 올려 보세요.

단원 평가

온라인 학습북 **41~44**쪽

문항 번호	정답	평가 내용	난이도
1	②	글의 내용 파악하기	쉬움
2	②	글의 내용 파악하기	보통
3	②	글의 내용 파악하기	어려움
4	③	글의 내용 파악하기	쉬움
5	①	글을 읽고 친구에게 소개하기	어려움
6	②	글의 내용 파악하기	쉬움
7	⑤	글의 내용 파악하기	보통
8	②	글의 내용 파악하기	어려움
9	③	글쓴이의 의도 파악하기	보통
10	③	문단의 내용 간추리기	어려움
11	④	글의 내용 파악하기	보통
12	④	글의 내용 파악하기	쉬움
13	④	지시하는 내용 파악하기	보통
14	⑤	글의 내용 파악하기	보통
15	①	책 소개하기	쉬움
16	⑤	글의 내용 파악하기	쉬움
17	①	독서 감상문에 대해 알기	보통
18	⑤	독서 감상문에 대해 알기	어려움
19	③	낱말의 뜻 알기	보통
20	⑤	독서 감상문에 대해 알기	보통

1 앉아서 하는 피구는 공 하나로 교실에서 쉽게 즐길 수 있는 놀이입니다.

2 앉아서 하는 피구를 하기 위해서는 먼저 교실에 있는 책상을 모두 뒤로 밀어 피구 경기장을 만들어야 합니다.

3 앉아서 하는 피구의 규칙은 피구와 같지만 앉은 자세로 하는 것이 특징입니다.

4 공을 피할 때에는 옆으로 이동해 피하거나, 무릎을 가슴에 붙여 앉은 자세로 뜀을 뛰어 피할 수 있습니다.

5 효린이가 소개한 것은 글을 읽고 한 것이 아니고 영화를 보고 소개를 한 것입니다.

6 선수들은 자기 나라를 나타내기 위해 국기를 들고 입장하였습니다.

7 아즈텍족은 독사를 물고 날아가는 독수리가 선인장 위에 앉자 그곳에 도시를 세웠습니다.

8 멕시코 국기에는 아즈텍족이 나라를 세운 이야기가 담겨 있습니다.

9 글 ㈏에서는 멕시코 국기에 담긴 멕시코가 세워진 전설을 말하고 있습니다. 따라서 글쓴이는 ㈏를 통해 그 나라의 전설이 담긴 국기도 있다는 것을 말하고 있다고 볼 수 있습니다.

10 국기에는 그 나라의 전설이 담겨 있습니다.

11 지금 미국 국기는 줄이 열세 개이고, 별이 오십 개입니다.

12 미국 국기에 있는 줄의 수는 처음 나라를 세울 때의 주의 수입니다.

13 ㉠은 땅이 커져서 국기의 모양이 달라졌다는 것을 가리킵니다.

14 처음의 태극기와 지금의 태극기는 무늬가 달랐습니다.

15 은혜가 소개하려고 하는 방법은 책 보여 주며 말하기입니다.

16 이 글은 책을 읽고 쓴 독서 감상문에 해당하는 글입니다.

17 책을 읽게 된 까닭을 알 수 있는 부분은 ㉠입니다.

18 책을 읽고 난 뒤의 다짐이 나타나 있는 곳은 ㈐입니다.

19 '기세가 몹시 매섭고 사납다.'의 뜻을 가진 낱말은 '모질다'입니다.

20 독서 감상문을 쓸 때에는 책에서 중요한 내용이나 사건을 골라 씁니다.

8. 글의 흐름을 생각해요

개념 확인하기

온라인 학습북 45쪽

1 ㉢   **2** ㉠   **3** ㉡

4 ㉡

서술형·논술형

온라인 학습북 46쪽

|연습|

1 (1) 예 일하는 방법을 알려 주는 글이다. / 일하는 차례가 잘 드러난 글이다. 등

(2) ① 두 번째

② 셀로판테이프로 매듭 위쪽을 책상에 붙입니다.

|실전|

2 (1) 예 감기약을 먹는 방법

(2) 예 따뜻한 물을 많이 마신다.

예 몸을 따뜻하게 한다.

|연습|

(1) 이 글은 실 팔찌를 만드는 방법을 설명한 글로, 차례가 잘 드러나게 일을 하는 방법을 알려 주는 특징이 있습니다. 일 차례에 따라 쓴 글은 일하는 차례를 파악하며 읽어야 합니다. 글에서 다루고 있는 내용이 무엇인지 살펴보며 글의 특징을 생각해 보세요.

(2) 차례를 나타내는 말은 '두 번째'이고, 그 차례와 관련되는 중요한 내용은 '셀로판테이프로 매듭 위쪽을 책상에 붙입니다.'입니다. 차례를 나타내는 말을 찾아보면 일하는 방법을 쉽게 알 수 있습니다. 차례를 나타내는 말로는 '첫 번째', '두 번째', '우선', '그다음', '끝으로', '마지막으로', '다음으로' 등이 있습니다.

채점 기준

'일하는 방법' 또는 '일하는 차례' 등의 말을 포함하였는가?		배점 2점
(1)	그렇다.	'실 팔찌를 만드는 방법'이라고 씀.
	2점	1점
①과 ② 모두 모범 답안과 같이 표기한 정답만 인정한다.		배점 4점
(2)	①	②
	1점	3점

더 알아보기

글의 여러 가지 흐름

① 시간 흐름에 따라 쓴 글

> 그날 밤도 할아버지는 여느 때처럼 어린이들을 위한 동시와 이야기를 쓰고 있었습니다.

② 일 차례에 따라 쓴 글

> 첫 번째, 서로 다른 색깔 실 세 가닥을 함께 잡고 매듭을 짓습니다.
> 두 번째, 셀로판테이프로 매듭 위쪽을 책상에 붙입니다

③ 장소 변화에 따라 쓴 글

> • 동물원 입구를 지나 가장 먼저 간 곳은 '곤충관'이었다.
> • 곤충관 바로 옆은 '야행관'이었는데 주로 밤에 활동하는 동물들이 있는 곳이었다.

온라인 학습북 44 ~ 49 쪽

|실전|

(1) 감기약을 안전하고 효과적으로 먹는 방법을 쓴 글입니다.

더 알아보기

내용을 간추려 쓰는 방법

① 시간 흐름에 따라 쓴 글은 시간 차례대로 내용을 간추립니다.
② 일 차례를 설명한 글은 일하는 차례가 잘 드러나게 간추립니다.
③ 장소가 바뀌면서 사건이 변하는 글은 이동한 장소와 각 장소에서 겪은 일을 중심으로 간추립니다.

(2) 따뜻한 물을 많이 마시고, 몸을 따뜻하게 하면 감기 예방에 도움이 됩니다.

더 알아보기

내용을 간추릴 때 주의할 점

① 시간 표현을 사용합니다.
② 차례를 나타내는 말을 사용합니다.
③ 이어 주는 말을 잘 사용합니다.
④ 흐름이 분명하게 드러나도록 간추립니다.

채점 기준

'감기약 먹는 방법'을 포함하여 썼는가?		배점 2점
(1)	그렇다.	아니다.
	2점	0점
글에 나온 감기 예방 방법 두 가지 내용을 썼는가?		배점 4점
(2)	두 가지를 씀.	한 가지를 씀.
	4점	2점

정답을 확인하기 전에 자기가 푼 단원평가의 정답을 큐알을 찍어 올려 보세요.

단원 평가

온라인 학습북 **47~50**쪽

문항 번호	정답	평가 내용	난이도
1	⑤	지시하는 대상 알기	쉬움
2	⑤	글의 내용 파악하기	보통
3	②	흉내 내는 말 알기	쉬움
4	⑤	글의 내용 간추리기	보통
5	⑤	글의 내용 간추리기	쉬움
6	③	글의 내용 파악하기	보통
7	①	글의 내용 간추리기	보통
8	④	글의 내용 파악하기	쉬움
9	⑤	글의 내용 파악하기	보통
10	④	차례를 나타내는 말 알기	어려움
11	③	글의 내용 파악하기	보통
12	⑤	글의 내용 파악하기	어려움
13	⑤	낱말의 뜻 알기	보통
14	②	장소 변화 파악하기	쉬움
15	①	글의 내용 간추리기	어려움
16	④	글의 내용 파악하기	쉬움
17	⑤	장소 변화 파악하기	보통
18	④	글의 내용 파악하기	쉬움
19	②	시간을 나타내는 말 알기	보통
20	③	장소 변화 파악하기	보통

1 자기 크기만 한 작은 사람은 작아진 할아버지를 가리킵니다.

2 이야기 할아버지는 베짱이가 짜 준 베를 쥐들이 가진 마법 열매와 바꾸려고 쥐들을 찾아갔습니다.

3 '꿀꺽'은 '물이나 음식물이 목구멍으로 한꺼번에 많이 넘어가는 소리나 모양'을 나타내는 말입니다.

4 이야기 할아버지는 쥐들에게 베를 주고 바꾼 '커졌다 작아졌다' 마법 열매를 먹고 본래 크기로 돌아왔습니다.

5 이야기 할아버지는 동네 아이들에게 새로 지은 시 「베짱이」를 들려주었습니다.

6 실 팔찌는 팔목에 걸다가 자연스럽게 닳아서 끊어지면 소원이 이루어진다는 이야기가 있어 소원 팔찌라고도 합니다.

7 브라질에서는 축구 경기 전에 승리를 기원하며 손목에 실 팔찌를 건다고 하였습니다.

8 셀로판테이프는 실 팔찌를 만드는 동안 실이 움직이거나 꼬이지 않게 고정하는 역할을 합니다.

9 세 가닥 땋기를 할 때에는 자신이 원하는 길이보다 길게 땋아야 한다고 하였습니다.

10 '이때'는 차례를 나타내는 말이 아닙니다.

11 글쓴이는 영화와 유물을 보면서 고인돌의 역사를 알 수 있었다고 하였습니다.

12 글쓴이의 가족은 철새 떼의 춤을 볼 수 있을까 하는 기대로 저수지를 방문하였습니다.

13 '간간이'는 '시간적인 사이를 두고서 가끔씩'이라는 뜻으로 '이따금'과 바꾸어 쓸 수 있습니다.

14 글쓴이는 마지막으로 고창의 유명한 절인 선운사를 방문했습니다.

15 이 글은 여행한 장소 변화에 따라 쓴 글이므로 장소 변화와 각 장소에서 한 일에 주의하며 간추려야 합니다.

16 친구들과 직업 체험관에 가서 직업 체험학습을 하고 나서 쓴 글입니다.

17 문화재 발굴 현장은 다른 모둠 친구의 이야기로만 들은 장소입니다.

18 민기가 의견을 냈기 때문에 소품 설계관을 첫 번째 체험활동 장소로 정했습니다.

19 열한 시는 시간을 나타내는 말입니다.

20 오후 한 시에 소방서에서 소방관 체험을 하였습니다.

9. 작품 속 인물이 되어

개념 확인하기　온라인 학습북 **51**쪽

1 ㉠　　　**2** ㉡　　　**3** ㉢

4 ㉠

서술형·논술형　온라인 학습북 **52**쪽

|연습|

1 (1) 예 아무 말도 하지 않다가 귀찮게 한다고 무툴라에게 화를 냈다.

(2) 예 다른 사람이 하는 말을 잘 듣지 않는다. / 잘난 체한다. / 거만하고 상대를 무시한다. / 불친절하다. / 퉁명스럽다. / 예의가 없다. 등

|실전|

2 (1) 예 짜증 나는 표정으로 버럭 화를 낸다. / 귀찮다는 듯이 찌푸린 표정으로 크게 소리친다. 등

(2) ① 예 자신만만하다. / 당당하다. / 용기가 있다. 등

② 예 자신감 있는 표정으로 손을 허리에 얹거나 팔짱을 끼고 크고 또렷한 목소리로 말한다.

|연습|

(1) 투루는 무툴라가 아침 인사를 하자 대꾸도 하지 않다가 귀찮다고 화를 냈습니다.

> **더 알아보기**
>
> 이야기 속 인물과 성격
>
> ① 인물: 이야기에 등장하여 일정한 상황에서 일정한 역할을 하는 사람, 동물, 사물 등을 통틀어 말합니다.
> ② 성격: 개인이 가지고 있는 본래의 성질이나 품성을 말합니다.

(2) 투루는 다른 사람의 말을 잘 듣지 않고 거만하게 상대를 무시하는 인물입니다.

> **더 알아보기**
>
> 알맞은 표정, 몸짓, 말투를 생각하며 극본 읽기
>
> ① 어떤 상황에서의 인물의 말과 행동을 보고 인물의 성격이나 마음을 짐작해 봅니다.
> ② 극본에서 표정, 몸짓, 말투를 알려 주는 부분을 찾아봅니다.
> ③ 주변에서 등장인물과 성격이 비슷한 사람이 어떤 표정, 몸짓, 말투를 사용하는지 생각해 봅니다.
> ④ 자신이 그 인물이라면 어떤 표정, 몸짓, 말투를 사용할지 생각해 봅니다.

채점 기준

		배점
(1)	모범 답안과 비슷한 내용으로 썼는가?	3점
	그렇다.	'화를 냈다.'만 썼다.
	3점	1점
(2)	모범 답안과 비슷한 내용 중 한 가지 이상을 썼는가?	3점
	그렇다.	아니다.
	3점	0점

|실전|

(1) 쿠부는 무툴라가 아침잠을 방해했다고 화를 내고 있습니다. 이에 어울리는 표정과 말투를 생각해서 쓰도록 합니다.

> **더 알아보기**
>
> 이야기 속 인물의 성격 알아보기
>
> ① 인물이 어떤 말과 행동을 하는지 생각해 봅니다.
> ② 자신이 이야기 속 인물이라면 어떤 말과 행동을 할지 생각해 봅니다.
> ③ 이야기 속 인물과 비슷한 말이나 행동을 하는 친구의 성격이 어떤지 생각해 봅니다.

(2) 무툴라는 덩치가 큰 쿠부가 화를 내는데도 겁을 내지 않고 자신만만하고 당당하게 말하고 있습니다.

> **더 알아보기**
>
> 「대단한 줄다리기」의 줄거리
>
> ① 산토끼 무툴라가 코끼리 투루에게 아침 인사를 하자 투루는 귀찮다고 화를 냈어요.
> ② 무툴라가 하마 쿠부에게 아침 인사를 하자 쿠부도 아침잠을 방해했다고 화를 냈어요.
> ③ 무툴라는 자신과 줄다리기를 하자고 속여 긴 밧줄의 양쪽 끝을 투루와 쿠부에게 잡게 했어요.
> ④ 투루와 쿠부는 무툴라에게 속은 줄도 모르고 하루 종일 힘껏 줄을 잡아당기느라 지치고 말았어요.

채점 기준

		배점
(1)	모범 답안과 비슷한 내용으로 썼는가?	2점
	그렇다.	아니다.
	2점	0점
(2)	①과 ② 모두 모범 답안과 비슷한 내용으로 썼는가?	6점
	그렇다.	한 가지만 비슷하게 씀.
	6점	3점

온라인 학습북 **47~52**쪽

정답을 확인하기 전에 자기가 푼 단원평가의 정답을 큐알을 찍어 올려 보세요.

단원 평가

온라인 학습북 **53~56**쪽

문항 번호	정답	평가 내용	난이도
1	⑤	흉내 내는 말 알기	쉬움
2	⑤	글의 내용 파악하기	보통
3	③	글의 내용 파악하기	쉬움
4	④	인물의 성격 파악하기	보통
5	③	알맞은 표정, 몸짓, 말투 알기	쉬움
6	①	글의 내용 파악하기	쉬움
7	③	글의 내용 파악하기	보통
8	⑤	인물의 성격 파악하기	쉬움
9	①	글의 내용 파악하기	보통
10	②	인물의 성격 파악하기	어려움
11	①	글의 내용 파악하기	쉬움
12	⑤	글의 내용 파악하기	어려움
13	④	글의 내용 파악하기	쉬움
14	⑤	인물의 마음 파악하기	어려움
15	⑤	알맞은 표정, 몸짓, 말투 알기	보통
16	③	글의 내용 파악하기	어려움
17	④	글의 내용 파악하기	보통
18	①	글의 내용 파악하기	쉬움
19	④	인물의 마음 파악하기	쉬움
20	④	알맞은 표정, 몸짓, 말투 알기	보통

1 '질겅질겅'은 '질긴 물건을 거칠게 자꾸 씹는 모양'을 나타내는 말입니다. 투루가 질겅질겅 풀을 씹었다는 표현이 알맞습니다.

2 투루와 쿠부는 무툴라의 인사를 받아 주지 않았습니다.

3 무툴라는 투루와 쿠부에게 언제든지 줄다리기를 하면 자기가 이긴다고 자신 있게 말했습니다.

4 투루와 쿠부는 무툴라를 꼬맹이라고 부르며 무시하는 말을 하고 있습니다.

5 투루가 무툴라를 무시하고 있습니다. 상대를 무시하며 잘난 체하는 태도를 나타내기 위해서는 가소롭다는 듯이 크게 웃는 것이 어울립니다.

6 무툴라에게 속아서 투루와 쿠부가 줄다리기를 하게 되었습니다.

7 줄다리기를 할 때 무툴라는 덤불숲에 숨어 있었습니다.

8 투루와 쿠부는 지지 않으려고 줄다리기를 계속하였습니다.

9 투루와 쿠부는 동시에 밧줄을 놓았습니다. 따라서 줄다리기의 결과는 무승부입니다.

10 무툴라는 투루와 쿠부를 속여 하루 종일 줄다리기를 하게 할 정도로 꾀가 많습니다.

11 호랑이는 사냥꾼들에게 잡혀서 궤짝 속에 갇혀 있습니다.

12 궤짝에서 나와 호랑이가 사슴을 잡아먹었다는 내용은 나오지 않습니다.

13 호랑이는 나그네에게 궤짝 문을 열어 달라고 부탁하였습니다.

14 호랑이는 혼자 힘으로 궤짝 밖으로 나가기는 힘들겠다는 생각을 하고 주저앉았습니다.

15 약속을 어기고 나그네를 잡아먹으려는 상황이므로 당당하고 뻔뻔한 말투가 어울립니다.

16 소나무와 길은 호랑이가 옳다고 말했습니다.

17 소나무는 사람들이 자신들을 마구 꺾고 베어 버리기 때문에 사람들이 옳지 않다고 하였습니다.

18 길은 사람들이 날마다 자기를 밟고 다니면서도 고맙다는 말도 없이 코를 풀고 침을 뱉기 때문에 호랑이가 옳다고 말했습니다.

19 나그네는 호랑이 편만 드는 소나무와 길에게 서운한 마음이 들었을 것입니다.

20 호랑이는 답답해서 화를 내고 있으므로 크게 호통을 치는 듯한 말투가 어울립니다.

어느 **교과서**를 배우더라도

꼭 알아야 하는 **개념**과 **기본 문제** 구성으로

다양한 학교 평가에 완벽 대비할 수 있어요!

11종 검정 교과서

단원 평가 자료집

사회 3-2

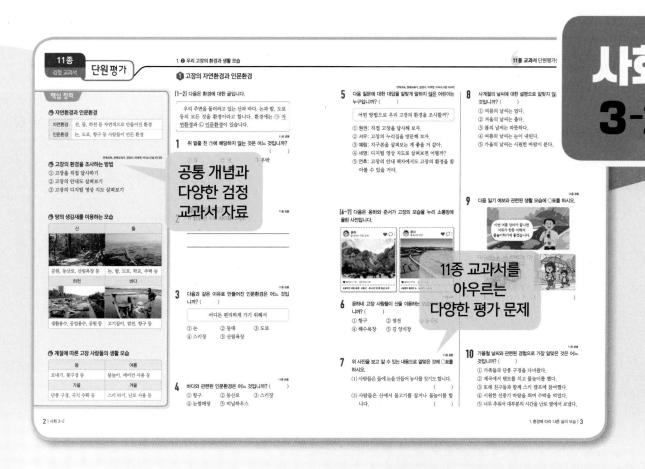

공통 개념과 다양한 검정 교과서 자료

11종 교과서를 아우르는 다양한 평가 문제

❶ **고장의 자연환경과 인문환경**

🌰 **자연환경과 인문환경**

자연환경	산, 들, 하천 등 자연적으로 만들어진 환경
인문환경	논, 도로, 항구 등 사람들이 만든 환경

천재교육, 천재교과서, 김영사, 미래엔, 아이스크림 미디어

🌰 **고장의 환경을 조사하는 방법**
① 고장을 직접 답사하기
② 고장의 안내도 살펴보기
③ 고장의 디지털 영상 지도 살펴보기

🌰 **땅의 생김새를 이용하는 모습**

산	들
공원, 등산로, 산림욕장 등	논, 밭, 도로, 학교, 주택 등
하천	바다
생활용수, 공업용수, 공원 등	고기잡이, 염전, 항구 등

🌰 **계절에 따른 고장 사람들의 생활 모습**

봄	여름
모내기, 꽃구경 등	물놀이, 에어컨 사용 등
가을	겨울
단풍 구경, 곡식 수확 등	스키 타기, 난로 사용 등

[1~2] 다음은 환경에 대한 글입니다.

> 우리 주변을 둘러싸고 있는 산과 바다, 논과 밭, 도로 등의 모든 것을 환경이라고 합니다. 환경에는 ㉠ 자연환경과 ㉡ 인문환경이 있습니다.

11종 공통

1 위 밑줄 친 ㉠에 해당하지 **않는** 것은 어느 것입니까?
( )

① 들　　　② 비　　　③ 우박
④ 하천　　⑤ 학교

📖 서술형·논술형 문제　　11종 공통

2 위 밑줄 친 ㉡의 의미를 쓰시오.

_____

_____

11종 공통

3 다음과 같은 이유로 만들어진 인문환경은 어느 것입니까? ( )

> 어디든 편리하게 가기 위해서

① 논　　　② 등대　　　③ 도로
④ 스키장　⑤ 산림욕장

11종 공통

4 바다와 관련된 인문환경은 어느 것입니까? ( )
① 항구　　　② 등산로　　③ 스키장
④ 눈썰매장　⑤ 비닐하우스

천재교육, 천재교과서, 김영사, 미래엔, 아이스크림 미디어

5 다음 질문에 대한 대답을 알맞게 말하지 <u>않은</u> 어린이는 누구입니까? (   )

> 어떤 방법으로 우리 고장의 환경을 조사할까?

① 원권: 직접 고장을 답사해 보자.

② 서우: 고장의 누리집을 방문해 보자.

③ 예림: 지구본을 살펴보는 게 좋을 거 같아.

④ 세영: 디지털 영상 지도로 살펴보면 어떨까?

⑤ 연후: 고장의 안내 책자에서도 고장의 환경을 찾아볼 수 있을 거야.

[6~7] 다음은 윤하와 준서가 고장의 모습을 누리 소통망에 올린 사진입니다.

윤하
♥ 설악산 국립 공원
♥ 좋아요 77개 ○ 댓글 3개
#설악산 국립 공원 #등산 #5시간 만에 정상 도착

준서
♥ 황금빛 들판
♥ 좋아요 65개 ○ 댓글 2개
#끝없이 펼쳐진 논 #노랗게 익은 벼

6 윤하네 고장 사람들이 산을 이용하는 모습은 어느 것입니까? (   )

① 항구   ② 염전   ③ 등산로

④ 해수욕장   ⑤ 김 양식장

7 위 사진을 보고 알 수 있는 내용으로 알맞은 것에 ○표를 하시오.

(1) 사람들은 들에 논을 만들어 농사를 짓기도 합니다.

(   )

(2) 사람들은 산에서 물고기를 잡거나 물놀이를 합니다.

(   )

11종 공통

8 사계절의 날씨에 대한 설명으로 알맞지 <u>않은</u> 것은 어느 것입니까? (   )

① 여름의 날씨는 덥다.

② 겨울의 날씨는 춥다.

③ 봄의 날씨는 따뜻하다.

④ 여름의 날씨는 눈이 내린다.

⑤ 가을의 날씨는 시원한 바람이 분다.

9 다음 일기 예보와 관련된 생활 모습에 ○표를 하시오.

이번 여름 장마가 끝나면 더위가 한층 더해져 물놀이하기에 좋겠습니다.

(1)    (2)

(   )   (   )

10 가을철 날씨와 관련된 경험으로 가장 알맞은 것은 어느 것입니까? (   )

① 가족들과 단풍 구경을 다녀왔다.

② 계곡에서 텐트를 치고 물놀이를 했다.

③ 또래 친구들과 함께 스키 캠프에 참여했다.

④ 시원한 선풍기 바람을 쐬며 수박을 먹었다.

⑤ 너무 추워서 대부분의 시간을 난로 옆에서 보냈다.

단원 평가

❷ 바다와 산을 이용해 살아가는 모습

[1~4] 다음은 민지네 고장의 모습입니다.

11종 공통

1 민지네 고장의 자연환경으로 알맞은 것에 ○표를 하시오.

(1) 높은 산이 연속해 있습니다. ( )

(2) 바다가 있고 주변에 모래사장이 있습니다.
( )

핵심 정리

🐚 바다가 있는 고장

바다가 있는 고장의 환경	• 자연환경: 바다, 갯벌, 모래사장, 낮은 산, 좁은 들 등 • 인문환경: 항구, 등대, 양식장, 해수욕장, 수산물 직판장, 식당 등
바다가 있는 고장 사람들이 하는 일	• 물고기를 잡거나 가두어 기름. • 배나 고기잡이 도구를 팔거나 고쳐 줌. • 해녀들은 바닷속에 들어가 해산물을 잡음. • 바다에서 잡아 온 물고기를 소비자에게 직접 파는 직판장을 운영함.

11종 공통

2 민지네 고장의 자연환경과 관련된 인문환경으로 가장 알맞지 <u>않은</u> 것은 어느 것입니까? ( )

① 항구 ② 양식장

③ 스키장 ④ 수산물 직판장

⑤ 물놀이 용품 대여점

11종 공통

3 민지네 고장 사람들이 주로 하는 일을 두 가지 고르시오. (,)

① 김 양식 ② 꿀 얻기

③ 해산물 잡기 ④ 버섯 재배하기

⑤ 농업 기술 연구하기

🧁 산이 많이 있는 고장

산이 많은 고장의 환경	• 자연환경: 산비탈, 울창한 숲, 계곡 등 • 인문환경: 경사진 밭, 계단 모양의 논, 목장, 스키장, 식당, 리조트, 풍력 발전기 등
산이 많은 고장 사람들이 하는 일	• 지하자원을 캠. • 약초와 나물을 캐거나 버섯을 기름. • 산비탈에 썰매장과 스키장을 운영함. • 목장에서 소나 양과 같은 가축을 키움. • 경사진 밭과 계단 모양의 논에서 농사를 지음.

📝 서술형·논술형 문제

11종 공통

4 위와 같은 환경이 나타나는 고장에 가 본 경험으로 알맞은 내용을 쓰시오.

_____

_____

5 다음은 고장의 다양한 자연환경 중 무엇을 이용하며 살아가는 사람들의 모습인지 보기 에서 찾아 쓰시오.

보기
• 산   • 들   • 비   • 바다

△ 물고기 잡기

△ 배나 고기잡이 도구 고치기

(   )

[6~7] 다음은 아람이가 지우에게 보낸 편지입니다.

지우에게
안녕? 잘 지냈니? ⓐ이 많은 우리 고장은 버섯이 잘 자라. 우리 고장에서 곧 버섯 축제가 열리거든. 버섯 요리를 맛보거나 버섯 따기 체험도 해 볼 수 있어. 버섯 축제에 같이 가지 않을래? 겨울 방학 때 우리 고장에 있는 ⓑ에서 스키 캠프도 같이 했잖아. 이번에도 함께 하면 좋겠어.

아람이가

6 위 ㉠에 들어갈 자연환경으로 알맞은 것은 어느 것입니까? (   )

① 산   ② 들   ③ 강
④ 사막   ⑤ 갯벌

7 위 ㉡에 들어갈 인문환경으로 알맞은 것은 어느 것입니까? (   )

① 등대   ② 스키장   ③ 영화관
④ 조선소   ⑤ 해수욕장

8 산이 많은 고장하면 떠오르는 낱말을 알맞게 적은 어린이는 누구입니까? (   )

① 해수욕장

② 목장

③ 물고기

④ 회사

9 산이 많은 고장 사람들이 주로 하는 일로 알맞은 것은 어느 것입니까? (   )

① 물놀이 용품을 판매한다.
② 염전을 만들어 소금을 얻는다.
③ 배나 고기잡이 도구를 수리한다.
④ 수산물 직판장에서 수산물을 판다.
⑤ 산비탈에 논과 밭을 만들어 농사를 짓는다.

10 산이 많은 고장에서 계단 모양으로 논을 만들어 농사를 짓는 까닭을 보기 에서 찾아 기호를 쓰시오.

보기
㉠ 농사지을 땅이 부족하기 때문에
㉡ 겨울에 눈이 많이 내리기 때문에
㉢ 나물과 약초는 깊은 산속에서 자라기 때문에

(   )

❸ 들을 이용해 살아가는 모습과 여가 생활 모습

핵심 정리

🐚 들이 있는 고장

들이 있는 고장의 환경	• 자연환경: 넓은 들, 낮은 산, 하천 등 • 인문환경: 논과 밭, 비닐하우스, 과수원, 축사, 농산물 저장고, 저수지 등
들이 있는 고장 사람들이 하는 일	• 농촌 체험 프로그램을 운영함. • 소나 돼지와 같은 가축을 키움. • 농기계를 팔거나 고치는 일을 함. • 농업 기술을 연구하고 알려 주는 일을 함. • 들에 논밭을 만들어 곡식과 채소 등을 기름.

🐚 인문환경이 다양한 도시

도시의 환경	• 자연환경: 들, 낮은 산, 하천 등 • 인문환경: 높은 건물, 넓은 도로, 아파트, 공장, 마트, 은행, 박물관 등
도시 사람들이 하는 일	• 회사에서 일을 함. • 버스나 택시를 운전함. • 공장에서 물건을 만듦. • 백화점에서 음식이나 물건을 팖.

🐚 고장 사람들의 여가 생활 모습

① 여가 생활: 스스로 즐거움을 얻고자 남는 시간에 하는
자유로운 활동
② 자연환경을 이용한 여가 생활

🔺 바다-낚시 🔺 산-등산 🔺 강-래프팅

③ 인문환경을 이용한 여가 생활

🔺 영화관-영화 보기 🔺 도서관-책 읽기 🔺 공원-산책하기

[1~3] 다음은 서우네 고장의 모습입니다.

1 서우네 고장의 자연환경으로 알맞은 것을 **보기**에서 두
가지 찾아 기호를 쓰시오.

> **보기**
> ㉠ 강이 흐릅니다.
> ㉡ 넓은 들이 있습니다.
> ㉢ 높은 산이 있습니다.
> ㉣ 바다와 모래사장이 있습니다.

(,   )

11종 공통

2 서우네 고장을 보고 잘못 말한 어린이를 쓰시오.

> 원권: 비닐하우스를 만들어 농사를 짓기도 하네.
> 지우: 갯벌이 넓게 펼쳐져 있어서 조개를 잡을
>   수 있겠어.
> 준호: 고장에 넓고 평평한 들과 하천이 있어서
>   농사짓기에 좋겠어.

(   )

11종 공통

3 서우네 고장 사람들이 하는 일로 가장 알맞은 것은
어느 것입니까? (   )

① 물고기를 잡거나 기른다.
② 염전에서 소금을 만든다.
③ 멍게나 해삼 등을 잡는다.
④ 스키장 주변에서 리조트를 운영한다.
⑤ 논과 밭에서 곡식과 채소를 재배한다.

4 넓은 들이 있는 고장에서 다음과 같은 일을 하는 것과 관련된 인문환경은 어느 것입니까? (   )

> 소, 돼지 등의 가축을 기릅니다.

① 축사   ② 등대   ③ 항구
④ 과수원   ⑤ 산림욕장

5 다음 중 도시의 모습으로 알맞은 것의 기호를 쓰시오.

(   )

6 도시에 사는 사람들이 주로 하는 일로 알맞지 <u>않은</u> 것은 어느 것입니까? (   )

① 회사에서 일한다.
② 음식점을 운영한다.
③ 가게에서 물건을 판다.
④ 공장에서 물건을 만든다.
⑤ 깊은 산속에서 약초를 캔다.

7 도시 사람들이 하는 일에 대한 설명으로 알맞은 것에 ○표를 하시오.

(1) 도시에 사는 사람들은 주로 농사와 관련된 일을 합니다. (   )
(2) 도시에서는 주로 인문환경을 이용하여 다양한 일을 합니다. (   )

8 🖥 서술형·논술형 문제
다음은 지난여름에 즐긴 여가 생활을 발표한 내용입니다.

> 민수: 저는 우리 고장에 있는 해양 생물 과학관에 관람을 갔어요.
> 연지: 저는 친구들과 집 앞 해수욕장에서 물놀이도 하고, 모래 놀이도 했어요.

(1) 위 친구들이 살고 있는 고장을 보기에서 찾아 쓰시오.

> **보기**
> • 바다가 있는 고장   • 높은 산이 있는 고장

(   )

(2) 위 (1)번 답과 같이 생각한 까닭을 쓰시오.

_____

_____

9 다음 자연환경을 이용하는 여가 생활은 무엇인지 바르게 줄로 이으시오.

(1) 산 •   • ㉠ 서핑

(2) 강 •   • ㉡ 등산

(3) 바다 •   • ㉢ 래프팅

10 다음 여가 생활의 공통점은 무엇입니까? (   )

> • 영화관에서 영화 보기   • 공원에서 산책하기

① 자연환경을 이용한 여가 생활이다.
② 인문환경을 이용한 여가 생활이다.
③ 어린이만 즐길 수 있는 여가 생활이다.
④ 날씨에 영향을 크게 받는 여가 생활이다.
⑤ 도시에서는 즐길 수 없는 여가 생활이다.

11종
검정 교과서

단원 평가

핵심 정리

🍥 의식주의 의미와 필요성

① 의미: 사람들이 생활하는 데 필요한 옷, 음식, 집

② 필요성

의(옷)	피부를 보호하고, 몸의 온도를 유지하기 위해서
식(음식)	영양분을 얻기 위해서
주(집)	더위, 추위를 피하고 안전하게 쉬기 위해서

🍥 계절에 따라 다른 옷차림

봄	날씨가 따뜻해지면서 가벼운 옷을 입음.
여름	더위를 피하려고 바람이 잘 통하는 반팔 옷과 반바지를 입고, 햇볕을 막으려고 모자를 씀.
가을	날씨가 선선해지고 아침과 저녁, 낮의 기온 차이가 생겨 옷을 여러 겹 껴입음.
겨울	추위를 막으려고 두꺼운 옷을 입고, 장갑을 끼거나 목도리를 두름.

🍥 환경에 따라 다른 세계 여러 고장의 옷차림

덥고 건조한 고장

🔼 햇볕과 모래바람을 막으려고 몸 전체를 감싸는 옷을 입고 천을 머리에 두름.

춥고 눈이 많이 오는 고장

🔼 몸을 보호하기 위해 동물의 털과 가죽으로 만든 두꺼운 옷을 입음.

덥고 습한 고장

🔼 바람이 잘 통하는 가벼운 옷을 입고, 햇볕을 가리거나 비를 막기 위해 모자를 씀.

높은 산지에 있는 고장

🔼 낮의 햇볕을 막으려 챙이 넓은 모자를 쓰고, 밤의 추위를 막으려 옷을 덧입음.

---

1 의식주의 의미와 다양한 의생활 모습

1 다음 사진과 관련 있는 것을 **보기**에서 찾아 쓰시오.

🔼 아파트

🔼 한옥

> **보기**
> • 의생활 　• 식생활 　• 주생활

(　　　　　　　　)

[2~3] 다음은 의식주에 대해 정리한 표입니다.

구분	필요한 까닭
의(㉠)	피부를 보호하고, 몸의 온도를 유지하기 위해서
식(음식)	영양분을 얻기 위해서
주(집)	㉡

2 위 ㉠에 들어갈 알맞은 말을 쓰시오.

(　　　　　　　　)

📋 서술형·논술형 문제

3 위 ㉡에 들어갈 알맞은 내용을 쓰시오.

_____

_____

4 고장의 옷차림과 관련하여 다음 (　) 안의 알맞은 말에 각각 ○표를 하시오.

> 고장의 날씨는 ❶(계절 / 인구)에 따라 달라집니다. 그래서 날씨가 따뜻한 ❷(봄 / 겨울)에는 활동하기 편안하고 가벼운 옷을 입습니다.

천재교육, 교학사, 금성출판사, 동아출판, 미래엔, 비상교과서, 비상교육, 지학사

5 다음과 같은 옷차림을 하는 계절은 언제입니까?
(   )

11종 공통

반팔 옷과 반바지를 입고, 모자를 씁니다.

①
⬆ 봄

②
⬆ 여름

③
⬆ 가을

④
⬆ 겨울

천재교육

6 9월에 나눈 다음 대화를 통해 알 수 있는 것을 보기 에서 찾아 기호를 쓰시오.

소연: 평창은 아침, 저녁으로 서늘해 긴팔 옷을 입는데 제주도는 어때?
이훈: 제주도는 아직 따뜻해서 반팔 옷을 입어.

보기
㉠ 평창은 남쪽에 있어 9월에 서늘합니다.
㉡ 고장의 환경에 따라 옷차림이 달라집니다.
㉢ 9월에 제주도는 낮과 밤의 기온 차가 큽니다.

(   )

천재교육, 교학사, 김영사, 동아출판, 비상교과서, 지학사

7 덥고 습한 고장의 의생활 모습에 대한 설명으로 알맞은 것에 모두 ○표를 하시오.

(1) 비를 막기 위해 모자를 씁니다. (   )

(2) 더위를 피하기 위한 의생활을 합니다. (   )

(3) 동물의 털과 가죽으로 만든 두꺼운 옷을 입습니다. (   )

8 다음 중 밤과 낮의 기온 차이가 큰 고장 사람들의 의생활 모습을 찾아 기호를 쓰시오.

㉠

㉡

(   )

11종 공통

9 다음과 같이 옷을 입는 고장의 환경을 바르게 설명한 것은 어느 것입니까? (   )

우리 고장에서는 위아래가 하나로 된 긴 옷을 입고, 천을 머리에 둘러써요.

① 덥고 습한 고장
② 초원이 펼쳐진 고장
③ 높은 산지에 있는 고장
④ 춥고 눈이 많이 오는 고장
⑤ 햇볕이 뜨겁고 모래바람이 많이 부는 고장

11종 공통

10 세계 여러 고장 사람들의 의생활 모습에 대한 설명으로 알맞지 <u>않은</u> 것은 어느 것입니까? (   )

① 고장마다 옷을 만드는 재료가 같다.
② 의생활은 땅의 생김새에 영향을 받는다.
③ 고장의 의생활은 기온과 강수량의 영향을 받는다.
④ 고장에서 구하기 쉬운 재료로 옷을 만들어 입는다.
⑤ 고장의 환경에 따라 옷의 두께나 길이가 다양하다.

사
회

11종
검정 교과서

단원 평가

핵심 정리

🍚 환경에 따라 다른 고장의 식생활 모습
천재교과서

전주	들에서 자란 쌀과 채소로 만든 음식 예 비빔밥
하동	근처 강에서 잡은 조개로 만든 음식 예 재첩국

🍚 세계 여러 고장의 식생활 모습
천재교육

덥고 습한 고장	열대 과일, 쌀, 기름, 향신료를 사용한 음식 예 쌀국수(베트남), 파인애플 볶음밥(타이)
추운 고장	추운 곳에서도 자라는 호밀로 만든 음식 예 호밀빵(러시아)
산지가 많은 고장	산지에서 키운 젖소로부터 나는 우유로 만든 음식 예 퐁뒤(스위스)
바다와 가까운 고장	해산물을 이용한 음식 예 초밥(일본)

🍚 환경에 따라 다른 고장의 주생활 모습

⬆ 바람이 많이 부는 고장은 지붕을 줄로 고정하고 돌담을 쌓음.　⬆ 겨울에 눈이 많이 내리는 고장은 우데기 안에서 생활함.

⬆ 나무를 쉽게 구할 수 있는 고장은 나무로 너와집을 지음.　⬆ 여름철 비가 많이 내리는 고장은 터돋움집으로 홍수를 대비함.

🍚 세계 여러 고장의 주생활 모습
동아출판, 비상교육

흙집(사우디아라비아)	이글루(캐나다)
사막으로 건조하여 나무가 잘 자라지 않아 흙집을 지음. 뜨거운 낮에는 열을 막고 추운 밤에는 열을 품어 따뜻함.	일 년 내내 춥고 눈으로 둘러싸여 있어 사냥할 때 추위를 피하려고 눈과 얼음으로 집을 지었음.

천재교과서

1 다음 □ 안에 들어갈 음식을 보기 에서 찾아 쓰시오.

> 하동은 근처 강에서 잡은 조개를 넣어 만든 □□□이 유명합니다.

보기
• 재첩국　　• 어리굴젓　　• 곤드레나물밥

(　　　　　　)

천재교과서, 금성출판사, 김영사, 미래엔, 비상교과서

2 고장의 식생활과 관련하여 다음 ( ) 안의 알맞은 말에 각각 ○표를 하시오.

• 고장을 대표하는 음식은 주변 ❶ (환경 / 나라)에서 쉽게 구할 수 있는 재료로 만들어집니다.
• 전주는 넓은 ❷ (강 / 들)에서 자란 쌀과 채소로 만든 비빔밥이 유명합니다.

11종 공통

3 고장마다 사람들의 식생활 모습이 다른 까닭을 바르게 말한 어린이를 쓰시오.

> 선아: 고장에서 나는 음식 재료가 같기 때문이야.
> 민정: 고장의 환경이 식생활에 영향을 주기 때문이야.
> 재민: 주변 환경에서 쉽게 구할 수 없는 재료로 음식을 만들기 때문이야.

(　　　　　　)

11종 공통

4 고장의 환경에 따라 다른 세계 여러 고장의 식생활 모습이 바르게 짝 지어진 것은 어느 것입니까? (　　)

① 추운 고장 - 러시아의 호밀빵
② 덥고 습한 고장 - 스위스의 퐁뒤
③ 높은 산지에 있는 고장 - 일본의 초밥
④ 초원이 펼쳐진 고장 - 베트남의 쌀국수
⑤ 바다로 둘러싸인 고장 - 타이의 파인애플 볶음밥

천재교육, 금성출판사, 김영사, 비상교과서, 비상교육, 지학사

5 베트남과 같이 덥고 습한 고장의 식생활에 대한 설명으로 알맞은 것에 ○표를 하시오.

(1) 가축의 고기와 젖으로 만든 음식을 자주 먹습니다. ( )

(2) 기름이나 향신료를 넣어 만든 음식이 발달했습니다. ( )

(3) 주변에서 쉽게 구할 수 있는 호밀로 음식을 만듭니다. ( )

11종 공통

6 우리 고장과 다른 고장의 주생활 모습에 대한 설명으로 알맞은 것은 어느 것입니까? ( )

① 각 고장에서 구하기 어려운 재료로 집을 짓는다.
② 고장의 환경과 관계없이 집을 짓는 재료가 같다.
③ 고장의 환경에 상관없이 집을 짓는 방식이 같다.
④ 우리 고장만 안전하고 편안하게 지낼 집이 필요하다.
⑤ 고장의 날씨, 땅의 생김새에 따라 주생활 모습은 다양하다.

11종 공통

7 다음 설명과 관련 있는 주생활 모습을 찾아 기호를 쓰시오.

> 바람이 많이 부는 제주도에서는 지붕이 바람에 날아가지 않도록 그물 모양으로 지붕을 줄로 엮고 돌담을 쌓았습니다.

㉠

㉡

( )

11종 공통

8 너와집과 관련된 고장의 특징은 어느 것입니까? ( )

① 바람이 많이 부는 고장
② 겨울에 눈이 많이 내리는 고장
③ 여름철 비가 많이 내리는 고장
④ 나무를 쉽게 구할 수 있는 고장
⑤ 아침과 저녁의 기온 차가 큰 고장

천재교육, 천재교과서, 동아출판, 비상교육

9 추운 고장에서 사냥할 때 추위를 피하고자 눈과 얼음으로 지은 집은 어느 것입니까? ( )

①
▲ 수상 가옥

②
▲ 게르

③
▲ 동굴집

④
▲ 이글루

서술형·논술형 문제　　교학사, 금성출판사, 동아출판, 미래엔, 비상교육

10 사우디아라비아에서 다음과 같은 집을 짓는 까닭을 고장의 환경과 관련하여 쓰시오.

▲ 흙집

_____

❶ **옛날 사람들의 생활 모습**

🥟 **돌을 깨뜨려 만든 도구를 사용한 시대**

① 돌을 깨뜨려 도구를 만들었습니다.

② 동물의 가죽으로 옷을 만들었습니다.

③ 동굴이나 바위 그늘에서 생활하며 사냥을 하고 열매를 따 먹었습니다.

🔺 주먹 도끼

🥟 **돌을 갈아서 만든 도구를 사용한 시대**

① 돌이나 동물의 뼈를 갈아 더 좋은 도구를 만들었습니다.

② 강가나 바닷가에 모여 살며 농사를 짓기 시작했습니다.

③ 흙으로 그릇을 만들었습니다.

🔺 뼈로 만든 낚시 도구

🔺 돌괭이

🔺 빗살무늬 토기

🥟 **청동으로 만든 도구를 사용한 시대**

① 청동으로 무기, 장신구, 제사 도구를 만들었습니다.

② 농사를 지을 때나 일상생활에서는 돌과 나무를 사용했습니다.

🔺 비파형 동검

🔺 청동 거울

🔺 반달 돌칼

🥟 **철로 만든 도구를 사용한 시대**

① 청동보다 더욱 단단한 철로 일상생활에 필요한 다양한 도구를 만들었습니다.

② 철로 만든 농사 도구로 더 많은 곡식을 수확했고, 전쟁에서 철로 만든 무기를 사용했습니다.

---

1 다음 도구에 대한 설명으로 알맞은 말에 각각 ○표를 하시오.

> 주먹 도끼는 ❶ (돌 / 나무)을/를 ❷ (갈아서 / 깨뜨려) 만든 도구입니다.

2 다음 ☐ 안에 들어갈 말로 알맞은 것을 두 가지 고르시오. (,   )

> 돌을 깨뜨려 만든 도구를 사용한 시대의 사람들은 추위나 동물들의 공격을 피하기 위해 ☐☐에서 생활했습니다.

① 동굴

② 움집

③ 아파트

④ 초가집

⑤ 바위 그늘

3 오른쪽 도구를 보고 알 수 있는 옛날 사람들의 생활 모습은 무엇입니까? (   )

🔺 빗살무늬 토기

① 흙으로 그릇을 만들었다.

② 음식을 보관하지 않았다.

③ 청동으로 도구를 만들었다.

④ 철로 만든 농기구를 사용했다.

⑤ 일상생활에서 청동을 사용했다.

4 다음 도구의 이름을 찾아 줄로 바르게 이으시오.

11종 공통

(1)  ·

(2)  ·

· ㉠ 비파형 동검

· ㉡ 가락바퀴

5 돌을 갈아서 만든 도구를 사용한 시대의 생활 모습으로 알맞은 것에 ○표를 하시오.

11종 공통

(1) 청동으로 지은 집에서 생활했습니다. (   )

(2) 동물의 뼈를 갈아서 도구를 만들기도 했습니다.

(   )

📝 **서술형·논술형 문제**

교학사, 지학사

6 돌을 갈아서 만든 옛날 사람들의 생활 도구 중 갈돌과 갈판의 쓰임새를 쓰시오.

_____

_____

7 옛날 사람들이 오른쪽 도구를 사용 했던 때는 언제입니까? (   )

11종 공통

① 땅을 팔 때

② 몸을 꾸밀 때

③ 제사를 지낼 때

④ 농사를 지을 때

⑤ 음식을 담을 때

⬆ 반달 돌칼

8 다음 농경문 청동기를 통해 알 수 있는 옛날 사람들의 생활 모습은 어느 것입니까? (   )

김영사, 동아출판, 비상교과서

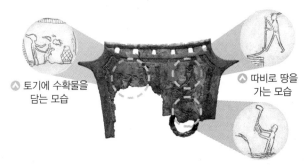

⬆ 토기에 수확물을 담는 모습

⬆ 따비로 땅을 가는 모습

⬆ 괭이로 땅을 파는 모습

① 농사를 지었다.

② 낚시 도구를 사용했다.

③ 농사 도구를 사용하지 않았다.

④ 돌을 깨뜨려 도구를 만들었다.

⑤ 먹을 것을 찾아 이동하며 생활했다.

9 철로 만든 도구를 사용한 시대의 생활 모습을 알맞게 말한 어린이를 쓰시오.

천재교육, 교학사, 금성출판사, 김영사, 동아출판, 미래엔,
비상교과서, 비상교육, 아이스크림 미디어, 지학사

> 유현: 일상생활에서도 철을 사용했어.
> 종완: 농사지을 때는 돌과 나무만 사용했어.

(   )

10 다음과 같은 변화를 가져오게 된 생활 도구를 찾아 기호를 쓰시오.

천재교육, 교학사, 금성출판사, 김영사, 동아출판, 미래엔,
비상교과서, 비상교육, 아이스크림 미디어, 지학사

> 농업이 크게 발달하게 되었습니다.

㉠
⬆ 철로 만든 농기구

㉡
⬆ 돌괭이

(   )

사 회

11종 검정 교과서 단원 평가

핵심 정리

🍚 농사 도구의 변화

① 농사 도구의 변화: 한 사람이 갈 수 있는 땅이 넓어지고, 많은 양의 곡식을 수확할 수 있습니다.

땅을 가는 도구	돌괭이 ➡ 철로 만든 괭이 ➡ 쟁기 ➡ 트랙터
곡식을 수확하는 도구	반달 돌칼 ➡ 낫 ➡ 탈곡기 ➡ 콤바인(수확기)

② 옛날의 다양한 농사 도구

아이스크림 미디어

키	지게
[출처: 국립민속박물관]	[출처: 국립민속박물관]
곡식 등을 위아래로 흔들어 티끌을 골라냈음.	농작물 등의 짐을 얹어 사람이 등에 지고 옮겼음.

🍚 음식을 만드는 도구의 변화

① 요리 도구의 변화

음식을 요리하는 도구	토기 ➡ 가마솥 ➡ 전기밥솥
음식 재료를 가는 도구	갈돌과 갈판 ➡ 맷돌 ➡ 믹서

② 달라진 생활 모습: 음식을 만드는 시간이 줄었습니다.

🍰 옷을 만드는 도구의 변화

① 옷을 만드는 도구의 변화

실이나 옷감을 만드는 도구	가락바퀴 ➡ 베틀 ➡ 방직기
옷감을 꿰매는 도구	뼈바늘 ➡ 쇠 바늘 ➡ 재봉틀

② 달라진 생활 모습: 다양한 옷을 빠르고 쉽게 만듭니다.

---

1 땅을 가는 도구로 알맞은 것은 어느 것입니까?

11종 공통

(   )

①
🔺 낫

②
🔺 쟁기

③
🔺 탈곡기

④
🔺 반달 돌칼

[2~3] 다음은 옛날 사람들이 사용했던 농사 도구입니다.

아이스크림 미디어

2 위 농사 도구의 이름으로 알맞은 것은 어느 것입니까? (   )

① 키   ② 지게
③ 시루   ④ 물레
⑤ 도리깨

📘 서술형·논술형 문제

아이스크림 미디어

3 옛날 사람들은 위 농사 도구를 어떻게 사용했는지 쓰시오.

_____

_____

아이스크림 미디어

4 농작물 등의 짐을 얹어 사람이 등에 지고 옮길 때 사용했던 농사 도구를 찾아 ○표를 하시오.

(1)

△ 철로 만든 괭이

(2)

△ 지게

(　　　　)　　(　　　　)

11종 공통

5 다음에서 설명하는 음식을 만드는 도구끼리 바르게 짝 지어진 것은 어느 것입니까? (　　　)

> ㉠ 재료를 넣고 끓여서 음식을 만들었습니다.
> ㉡ 철로 만든 무거운 뚜껑을 덮어 음식을 골고루 익혀 먹었습니다.

	㉠	㉡
①	토기	시루
②	토기	가마솥
③	갈돌	전기밥솥
④	갈돌	맷돌
⑤	전기밥솥	시루

천재교육, 천재교과서, 금성출판사, 김영사, 미래엔, 비상교과서, 아이스크림 미디어, 지학사

6 다음 밑줄 친 ㉠~㉢에서 알맞지 <u>않은</u> 것의 기호를 쓰시오.

> 음식 재료를 갈 때 사용하는 도구는 ㉠ 가락바퀴 → ㉡ 맷돌 → ㉢ 믹서의 순서대로 변화했습니다.

(　　　　　　)

11종 공통

7 오른쪽 도구의 발달로 변화된 사람들의 생활 모습으로 알맞은 것은 어느 것입니까? (　　　)

△ 전기밥솥

① 요리하는 게 불편해졌다.
② 다양한 음식을 먹을 수 없다.
③ 음식 만드는 시간이 늘어났다.
④ 불을 피우지 않고 밥을 짓는다.
⑤ 요리를 하기 위해 준비해야 하는 도구가 많아졌다.

11종 공통

8 실이나 옷감을 만드는 도구가 <u>아닌</u> 것을 두 가지 고르시오. (　　 , 　　)

① 베틀　　　　　　② 재봉틀
③ 방직기　　　　　④ 가락바퀴
⑤ 갈돌과 갈판

천재교육, 천재교과서, 교학사, 금성출판사, 김영사, 동아출판, 비상교과서, 아이스크림 미디어, 지학사

9 다음과 같은 생활 모습의 변화를 가져온 오늘날의 도구는 무엇입니까? (　　　)

> 빠르고 정확하게 옷감을 꿰맬 수 있습니다.

① 뼈바늘　　　　　② 재봉틀
③ 방직기　　　　　④ 쇠 바늘
⑤ 철로 만든 괭이

11종 공통

10 옷을 만드는 도구의 발달로 달라진 사람들의 생활 모습을 알맞게 말한 어린이를 쓰시오.

> 준열: 빠르고 편리하게 많은 옷을 만들 수 있어.
> 지윤: 사람이 직접 식물의 줄기를 꼬아 실을 만들어.

(　　　　　　)

❸ 집의 변화로 달라진 생활 모습

핵심 정리

🍡 **집의 모습의 변화**

> 동굴이나 바위 그늘 ➡ 움집 ➡ 초가집, 기와집 ➡ 오늘날의 집(예 아파트, 단독 주택, 연립 주택)

⬆ 움집

⬆ 초가집

🍡 **집의 변화로 달라진 생활 모습**

움집	하나의 방에서 생활했고, 집 가운데에 불을 피워 따뜻하게 지냈음.
초가집	방, 마루, 헛간 등을 쓰임에 맞게 나누어 사용했고 마당에서는 농사와 관련된 일을 했음.
기와집	안채에서는 주로 여자들이 생활했고, 사랑채에서는 남자들이 글공부를 했음.
오늘날의 집	거실과 주방이 연결되어 있어 가족이 같이 식사를 준비하고 거실에서 이야기를 나눔.

천재교육, 천재교과서, 김영사, 동아출판, 미래엔, 비상교과서, 비상교육, 아이스크림 미디어

🍡 **옛날 집에 담긴 조상들의 지혜**

온돌	대청마루
방바닥 아래에 돌을 놓고, 이 돌을 데워 겨울에도 방 안을 따뜻하게 했음.	땅과 떨어져 있는 마루의 틈으로 찬 공기가 올라와 여름을 시원하게 보냈음.

11종 공통

1 동굴이나 바위 그늘에서 살았던 사람들의 생활 모습으로 알맞은 것은 어느 것입니까? ( )

① 농사를 짓기 시작했다.
② 집을 쓰임에 맞게 나누어 사용했다.
③ 강가나 바닷가에 자리를 잡고 살았다.
④ 먹을 것을 찾아 이동하는 생활을 했다.
⑤ 온돌을 사용해서 겨울을 따뜻하게 보냈다.

11종 공통

2 움집에서 생활하는 모습으로 알맞은 것은 어느 것입니까? ( )

①    ②

③    ④

11종 공통

3 다음 집의 모습 변화 과정에서 ☐ 안에 들어갈 수 있는 알맞은 것을 두 가지 고르시오. (,)

> 동굴이나 바위 그늘 ➡ 움집 ➡ ☐ ➡ 오늘날의 집

① 안채   ② 기와집
③ 초가집   ④ 아파트
⑤ 외양간

[4~5] 다음은 옛날 사람들이 살았던 집의 모습입니다.

ㄱ

⬆ 움집

ㄴ

⬆ 기와집

11종 공통

4 땅을 파서 풀과 짚으로 지붕을 덮은 집을 찾아 기호를 쓰시오.

( )

11종 공통

5 남자와 여자가 생활하는 공간이 구분되어 있었던 집을 찾아 기호를 쓰시오.

( )

11종 공통

6 초가집에 대한 설명으로 알맞은 것은 어느 것입니까?

( )

① 거실과 주방이 연결되어 있다.
② 볏짚으로 지붕을 덮은 집이다.
③ 오늘날 사람들이 주로 사는 집이다.
④ 마당에서는 남자들이 글공부를 했다.
⑤ 온 가족이 안채에서 식사를 준비했다.

11종 공통

7 다음 밑줄 친 부분에 해당하는 것으로 알맞지 <u>않은</u> 것을 두 가지 고르시오. (,)

> <u>오늘날의 집</u>은 철근과 콘크리트로 만들어 옛날의 집보다 훨씬 튼튼합니다.

① 초가집 ② 아파트
③ 단독 주택 ④ 연립 주택
⑤ 바위 그늘

11종 공통

8 오늘날의 집에 있는 것으로 알맞지 <u>않은</u> 것을 두 가지 고르시오. (,)

① 주방 ② 헛간
③ 거실 ④ 화장실
⑤ 사랑채

[9~10] 다음은 옛날 집에서 볼 수 있던 것들입니다.

ㄱ

⬆ ☐

ㄴ

⬆ 온돌

천재교과서, 비상교육, 아이스크림 미디어

9 다음 설명과 관련 있는 위 ㄱ의 이름을 보기 에서 찾아 쓰시오.

> 땅과 떨어진 틈새 사이로 찬 공기가 올라오게끔 하여 조상들이 시원한 여름을 보낼 수 있던 공간입니다.

보기
• 마당 • 외양간 • 대청마루

( )

📋 서술형·논술형 문제
천재교육, 천재교과서, 김영사, 동아출판, 미래엔, 비상교과서, 비상교육, 아이스크림 미디어

10 위 ㄴ으로 알 수 있는 조상들의 생활 모습을 쓰시오.

_____

_____

❶ 옛날의 세시 풍속

🍘 **세시 풍속**

① 의미: 옛날부터 명절과 같이 일정한 시기에 되풀이하여 행해 온 고유의 생활 모습을 말합니다.

② 의식주뿐만 아니라 우리가 하는 일이나 놀이 등 다양한 생활 모습과 관련되어 있습니다.

🍘 **세시 풍속의 사례** ⑩ **추석**

⬆ 송편을 빚어 가족들과 나누어 먹음.   ⬆ 조상들의 산소를 찾아가 성묘를 함.

🍘 **옛날의 세시 풍속**

① 농사를 시작하는 시기의 세시 풍속

삼짇날	• 한 해의 건강과 풍요를 기원했음. • 진달래꽃으로 전을 만들어 먹었음.
한식	• 성묘를 하고 풍년을 기원했음. • 불을 사용하지 않고 찬 음식을 먹었음.

② 날씨가 무더워지는 시기의 세시 풍속

삼복	• 더위를 이겨 내고자 물놀이를 했음. • 영양이 풍부한 삼계탕 등을 먹었음.
백중	• 마을 사람들과 잔치를 벌였음. • 김매기가 끝나고 제사를 지냈음.

③ 수확을 끝내고 한 해를 마무리하는 시기의 세시 풍속

중양절	• 산에 올라가 단풍을 즐겼음. • 국화전을 먹으며 건강을 기원했음.
상달	• 겨울을 대비해 김장을 했음. 아이스크림 미디어 • 수확한 콩으로 메주를 띄웠음.

1 다음에서 설명하는 것은 무엇인지 쓰시오.

11종 공통

> • 옛날부터 일정한 시기에 되풀이하여 행해 온 고유의 생활 모습입니다.
> • 의식주뿐만 아니라 우리가 하는 일이나 놀이 등 다양한 생활 모습과 관련 있습니다.

(   )

2 세시 풍속이 <u>아닌</u> 것은 어느 것입니까? (   )

천재교과서

① 한식에 성묘하기
② 설날에 널뛰기하기
③ 친구들과 외식하기
④ 삼복에 육개장 먹기
⑤ 백중에 잔치 벌이기

[3~4] 다음 사진은 옛날 사람들이 명절에 즐겼던 음식입니다.

㉠

⬆ 오곡밥

㉡

⬆ 송편

3 위 ㉠ 음식을 먹었던 명절은 언제인지 쓰시오.

11종 공통

(   )

📋 서술형·논술형 문제

11종 공통

4 위 ㉡ 음식을 즐겼던 명절의 다른 세시 풍속을 한 가지만 쓰시오.

_____

5 교학사, 아이스크림 미디어, 지학사

다음 그림의 세시 풍속과 관련 있는 날은 언제입니까?
( )

진달래꽃이 예뻐서 먹기 아까워.

① 삼복   ② 한식
③ 중앙절   ④ 삼짇날
⑤ 정월 대보름

6 천재교육, 천재교과서, 교학사, 김영사, 미래엔, 비상교과서,
비상교육, 아이스크림 미디어, 지학사

여름철에 더위를 이겨 내기 위해 행해진 세시 풍속을
두 가지 고르시오. (,)

① 삼계탕이나 육개장을 먹었다.
② 국화로 만든 술과 떡을 먹었다.
③ 시원한 계곡에서 물놀이를 했다.
④ 오곡밥을 먹고, 부럼을 깨물었다.
⑤ 마을 사람들이 모여 윷놀이를 했다.

7 아이스크림 미디어

다음에서 설명하는 때는 언제입니까? ( )

- 음력 10월입니다.
- 겨울을 대비해 김장을 하고 메주를 띄웠습니다.

① 추석   ② 백중
③ 상달   ④ 동지
⑤ 중앙절

8 11종 공통

다음 음식을 주로 먹던 날과 관련 있는 세시 풍속을
찾아 줄로 이으시오.

(1) 토란국 ·   · ㉠ 부채를
                           주고받음.

(2) 육개장 ·   · ㉡ 계곡에서
                           물놀이를 즐김.

(3) 수리취떡 ·   · ㉢ 마을 사람들과
                           줄다리기를 함.

9 천재교과서, 교학사, 비상교과서, 비상교육, 지학사

중앙절에 나타나는 자연환경으로 알맞은 것은 어느 것
입니까? ( )

① 날씨가 무덥다.
② 들판에 새싹이 돋아난다.
③ 얼음이 얼고 눈이 내린다.
④ 단풍이 들고 국화꽃이 핀다.
⑤ 비가 몇 주에 걸쳐 쏟아진다.

10 11종 공통

다음은 우리 조상들이 기념하고 지키던 날들입니다.
이날들을 한 해의 시간 순서대로 기호를 쓰시오.

| ㉠ 단오 | ㉡ 동지 | ㉢ 삼짇날 |
| ㉣ 중앙절 | ㉤ 정월 대보름 | |

설날 → ( ) → ( ) → ( )
→ 추석 → ( ) → ( )

❷ **옛날과 오늘날의 세시 풍속 비교**

핵심 정리

🎆 옛날과 오늘날의 세시 풍속 비교 예 추석

천재교과서, 미래엔

옛날 추석의 모습	• 차례를 지내고 성묘를 했음. • 올게심니를 기둥에 매달았음. • 소먹이놀이와 농악을 즐겼음. • 밤에는 달을 보며 소원을 빌었음.
오늘날 추석의 모습	• 송편과 토란국을 먹음. • 차례를 지내고 성묘를 함.

🎆 옛날 계절별 세시 풍속

봄	여름
한 해 농사가 잘되기를 빌며 조상들의 산소를 찾아가 성묘를 했음.	더위에 지치지 않고 농사를 지을 수 있도록 영양이 풍부한 음식을 먹었음.
가을	**겨울**
수확한 곡식과 과일로 조상들께 감사드리는 차례를 지냈음.	보름달을 보며 새해에도 풍년이 들기를 바라고 소원을 빌었음.

🎆 농사와 관련된 세시 풍속 예

천재교육

[출처: 연합뉴스]
🔺 달집태우기

[출처: 국립민속박물관]
🔺 볏가릿대 세우기

🎆 세시 풍속의 변화

오늘날의 세시 풍속	• 세시 풍속에 담긴 의미가 변함. • 큰 명절을 중심으로만 이어져 내려옴. • 농사와 관련된 세시 풍속이 많이 사라짐. • 계절, 날씨와 상관없이 세시 풍속을 체험할 수 있음.
변화한 까닭	교통과 통신, 과학 기술의 발달로 농사를 짓는 사람들이 많이 줄었기 때문에

천재교과서, 미래엔

1 오늘날까지 내려오는 추석의 세시 풍속으로 알맞은 것을 두 가지 고르시오. (,)

① 송편 먹기　　　　② 윷놀이하기
③ 물놀이하기　　　　④ 달집태우기
⑤ 차례 지내기

천재교과서, 교학사, 김영사, 동아출판, 비상교과서,
비상교육, 아이스크림 미디어, 지학사

2 옛날과 오늘날의 설날 세시 풍속에 대한 설명으로 알맞지 <u>않은</u> 것은 어느 것입니까? ( )

① 오늘날에는 옛날보다 세시 풍속이 다양하다.
② 옛날에는 윷놀이를 하며 한 해의 운세를 점쳤다.
③ 오늘날에도 차례를 지내고 세배하는 풍속이 남아 있다.
④ 옛날에는 복이 많이 들어오기를 바라며 복조리를 걸었다.
⑤ 옛날에는 설날에 복을 기원하고 나쁜 일을 몰아내는 다양한 세시 풍속이 있었다.

천재교과서, 교학사, 금성출판사, 김영사, 동아출판,
비상교과서, 비상교육, 아이스크림 미디어

3 옛날의 계절별 세시 풍속으로 알맞은 것은 어느 것입니까? ( )

① 여름에 김장을 했다.
② 겨울에 풍년을 바라며 소원을 빌었다.
③ 봄에 수확한 곡식으로 차례를 지냈다.
④ 겨울에 계곡을 찾아가 물놀이를 했다.
⑤ 가을에는 더위에 지치지 않도록 영양이 풍부한 음식을 먹었다.

11종 공통

4 세시 풍속에 대한 설명으로 알맞은 것에 ◯표를 하시오.

(1) 오늘날에는 옛날의 모든 세시 풍속을 똑같이 따라하며 조상들을 기립니다. ( )
(2) 조상들이 주로 농사를 지었기 때문에 옛날에는 농사와 관련된 세시 풍속이 많았습니다. ( )

서술형·논술형 문제   천재교육

5 다음은 옛날의 세시 풍속입니다. 두 세시 풍속의 공통점을 한 가지만 쓰시오.

△ 볏가릿대 세우기

△ 거북놀이

_____

_____

11종 공통

6 세시 풍속을 지내는 옛날과 오늘날의 모습으로 알맞은 것은 어느 것입니까? (　　　)

① 오늘날의 세시 풍속은 옛날과 똑같다.

② 오늘날에는 농사와 관련된 세시 풍속만 남았다.

③ 옛날과 달리 오늘날에는 세시 풍속을 일 년 내내 즐긴다.

④ 가족의 건강과 행복을 바라는 마음은 옛날이나 오늘날이나 변함없다.

⑤ 옛날에는 가족들과 세시 풍속을 지냈지만, 오늘날에는 마을 사람들과 함께 지낸다.

11종 공통

7 옛날과 오늘날의 세시 풍속이 다른 까닭과 관련하여 다음 (　　　) 안의 알맞은 말에 ○표를 하시오.

> 오늘날에는 교통과 통신, 과학 기술의 발달로 (직업 / 언어)이/가 다양해지면서 세시 풍속의 모습이 많이 바뀌었습니다.

11종 공통

8 세시 풍속의 변화에 대해 알맞게 말한 어린이끼리 짝지어진 것은 어느 것입니까? (　　　)

> 지성: 옛날의 세시 풍속은 농사와 관련이 있어.
> 재현: 옛날과 달리 오늘날은 세시 풍속을 통해 풍년을 빌어.
> 태용: 옛날의 모든 세시 풍속은 오늘날까지 그대로 이어졌어.
> 정우: 설날에 세배를 드리는 세시 풍속은 오늘날에도 행해지고 있어.

① 지성, 재현   ② 지성, 정우

③ 재현, 정우   ④ 재현, 태용

⑤ 태용, 정우

서술형·논술형 문제   천재교육, 김영사, 비상교과서, 비상교육, 아이스크림 미디어

9 오늘날과 비교하여 옛날 윷놀이의 특징을 한 가지만 쓰시오.

_____

_____

천재교육, 김영사, 비상교과서, 비상교육, 아이스크림 미디어

10 윷놀이에서 윷을 한 번 더 던질 수 있는 방법을 두 가지 고르시오. (　　, 　　)

① 윷을 던져서 걸이 나온다.

② 윷을 던져서 윷이 나온다.

③ 앞서 간 상대편의 말을 잡는다.

④ 윷이 윷판 밖을 벗어나도록 던진다.

⑤ 한 개의 윷말이 출발지로 돌아온다.

1 옛날과 오늘날의 혼인 풍습

11종 공통

1 다음 중 옛날의 혼인 풍습과 관련 있는 사진을 골라 기호를 쓰시오.

 ㉠    ㉡

( )

11종 공통

2 다음 보기를 옛날의 혼인 순서에 맞게 순서대로 기호를 쓰시오.

보기
㉠ 신랑과 신부가 마주 보고 절을 합니다.
㉡ 신랑의 집안 어른들께 폐백을 드립니다.
㉢ 신랑이 말을 타고 신부의 집으로 갑니다.
㉣ 신부의 집에서 며칠을 지낸 후 신랑의 집으로 갑니다.

( ) → ( ) → ( ) → ( )

천재교과서, 교학사, 김영사, 동아출판, 비상교과서,
비상교육, 아이스크림 미디어

3 옛날의 결혼식에서 오랫동안 행복하게 살자는 의미로 신랑이 신부에게 주었던 것은 어느 것입니까?
( )

① 함　　　② 한복　　　③ 가구
④ 말과 가마　　　⑤ 나무 기러기

11종 공통

4 오늘날의 혼인 풍습으로 알맞은 것을 두 가지 고르시오.
(,)

① 옛날의 혼례 모습과 같다.
② 결혼식의 모습이 정해져 있다.
③ 결혼식을 축하해 주는 사람이 없다.
④ 개인이 스스로 배우자를 선택해 결혼한다.
⑤ 다양한 장소에서 색다른 결혼식을 하기도 한다.

핵심 정리

🍡 **옛날의 혼인 풍습**

➡ 신부의 집에서 한복을 입고 혼례를 치렀습니다.

🍡 **오늘날의 혼인 풍습**

➡ 결혼식장에서 턱시도와 웨딩드레스를 입고 결혼합니다.

🍡 **옛날과 오늘날 혼인 풍습의 공통점과 차이점**

구분	옛날의 혼인 풍습	오늘날의 혼인 풍습
주고받는 물건	나무 기러기	결혼반지
결혼식 때 입는 옷	한복	턱시도, 웨딩드레스
결혼식 장소	신부의 집	주로 결혼식장
공통점	• 새로운 가족이 만들어짐. • 가족, 친척, 친구들이 모여 신랑과 신부의 행복한 미래를 축하해 줌.	

[5~6] 다음은 오늘날의 결혼식에서 폐백을 드리는 모습입니다.

⬆ 폐백실에서 신랑과 신부의 집안 어른들께 폐백을 드림.

천재교과서, 금성출판사, 김영사, 동아출판, 비상교과서, 비상교육, 아이스크림 미디어

5 위 그림에서 자식을 많이 낳고 행복하게 살라는 의미로 신부의 치마에 던져 주는 것을 **보기** 에서 찾아 쓰시오.

> **보기**
> • 팥죽   • 떡국   • 밤과 대추

(   )

11종 공통

6 옛날과 오늘날 폐백의 공통점은 어느 것입니까?

(   )

① 신부만 폐백을 드린다.
② 신랑의 집에서 폐백을 드린다.
③ 결혼식을 하기 전에 폐백을 드린다.
④ 폐백을 마치고 신부의 집으로 이동한다.
⑤ 신랑, 신부가 행복하게 살기를 바란다.

🏛 서술형·논술형 문제

천재교육

7 옛날과 오늘날의 혼인 풍습이 달라진 까닭을 쓰시오.

_____

_____

11종 공통

8 다음 중 오늘날의 결혼식에서 주로 입는 옷으로 알맞은 것에 ○표를 하시오.

(1)   (2)

(   )   (   )

11종 공통

9 옛날과 오늘날 혼인 풍습의 공통점으로 알맞은 것은 어느 것입니까? (   )

① 결혼반지를 주고받는다.
② 신부의 집에서 결혼식을 한다.
③ 사람들 없이 부부만 결혼식에 참여한다.
④ 결혼식을 통해 새로운 가족이 만들어진다.
⑤ 결혼식이 끝나고 부부가 신혼여행을 떠난다.

미래엔

10 다음 글을 읽고 혼례상에 올린 것들에 담긴 의미로 알맞은 것에 ○표를 하시오.

> 옛날 사람들은 닭이 나쁜 귀신을 물리친다고 생각하여 혼례상에 닭 두 마리를 올렸습니다. 그리고 자식을 많이 낳고 살라는 의미를 담은 대추와 밤을 혼례상에 올렸습니다.

(1) 신랑과 신부의 행복한 앞날을 바라는 의미를 담고 있습니다. (   )

(2) 혼례를 통해 부부가 갈등하기를 바라는 의미를 담고 있습니다. (   )

❷ 옛날과 오늘날 가족의 형태와 변화

핵심 정리

🌰 확대 가족과 핵가족

확대 가족	• 결혼한 자녀와 부모가 함께 사는 가족 • 주로 옛날에 많았던 가족 형태임.
핵가족	• 결혼하지 않은 자녀와 부부 또는 부부로만 이루어진 가족 • 주로 오늘날에 많은 가족 형태임.

🌰 오늘날에 핵가족이 많아진 까닭

🔺 아이들 교육 때문에 다른 고장으로 이사를 함.

🔺 도시에 직장을 구하게 되어 부모님과 떨어져서 삶.

🔺 장사를 하기 위해 도시로 이사를 함.

🔺 자녀들이 결혼한 후에도 부모님이 고향에서 사심.

🌰 가족 구성원의 역할

옛날	남자	• 농사일이나 바깥일을 함. • 글공부를 가르쳐 주시고 공부를 함. • 집안의 중요한 일은 나이 많은 남자 어른이 결정함.
	여자	아이를 돌보거나 음식 만들기, 바느질 등 집안일을 함.
오늘날		• 가족회의로 집안일을 함께 의논함. • 집안일을 가족 구성원 모두가 함께함. • 부부가 함께 직장에서 일하는 경우가 많음.

[1~2] 다음은 수민이네 가족 그림입니다.

우리 집은 할머니, 할아버지, 아버지, 어머니, 삼촌, 고모, 나, 동생이 함께 사는 가족이에요.

11종 공통

1 수민이네 가족의 형태를 보기 에서 찾아 쓰시오.

> **보기**
> • 핵가족   • 확대 가족   • 한 부모 가족

(   )

11종 공통

2 수민이네 가족 형태에 대한 설명으로 알맞은 것은 어느 것입니까? (   )

① 오늘날에 주로 많은 가족 형태이다.
② 가족 구성원의 수가 상대적으로 적다.
③ 가족 구성원이 반드시 다섯 명보다 많아야 한다.
④ 결혼한 자녀와 부모가 함께 사는 가족 형태이다.
⑤ 어머니, 아버지, 형, 나, 동생이 사는 가족과 같은 형태이다.

📋 서술형·논술형 문제   11종 공통

3 다음 질문에 대한 알맞은 댓글을 쓰시오.

> 질문 ▲
>
> 옛날에 확대 가족이 많았던 까닭은 무엇인가요?
>
> 댓글 입력 [   ] 등록 ▼
> 완료

_____

_____

11종 공통

4 다음 그림에 나타난 가족의 형태에 대한 설명으로 알맞은 것을 두 가지 고르시오. (,)

▲ 부모님이 고향으로 내려와 생활하심.

▲ 도시에 직장을 구해 부부끼리 삶.

① 가족의 형태는 핵가족이다.
② 가족의 형태는 확대 가족이다.
③ 오늘날에 많아진 가족 형태이다.
④ 주로 농사를 지으며 사는 가족 형태이다.
⑤ 옛날에는 전혀 찾아볼 수 없었던 가족 형태이다.

11종 공통

5 다음 ㉠과 ㉡에 들어갈 말이 알맞게 짝 지어진 것은 어느 것입니까? ( )

> 오늘날에는 ㉠ 이 많아졌습니다. 왜냐하면 사람들이 교육, 취업 등의 이유로 ㉡ (으)로 가면서 가족의 규모가 줄었기 때문입니다.

	㉠	㉡		㉠	㉡
①	핵가족	시골	②	확대 가족	도시
③	핵가족	도시	④	확대 가족	고향
⑤	핵가족	관광지			

금성출판사

6 다른 가족 없이 혼자 사는 사람들을 무엇이라고 하는지 쓰시오.

직장을 구하기 위해서 부모님과 떨어져 혼자 살게 되었어요.

( )

11종 공통

7 옛날 가족 구성원의 역할로 알맞은 것에 ○표를 하시오.

(1) 남자는 농사일 등 바깥일을 합니다. ( )

(2) 집안의 중요한 일은 가족회의로 결정합니다.
( )

(3) 부부가 함께 아이를 돌보거나 집안일을 합니다.
( )

미래엔

8 옛날과 오늘날의 남녀 교육에 대해 바르게 말한 어린이를 쓰시오.

> 본준: 옛날에 여자아이는 과거 시험을 위한 공부를 해야 했어.
> 효경: 오늘날에는 남자아이와 여자아이가 같은 내용으로 교육을 받아.

( )

11종 공통

9 오늘날 가족 구성원의 역할로 알맞은 것은 어느 것입니까? ( )

① 주로 남자가 아이를 돌본다.
② 여자가 주로 바깥일을 한다.
③ 가족 구성원의 역할을 모두가 함께 나눈다.
④ 가족 구성원의 나이에 따라 역할을 구분한다.
⑤ 집안의 중요한 일은 나이 많은 남자 어른이 결정한다.

11종 공통

10 옛날과 오늘날 중 다음과 같은 가족의 대화가 이루어지는 시대를 쓰시오.

> 아빠: 우주네 가족회의를 시작하겠습니다. 오늘의 회의 주제는 무엇인가요?
> 우주: 네. 오늘은 집안일을 어떻게 분담할지 이야기를 나누어 보기 위해 가족회의를 열었습니다.

( )

사
회

11종
검정 교과서
단원평가

핵심 정리

🍥 가족 구성원의 역할이 변화한 까닭

교육의 기회 증가	성별과 관계없이 교육을 받을 수 있음.
활발한 사회 활동 참여	누구나 사회 활동에 참여할 수 있음.
남녀평등 의식 향상	남녀가 평등하다는 의식이 높아지면서 직업에 대한 구분이 사라졌고, 집안일을 위해 역할 분담이 필요하게 됨.

🍥 가족 구성원 사이의 갈등과 해결

① 가족 구성원 사이의 갈등: 가족 구성원의 생각이 다르고, 각자의 역할을 하지 않았기 때문에 가족 구성원 사이에 갈등이 생깁니다.

⬆ 내 방을 정리하지 않고 게임만 해서 부모님이 걱정하심.

② 갈등을 해결하는 바람직한 태도: 가족이 함께 대화를 하면서 서로를 이해하고, 문제 상황을 적극적으로 해결하려는 노력이 필요합니다.

비상교과서

🍥 가족 구성원으로서 실천할 수 있는 나의 역할 예

① 부모님을 도와 집안일을 합니다.
② 매일 저녁 강아지를 산책시킵니다.
③ 어려운 일은 가족과 함께 이야기하여 해결합니다.

비상교육

1 다음 신문 기사에 대해 알맞게 말한 어린이를 고르시오.

△△일보   20△△년 △△월 △△일

달라지는 명절의 모습

△△ 지역에서는 명절을 맞아 가족 구성원이 서로 배려하는 명절 문화를 만들자는 캠페인을 벌였습니다. 이 캠페인은 명절 때 하는 일을 가족 구성원 모두가 동등하게 나누어 행복한 명절을 보내자는 내용을 담고 있습니다.

단비: 위 캠페인의 내용을 실천하기 위해 명절에 집안일을 전부 엄마가 하기로 했어.
성준: 오늘날에는 남녀가 평등하다는 의식이 높아져서 위와 같은 캠페인을 할 수 있었어.

(   )

11종 공통

2 오늘날 교육의 측면에서 가족 구성원의 역할이 변화한 까닭으로 알맞은 것에 ○표를 하시오.

(1) 남자와 여자가 받는 교육이 달라서 (   )
(2) 누구든지 원하면 교육을 받을 수 있어서

(   )

11종 공통

3 다음 글을 통해 알 수 있는 가족 구성원의 역할이 변화한 까닭으로 가장 알맞은 것은 어느 것입니까? (   )

수연이네 엄마는 최근에 직장을 구했습니다. 엄마가 회사를 다니게 되면서 수연이네 가족은 집안일 역할 분담을 위해 가족회의를 열었습니다.

① 교육의 기회가 줄었다.
② 사회의 변화가 전혀 없다.
③ 남자들이 주로 바깥일을 한다.
④ 여자들이 주로 집안일을 한다.
⑤ 사회 활동에 참여하는 여성들이 많아졌다.

천재교육, 금성출판사

4 준범이네 아빠가 육아 휴직을 할 수 있었던 까닭으로 알맞은 것에 ○표를 하시오.

> 준범이네 가족은 맞벌이 가정입니다. 준범이네 아빠는 최근 육아 휴직을 하고 집에서 동생을 돌보거나 집안일을 합니다.

(1) 남녀가 평등하다는 의식이 높아졌습니다.

( )

(2) 가족 구성원이 서로에게 바라는 것이 달라 갈등이 생겼습니다. ( )

[5~6] 다음은 영희와 엄마의 대화입니다.

> 엄마: 내일은 할머니, 할아버지를 뵈러 가는 날이야.
> 영희: 어, 잠깐만요. 내일 저는 친구들과 놀기로 약속했어요.
> 엄마: 안 돼. 친구들과는 다음에 놀고, 내일은 할머니, 할아버지를 뵈러 가야 해.
> 영희: 지난번에 제가 놀러 가자고 했을 때는 피곤해서 안 된다고 하셨잖아요!

천재교육

5 영희와 엄마의 갈등이 발생한 까닭으로 알맞은 것에 ○표를 하시오.

(1) 영희는 할머니, 할아버지를 뵈러 가는 것을 자신과 상의하지 않고 정해서 속상합니다. ( )

(2) 엄마는 가족 모임보다 영희의 약속을 더 중요하게 생각하셔서 갈등이 일어났습니다. ( )

천재교육

6 위와 같은 갈등 상황을 해결하는 가장 바람직한 방법은 어느 것입니까? ( )

① 엄마의 말씀을 억지로 따른다.

② 가족 모임을 무시하고 약속을 간다.

③ 집안의 가장 어른인 사람의 의견을 따른다.

④ 엄마와 영희가 대화를 통해 시간을 조정한다.

⑤ 서로의 생각을 표현하지 않고 갈등 해결을 미룬다.

아이스크림 미디어

7 가족의 갈등 상황을 역할극으로 표현할 때 가장 먼저 해야 할 일은 어느 것입니까? ( )

① 역할 정하기   ② 주제 정하기

③ 대본 작성하기   ④ 역할극 연습하기

⑤ 역할극 발표하기

[8~9] 다음은 주현이가 만든 실천 계획표입니다.

행복한 가족생활을 위한 실천 계획표

나의 ㉠	○월 ○일	○월 ○일
1 장난감 정리하기		
2 ㉡		

천재교육

8 위 실천 계획표의 ㉠에 들어갈 말을 **보기**에서 찾아 쓰시오.

> **보기**
> • 역할   • 갈등   • 바깥일

( )

🖊 **서술형·논술형 문제**   11종 공통

9 위 ㉡에 들어갈 내용을 한 가지만 쓰시오.

_____

_____

11종 공통

10 가족 구성원 간의 갈등을 해결하기 위한 태도로 바르지 않은 것은 어느 것입니까? ( )

① 서로 자신의 입장만 생각하며 대화한다.

② 가족 모두가 서로 존중하는 마음을 갖는다.

③ 갈등을 피하지 않고 상대방의 생각을 듣는다.

④ 가족 구성원이 서로 협력하는 자세를 가진다.

⑤ 가족 구성원으로서 자신의 역할을 알고 실천한다.

사회

❶ 다양한 가족의 형태

핵심 정리

🍁 **오늘날 다양한 가족의 형태**

입양 가족	입양한 자녀와 그 부모로 구성된 가족
조손 가족	할머니, 할아버지가 손주와 함께 사는 가족
재혼 가족	부모님이 재혼하여 만들어진 가족
다문화 가족	다른 나라 사람과 우리나라 사람의 결혼으로 만들어진 가족
한 부모 가족	어머니와 아버지 어느 한 분과 자녀가 사는 가족
이산가족	6·25 전쟁으로 남한과 북한을 오고 갈 수 없게 되면서 헤어진 가족

비상교과서

🍁 **오늘날 가족의 형태가 다양해진 까닭**

① 가족의 형태가 상황에 따라 달라지기 때문입니다.
② 사회가 변화하면서 사람들의 생각도 변화하기 때문입니다.
③ 가족은 아니지만 가족처럼 지내는 경우도 있기 때문입니다.

🍁 **다양한 가족이 살아가는 모습** 예 **다문화 가족** 천재교육

20XX년 X월 X일 금요일

동훈이의 일기

오늘 친구들이 우리 집에 놀러 왔다. 엄마께서 엄마 고향에서 즐겨 먹는 베트남 고추로 떡볶이를 만들어 주셨다.

➡ 가족마다 자주 먹는 음식, 명절이나 여가를 보내는 방법 등은 다양하지만, 서로를 아끼고 살아가는 모습은 모두 같습니다.

[1~2] 다음은 다양한 가족의 모습입니다.

11종 공통

1 위 ㉠과 같이 할머니, 할아버지가 손주와 함께 사는 가족의 형태는 무엇입니까? (   )

① 입양 가족   ② 재혼 가족
③ 조손 가족   ④ 다문화 가족
⑤ 한 부모 가족

11종 공통

2 위 ㉡ 가족에 대한 설명으로 알맞은 것은 어느 것입니까? (   )

① 부모님이 재혼하여 만들어진 가족
② 입양한 자녀와 그 부모로 구성된 가족
③ 할머니, 할아버지가 손주와 함께 사는 가족
④ 어머니와 아버지 어느 한 분과 자녀가 사는 가족
⑤ 다른 나라 사람과 우리나라 사람의 결혼으로 만들어진 가족

비상교과서

3 다음에서 설명하는 가족의 형태로 알맞은 것은 어느 것입니까? (   )

우리나라는 6·25 전쟁으로 인해 남한과 북한으로 분단되었습니다. 남한과 북한을 자유롭게 오고 갈 수 없게 되면서 많은 가족들이 헤어지고 흩어졌습니다.

① 이산가족   ② 조손 가족
③ 재혼 가족   ④ 확대 가족
⑤ 입양 가족

11종 공통

4 국적과 문화가 다른 사람으로 이루어진 가족의 모습을 찾아 ○표를 하시오.

(1)

(2)

( ) ( )

천재교육, 동아출판, 비상교육

5 가족의 형태가 다양해진 까닭으로 알맞은 것을 보기에서 찾아 기호를 쓰시오.

보기
㉠ 입양에 대한 부정적인 시선이 늘어나서
㉡ 개인의 선택을 무시하는 사회 분위기가 생겨서
㉢ 맞벌이 부부가 결혼 후에도 부모님으로부터 자녀를 돌보는 데 도움을 받아서

( )

비상교육

6 다음과 같은 라디오 사연을 듣고 보일 수 있는 반응으로 알맞지 <u>않은</u> 것을 보기에서 찾아 기호를 쓰시오.

이번에는 ○○ 님의 사연입니다.
안녕하세요. 오늘은 제 인생에서 가장 기쁜 생일입니다. 다시 결혼하면서 생긴 딸이 4년 만에 저를 엄마라고 불렀거든요.

보기
㉠ ○○ 님은 딸에게 감동을 받았어.
㉡ 가족의 형태는 시간이 지나도 변하지 않는구나.
㉢ 사연의 가족은 ○○ 님이 재혼하면서 구성된 가족이야.

( )

11종 공통

7 가족의 형태에 대한 설명으로 알맞은 것에 ○표를 하시오.

(1) 사회가 변화하면서 가족의 형태는 하나만 남게 되었습니다. ( )

(2) 오늘날에는 우리 가족과 비슷한 형태의 가족도 있고, 다른 형태의 가족도 있습니다. ( )

11종 공통

8 오늘날 가족의 모습에 대한 설명으로 알맞지 <u>않은</u> 것은 어느 것입니까? ( )

① 입양한 동생도 우리 가족이다.
② 자녀 없이 부부끼리만 지내기도 한다.
③ 가족은 우리나라 사람으로만 이루어진다.
④ 반려동물을 가족 구성원처럼 생각하기도 한다.
⑤ 부모님 대신 조부모님이 손주를 키우기도 한다.

📚 서술형·논술형 문제

천재교육

9 다음 민우네 가족의 특징을 한 가지만 쓰시오.

_____

_____

11종 공통

10 다양한 가족의 형태에 대해 알맞게 말한 어린이를 쓰시오.

동찬: 한집에서 함께 생활하지 않으면 가족이라 부를 수 없어.
예리: 가족들이 서로를 아끼고 사랑하는 마음은 가족의 형태와 상관없이 같아.

( )

❷ 다양한 가족의 생활 모습을 존중하는 태도

핵심 정리

🍡 **다양한 가족의 생활 모습을 찾아보는 방법**   미래엔

① 도서 자료 찾아보기 ⑩ 소설, 동화, 동시

② 뉴스·신문 기사 찾아보기

③ 영상 자료 찾아보기 ⑩ 텔레비전, 영화

🍡 **다양한 가족의 생활 모습 표현하기**   아이스크림 미디어

① 다양한 가족의 생활 모습을 만화, 뉴스, 그림, 역할극, 가족 정원 만들기 등으로 표현할 수 있습니다.

오늘은 우리집 빨래하는 날!

아빠는 빨래를 갤게.

⬆ 만화로 표현하기

② 다양한 가족의 생활 모습을 표현하면서 다양한 가족의 생활 모습을 존중하는 마음을 가질 수 있습니다.

🍡 **가족의 역할과 의미**

① 우리가 힘들 때 위로와 용기를 주는 존재입니다.

② 가족 안에서 사회생활에 필요한 규칙과 예절을 배울 수 있습니다.

③ 가족의 형태가 다를 수 있지만, 서로 돌봐 주고 사랑하는 마음은 같습니다.

🍡 **다양한 가족의 생활 모습을 존중하는 태도**

① 다양한 가족의 생활 모습을 있는 그대로 바라보고 존중합니다.

② 다른 가족의 생활 모습을 이상하다고 생각하지 않고 서로의 다름을 인정합니다.

③ 다양한 가족들이 모두 행복하게 지내기 위해 서로 예의를 지키고 배려해야 합니다.

---

1 다양한 가족의 생활 모습을 찾아보는 방법을 **보기**에서 찾아 기호를 쓰시오.   11종 공통

> **보기**
> ㉠ 동화책에서 자료 찾아보기
> ㉡ 텔레비전에서 스포츠 프로그램 보기
> ㉢ 지구본에서 우리나라의 위치 찾아보기

(   )

[2~3] 다음은 다양한 가족의 생활 모습이 담긴 신문 기사입니다.

△△일보	20△△년 △△월 △△일

우리 가족 참 많죠?

김□□ 씨 부부의 자녀들은 모두 10명이다. 그중에 8명은 가슴으로 낳은, 입양한 아이들이다. 김□□ 씨 부부는 모든 아이들을 사랑으로 보살피고 있다.

2 위 신문 기사를 보고 바르게 말한 내용에 ○표를 하시오.   11종 공통

(1) 김□□ 씨 가족은 입양 가족입니다. (   )

(2) 김□□ 씨 가족은 어머니와 아버지 어느 한 분과 자녀가 사는 한 부모 가족입니다. (   )

🗂 **서술형·논술형 문제**   미래엔

3 위와 같이 다양한 가족의 생활 모습을 신문 기사에서 찾아보면 좋은 점을 쓰시오.

_____

_____

11종 공통

4 다양한 가족의 생활 모습을 찾아본 후 소감을 바르게 말한 어린이를 쓰시오.

> 영지: 한 부모 가족에 대한 뉴스를 보니 불쌍했어.
> 지우: 동화책에 나오는 가족의 형태가 우리 가족의 형태와 달라서 어색했어.
> 한서: 입양 가족이 나오는 영화를 보며 나와 다른 가족의 형태를 알고 존중하게 됐어.

(   )

비상교과서

5 다음 다양한 가족의 생활 모습을 표현한 뉴스에서 알 수 있는 점은 어느 것입니까? (   )

> 오늘은 한△△ 학생을 소개하려고 합니다. 독일인 아버지와 한국인 어머니 사이에서 태어난 한△△ 학생은 독일어와 한국어 모두를 사용하여 부모님과 대화합니다. 부모님은 영어로 대화하시기 때문에 한△△ 학생은 영어에도 익숙합니다.

① 한△△ 학생의 아버지는 한국인이다.
② 한△△ 학생의 어머니는 미국인이다.
③ 한△△ 학생의 가족은 다문화 가족이다.
④ 한△△ 학생은 한국어만 사용할 수 있다.
⑤ 한△△ 학생은 부모님과 영어로만 대화한다.

천재교과서

6 다음 가족 정원 만들기에서 지유네 가족의 형태를 보기 에서 찾아 ○표를 하시오.

> **보기**
> • 조손 가족   • 재혼 가족   • 한 부모 가족

천재교육, 교학사, 금성출판사, 김영사, 비상교과서, 비상교육

7 다양한 가족의 생활 모습을 역할극으로 표현할 때 주의할 점으로 알맞은 것은 어느 것입니까? (   )

① 모둠원 중 일부만 역할극에 참여한다.
② 가족들이 서로 다투는 장면을 표현한다.
③ 원하는 역할을 맡기 위해 친구와 다툰다.
④ 다양한 가족의 형태를 존중하며 표현한다.
⑤ 어떤 가족 형태가 더 좋은지 비교하는 장면을 넣는다.

교학사, 아이스크림 미디어

8 다음 만화를 보고 알 수 있는 점을 보기 에서 찾아 기호를 쓰시오.

> **보기**
> ㉠ 가족의 형태는 조손 가족입니다.
> ㉡ 역할을 나누어 빨래를 하는 가족의 생활 모습이 담겨 있습니다.

(   )

천재교육, 천재교과서, 교학사, 금성출판사, 미래엔, 비상교과서, 비상교육

9 다양한 가족의 생활 모습을 표현하는 방법으로 알맞지 **않은** 것은 무엇입니까? (   )

① 만화로 표현하기
② 가족 정원 만들기
③ 그림으로 표현하기
④ 자신의 모습 그리기
⑤ 역할극으로 표현하기

[10~11] 다음은 수미네 가족의 생활 모습을 소개하며 수미와 친구들이 나눈 대화입니다.

> 수미: 오늘 급식에서 달걀말이가 나왔어! 근데 나는 아빠가 만든 달걀말이가 더 맛있더라.
> 정연: 너희 아빠는 어떻게 요리하시는데?
> 수미: 아빠가 일본 사람이신데 일본에서는 설탕을 조금 넣어서 달걀말이를 만들어.
> 영진: 너희 집에서 달걀말이를 만드는 방법은 참 이상하다. 달걀말이에는 소금을 넣어야지.

11종 공통

10 위 대화에 나타난 수미네 가족의 형태는 어느 것입니까? ( )

① 입양 가족
② 재혼 가족
③ 조손 가족
④ 다문화 가족
⑤ 한 부모 가족

서술형·논술형 문제
11종 공통

11 위 대화에서 다양한 가족의 생활 모습을 존중하지 <u>않은</u> 어린이를 쓰고, 어린이가 한 말을 존중하는 말로 바꾸어 쓰시오.

(1) 존중하지 않은 어린이: ( )

(2) 존중하는 말: _____

11종 공통

12 가족의 역할과 의미를 알맞게 설명한 것은 어느 것입니까? ( )

① 가족 안에서 규칙과 예절을 배울 수 없다.
② 가족은 서로를 격려하고 위로하며 돌봐 준다.
③ 가족은 서로를 싫어하고 갈등을 일으키는 존재이다.
④ 가족의 형태가 달라지면 가족이 지닌 의미도 변한다.
⑤ 가족마다 생활 모습이 다른 것처럼 서로를 아끼고 사랑하는 마음도 다르다.

11종 공통

13 다양한 가족을 존중하는 태도에 대해 알맞게 말한 어린이를 쓰시오.

> 빈우: 바람직한 가족의 형태는 정해져 있어.
> 선미: 가족의 생활 모습 차이를 이해해야 해.

( )

11종 공통

14 다음 가족 존중 서약서에 들어갈 내용으로 알맞은 것을 보기 에서 찾아 기호를 쓰시오.

> 가족 존중 서약서
> 나는 다양한 형태의 가족들이 있다는 것을 알고, _____ 위해 노력하겠습니다.

보기
㉠ 다른 가족의 안 좋은 점을 찾기
㉡ 다른 가족이 어려울 때 도와주기
㉢ 다른 가족을 우리 가족과 비교하기

( )

천재교육

15 다음 우리 가족을 음식으로 표현한 대화를 읽고 알 수 있는 점은 어느 것입니까? ( )

> 소라: 우리 가족은 김밥 같아. 서로 다른 재료들이 잘 말려 있는 것처럼 우리 가족도 함께 어울려 살아.
> 서진: 우리 가족은 나이지리아 음식인 에구시 같아. 아빠가 나이지리아 사람이라 에구시를 자주 해 주셔. 우리 가족은 모두 키가 커서 에구시의 빨간 국물처럼 눈에 잘 띄어.

① 서진이의 아빠는 한국 사람이다.
② 서진이네 가족은 모두 키가 작다.
③ 소라네 가족은 사이가 좋지 않다.
④ 소라네 가족 구성원들은 성격이 똑같다.
⑤ 두 어린이는 모두 가족의 소중함을 표현했다.

어느 교과서를 배우더라도

꼭 알아야 하는 **기본 문제** 구성으로

다양한 학교 평가에 완벽 대비할 수 있어요!

7종 검정 교과서 단원 평가 자료집

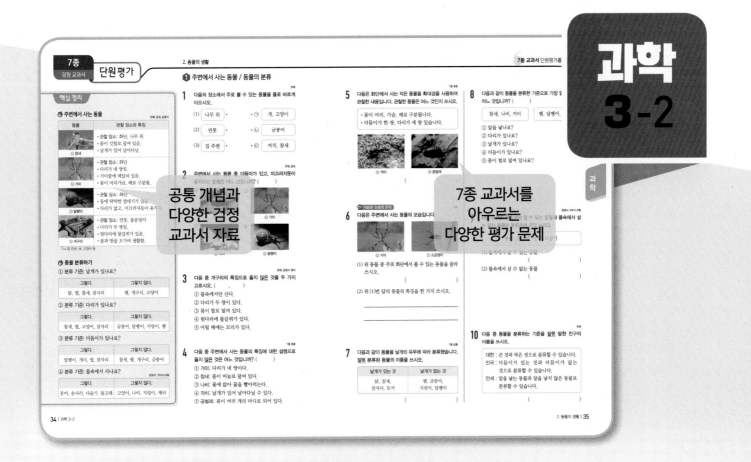

과학 3-2

7종
검정 교과서

단원 평가

핵심 정리

🐚 주변에서 사는 동물

천재, 금성, 김영사

동물	관찰 장소와 특징
참새	• 관찰 장소: 화단, 나무 위 • 몸이 깃털로 덮여 있음. • 날개가 있어 날아다님.
거미	• 관찰 장소: 화단 • 다리가 네 쌍임. • 거미줄에 매달려 있음. • 몸이 머리가슴, 배로 구분됨.
달팽이	• 관찰 장소: 화단 • 등에 딱딱한 껍데기가 있음. • 다리가 없고, 미끄러지듯이 움직임.
개구리	• 관찰 장소: 연못, 물웅덩이 • 다리가 두 쌍임. • 뒷다리에 물갈퀴가 있음. • 물과 땅을 오가며 생활함.

ㄴ 집 주변: 개, 고양이 등

🐚 동물 분류하기

① 분류 기준: 날개가 있나요?

그렇다.	그렇지 않다.
닭, 벌, 참새, 잠자리	뱀, 개구리, 고양이

② 분류 기준: 다리가 있나요?

그렇다.	그렇지 않다.
참새, 벌, 고양이, 잠자리	금붕어, 달팽이, 지렁이, 뱀

③ 분류 기준: 더듬이가 있나요?

그렇다.	그렇지 않다.
달팽이, 개미, 벌, 잠자리	참새, 뱀, 개구리, 금붕어

④ 분류 기준: 물속에서 사나요?

김영사 · 아이스크림

그렇다.	그렇지 않다.
붕어, 송사리, 다슬기, 돌고래	고양이, 나비, 지렁이, 제비

1 주변에서 사는 동물 / 동물의 분류

천재

1 다음의 장소에서 주로 볼 수 있는 동물을 줄로 바르게 이으시오.

(1) 나무 위 · · ㉠ 개, 고양이

(2) 연못 · · ㉡ 금붕어

(3) 집 주변 · · ㉢ 까치, 참새

천재, 금성

2 주변에서 사는 동물 중 더듬이가 있고, 미끄러지듯이 움직이는 동물은 어느 것입니까? (   )

①
공벌레

②
거미

③
나비

④
달팽이

천재, 김영사, 동아

3 다음 중 개구리의 특징으로 옳지 않은 것을 두 가지 고르시오. (,   )
① 물속에서만 산다.
② 다리가 두 쌍이 있다.
③ 몸이 털로 덮여 있다.
④ 뒷다리에 물갈퀴가 있다.
⑤ 어릴 때에는 꼬리가 있다.

7종 공통

4 다음 중 주변에서 사는 동물의 특징에 대한 설명으로 옳지 않은 것은 어느 것입니까? (   )
① 거미: 다리가 네 쌍이다.
② 참새: 몸이 비늘로 덮여 있다.
③ 나비: 꽃에 앉아 꿀을 빨아먹는다.
④ 까치: 날개가 있어 날아다닐 수 있다.
⑤ 공벌레: 몸이 여러 개의 마디로 되어 있다.

7종 공통

5 다음은 화단에서 사는 작은 동물을 확대경을 사용하여 관찰한 내용입니다. 관찰한 동물은 어느 것인지 쓰시오.

> • 몸이 머리, 가슴, 배로 구분됩니다.
> • 더듬이가 한 쌍, 다리가 세 쌍 있습니다.

⬆ 개미

⬆ 공벌레

( )

🖊 **서술형·논술형 문제**

천재

6 다음은 주변에서 사는 동물의 모습입니다.

⬆ 거미

⬆ 소금쟁이

(1) 위 동물 중 주로 화단에서 볼 수 있는 동물을 골라 쓰시오.

( )

(2) 위 (1)번 답의 동물의 특징을 한 가지 쓰시오.

_____

_____

7종 공통

7 다음과 같이 동물을 날개의 유무에 따라 분류했습니다. 잘못 분류된 동물의 이름을 쓰시오.

날개가 있는 것	날개가 없는 것
닭, 참새, 잠자리, 토끼	뱀, 금붕어, 지렁이, 달팽이

( )

7종 공통

8 다음과 같이 동물을 분류한 기준으로 가장 알맞은 것은 어느 것입니까? ( )

| 참새, 나비, 거미 | 뱀, 달팽이, 금붕어 |

① 알을 낳나요?
② 다리가 있나요?
③ 날개가 있나요?
④ 더듬이가 있나요?
⑤ 몸이 털로 덮여 있나요?

김영사, 아이스크림

9 다음 동물을 물속에서 살 수 있는 동물과 물속에서 살 수 없는 동물로 분류하여 각각 쓰시오.

> 붕어, 고양이, 나비, 다슬기

(1) 물속에서 살 수 있는 동물

( )

(2) 물속에서 살 수 없는 동물

( )

천재

10 다음 중 동물을 분류하는 기준을 <u>잘못</u> 말한 친구의 이름을 쓰시오.

> 대한 : 큰 것과 작은 것으로 분류할 수 있습니다.
> 민국 : 더듬이가 있는 것과 더듬이가 없는 것으로 분류할 수 있습니다.
> 만세 : 알을 낳는 동물과 알을 낳지 않은 동물로 분류할 수 있습니다.

( )

핵심 정리

🐾 땅 위에서 사는 동물

천재, 김영사, 동아

⬆ 다람쥐
- 몸이 털로 덮여 있음.
- 등에 줄무늬가 있고 꼬리가 있음.
- 볼에 먹이 주머니가 있음.

⬆ 공벌레
- 몸이 여러 개의 마디로 되어 있음.
- 건드리면 몸을 공처럼 둥글게 만듦.
- 일곱 쌍의 다리가 있고, 걸어 다님.

🐾 땅속에서 사는 동물

천재, 동아, 비상, 지학사

⬆ 두더지
- 눈은 거의 보이지 않음.
- 몸이 길고 털로 덮여 있음.
- 앞발로 땅속에 굴을 파서 이동함.

⬆ 지렁이
- 피부가 매끄러움.
- 다리가 없어 기어서 이동함.
- 몸이 길쭉하고 여러 개의 마디가 있음.

⬆ 땅강아지
- 몸이 머리, 가슴, 배의 세 부분으로 구분됨.
- 다리가 세 쌍임.
- 앞다리를 이용해 땅을 팜.

🐚 땅 위와 땅속을 오가며 사는 동물

⬆ 뱀
- 몸이 길고 비늘로 덮여 있음.
- 다리가 없어 기어서 이동함.
- 가늘고 긴 혀는 끝이 둘로 갈라져 있음.

⬆ 개미
- 몸이 머리, 가슴, 배의 세 부분으로 구분됨.
- 더듬이가 한 쌍임.
- 다리가 세 쌍이고, 걸어서 이동함.

🐚 땅에서 사는 동물의 이동 방법

① 다리가 있는 동물: 걷거나 뛰어다닙니다.
② 다리가 없는 동물: 기어 다닙니다.

2 땅에서 사는 동물

7종 공통

1 다음 동물이 사는 곳을 줄로 바르게 이으시오.

(1)
⬆ 두더지

(2)
⬆ 다람쥐

(3)
⬆ 개미

- ㉠ 땅 위
- ㉡ 땅속
- ㉢ 땅 위와 땅속

7종 공통

2 다음과 같은 특징을 가지고 있는 동물은 어느 것입니까?

( )

- 몸이 여러 개의 마디로 되어 있습니다.
- 일곱 쌍의 다리가 있고, 걸어 다닙니다.
- 건드리면 몸을 공처럼 둥글게 만듭니다.

① 개미
② 지렁이
③ 공벌레
④ 두더지
⑤ 땅강아지

7종 공통

3 다음과 같은 특징을 가지고 있는 동물은 어느 것입니까?

( )

- 땅속에 살고 기어서 이동합니다.
- 몸이 길쭉하고 여러 개의 마디가 있습니다.

① 벌
② 지렁이
③ 공벌레
④ 다람쥐
⑤ 땅강아지

📚 서술형·논술형 문제

4 다음은 주변에서 볼 수 있는 동물의 모습입니다.

△ 노루   △ 다람쥐   △ 소

(1) 위의 동물은 땅 위와 땅속 중 어디에서 사는지 쓰시오.

(   )

(2) 위의 동물을 관찰한 특징 중 공통점을 한 가지 쓰시오.

_____

_____

5 다음 보기 에서 땅강아지와 두더지의 공통점으로 옳은 것을 골라 기호를 쓰시오.

보기
㉠ 주로 땅속에서 삽니다.
㉡ 주로 땅 위에서 삽니다.
㉢ 땅 위와 땅속을 오가며 삽니다.

(   )

6 다음 중 땅 위와 땅속을 오가며 생활하는 동물을 두 가지 고르시오. (,   )

①

△ 뱀

②

△ 소

③

△ 땅강아지

④

△ 개미

7 다음 보기 에서 땅에서 사는 동물의 특징으로 옳은 것을 골라 기호를 쓰시오.

보기
㉠ 다리가 없는 동물도 있습니다.
㉡ 모두 몸이 털로 덮여 있습니다.
㉢ 대부분의 동물이 땅 위에서 생활하고 땅속에서 잠을 잡니다.

(   )

8 다음 중 다리를 이용하여 이동하는 동물을 골라 기호를 쓰시오.

㉠    ㉡

△ 뱀   △ 공벌레

(   )

[9~10] 다음은 땅에서 사는 동물의 모습입니다. 물음에 답하시오.

△ 달팽이   △ 개미   △ 지렁이   △ 두더지

9 위의 동물을 다리의 유무에 따라 분류하여 쓰시오.

(1) 다리가 있는 동물: (   )
(2) 다리가 없는 동물: (   )

📚 서술형·논술형 문제

10 위의 다리가 있는 동물과 다리가 없는 동물은 각각 어떻게 이동하는지 쓰시오.

_____

_____

과학

7종
검정 교과서
단원 평가

핵심 정리

🐚 강이나 호수에서 사는 동물

강가나 호숫가	수달	• 몸이 털로 덮여 있음. • 발가락에 물갈퀴가 있어 헤엄칠 수 있음.
	개구리	• 다리가 네 개임. • 발가락에 물갈퀴가 있어 헤엄칠 수 있음.
강이나 호수의 물속	붕어	• 몸이 비늘로 덮여 있음. • 지느러미로 헤엄쳐 이동함. • 아가미가 있어 물속에서 숨을 쉼.
	다슬기	• 아가미가 있음. • 물속 바위에 붙어서 배발로 기어 다님.

🐚 바다에서 사는 동물

갯벌	조개	• 아가미가 있음. • 땅을 파고 들어가거나 기어 다님.
	게	• 아가미가 있음. • 다리가 다섯 쌍이고, 걸어서 이동함.
바닷속	고등어	• 몸이 부드럽게 굽은 형태임. • 지느러미로 헤엄쳐 이동함.
	돌고래	• 숨을 쉴 때마다 물 위로 올라옴. • 지느러미로 헤엄쳐 이동함.
	오징어	• 몸이 긴 세모 모양임. • 지느러미로 헤엄침.
	전복	• 물속 바위에 붙어서 배발로 기어 다님. • 몸은 둥근 모양의 딱딱한 껍질로 둘러싸여 있음.

천재, 금성, 비상, 아이스크림, 지학사
🐚 붕어, 고등어가 물속에서 헤엄쳐 이동하기에 알맞은 특징: 지느러미가 있고, 몸이 부드럽게 굽은 형태입니다.

🐚 물에서 사는 동물의 이동 방법
① 다리가 있어 걸어 다니는 동물: 게 등
② 바위에 붙어서 기어 다니는 동물: 전복, 다슬기 등
③ 지느러미로 헤엄쳐 이동하는 동물: 붕어, 고등어 등

7종 공통

1 다음 중 강가나 호숫가에 사는 동물끼리 바르게 짝지은 것은 어느 것입니까? (   )

① 수달, 붕어　　　　② 수달, 개구리
③ 조개, 개구리　　　④ 전복, 오징어
⑤ 다슬기, 고등어

7종 공통

2 다음 중 강이나 호수의 물속에 사는 동물을 골라 기호를 쓰시오.

△ 게　　　　　△ 다슬기　　　　△ 오징어

(　　　　　　　　　　)

천재, 금성, 비상, 아이스크림, 지학사

3 오른쪽 붕어의 특징으로 옳지 않은 것을 두 가지 고르시오.
(　　,　　)

① 바닷속에서 산다.
② 몸이 비늘로 덮여 있다.
③ 여러 개의 더듬이가 있다.
④ 지느러미로 헤엄쳐 이동한다.
⑤ 아가미가 있어 물속에서 숨을 쉴 수 있다.

7종 공통

4 다음과 같은 특징을 가지고 있는 동물은 어느 것입니까?
(　　　　)

> • 아가미가 있습니다.
> • 땅을 파고 들어가거나 기어 다닙니다.
> • 두 장의 딱딱한 껍데기로 몸이 둘러싸여 있습니다.

① 조개　　　② 붕어　　　③ 개구리
④ 물방개　　⑤ 고등어

5 다음과 같은 특징을 가지고 있는 동물을 골라 기호를 쓰시오.

7종 공통

> • 갯벌에서 삽니다.
> • 걸어서 이동합니다.
> • 다리가 다섯 쌍이 있습니다.
> • 몸이 딱딱한 껍데기로 덮여 있습니다.

 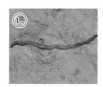

△ 게   △ 갯지렁이   △ 조개

(   )

천재, 금성, 동아, 아이스크림

6 다음 물에서 사는 동물 중 사는 곳이 나머지 셋과 다른 하나는 어느 것입니까? (   )

①    ②

△ 수달   △ 돌고래

③    ④

△ 고등어   △ 오징어

천재, 금성, 동아, 비상, 아이스크림, 지학사

7 다음 [보기]에서 오징어의 특징으로 옳은 것을 골라 기호를 쓰시오.

> [보기]
> ㉠ 갯벌에서 삽니다.
> ㉡ 몸이 긴 원통 모양입니다.
> ㉢ 지느러미를 이용하여 헤엄치며 이동합니다.

(   )

🖥 서술형·논술형 문제   천재, 아이스크림

8 다음은 물에서 사는 전복과 다슬기의 모습입니다.

△ 전복   △ 다슬기

(1) 위의 동물을 사는 곳에 따라 분류하여 쓰시오.
    ㉠ 강이나 호수의 물속: (   )
    ㉡ 바닷속: (   )

(2) 위의 두 동물이 이동하는 방법을 쓰시오.

_____

_____

천재, 금성, 비상, 아이스크림, 지학사

9 다음 [보기]에서 붕어와 고등어가 물속에서 헤엄쳐 이동하기에 알맞은 생김새의 특징을 두 가지 골라 기호를 쓰시오.

> [보기]
> ㉠ 지느러미가 있습니다.
> ㉡ 바위에 붙어서 기어 다닙니다.
> ㉢ 몸이 사각형으로 되어 있습니다.
> ㉣ 몸이 부드럽게 굽은 형태입니다.

(   )

7종 공통

10 다음 중 물에서 사는 동물의 이동 방법에 대한 설명으로 옳은 것은 어느 것입니까? (   )

① 물에서 사는 동물은 모두 헤엄쳐 이동한다.

② 물에서 사는 동물 중 다리가 있는 동물은 없다.

③ 물에서 사는 동물은 모두 지느러미를 이용해 이동한다.

④ 물에서 사는 동물 중 다리가 없는 동물은 모두 기어서 이동한다.

⑤ 물에서 사는 동물 중에는 게처럼 다리가 있어 걸어서 이동하는 동물도 있다.

과
학

7종
검정 교과서
단원 평가

④ 날아다니는 동물 / 사막, 극지방에서 사는 동물 / 동물 모방의 예

핵심 정리

🐚 날아다니는 동물
천재, 김영사, 동아, 비상, 아이스크림, 지학사

날아다니는 새	
동물	까치, 참새, 제비, 황새, 직박구리 등
특징	• 몸이 깃털로 덮여 있음. • 부리가 있고, 다리가 두 개임. • 날개를 이용하여 날아다님.

날아다니는 곤충	
동물	벌, 매미, 나비, 잠자리 등
특징	• 몸이 머리, 가슴, 배 세 부분으로 구분됨. • 날개 두 쌍, 다리 세 쌍, 더듬이가 있음. • 날개를 이용하여 날아다님.

천재, 금성, 김영사, 아이스크림
🐚 사막이나 극지방에서 사는 동물이 잘 살 수 있는 까닭

사막	낙타	등에 있는 혹에 지방을 저장하여 먹이가 없어도 며칠 동안 생활할 수 있음.
	사막여우	몸에 비해 큰 귀로 체온 조절을 함.
극지방	북극곰	몸집이 크고, 털로 덮여 있어 추위를 잘 견딤.
	북극여우	몸의 열을 빼앗기지 않기 위해 귀가 작음.
	황제펭귄	여러 마리가 무리를 지어 생활함.

🐚 동물 모방의 예: 산천어를 모방한 고속열차, 상어 비늘을 모방한 전신 수영복 등이 있습니다.
천재

⚠ 흡착판: 문어 다리 빨판의 특징을 활용함. / ⚠ 물갈퀴: 오리 발의 특징을 활용함. / ⚠ 집게 차: 수리 발의 특성을 활용함.

---

1 다음 중 날아다니는 동물로만 바르게 짝지은 것은 어느 것입니까? ( )

① 제비, 나비, 직박구리
② 참새, 잠자리, 달팽이
③ 붕어, 다슬기, 지렁이
④ 까치, 다람쥐, 개구리
⑤ 뱀, 직박구리, 사막여우

2 다음 보기 에서 날아다니는 동물의 공통점으로 옳은 것을 골라 기호를 쓰시오.

보기
㉠ 날개가 있습니다.
㉡ 모두 부리가 있습니다.
㉢ 딱딱한 껍데기로 덮여 있습니다.

( )

3 다음 날아다니는 동물 중 곤충인 것은 어느 것입니까?

( )

① 제비   ② 참새   ③ 까치
④ 잠자리   ⑤ 직박구리

4 다음은 나비에 대한 설명입니다. ㉠과 ㉡에 들어갈 알맞은 개수를 각각 쓰시오

• 날개가 ㉠ 쌍이 있고, 다리가 ㉡ 쌍이 있습니다.
• 입이 대롱 모양입니다.

㉠ ( ) ㉡ ( )

천재

5 다음의 직박구리와 매미의 공통점으로 옳은 것을 두 가지 고르시오. (,   )

▲ 직박구리

▲ 매미

① 날개가 있다.   ② 더듬이가 있다.

③ 날아서 이동한다.   ④ 다리가 세 쌍이 있다.

⑤ 몸이 깃털로 덮여 있다.

서술형·논술형 문제   7종 공통

6 다음은 낙타의 모습입니다.

(1) 위의 낙타는 주로 어디에서 사는지 쓰시오.

(   )

(2) 낙타가 위 (1)번의 답과 같은 환경에서 잘 살 수 있는 까닭을 한 가지 쓰시오.

_____

_____

7종 공통

7 다음 보기 에서 사는 곳에 따른 동물의 특징으로 옳은 것을 골라 보시오.

보기
㉠ 사막에서 사는 동물은 앞을 잘 보지 못합니다.
㉡ 극지방에서 사는 동물은 모두 털이 없습니다.
㉢ 직박구리와 같은 새뿐만 아니라 곤충 중에도 날아다니는 동물이 있습니다.

(   )

천재, 금성, 아이스크림

8 다음의 동물이 특수한 환경에서 잘 살 수 있는 특징을 바르게 줄로 이으시오.

(1)

사막여우

· ㉠ 귀가 작음.

(2)

북극여우

· ㉡ 귀가 큼.

(3)

황제펭귄

㉢ 무리 지어 생활함.

7종 공통

9 다음 중 문어 다리 빨판의 잘 붙는 특징을 활용하여 만든 것은 어느 것입니까? (   )

①

▲ 물갈퀴

②

▲ 고속 열차

③

▲ 칫솔걸이의 흡착판

④

▲ 집게 차

천재

10 다음은 우리 생활에서 동물의 특징을 활용한 예입니다. ☐ 안에 들어갈 알맞은 동물을 쓰시오.

☐의 발가락은 먹이를 잘 잡고 놓치지 않습니다. 이러한 특징을 활용한 집게 차는 쓰레기를 잡아 원하는 곳으로 옮깁니다.

(   )

과학

7종
검정 교과서
단원 평가

핵심 정리

🐚 화단 흙과 운동장 흙의 특징

화단 흙	• 진한 황토색 어두운색을 띱니다. • 알갱이의 크기가 비교적 작음. • 만졌을 때 부드럽고 축축함.	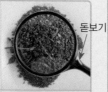 돋보기
운동장 흙	• 연한 노란색 밝은색을 띱니다. • 알갱이의 크기가 비교적 큼. • 만졌을 때 꺼끌꺼끌하고 말라 있음.	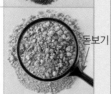 돋보기

🐚 화단 흙과 운동장 흙의 물 빠짐 비교 김영사, 동아, 비상, 지학사

① 물 빠짐 장치 설치하기 ┌ • 같게 한 조건: 흙의 양, 통의 크기, 물의 양, 물을 붓는 빠르기, 거즈의 종류나 두께
└ • 다르게 한 조건: 흙의 종류

물
운동장
흙 ─ 거즈 ─ 화단
흙

운동장 흙과 화단 흙에 각각 같은 양의 물을 같은 빠르기로 동시에 붓기

② 화단 흙과 운동장 흙의 물 빠짐 비교하기

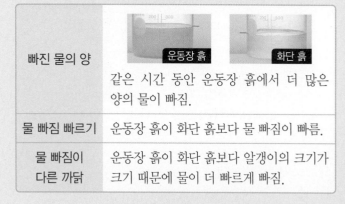

빠진 물의 양	운동장 흙 화단 흙 같은 시간 동안 운동장 흙에서 더 많은 양의 물이 빠짐.
물 빠짐 빠르기	운동장 흙이 화단 흙보다 물 빠짐이 빠름.
물 빠짐이 다른 까닭	운동장 흙이 화단 흙보다 알갱이의 크기가 크기 때문에 물이 더 빠르게 빠짐.

🐚 화단 흙과 운동장 흙의 뜬 물질 비교

① 물에 뜨는 물질이 많은 흙: 화단 흙
② 식물이 잘 자라는 흙의 특징: 나뭇잎이나 죽은 곤충 등 물에 뜨는 물질이 많고, 부식물이 많습니다.

1 화단 흙과 운동장 흙의 특징

7종 공통

1 다음 중 화단 흙과 운동장 흙의 알갱이를 자세히 관찰하기 위해 필요한 도구를 골라 기호를 쓰시오.

ⓐ 유리 막대   ⓐ 돋보기   ⓐ 핀셋

(   )

[2~4] 다음 두 흙의 모습을 보고 물음에 답하시오.

 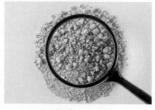

ⓐ 화단 흙   ⓐ 운동장 흙

7종 공통

2 위의 두 흙 중 손으로 만졌을 때 부드럽고 축축한 느낌이 드는 것은 어느 것인지 쓰시오.

(   )

7종 공통

3 위의 운동장 흙에 대한 설명으로 옳은 것을 **보기** 에서 두 가지 골라 기호를 쓰시오.

보기
ⓐ 비교적 색깔이 어둡습니다.
ⓑ 주로 흙먼지가 많이 날립니다.
ⓒ 손으로 만지면 마른 느낌이 납니다.

(,   )

7종 공통

4 위의 두 흙 중 알갱이의 크기가 비교적 작은 것은 어느 것인지 쓰시오.

(   )

[5~7] 다음은 운동장 흙과 화단 흙의 물 빠짐을 비교하는 실험입니다. 물음에 답하시오.

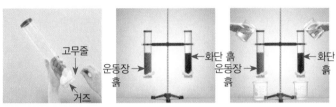

⚠ 플라스틱 통의 밑 부분을 거즈로 감싼 다음 고무줄로 묶기

⚠ 플라스틱 통에 운동장 흙과 화단 흙을 채운 뒤, 스탠드에 고정하기

⚠ 두 흙에 각각 물을 비슷한 빠르기로 동시에 붓기

김영사, 비상, 지학사

5 위 실험에서 다르게 한 조건은 어느 것입니까? ( )

① 흙의 양
② 흙의 종류
③ 붓는 물의 양
④ 물을 붓는 빠르기
⑤ 플라스틱 통의 크기

김영사, 동아, 비상, 지학사

6 위의 실험 결과에 대한 설명으로 옳은 것을 보기 에서 골라 기호를 쓰시오.

보기

㉠ 같은 시간 동안 화단 흙의 색깔이 더 빠르게 변합니다.
㉡ 같은 시간 동안 화단 흙에서 더 많은 양의 물이 빠집니다.
㉢ 같은 시간 동안 운동장 흙에서 더 많은 양의 물이 빠집니다.

( )

7종 공통

7 위의 6번 답과 같이 물 빠짐이 다른 까닭은 무엇입니까?

( )

① 운동장 흙의 색깔이 화단 흙보다 더 밝기 때문이다.
② 운동장 흙의 색깔이 화단 흙보다 더 어둡기 때문이다.
③ 운동장 흙과 화단 흙의 알갱이의 크기가 같기 때문이다.
④ 운동장 흙이 화단 흙보다 알갱이의 크기가 더 크기 때문이다.
⑤ 운동장 흙이 화단 흙보다 알갱이의 크기가 더 작기 때문이다.

7종 공통

8 다음과 같이 운동장 흙과 화단 흙이 들어 있는 비커에 같은 양의 물을 넣고 유리 막대로 저은 뒤 잠시 놓아 두었습니다. 물에 뜬 물질이 거의 없는 비커는 어느 것인지 쓰시오.

운동장 흙 ← → 화단 흙

( )

🗂 서술형·논술형 문제
7종 공통

9 다음은 위의 8번 실험에서 물에 뜬 물질을 건져서 거름종이 위에 올려놓은 모습입니다.

⚠ 식물의 뿌리나 줄기, 마른 나뭇가지, 마른 잎, 죽은 곤충

⚠ 작은 먼지

(1) 위 ㉠, ㉡ 중 화단 흙의 모습을 골라 기호를 쓰시오.
( )

(2) 위 (1)번 답을 통해 알 수 있는 화단 흙의 특징을 한 가지 쓰시오.

_____

_____

7종 공통

10 다음은 식물이 잘 자라는 흙에 대한 설명입니다. ☐ 안에 공통으로 들어갈 알맞은 말은 어느 것입니까?

( )

☐ 은/는 나뭇잎이나 죽은 곤충 등이 썩은 것입니다. ☐ 은/는 식물에 필요한 영양분이 되어 식물이 잘 자라는 데 도움을 줍니다.

① 물
② 돌
③ 모래
④ 쓰레기
⑤ 부식물

2 흙이 만들어지는 과정

핵심 정리

🍮 각설탕을 플라스틱 통에 넣고 흔들기

① 각설탕을 플라스틱 통 안에 넣고 뚜껑을 닫은 다음, 세게 흔들기: 큰 덩어리가 부서져 작은 알갱이가 됩니다.

플라스틱 통을 흔들기 전	플라스틱 통을 세게 흔든 뒤
· 각설탕의 크기가 큼. · 모서리가 뾰족한 네모 모양임.	· 각설탕의 크기가 작아짐. · 모서리 부분이 부서져 둥근 모양으로 변함. · 가루가 많이 생김.

② 각설탕 대신 사용할 수 있는 것: 암석 조각, 소금 덩어리, 별 모양 사탕, 과자 등

🍮 자연에서 흙이 만들어지는 과정

① 흙이 만들어지는 과정: 바위나 돌이 부서지면 작은 알갱이가 되고, 이 작은 알갱이와 부식물이 섞여서 흙이 됩니다.

② 바위나 돌이 부서지는 원인: 물, 식물의 뿌리, 바람 등
→ 바위 틈으로 스며든 물, 흐르는 물

③ 각설탕을 플라스틱 통에 넣고 흔들어서 가루가 만들어지는 과정과 자연에서 흙이 만들어지는 과정 비교
→ 각설탕은 자연에서 바위나 돌, 가루 설탕은 흙과 같습니다.

공통점	큰 덩어리를 작은 알갱이로 부숨.
차이점	각설탕이 가루 설탕으로 되는 데 걸리는 시간은 짧지만, 자연에서 바위나 돌이 흙으로 되는 데 걸리는 시간은 매우 긺.

🍮 흙이 소중한 까닭: 흙이 만들어지는 데에는 오랜 시간이 걸리고, 흙에서는 다양한 생물이 살아가고 있기 때문입니다.

천재

1 다음과 같은 실험은 무엇이 만들어지는 과정을 알아 보기 위한 것입니까? ( )

⊙ 플라스틱 통에 각설탕을 여러 개 넣고 뚜껑을 닫기

⊙ 플라스틱 통을 세게 흔들기

① 물　　　② 흙　　　③ 눈
④ 얼음　　⑤ 구름

천재

2 위 **1**번의 각설탕을 플라스틱 통에 넣고 세게 흔들었을 때의 결과로 옳지 <u>않은</u> 것은 어느 것입니까? ( )

① 가루가 생긴다.
② 각설탕이 부서진다.
③ 각설탕의 크기가 커진다.
④ 각설탕의 크기가 작아진다.
⑤ 각설탕의 모양이 달라진다.

김영사, 동아, 아이스크림, 지학사

3 다음 중 위 **1**번과 같은 방법으로 실험했을 때 비슷한 결과가 나타나는 것이 <u>아닌</u> 것을 골라 기호를 쓰시오.

㉠	㉡	㉢
⊙ 별 모양 사탕	⊙ 과자	⊙ 색종이

( )

금성

4 다음 중 암석 조각을 플라스틱 통에 넣고 세게 흔든 뒤의 모습으로 옳은 것을 골라 기호를 쓰시오.

㉠　　　　㉡

( )

5 흙이 만들어지는 과정을 알아보기 위해 다음과 같은 소금 덩어리를 플라스틱 통에 넣고 세게 흔들어 보았습니다. 플라스틱 통을 흔들고 난 후의 소금 가루는 실제 자연에서 무엇에 해당하는지 보기 에서 골라 기호를 쓰시오.

비상

보기
㉠ 실제 자연에서의 흙
㉡ 실제 자연에서의 나무
㉢ 실제 자연에서의 바위나 돌

(   )

6 다음은 자연에서 흙이 만들어지는 과정입니다. ㉠과 ㉡에 들어갈 알맞은 말을 바르게 짝지은 것은 어느 것입니까? (   )

7종 공통

바위나 돌이 부서지면 ㉠ 알갱이가 되고, 이것과 ㉡ 이/가 섞여서 흙이 됩니다.

	㉠	㉡		㉠	㉡
①	큰	물	②	큰	모래
③	큰	공기	④	작은	공기
⑤	작은	부식물			

7 다음 보기 중 자연에서 바위나 돌이 부서지는 원인으로 옳지 <u>않은</u> 것을 골라 기호를 쓰시오.

지학사

보기
㉠ 바람이 불 때
㉡ 물이 흐를 때
㉢ 부식물이 많이 쌓일 때
㉣ 바위틈으로 스며든 물이 얼었다가 녹을 때

(   )

8 다음은 자연에서 식물의 나무뿌리가 바위를 부서지게 하는 경우입니다. 나무뿌리가 어떻게 바위를 부서지게 하는지 쓰시오.

_____

_____

과학

9 다음 보기 에서 더 오랜 시간이 걸리는 것을 골라 기호를 쓰시오.

7종 공통

보기
㉠ 자연에서 바위나 돌 등이 부서져서 흙이 만들어지는 데 걸리는 시간
㉡ 각설탕을 플라스틱 통에 넣고 세게 흔들어서 가루 설탕이 만들어지는 데 걸리는 시간

(   )

10 다음은 각설탕을 넣은 플라스틱 통을 세게 흔드는 것과 자연에서 바위틈에 있는 물이 하는 일의 공통점을 나타낸 것입니다. ㉠과 ㉡에 들어갈 알맞은 말을 각각 쓰시오.

7종 공통

각설탕을 넣은 플라스틱 통을 세게 흔드는 것과 실제 자연에서 바위틈에 있는 물이 얼었다 녹는 과정을 반복하는 것은 ㉠ 덩어리를 ㉡ 알갱이로 부순다는 공통점이 있습니다.

㉠ (   ) ㉡ (   )

❸ 땅의 모습을 변화시키는 물

🌀 흙 언덕에 물을 흘려 보냈을 때의 변화

① 흙 언덕을 만들어 물 흘려 보내기: 흙 언덕 위쪽에 색 모래와 색 자갈을 놓고, 흙 언덕 위에서 물을 붓습니다.
> └─▶ 흙이 어떻게 이동하는지 쉽게 보기 위해 사용합니다.

결과		
흙 언덕의 위쪽	흙 언덕의 아래쪽	• 흙 언덕의 위쪽에서는 흙이 깎임.
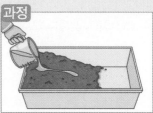		• 흙 언덕 아래쪽에서는 흙이 흘러내려 쌓임. • 색 모래와 색 자갈이 위쪽에서 아래쪽으로 이동함.

② 간이 유수대에 흙 언덕을 만들어 물 흘려 보내기 아이스크림

과정	결과
	침식 작용　　퇴적 작용
⬆ 흙 언덕 위쪽에서 물을 흘려 보내기	⬆ 흙 언덕의 위쪽은 움푹 파이고 깎인 곳이 있으며, 흙 언덕의 아래쪽은 흙과 물이 쌓임.

③ ①과 ② 실험에서 흙 언덕의 모습이 변한 까닭: 흐르는 물이 흙 언덕 위쪽의 흙을 깎고, 깎인 흙을 흙 언덕의 아래쪽으로 운반해 쌓았기 때문입니다.
> └─▶ 흙 언덕 실험에서 물을 흘려보내면 흙 언덕의 위쪽은 침식 작용, 흙 언덕의 아래쪽은 퇴적 작용이 활발하게 일어납니다.

🌀 흐르는 물에 의한 지표의 변화

① 흐르는 물의 작용

침식 작용	지표의 바위나 돌, 흙 등이 깎여 나가는 것
운반 작용	깎인 돌이나 흙 등이 이동하는 것
퇴적 작용	운반된 돌이나 흙 등이 쌓이는 것

② 흐르는 물에 의해 지표가 변하는 까닭: 흐르는 물은 침식 작용, 운반 작용, 퇴적 작용으로 지표를 서서히 변화시키기 때문입니다.

[1~5] 다음은 흐르는 물에 의한 흙 언덕의 모습 변화를 관찰하는 실험 방법을 순서에 관계없이 나타낸 것입니다. 물음에 답하시오.

> **1** 흙 언덕 만들기
> **2** 흙 언덕 위에서 바닥에 구멍 뚫린 종이컵에 ☐ 붓기
> **3** 색 모래와 색 자갈을 흙 언덕 위쪽에 놓기

색 모래, 색 자갈 / 바닥에 구멍 뚫린 종이컵

천재

1 위 실험 방법을 순서에 맞게 기호를 쓰시오.

(　　　　) ➡ (　　　　) ➡ (　　　　)

천재

2 위 **2** 과정에서 ☐ 안에 들어갈 알맞은 말을 쓰시오.

(　　　　　　　)

천재

3 위 실험에서 색 모래와 색 자갈을 사용하는 까닭으로 옳은 것을 **보기**에서 골라 기호를 쓰시오.

> **보기**
> ㉠ 물을 더 빨리 흐르게 합니다.
> ㉡ 흙 언덕을 더 단단하게 만들어 줍니다.
> ㉢ 흙이 어떻게 이동하는지 쉽게 볼 수 있습니다.

(　　　　　　　)

천재, 김영사, 동아, 비상, 지학사

4 위 실험 결과 흙이 가장 많이 깎이는 곳은 어디입니까?
(　　　)

① 흙 언덕 속
② 흙 언덕의 윗부분
③ 흙 언덕의 아랫부분
④ 흙 언덕의 중간 부분
⑤ 흙 언덕 전체가 골고루 깎인다.

천재, 김영사, 동아, 비상, 지학사

서술형·논술형 문제

5 앞의 실험 결과의 모습이 다음과 같을 때 흙 언덕의 모습이 변한 까닭을 쓰시오.

_____

_____

[6~8] 다음은 간이 유수대에 흙 언덕을 만들어 흙 언덕 위쪽에서 물을 흘려 보내는 실험입니다. 물음에 답하시오.

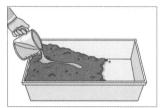 

⚠ 흙 언덕 위쪽에서 물을 흘려 보내기　　　⚠ 실험 결과

아이스크림

6 위 실험 결과에 맞게 줄로 바르게 이으시오.

(1) | 흙 언덕의 위쪽 | · | · ㉠ | 흙이 흘러내려 쌓임. |

(2) | 흙 언덕의 아래쪽 | · | · ㉡ | 흙이 깎임. |

아이스크림

7 위 실험에 대한 설명으로 옳지 <u>않은</u> 것을 두 가지 고르시오 (　,　)

① 흙 언덕의 위쪽은 경사가 완만하다.
② 흙 언덕의 아래쪽은 경사가 급하다.
③ 흙 언덕의 아래쪽은 물이 고여 있다.
④ 흙 언덕의 위쪽에서는 침식 작용이 활발하다.
⑤ 흙 언덕의 아래쪽에서는 퇴적 작용이 활발하다.

아이스크림

8 다음 중 앞의 실험에서 흙 언덕을 더 높게 쌓은 다음 물을 흘려보냈을 때 흙 언덕의 모습 변화로 옳은 것을 두 가지 고르시오. (　,　)

① 흙 언덕 위쪽은 변화가 없다.
② 흙 언덕 위쪽은 더 많이 깎인다.
③ 흙 언덕 아래쪽은 변화가 없다.
④ 흙 언덕 아래쪽은 더 많이 깎인다.
⑤ 흙 언덕 아래쪽은 흙이 더 많이 쌓인다.

7종 공통

9 다음은 흐르는 물의 작용에 대한 설명입니다. ㉠, ㉡에 들어갈 말을 바르게 짝지은 것은 어느 것입니까?

(　　　)

> 흐르는 물에 의해 지표의 바위나 돌, 흙 등이 깎여 나가는 것을 ㉠ 작용이라고 하고, 운반된 돌이나 흙 등이 쌓이는 것을 ㉡ 작용이라고 합니다.

	㉠	㉡		㉠	㉡
①	퇴적	운반	②	퇴적	침식
③	운반	퇴적	④	침식	운반
⑤	침식	퇴적			

7종 공통

10 다음 보기 에서 흐르는 물의 역할로 옳은 것의 기호를 쓰시오.

> 보기
> ㉠ 경사가 완만한 곳의 지표를 깎습니다.
> ㉡ 깎인 흙을 운반하여 경사가 급한 곳에 쌓아 놓습니다.
> ㉢ 침식 작용, 운반 작용, 퇴적 작용을 통해 지표를 서서히 변화시킵니다.

(　　　　)

7종
검정 교과서

단원평가

④ 강과 바닷가 주변의 모습

7종 공통

1 다음 중 강 상류의 모습으로 알맞은 것을 골라 기호를 쓰시오.

 ㉠    ㉡    ㉢

(   )

핵심 정리

🐚 강 주변 지형의 특징

강 상류	강 중류 금성	강 하류

• 강폭이 좁고, 강의 경사가 급해 물의 흐름이 빠름. • 큰 바위가 많음. • 침식 작용이 활발하여 지표가 깎임.	• 상류보다 강폭이 넓어져 많은 양의 물이 흐름. • 운반 작용이 주로 일어남. • 강이 구불구불하게 흐름.	• 강폭이 넓고, 강의 경사가 완만해 물의 흐름이 느림. • 모래나 진흙이 많음. • 퇴적 작용이 활발하여 운반된 알갱이들이 쌓임.

🐚 파도에 의한 지형의 변화   김영사, 지학사

방법	결과
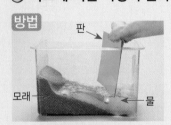	
⬆ 사각 수조에 모래와 물을 채우고, 판으로 물결 만들기 ┗ 실제 바다에서 치는 파도와 같습니다.	⬆ 물결이 칠 때 위쪽에 쌓여 있던 모래가 깎이고, 깎인 모래는 아래쪽으로 밀려들어가 쌓임. 침식 작용이 ┛ ┗ 퇴적 작용이 활발합니다. 활발합니다.

🐚 바닷가 주변 지형의 특징

① 바닷물의 침식 작용으로 만들어진 지형: 절벽, 구멍 뚫린 바위, 동굴 등

② 바닷물의 퇴적 작용으로 만들어진 지형: 넓은 모래사장, 갯벌 등

🐚 강과 바닷가 주변 지형에서 흐르는 물의 작용: 오랜 시간 동안 강과 바닷가 주변 지형의 모습을 서서히 변화시킵니다.

서술형·논술형 문제   금성

2 다음은 강 중류의 모습입니다.

(1) 위의 강 중류에서 주로 일어나는 흐르는 물의 작용을 쓰시오.

(   )

(2) 위의 강 중류의 강폭과 흐르는 물의 양은 어떠한지 강 상류와 비교하여 쓰시오.

_____

_____

[3~4] 다음은 강 주변 지형의 모습입니다. 물음에 답하시오.

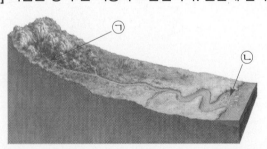

7종 공통

3 위의 ㉠과 ㉡ 중 침식 작용보다 퇴적 작용이 활발하게 일어나는 곳을 골라 기호를 쓰시오.

(   )

4 앞의 ㉠과 ㉡ 중 오른쪽과 같은 큰 바위를 많이 볼 수 있는 곳을 골라 기호를 쓰시오.

7종 공통

(   )

[5~6] 다음과 같이 사각 수조에 모래와 물을 채우고 판으로 물결을 만들었습니다. 물음에 답하시오.

김영사, 지학사

5 위에서 판으로 물결을 만들었을 때 모래가 깎이는 곳과 깎인 모래가 쌓이는 곳을 골라 각각 기호를 쓰시오.

(1) 모래가 깎이는 곳: (   )

(2) 깎인 모래가 쌓이는 곳: (   )

김영사, 지학사

6 위의 판으로 만든 물결은 실제 바다에서 무엇과 같은지 쓰시오.

(   )

금성, 비상

7 오른쪽의 바닷가 지형에 대한 설명으로 옳은 것을 보기 에서 두 가지 골라 기호를 쓰시오.

▲ 동굴

보기
㉠ 바닷물이 지표를 깎아서 만들어졌습니다.
㉡ 바닷물이 모래를 쌓아서 만들어졌습니다.
㉢ 바닷물의 침식 작용으로 만들어졌습니다.
㉣ 바닷물의 퇴적 작용으로 만들어졌습니다.

(,   )

[8~9] 다음의 두 지형을 보고 물음에 답하시오.

▲ 갯벌   ▲ 절벽

7종 공통

8 위의 두 지형을 주로 볼 수 있는 곳은 어디입니까?

(   )

① 산   ② 논
③ 강   ④ 호수
⑤ 바닷가

7종 공통

9 위의 두 지형은 각각 바닷물의 어떤 작용으로 만들어진 것인지 바르게 짝지은 것은 어느 것입니까? (   )

	갯벌	절벽
①	침식 작용	침식 작용
②	침식 작용	퇴적 작용
③	퇴적 작용	퇴적 작용
④	퇴적 작용	침식 작용
⑤	운반 작용	운반 작용

7종 공통

10 다음은 오른쪽 모래사장에 대한 설명입니다. (   ) 안의 알맞은 말에 ○표를 하시오.

▲ 모래사장

모래사장은 바닷물의 (침식 / 퇴적) 작용으로 만들어졌습니다. 이러한 작용으로 바닷물은 바닷가 주변의 모습을 (짧은 / 오랜) 시간 동안 (급격히 / 서서히) 변화시킵니다.

1 고체의 성질

핵심 정리

🌀 나무 막대, 물, 공기를 전달하면서 관찰한 특징 김영사, 동아

나무 막대	물	공기

⬆ 손으로 잡고 전달할 수 있음.	⬆ 손으로 잡으면 흘러서 전달하기 어려움.	⬆ 손으로 잡을 수 없어 전달한 것인지 알 수 없음.

🌀 고체의 성질

① 나뭇조각과 플라스틱 조각을 여러 가지 모양의 그릇에 넣어보기: 담는 그릇이 바뀌어도 조각의 모양과 크기가 변하지 않습니다.

⬆ 여러 가지 그릇에 담긴 나뭇조각

⬆ 여러 가지 그릇에 담긴 플라스틱 조각

② 고체: 담는 그릇이 바뀌어도 모양과 부피가 변하지 않는 물질의 상태입니다. └ 물체나 물질이 차지하는 공간의 크기입니다.

③ 고체의 성질: 눈으로 볼 수 있고 손으로 잡을 수 있으며, 모양과 부피가 일정합니다.

④ 고체의 예: 흙, 섬유, 돌, 플라스틱, 나무, 금속, 유리, 가죽, 연필, 자, 탁구공, 인형, 종이, 소금, 모래 등

🌀 가루 물질의 상태 금성

① 모래나 소금과 같은 가루 물질의 상태: 고체입니다.

② 그 까닭: 가루 물질을 여러 가지 모양의 그릇에 담으면 가루 전체의 모양은 담는 그릇에 따라 변하지만 알갱이 하나하나의 모양과 부피는 변하지 않기 때문입니다.

⬆ 투명한 플라스틱 컵에 모래를 담은 모습

1 다음 보기에서 나무 막대, 물, 공기를 관찰하여 비교한 것으로 옳지 <u>않은</u> 것을 골라 기호를 쓰시오.

김영사, 동아

보기
㉠ 나무 막대는 눈으로 볼 수 있지만, 공기는 눈으로 볼 수 없습니다.
㉡ 물은 손으로 잡을 수 있지만, 공기는 보이지 않아 잡을 수 없습니다.
㉢ 나무 막대는 손으로 잡을 수 있지만, 물은 손 사이로 흘러서 전달하기 어렵습니다.

(   )

2 다음은 어떤 물질에 대한 설명입니다. ☐ 안에 들어갈 알맞은 물질을 두 가지 고르시오. (,   )

7종 공통

☐ 은/는 눈에 보이고 잡을 수 있어 손으로 전달하기 쉽습니다.

① 우유   ② 공기
③ 주스   ④ 나무
⑤ 플라스틱

3 다음은 나무 막대를 여러 가지 모양의 투명한 그릇에 넣었을 때의 결과입니다. 나무 막대의 크기는 변합니까, 변하지 않습니까?

김영사, 동아, 비상, 아이스크림

나무 막대

(   )

4 앞 **3**번의 나무 막대를 이루는 물질과 같은 물질의 상태를 무엇이라고 하는지 보기 에서 골라 기호를 쓰시오.

7종 공통

> **보기**
> ㉠ 고체   ㉡ 액체   ㉢ 기체

(   )

5 다음은 플라스틱 막대를 여러 가지 그릇에 넣었을 때에 대한 설명입니다. ☐ 안에 들어갈 알맞은 말을 쓰시오.

김영사, 동아, 비상

> 플라스틱 막대를 여러 가지 모양의 투명한 그릇에 넣었을 때 막대의 모양은 ☐ 합니다.

(   )

6 다음 중 물질이 차지하는 공간의 크기를 무엇이라고 합니까? (   )

7종 공통

① 길이   ② 두께
③ 무게   ④ 부피
⑤ 질량

7 다음 물체들의 공통점으로 옳은 것을 보기 에서 골라 기호를 쓰시오.

지학사

△ 쌓기나무

△ 플라스틱 블록

> **보기**
> ㉠ 담는 그릇이 달라지면 모양이 변합니다.
> ㉡ 담는 그릇이 달라지면 크기가 변합니다.
> ㉢ 담는 그릇이 달라져도 모양과 부피가 변하지 않습니다.

(   )

8 다음 중 고체의 성질에 대한 설명으로 옳은 것은 어느 것입니까? (   )

7종 공통

① 눈에 보인다.
② 손으로 잡으면 흘러내린다.
③ 담는 그릇에 따라 색깔이 변한다.
④ 담는 그릇에 따라 모양이 변한다.
⑤ 담는 그릇의 크기에 따라 크기가 변한다.

🖊️ **서술형·논술형 문제**

금성

9 다음은 인형과 연필의 모습입니다.

△ 인형

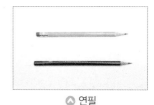
△ 연필

(1) 위의 두 물체 중 만졌을 때 단단한 것은 어느 것인지 쓰시오.

(   )

(2) 위의 두 물체를 각각 만졌을 때 느낌이 서로 다르지만 두 물체가 고체인 까닭을 쓰시오.

_____

_____

금성

10 오른쪽은 플라스틱 컵에 담긴 모래의 모습입니다. 플라스틱 컵과 모래의 물질의 상태는 무엇인지 각각 쓰시오.

(1) 플라스틱 컵: (   )
(2) 모래: (   )

7종

단원 평가

2 액체의 성질 / 우리 주변에 있는 공기

핵심 정리

🌀 액체의 성질

① 물과 주스, 우유를 여러 가지 모양의 그릇에 각각 넣어 보기

⚬ 여러 가지 모양의 그릇에 담긴 같은 부피의 물

⚬ 여러 가지 모양의 그릇에 담긴 같은 부피의 주스

⚬ 여러 가지 모양의 그릇에 담긴 같은 부피의 우유   금성

> 알게 된 점: 담는 그릇에 따라 물과 주스, 우유의 모양은 변하지만 부피는 변하지 않음.

② 액체: 담는 그릇에 따라 모양이 변하지만 부피는 변하지 않는 물질의 상태입니다.

③ 액체의 성질: 눈으로 볼 수 있고 흐르는 성질이 있지만 손으로 잡을 수 없습니다.

④ 액체의 예: 물, 주스, 우유, 식초, 손 세정제, 식용유, 간장, 꿀 등

🌀 우리 주변에 있는 공기

① 공기가 있음을 알 수 있는 방법: 숨을 쉬기, 바람에 흔들리는 나뭇가지, 날고 있는 연, 공기가 들어 있는 튜브 등

② 공기가 있는지 알아보기

천재, 김영사

⚬ 부풀린 풍선의 입구를 손등에 가까이 가져가 쥐었던 손을 살짝 놓기: 바람이 느껴지고, 풍선의 크기가 줄어듦.

⚬ 물속에 플라스틱 병을 넣고 누르기: 플라스틱 병 입구에서 공기 방울이 생겨 위로 올라오고, 보글보글 소리가 남.

공기 방울

---

1 다음은 물을 그릇에 넣은 다음, 다른 그릇에 옮겨 담았다가 처음 사용한 그릇에 다시 옮겨 담으면서 물의 높이를 알아보는 모습입니다. 물의 높이로 옳은 것을 골라 기호를 쓰시오.

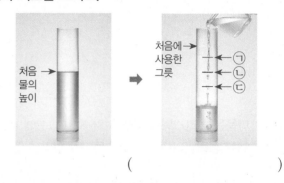

처음 물의 높이

처음에 사용한 그릇

㉠
㉡
㉢

(   )

2 다음은 주스를 여러 가지 모양의 그릇에 차례대로 옮겨 담으면서 주스의 모양과 부피를 관찰하는 모습입니다. 이 실험으로 알 수 있는 점이 <u>아닌</u> 것은 어느 것입니까? (   )

처음에 사용한 그릇

① 주스는 모양이 일정하지 않다.
② 주스의 부피는 그릇에 따라 변한다.
③ 주스의 모양은 그릇의 모양과 같다.
④ 그릇의 모양이 바뀌면 주스의 모양도 변한다.
⑤ 주스는 다른 그릇에 옮겨 담아도 부피는 변하지 않는다.

3 다음 중 우유를 다른 모양의 투명한 그릇에 차례대로 옮겨 담으면서 우유의 모양과 부피를 관찰한 내용으로 옳은 것은 어느 것입니까? (   )

① 다른 그릇에 옮겨 담을 수 없다.
② 담는 그릇에 따라 부피가 변한다.
③ 담는 그릇이 달라져도 그 공간을 가득 채운다.
④ 담는 그릇의 모양에 따라 우유의 모양이 변한다.
⑤ 담는 그릇이 달라져도 우유의 높이는 변하지 않는다.

4 다음은 무엇에 대한 설명인지 쓰시오.

• 물질의 상태를 말합니다.

• 담는 그릇에 따라 모양이 변합니다.

• 담는 그릇을 기울이면 모양이 변합니다.

• 담는 그릇에 따라 부피는 변하지 않습니다.

(　　　　)

[5~6] 다음은 간장과 식용유의 모습입니다. 물음에 답하시오.

⬆ 간장

⬆ 식용유

비상

5 위 간장과 식용유를 오른쪽과 같은 그릇에 각각 옮겨 담았을 때 달라지는 것은 어느 것입니까? (　　)

① 간장과 식용유의 색깔

② 간장과 식용유의 부피

③ 간장과 식용유의 무게

④ 간장과 식용유의 모양

⑤ 간장과 식용유의 냄새

7종 공통

6 위 간장과 식용유를 이루는 물질과 같은 상태가 <u>아닌</u> 것은 어느 것입니까? (　　)

① 꿀　　　　② 식초　　　　③ 설탕

④ 주스　　　⑤ 손 세정제

7종 공통

7 다음의 예는 우리 주변에 무엇이 있기 때문에 일어나는 현상인지 쓰시오.

• 깃발이 휘날립니다.

• 나뭇가지가 바람에 흔들립니다.

• 부채를 이용해 바람을 일으킵니다.

(　　　　)

🟦 서술형·논술형 문제　　　　　　　　천재, 김영사

8 오른쪽은 부풀린 풍선의 입구를 한 손으로 꼭 쥔채 손등 가까이 가져가 풍선 입구를 쥐었던 손을 살짝 놓았을 때의 모습입니다.

(1) 위 실험 결과 손등이 시원해짐을 느낄 수 있습니다. 풍선 속에 있던 것은 무엇인지 쓰시오.

(　　　　)

(2) 위 실험 결과를 통해 알게 된 점을 (1)번 답을 넣어 쓰시오.

_____

_____

[9~10] 다음과 같이 물속에서 빈 페트병이나 플라스틱병을 눌렀습니다. 물음에 답하시오.

⬆ 물속에서 빈 페트병 누르기

⬆ 물속에서 플라스틱병 누르기

천재, 김영사

9 다음은 위 실험의 관찰 결과입니다. (　　) 안의 알맞은 말에 ○표를 하시오.

빈 페트병 입구와 플라스틱병 입구에서 둥근 (물 / 공기) 방울이 생겨 위로 올라옵니다.

천재, 김영사

10 다음 중 위 실험을 통해 알게 된 점으로 옳은 것은 어느 것입니까? (　　)

① 공기는 색깔이 있다.

② 공기는 냄새가 있다.

③ 공기는 물과 같은 상태의 물질이다.

④ 공기는 존재하지 않고 물질이 아니다.

⑤ 공기는 눈에 보이지 않지만 우리 주변에 있다.

과학

3 기체의 성질 (1)

🍃 공기가 공간을 차지하는지 알아보기

① 바닥에 구멍이 뚫리거나 뚫리지 않은 컵을 이용: 컵으로 물 위에 띄운 페트병 뚜껑을 덮은 뒤 수조 바닥까지 밀어 넣을 때 나타나는 변화 관찰하기

금성, 동아, 아이스크림

구분	바닥에 구멍이 뚫리지 않은 컵	바닥에 구멍이 뚫린 컵
결과	물의 높이가 조금 높아짐. 페트병 뚜껑이 내려감.	물의 높이에 변화가 없음. 페트병 뚜껑이 그대로 있음.
	페트병 뚜껑이 내려가고, 물의 높이가 조금 높아짐.	페트병 뚜껑이 그대로 있고, 물의 높이에 변화가 없음.
까닭	컵 안에 있는 공기가 공간을 차지하고 있기 때문에 컵 안으로 물이 들어가지 못함.	컵 안에 있는 공기가 컵 바닥의 구멍으로 빠져나가기 때문에 물이 컵 안으로 들어감.

② 구멍이 뚫려 있거나 막힌 페트병을 이용: 공기 주입기로 페트병 안의 풍선에 공기를 넣기

지학사

구분	구멍을 막은 페트병	구멍이 뚫린 페트병
결과	공기 주입기 풍선 구멍을 막음.	풍선 구멍
	풍선이 부풀지 않음.	풍선이 부풂.
까닭	페트병 안에 공기가 차 있어서 풍선에 공기를 더 넣을 공간이 없기 때문임.	풍선에 공기를 넣으면 페트병 안에 있던 공기가 페트병 밖으로 빠져나가기 때문임.

③ ①과 ② 실험을 통해 알게 된 공기의 성질: 공기는 공간(부피)을 차지합니다.

④ 공기가 공간(부피)을 차지하는 성질을 이용한 예: 구명조끼, 풍선, 타이어, 물놀이용 튜브, 뽁뽁이(에어 캡), 응원용 막대풍선 등

[1~5] 다음과 같이 바닥에 구멍이 뚫린 플라스틱 컵과 바닥에 구멍이 뚫리지 않은 플라스틱 컵으로 물 위에 띄운 페트병 뚜껑을 덮은 뒤 수조 바닥까지 밀어 넣으려고 합니다. 물음에 답하시오.

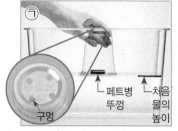

⊙ 바닥에 구멍이 뚫린 컵　　⊙ 바닥에 구멍이 뚫리지 않은 컵

금성, 동아, 아이스크림

1 다음은 위 실험에서 컵을 수조의 중간까지 밀어 넣었을 때의 모습입니다. ㉠과 ㉡ 중 각각 어느 컵의 모습인지 기호를 쓰시오.

(1)

(2)

(　　　　　)　　(　　　　　)

금성, 동아, 아이스크림

2 위 실험에서 컵을 수조의 바닥까지 밀어 넣었을 때, 수조 안의 물의 높이가 높아지는 것의 기호를 쓰시오.

(　　　　　)

📋 서술형·논술형 문제　　금성, 동아, 아이스크림

3 위 실험에서 ㉡의 경우 컵을 수조 바닥까지 밀어 넣었을 때 페트병 뚜껑의 위치 변화를 예상하고, 그렇게 생각한 까닭을 쓰시오.

4 금성, 동아, 아이스크림
다음은 앞 실험의 결과입니다. ( ) 안의 알맞은
말에 각각 ○표를 하시오.

> ㉠의 컵 안에는 (물 / 공기)이/가 들어
> 있고, ㉡의 컵 안에는 (물 / 공기)이/가 들어
> 있습니다.

5 7종 공통
다음 중 앞의 실험으로 알게 된 공기의 성질은 어느
것입니까? ( )

① 공기는 모양이 일정하다.
② 공기는 공간을 차지한다.
③ 공기는 손으로 잡을 수 없다.
④ 공기는 우리 눈으로 볼 수 있다.
⑤ 공기는 다른 곳으로 이동할 수 없다.

[6~8] 오른쪽은 페트병의 구멍을 셀로판
테이프로 막은 뒤 풍선을 페트병 입구에
끼운 모습입니다. 물음에 답하시오.

공기
주입기

풍선

셀로판
테이프

6 지학사
위 페트병에 끼운 풍선에 공기 주입기로 공기를 넣었을
때의 결과를 보기 에서 골라 기호를 쓰시오.

> 보기
> ㉠ 풍선이 부풀어 오릅니다.
> ㉡ 페트병이 부풀어 오릅니다.
> ㉢ 아무런 변화가 없습니다.

( )

7 7종 공통
다음 중 앞 **6**번의 답과 같은 결과가 나타난 까닭으로
옳은 것에 ○표를 하시오.

(1) 구멍이 막힌 페트병에는 공기가 차 있기 때문
입니다. ( )

(2) 페트병 안에 있던 공기가 밖으로 빠져나갔기 때문
입니다. ( )

8 7종 공통
다음은 앞의 페트병 속 풍선에 공기를 넣는 실험으로
알게 된 공기의 성질입니다. ☐ 안에 들어갈 알맞은
말을 쓰시오.

> 이 실험으로 공기가 ☐☐☐을/를 차지한다는
> 것을 알 수 있습니다.

( )

9 지학사
다음 ㉠과 ㉡ 중 구멍이 뚫린 페트병 입구에 풍선을
끼우고 공기 주입기로 공기를 넣었을 때의 결과로
옳은 것을 골라 기호를 쓰시오.

㉠ 공기
주입기
풍선
구멍

㉡ 공기
주입기
풍선
구멍

▲ 풍선이 부풂. ▲ 풍선이 부풀지 않음.

( )

10 금성
다음 중 공기가 공간을 차지하는 성질을 이용한 것이
아닌 것을 골라 기호를 쓰시오.

㉠ ▲ 구명조끼 ㉡ ▲ 튜브 ㉢ ▲ 선풍기

( )

4 기체의 성질 (2)

핵심 정리

🐚 공기가 이동하는지 알아보기

① 두 개의 주사기를 비닐관으로 연결한 뒤 당겨 놓은 주사기의 피스톤을 밀거나 당겼을 때의 변화

천재, 비상, 아이스크림, 지학사

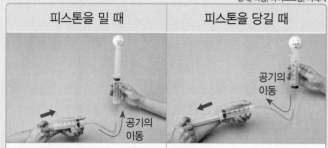

피스톤을 밀 때	피스톤을 당길 때
다른 쪽 주사기의 피스톤이 올라감.	다른 쪽 주사기의 피스톤이 내려감.

변화가 나타나는 까닭: 한쪽 주사기 안에 들어 있던 공기가 다른 쪽 주사기로 이동했기 때문임.

② 실험을 통해 알게 된 공기의 성질: 공기는 다른 곳으로 이동할 수 있습니다.

③ 공기가 다른 곳으로 이동하는 성질을 이용한 예: 공기 주입기로 풍선 부풀리기, 선풍기, 비눗방울 불기 등

🐚 기체의 성질

① 기체: 공기처럼 담는 그릇에 따라 모양이 변하고, 그 공간을 가득 채우는 물질의 상태입니다.

② 기체의 성질: 공간을 차지하고 이동할 수 있으며, 무게가 있습니다.

🐚 공기의 무게

천재, 금성, 김영사, 동아, 비상, 아이스크림

① 페트병 입구에 끼운 공기 주입 마개를 누르기 전과 누른 후의 무게 측정

공기 주입 마개
전자 저울

• 공기 주입 마개를 누르기 전의 무게: 54.0 g
• 공기 주입 마개를 누른 후의 무게: 54.2 g ➡ 결과: 페트병의 무게가 늘어남.

② 알게 된 점: 공기는 무게가 있습니다.

[1~3] 다음은 두 개의 주사기를 비닐관으로 연결해 만든 장난감입니다. 물음에 답하시오.

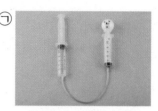 

🔺 한쪽 주사기를 당겨 놓음.   🔺 한쪽 주사기를 당겨 놓지 않음.

천재, 비상, 아이스크림, 지학사

1 위 ㉠과 ㉡ 중 주사기 속 어떤 물질이 이동하는지 알아보기 위해 바르게 만든 것을 골라 기호를 쓰시오.

( )

천재, 비상, 아이스크림, 지학사

2 위 1번 답 주사기의 피스톤을 밀거나 당길 때 나타나는 변화를 줄로 바르게 이으시오.

(1) 주사기의 피스톤을 밀 때 •   • ㉠ 다른 쪽 주사기의 피스톤이 내려감.

(2) 밀었던 주사기의 피스톤을 당길 때 •   • ㉡ 다른 쪽 주사기의 피스톤이 올라감.

천재, 비상, 아이스크림, 지학사

3 다음은 위 2번의 답과 같은 변화가 나타나는 까닭입니다. ☐ 안에 들어갈 알맞은 말을 쓰시오.

주사기의 피스톤을 밀거나 당기면 주사기와 비닐관 속의 ☐ 이/가 이동하기 때문에 피스톤이 움직입니다.

( )

4 다음은 비눗방울을 부는 모습입니다. 이것에 이용된 공기의 성질로 옳은 것을 보기 에서 골라 기호를 쓰시오.

보기
ㄱ 공기는 눈으로 볼 수 있습니다.
ㄴ 공기는 흐르는 성질이 있습니다.
ㄷ 공기는 손으로 만질 수 있습니다.
ㄹ 공기는 다른 곳으로 이동할 수 있습니다.

(   )

5 다음 중 공기를 이동시키는 장치가 <u>아닌</u> 것은 어느 것입니까? (   )

① 부채   ② 선풍기
③ 공기베개   ④ 공기 주입기
⑤ 타이어에 공기를 넣는 펌프

[6~7] 다음은 공기 주입기로 풍선을 부풀리는 모습입니다. 물음에 답하시오.

공기 주입기

6 위 풍선 속을 가득 채우고 있는 물질의 상태를 쓰시오.

(   )

7 위와 같이 풍선으로 여러 가지 모양을 만들 수 있는 까닭은 어느 것입니까? (   )

① 공기는 부피가 일정하기 때문이다.
② 공기는 눈에 보이지 않기 때문이다.
③ 공기는 일정한 모양이 있기 때문이다.
④ 공기는 손으로 잡을 수 없기 때문이다.
⑤ 공기는 담는 그릇에 따라 모양이 변하기 때문이다.

📝 서술형·논술형 문제

8 다음은 페트병 입구에 끼운 공기 주입 마개를 누르기 전과 누른 후의 무게를 측정한 모습입니다.

ㄱ   ㄴ

공기
주입
마개

전자
저울

△ 공기 주입 마개를 누르기   △ 공기 주입 마개를 누른 후
  전 페트병의 무게 측정   페트병의 무게 측정

(1) 위 ㄱ과 ㄴ 중 페트병의 무게를 쟀을 때 더 무거운 것을 골라 기호를 쓰시오.

(   )

(2) 위 실험 결과를 통해 알게 된 기체의 성질을 쓰시오.

_____

_____

9 다음 내용과 가장 관련이 있는 기체의 성질로 옳은 것은 어느 것입니까? (   )

공기를 가득 넣은 고무보트가 공기를 모두 뺀 고무보트보다 옮기기 더 힘듭니다.

① 색깔이 있다.   ② 냄새가 있다.
③ 무게가 있다.   ④ 촉감이 부드럽다.
⑤ 모양이 일정하다.

10 다음 보기 에서 무게가 있는 것을 모두 골라 기호를 쓰시오.

보기
ㄱ 고체   ㄴ 액체   ㄷ 기체

(   )

과
학

1 소리가 나는 물체

핵심 정리

🐚 소리가 나는 물체의 특징: 떨림이 있습니다.

⬆ 소리가 나는 트라이앵글에 손을 대 보기: 떨림이 느껴짐.

⬆ 소리가 나는 소리굽쇠를 물에 대 보기: 물이 튀어 오름.

⬆ 소리가 나는 스피커에 손을 대 보기: 떨림이 느껴짐.

⬆ 소리가 나는 목에 손을 대 보기: 떨림이 느껴짐.

🐚 물체에서 소리가 날 때의 공통점

⬆ 북을 칠 때 북의 가죽이 떨리면서 소리가 남.

⬆ 벌이 날 때 빠른 날개짓의 떨림 때문에 소리가 남.

[공통점] 물체에서 소리가 날 때 물체가 떨림.

🐚 소리가 나는 물체를 소리가 나지 않게 하는 방법

천재, 금성, 김영사, 비상

① 소리가 나는 물체의 떨림을 멈추게 하면 소리가 나지 않습니다.

② 소리가 나는 트라이앵글이나 소리굽쇠를 손으로 잡을 때: 물체의 떨림이 멈추어 소리가 나지 않습니다.

⬆ 소리가 나는 소리굽쇠를 손으로 잡아 소리가 나지 않게 하고 물에 대 보면 물이 튀지 않음.

7종 공통

1 다음을 통해 알 수 있는 사실에 맞게 ☐ 안에 들어갈 알맞은 말을 쓰시오.

> • 소리가 나는 스피커에 손을 대 보았을 때 손에 떨림이 느껴집니다.
> • 소리를 내고 있는 목에 손을 대 보았을 때 손에 떨림이 느껴집니다.

⬇

> 소리가 나는 물체들은 [ ]은/는 공통점이 있습니다.

(   )

금성, 비상, 지학사

2 다음과 같이 스피커에 손을 대 보았을 때, 떨림이 느껴지는 경우의 기호를 쓰시오.

ㄱ

ㄴ

⬆ 소리가 나지 않는 스피커에 손을 대 보기

⬆ 소리가 나는 스피커에 손을 대 보기

(   )

7종 공통

3 다음 중 떨림이 느껴지지 <u>않는</u> 물체는 어느 것입니까?

(   )

① 소리가 나는 종
② 연주하고 있는 북
③ 말을 하고 있는 목
④ 음악 소리가 나오는 스피커
⑤ 고무망치로 치기 전의 소리굽쇠

천재, 금성, 김영사, 동아, 지학사

4 다음은 소리가 나지 않는 소리굽쇠와 소리가 나는 소리굽쇠를 각각 물에 대 보고 관찰한 결과를 비교한 것입니다. ㉠과 ㉡ 중 소리가 나는 소리굽쇠에 해당하는 것의 기호를 쓰시오.

구분	㉠	㉡
관찰한 결과	아무 일도 일어나지 않음.	물이 튀어 오름.

( )

🔖 서술형·논술형 문제

천재, 금성, 김영사, 동아, 지학사

5 위 **4**번의 답과 같이 쓴 까닭을 쓰시오.

_____

_____

7종 공통

6 다음은 소리가 나는 물체입니다. ☐ 안에 공통으로 들어갈 알맞은 말을 쓰시오.

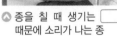
🔔 종을 칠 때 생기는 ☐ 때문에 소리가 나는 종

🐝 빠른 날갯짓의 ☐ 때문에 소리가 나는 벌

( )

7종 공통

7 다음 중 소리가 나는 물체의 특징에 대한 설명으로 옳은 것에는 ○표, 옳지 않은 것에는 ×표를 하시오.

(1) 소리가 나는 물체는 떨립니다. ( )

(2) 물체가 떨리면 소리가 납니다. ( )

(3) 소리가 나는 물체를 흔들면 더 이상 소리가 나지 않습니다. ( )

천재, 금성, 김영사, 비상

8 다음 중 소리가 나는 소리굽쇠를 손으로 세게 움켜잡을 때 나타나는 현상으로 옳은 것은 어느 것입니까?

( )

① 소리가 멈춘다.

② 소리가 점점 커진다.

③ 소리가 점점 작아진다.

④ 소리가 점점 높아진다.

⑤ 소리가 점점 낮아진다.

천재, 금성, 비상

9 다음 중 위 **8**번의 답을 고른 까닭으로 옳은 것은 어느 것입니까? ( )

① 소리굽쇠의 모양이 변하기 때문이다.

② 소리굽쇠의 떨림이 멈추기 때문이다.

③ 소리굽쇠의 떨림이 커지기 때문이다.

④ 소리굽쇠의 떨림이 작아지기 때문이다.

⑤ 소리굽쇠를 잡은 손이 떨리기 때문이다.

천재, 금성, 비상

10 다음 보기 에서 소리가 나는 물체를 소리가 나지 않게 하는 경우로 옳은 것을 골라 기호를 쓰시오.

보기

㉠ 소리가 나는 물체를 물에 넣을 때

㉡ 소리가 나는 물체를 더 떨리게 할 때

㉢ 소리가 나는 물체를 떨리지 않게 할 때

( )

과학

② 소리의 세기 / 소리의 높낮이

핵심 정리

🔹 **소리의 세기**: 소리의 크고 작은 정도를 말합니다.

소리의 세기 비교하기 〈천재〉

약하게 칠 때	세게 칠 때
북이 작게 떨리면서 공이 낮게 튀어 오름.	북이 크게 떨리면서 공이 높게 튀어 오름.
작은 소리	큰 소리

물체가 떨리는 정도에 따라 소리의 세기가 달라짐.

🔹 **소리의 높낮이**: 소리의 높고 낮은 정도를 말합니다.

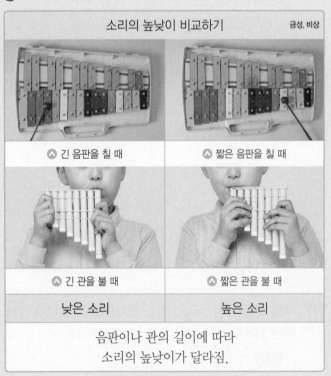

소리의 높낮이 비교하기 〈금성, 비상〉

긴 음판을 칠 때	짧은 음판을 칠 때
긴 관을 불 때	짧은 관을 불 때
낮은 소리	높은 소리

음판이나 관의 길이에 따라 소리의 높낮이가 달라짐.

🔹 **우리 주변에서 높은 소리를 이용하는 예**: 구급차 소리, 화재 비상벨, 안전 요원의 호루라기 소리 등

[1~4] 다음은 작은북으로 소리의 세기를 비교하는 실험 과정입니다. 물음에 답하시오.

> ❶ 작은북을 북채로 약하게 칠 때와 세게 칠 때의 소리를 비교합니다.
> ❷ 작은북 위에 스타이로폼 공을 올려놓습니다.
> ❸ 작은북을 북채로 약하게 칠 때와 세게 칠 때 스타이로폼 공이 튀어 오르는 모습을 비교합니다.

천재, 김영사, 동아, 비상, 아이스크림

1 다음 중 위 실험에서 다르게 한 조건은 어느 것입니까?

(   )

① 스타이로폼 공의 양
② 작은북의 크기
③ 작은북을 치는 횟수
④ 작은북을 치는 세기
⑤ 작은북을 치는 북채의 길이

천재, 김영사, 동아, 비상, 아이스크림

2 다음은 위 ❶번 실험 과정에서 소리를 비교한 결과입니다. 빈 칸에 알맞은 내용을 쓰시오.

약하게 칠 때	세게 칠 때
❶	❷

🔹 서술형·논술형 문제   천재, 김영사, 동아, 비상, 아이스크림

3 위 ❸번 실험 과정에서 작은북을 약하게 칠 때와 세게 칠 때 스타이로폼 공이 튀어 오르는 모습이 다른 까닭을 쓰시오.

_____

_____

_____

4 다음은 앞 실험을 통해 알 수 있는 점입니다. ☐ 안에 들어갈 알맞은 말을 쓰시오.

7종 공통

> 물체가 ☐ 정도에 따라 소리의 세기가 달라집니다.

(   )

5 다음은 소리의 성질에 대한 설명입니다. ㉠, ㉡에 들어갈 알맞은 말을 각각 쓰시오.

7종 공통

> 소리의 크고 작은 정도를 소리의 ㉠ (이)라고 하고, 소리의 높고 낮은 정도를 소리의 ㉡ (이)라고 합니다.

㉠ (   ) ㉡ (   )

6 다음 중 높은 소리와 관련이 있는 것은 어느 것입니까?

7종 공통

(   )

① 첼로를 부드럽게 켠다.
② 크게 소리 내어 노래한다.
③ 실로폰의 짧은 음판을 친다.
④ 피아노 건반을 세게 누른다.
⑤ 도서관에서 친구와 귓속말로 이야기한다.

7 오른쪽 팬 플루트의 ㉠~㉢ 관 중 불었을 때 가장 높은 소리가 나는 것의 기호를 쓰시오.

금성, 비상

(   )

8 앞 **7**번의 팬 플루트는 무엇에 따라 소리의 높낮이가 달라집니까? (   )

금성, 비상

① 관의 모양
② 관의 길이
③ 관의 색깔
④ 부는 시간
⑤ 부는 세기

9 실로폰의 음판을 다음과 같이 화살표 방향으로 순서대로 칠 때 점점 낮은 소리가 나는 경우의 기호를 쓰시오.

천재, 금성, 비상, 아이스크림

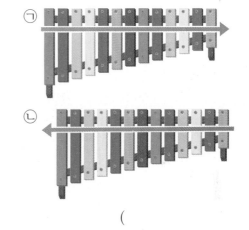

(   )

10 다음 중 소리의 높낮이를 이용하는 예에 대한 설명으로 옳지 <u>않은</u> 것은 어느 것입니까? (   )

7종 공통

① 구급차의 경보음은 높은 소리를 이용한다.
② 장구는 소리의 높낮이를 이용하여 연주한다.
③ 화재 비상벨은 높은 소리로 불이 난 것을 알린다.
④ 수영장 안전 요원의 호루라기는 높은 소리로 위험을 알린다.
⑤ 합창단은 낮은 소리뿐만 아니라 높은 소리를 함께 이용해 노래를 부른다.

핵심 정리

🐚 여러 가지 물질을 통한 소리의 전달

① 고체 상태의 물질을 통한 소리의 전달

△ 책상을 두드리는 소리는 책상(나무)을 통해 전달됨.

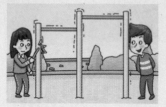

△ 철봉을 두드리는 소리는 철을 통해 전달됨.

② 기체 상태의 물질을 통한 소리의 전달

△ 스피커에서 나는 소리는 공기를 통해 전달됨.

△ 새 소리는 공기를 통해 전달됨.

③ 액체 상태의 물질을 통한 소리의 전달

△ 물속 스피커에서 나는 소리는 물과 공기를 통해 전달됨.
　↳ 물속에 있는 스피커에서 나는 소리는 물속에서는 물을 통해 전달되고 물 밖에서는 공기를 통해 전달됩니다.

△ 배에서 나는 소리는 물을 통해 전달됨.

🐚 소리의 전달

① 소리는 고체, 액체, 기체 상태의 여러 가지 물질을 통해 전달됩니다.

② 달에는 소리를 전달해 주는 공기가 없기 때문에 소리가 들리지 않습니다.

③ 공기를 뺄 수 있는 장치에 소리가 나는 스피커를 넣고 공기를 빼면 소리가 작아집니다.

비상

천재, 금성, 김영사, 동아, 지학사

🐚 실 전화기: 실 전화기에서 소리는 실이 떨리면서 전달 됩니다.

---

③ 소리의 전달

🗨 서술형·논술형 문제　　　　　　　　　7종 공통

1 다음과 같이 책상에 귀를 대고 책상을 두드리는 소리를 들어 보았습니다.

(1) 위 실험에서 책상을 두드리는 소리가 들리는지, 들리지 않는지 쓰시오.

（　　　　　　　　）

(2) 위 실험으로 알 수 있는 점을 쓰시오.

_____

_____

천재, 비상, 아이스크림

2 다음은 물속에 있는 스피커에서 나는 소리가 무엇을 통해 전달되었는지 설명한 것입니다. ㉠과 ㉡에 들어갈 알맞은 말을 각각 쓰시오.

> 스피커의 소리는 물속에서는 　㉠　 을/를 통해, 물 밖에서는 　㉡　 을/를 통해 전달되었습니다.

㉠ (　　　　　　　) ㉡ (　　　　　　　)

7종 공통

3 다음 중 액체를 통해 소리가 전달되는 경우를 두 가지 고르시오. (　　,　　)

① 교문 밖에서 종소리를 들을 때
② 운동장에서 친구가 부르는 소리를 들을 때
③ 바닷속에서 잠수부가 멀리서 오는 배의 소리를 들을 때
④ 수중 발레 선수들이 수중 스피커로 물속에서 음악을 들을 때
⑤ 막대기로 철봉을 두드리는 소리를 다른 쪽 끝에서 귀를 대고 들을 때

4 다음 중 소리의 전달에 대한 설명으로 옳은 것에는 ○표, 옳지 <u>않은</u> 것에는 ×표를 하시오.

7종 공통

(1) 물속에서는 소리가 전달되지 않습니다.

( )

(2) 소리는 물질을 통하지 않고도 전달됩니다.

( )

(3) 학교의 종소리는 공기를 통해 전달됩니다.

( )

(4) 우리 주변에서 들리는 대부분의 소리는 기체인 공기를 통해 전달됩니다. ( )

5 다음 중 소리가 전달되지 <u>않는</u> 곳은 어디입니까?

7종 공통

( )

① 달　　　② 바닷속　　　③ 운동장
④ 동굴 속　　　⑤ 산꼭대기

6 다음은 소리의 전달에 대한 설명입니다. ☐ 안에 공통으로 들어갈 알맞은 말을 쓰시오.

7종 공통

우리가 듣는 대부분의 소리는 ☐ 을/를 통해서 전달됩니다. 물체의 떨림이 주변의 ☐ 을/를 떨리게 하고, 그 ☐ 의 떨림이 우리 귀까지 도달해 소리가 전달됩니다.

( )

7 다음은 공기를 뺄 수 있는 장치에 소리가 나는 스피커를 넣고 공기를 뺄 때의 소리 변화에 대한 설명입니다. ( ) 안의 알맞은 말에 ○표를 하시오.

비상

공기를 뺄 수 있는 장치

스피커 →

장치의 손잡이를 당겨 통 안의 공기를 빼면 스피커의 소리가 (커 / 작아)집니다.

8 다음은 실 전화기를 만드는 방법을 순서에 관계없이 나타낸 것입니다. 가장 먼저 해야 하는 과정의 기호를 쓰시오.

천재, 금성, 김영사, 동아, 지학사

ㄱ 구멍에 실을 넣기
ㄴ 실의 한쪽 끝에 클립을 묶기
ㄷ 종이컵 바닥에 누름 못으로 구멍 뚫기
ㄹ 다른 종이컵도 같은 방법으로 만들어 완성하기

( )

9 위 **8**번의 실 전화기에서 소리를 전달하는 것은 무엇인지 쓰시오.

천재, 금성, 김영사, 동아

( )

10 다음 중 실 전화기의 소리를 가장 잘 들리게 하는 방법으로 알맞은 것은 어느 것입니까? ( )

천재, 금성, 김영사, 동아

① 실을 느슨하게 하여 말한다.
② 실을 팽팽하게 하여 말한다.
③ 실에 물을 묻히고 느슨하게 하여 말한다.
④ 실에 물을 묻히고 팽팽하게 하여 말한다.
⑤ 실을 최대한 길게 하여 손으로 잡고 말한다.

🔶 소리의 반사 / 소음을 줄이는 방법

정답 16쪽

김영사, 아이스크림

1 다음과 같이 아무것도 들지 않거나 스타이로폼판을 들고 소리를 들었을 때, 소리가 더 크게 들리는 경우를 ○ 안에 >, =, <를 이용하여 비교하시오.

△ 아무것도 들지 않고 소리 듣기

△ 스타이로폼판을 들고 소리 듣기

김영사, 아이스크림

2 위 **1**번 답과 같은 현상이 나타나는 까닭을 바르게 말한 친구를 쓰시오.

> 민준: 소리가 스타이로폼판에 반사되기 때문이야.
> 동우: 소리가 스타이로폼판에 전부 흡수되기 때문이야.
> 재이: 소리가 스타이로폼판을 통해 전달되기 때문이야.

(   )

7종 공통

3 다음 중 소리의 반사에 대한 설명으로 옳은 것에는 ○표, 옳지 않은 것에는 ×표를 하시오.

(1) 소리는 딱딱한 물체에서 잘 반사됩니다. (   )

(2) 물체에서 소리가 반사되는 정도는 모두 비슷합니다. (   )

(3) 메아리는 소리의 반사와 관련된 현상입니다. (   )

7종 공통

4 다음 중 소음을 줄이는 방법으로 적당하지 <u>않은</u> 것은 어느 것입니까? (   )

① 도로에 방음벽을 설치한다.

② 공동 주택에서 뛰지 않는다.

③ 자동차의 경적 소리를 줄인다.

④ 공사장 주변에 방음벽을 설치한다.

⑤ 음악을 들을 때 스피커의 소리를 크게 한다.

🟤 핵심 정리

🍥 소리가 물체에 부딪칠 때 나타나는 현상
천재, 금성

① 소리가 물체에 부딪칠 때 나타나는 현상 관찰하기

소리가 나는 이어폰 / **1** | 아무것도 세우지 않고 소리 듣기: 소리를 들을 수 있지만 작게 들림.

나무판자 / **2** | 나무판자를 세우고 소리 듣기: 소리가 크게 들림.

스펀지 / **3** | 스펀지를 세우고 소리 듣기: **1**에서 들었던 소리보다 크지만 **2**보다 작게 들림.

② 결과: 나무판자를 세웠을 때 소리가 가장 크고, 아무 것도 세우지 않았을 때 소리가 가장 작았습니다.

③ 위의 실험에서 소리의 크기가 다르게 들리는 까닭: 소리는 딱딱한 물체에는 잘 반사되지만, 부드러운 물체에는 잘 반사되지 않습니다.

🍥 소리의 반사

① 소리가 나아가다가 물체에 부딪쳐 되돌아오는 성질을 소리의 반사라고 합니다.

② 소리가 반사되는 경우

• 산에서 소리를 내면 메아리가 생깁니다.

• 공연장 천장에 설치된 반사판을 이용하여 연주 소리를 골고루 전달합니다.

🍥 소음을 줄이는 방법 예
천재

△ 검악실 방음벽: 소리의 전달을 막음.

△ 도로 방음벽: 소리의 반사를 이용함.

△ 스피커 볼륨 조절: 소리의 세기를 줄임.

어느 **교과서**를 배우더라도

꼭 알아야 하는 **기본 문제** 구성으로

다양한 학교 평가에 완벽 대비할 수 있어요!

10종
검정 교과서

단원 평가 자료집

수학
3-2

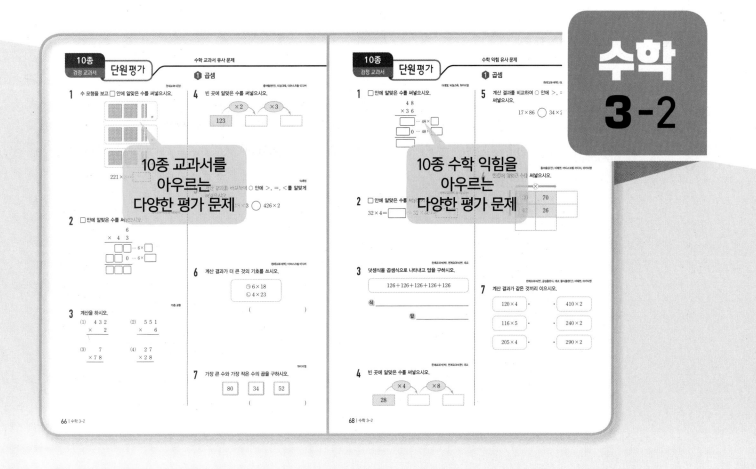

① 곱셈

천재교과서(한)

1 수 모형을 보고 ☐ 안에 알맞은 수를 써넣으시오.

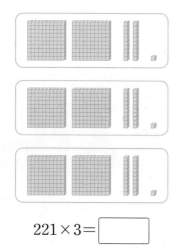

$$221 \times 3 = \boxed{}$$

동아출판(안), 비상교육, 아이스크림 미디어

4 빈 곳에 알맞은 수를 써넣으시오.

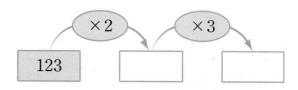

미래엔

5 계산 결과를 비교하여 ○ 안에 >, =, <를 알맞게 써넣으시오.

$$318 \times 3 \bigcirc 426 \times 2$$

천재교과서(한), 동아출판(박)

2 ☐ 안에 알맞은 수를 써넣으시오.

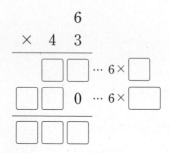

천재교과서(박), 아이스크림 미디어

6 계산 결과가 더 큰 것의 기호를 쓰시오.

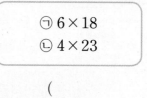

( )

10종 공통

3 계산을 하시오.

(1)   4 3 2
   ×   2

(2)   5 5 1
   ×   6

(3)   7
   × 7 8

(4)   2 7
   × 2 8

와이비엠

7 가장 큰 수와 가장 작은 수의 곱을 구하시오.

| 80 | 34 | 52 |

( )

8 계산 결과가 가장 작은 것은 어느 것입니까? (   )

① 43×26 ② 7×98

③ 231×4 ④ 40×30

⑤ 72×30

9 깡통으로 만든 로봇이 한 줄에 27개씩 43줄로 놓여 있습니다. 깡통으로 만든 로봇은 모두 몇 개인지 구하시오.

(   )

10 잘못된 부분을 찾아서 바르게 계산하시오.

```
      3 2
   ×  2 4
   ───────
   1 2 8
     6 4
   ───────
   1 9 2
```
⇨

11 △와 ☆에 알맞은 수를 각각 구하시오.

```
     3 △ 5
   ×     ☆
   ─────────
     9 7 5
```

△ (   ), ☆ (   )

12 50원짜리 동전을 수민이는 50개, 미연이는 70개 모 았습니다. 수민이와 미연이가 모은 돈은 모두 얼마입 니까?

(   )

13 초콜릿 만들기 체험에서 36명의 학생들이 각각 56개 씩 초콜릿을 만들었습니다. 학생들이 만든 초콜릿은 모두 몇 개인지 식을 쓰고 답을 구하시오.

식 _____

답 _____

📝 **서술형·논술형 문제**

14 성준이는 1분에 49걸음씩 걷습니다. 성준이가 1시간 동안 걷는 걸음은 모두 몇 걸음인지 풀이 과정을 쓰고 답을 구하시오.

풀이 _____

_____

_____

_____

답 _____

15 도넛 가게에서 오늘 도넛이 4개 들어 있는 상자를 32 상자, 도넛이 6개 들어 있는 상자를 23상자 팔았습니 다. 이 가게에서 오늘 팔린 도넛은 모두 몇 개인지 구 하시오.

(   )

수학

10종
검정 교과서 **단원평가**

미래엔, 비상교육, 와이비엠

1 ☐ 안에 알맞은 수를 써넣으시오.

$$
\begin{array}{r}
4\ 8 \\
\times\ 3\ 6 \\
\hline
\end{array}
$$

☐ ··· 48 × ☐

☐ 0 ··· 48 × ☐

☐

천재교과서(박), 동아출판(안)

2 ☐ 안에 알맞은 수를 써넣으시오.

$32 \times 4 =$ ☐ ⇨ $32 \times 40 =$ ☐

천재교과서(박), 천재교과서(한), 대교

3 덧셈식을 곱셈식으로 나타내고 답을 구하시오.

$$126 + 126 + 126 + 126 + 126$$

식 _____

답 _____

천재교과서(박), 천재교과서(한), 대교

4 빈 곳에 알맞은 수를 써넣으시오.

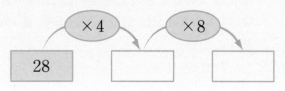

1 곱셈

천재교과서(박), 대교, 동아출판(박), 동아출판(안)
미래엔, 아이스크림 미디어

5 계산 결과를 비교하여 ○ 안에 >, =, <를 알맞게 써넣으시오.

$$17 \times 86 \bigcirc 34 \times 20$$

동아출판(안), 미래엔, 아이스크림 미디어, 와이비엠

6 빈칸에 알맞은 수를 써넣으시오.

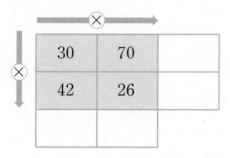

천재교과서(한), 금성출판사, 대교, 동아출판(안), 미래엔, 와이비엠

7 계산 결과가 같은 것끼리 이으시오.

120×4 •	• 410×2
116×5 •	• 240×2
205×4 •	• 290×2

금성출판사

8 곱이 20×60보다 큰 것은 어느 것입니까? (   )

① 28×30   ② 33×20

③ 19×50   ④ 21×60

⑤ 30×40

천재교과서(박)

9 조건 을 보고 □ 안에 알맞은 수를 써넣으시오.

조건

▲ : 6배   (1) 48 → ■ → [   ]

■ : 7배

● : 8배   (2) 54 → ▲ → [   ]

대교, 미래엔, 아이스크림 미디어

10 계산 결과가 큰 순서대로 기호를 쓰시오.

⊙ 47×21   ⓒ 119×5

ⓒ 28×14   ② 45×20

(   )

천재교과서(한), 동아출판(안), 미래엔, 와이비엠

11 □ 안에 알맞은 수를 써넣으시오.

```
      □ 8
  ×   2 □
  ─────────
    1 9 0
  □ 6 0
  ─────────
    9 □ 0
```

천재교과서(박), 대교, 동아출판(안), 미래엔, 아이스크림 미디어

12 □ 안에 들어갈 수 있는 자연수 중 가장 작은 수를 구하시오.

981 × □ > 4000

(   )

천재교과서(한)

13 사과가 한 상자에 24개씩 들어 있습니다. 76상자에 들어 있는 사과는 모두 몇 개인지 식을 쓰고 답을 구하시오.

식 _____

답 _____

10종 공통

14 가희와 보영이가 계산한 것을 보고 잘못 계산한 사람의 이름을 쓰고 어느 부분을 잘못 계산했는지 설명하시오.

가희	보영
7 6	7 6
× 4 2	× 4 2
1 5 2	1 5 2
3 0 4	3 0 4 0
4 5 6	3 1 9 2

(   )

_____

_____

천재교과서(한)

15 무궁화 한 송이의 꽃잎은 5개입니다. 무궁화가 86송이 있다면 꽃잎은 모두 몇 개입니까?

( )

천재교과서(박)

16 중국을 다녀오신 아버지께서 유준이에게 중국 돈 5위안을 기념으로 주셨습니다. 유준이가 은행에 갔을 때 중국 돈 1위안은 우리나라 돈 167원과 같았습니다. 유준이가 받은 용돈은 우리나라 돈으로 얼마입니까?

| 중국 돈 1위안 | = | 우리나라 돈 167원 |

( )

📖 **서술형·논술형 문제**

대교

17 한 개에 36원씩 하는 방울토마토 75개와 한 개에 540원씩 하는 감 5개를 샀습니다. 방울토마토와 감을 산 돈은 모두 얼마인지 풀이 과정을 쓰고 답을 구하시오.

풀이 _____

_____

_____

_____

답 _____

천재교과서(한), 금성출판사, 대교, 와이비엠

18 어떤 수에 63을 곱해야 하는데 잘못하여 63을 더했더니 99가 되었습니다. 물음에 답하시오.

(1) 어떤 수를 □라 하고 덧셈식을 만드시오.

( )

(2) 어떤 수는 얼마입니까?

( )

(3) 바르게 계산한 값을 구하시오.

( )

동아출판(박), 동아출판(안), 아이스크림 미디어

19 민수네 학교 도서관에 있는 책장 한 개에는 7칸이 있고 한 칸에는 책이 12권씩 꽂혀 있습니다. 도서관에 있는 책장이 모두 60개일 때 도서관에 있는 책은 모두 몇 권입니까?

( )

천재교과서(박), 천재교과서(한), 금성출판사,
동아출판(안), 미래엔, 아이스크림 미디어, 와이비엠

20 4장의 수 카드를 한 번씩만 사용하여 (두 자리 수) × (두 자리 수)의 식을 만들려고 합니다. 계산 결과가 가장 큰 곱셈식을 만들고 답을 구하시오.

| 2 | 4 | 6 | 9 |

식 _____

답 _____

② 나눗셈

비상교육

1 나눗셈식을 보고 ☐ 안에 알맞은 말을 써넣으시오.

$$23 \div 4 = 5 \cdots 3$$

23을 4로 나누면 ☐ 은 5이고 3이 남습니다.

이때 3을 $23 \div 4$의 ☐ 라고 합니다.

아이스크림 미디어

2 ☐ 안에 알맞은 수를 써넣으시오.

```
      □□□
  3) 6 0 0
     6
     ───────
        □
```

대교

3 ☐ 안에 알맞은 수를 써넣으시오.

```
      4 □
  2) 8 4
     8 0   ← 2×□
     ─────
       □
       □   ← 2×□
     ─────
        0
```

천재교과서(한)

4 ☐ 안에 알맞은 수를 써넣으시오.

$$28 \div 3 = \boxed{} \cdots \boxed{}$$

$$3 \times \boxed{} = 27, \quad \boxed{} + \boxed{} = 28$$

천재교과서(박), 동아출판(박)

5 ☐ 안에 알맞은 수를 써넣으시오.

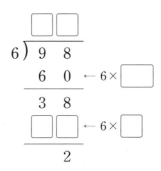

천재교과서(한)

6 나눗셈의 몫과 나머지를 구하시오.

```
  7) 8 8
```

몫 (   )

나머지 (   )

천재교과서(박), 동아출판(안), 아이스크림 미디어

7 ☐ 안에 알맞은 수를 써넣으시오.

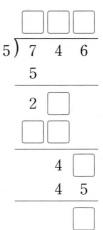

10종 공통

8 계산을 하시오.

(1)

8) 8 9 6

(2)

9) 9 7 5

비상교육, 아이스크림 미디어

9 나눗셈을 하고 맞게 계산했는지 확인하시오.

□
3) 5 6
3
□
□
□

확인 3 × □ = □ ,

□ + □ = □

천재교과서(한), 아이스크림 미디어

10 어떤 수를 6으로 나누었을 때, 나머지가 될 수 없는 것은 어느 것입니까? ( )

① 1 　　　② 2 　　　③ 4

④ 5 　　　⑤ 6

아이스크림 미디어, 와이비엠

11 나눗셈의 몫이 큰 것부터 순서대로 기호를 쓰시오.

㉠ 66÷3 　　㉡ 46÷2
㉢ 64÷4 　　㉣ 77÷7

( )

미래엔

12 7로 나누었을 때 나머지가 3인 수를 모두 찾아 쓰시오.

| 45 | 27 | 36 | 59 | 65 |

( )

금성출판사, 동아출판(안), 대교

13 사과 70개를 두 상자에 똑같이 나누어 담으려고 합니다. 한 상자에 몇 개씩 담으면 되는지 식을 쓰고 답을 구하시오.

식 _____

답 _____

천재교과서(한)

14 사마귀 다리가 87쌍 있습니다. 사마귀는 몇 마리 있습니까?

다리가 3쌍

( )

📋 서술형·논술형 문제　　　　천재교과서(박), 비상교육, 동아출판(안)

15 볼펜 52자루를 한 사람에게 7자루씩 나누어 준다면 몇 명까지 나누어 줄 수 있고, 몇 자루가 남는지 풀이 과정을 쓰고 답을 구하시오.

풀이 _____

_____

_____

_____

답 _____

② 나눗셈

10종 공통

1 □ 안에 알맞은 수를 써넣으시오.

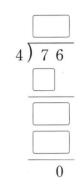

동아출판(안), 대교

4 나눗셈의 몫과 나머지를 구하시오.

$$74 \div 8$$

몫 (   )

나머지 (   )

천재교과서(한), 대교

5 관계있는 것끼리 이으시오.

$69 \div 5$ ·

· $5 \times 18 = 90,$ $90 + 4 = 94$

$94 \div 5$ ·

· $5 \times 13 = 65,$ $65 + 4 = 69$

10종 공통

2 계산을 하시오.

(1) $39 \div 3$

(2) $66 \div 6$

천재교과서(박), 동아출판(안), 와이비엠

6 빈 곳에 알맞은 수를 써넣으시오.

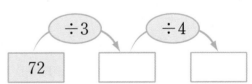

미래엔, 아이스크림 미디어, 와이비엠

3 몫이 같은 것끼리 이으시오.

$80 \div 4$ ·

· $90 \div 3$

$60 \div 2$ ·

· $50 \div 5$

$70 \div 7$ ·

· $40 \div 2$

대교

7 잘못 계산한 곳을 찾아 바르게 계산하시오.

$$3 \overline{)\, 2\ 5} \quad \Rightarrow$$
$$\ 2\ 1$$
$$\ \ \ \ 4$$

동아출판(안), 미래엔

8 큰 수를 작은 수로 나눈 몫을 빈 곳에 써넣으시오.

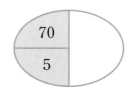

천재교과서(한), 아이스크림 미디어

9 나머지가 3이 될 수 <u>없는</u> 나눗셈은 어느 것입니까?

(   )

① ☐ ÷ 8   ② ☐ ÷ 7

③ ☐ ÷ 6   ④ ☐ ÷ 5

⑤ ☐ ÷ 3

천재교과서(한), 동아출판(박)

10 몫이 다른 것을 찾아 ○표 하시오.

30 ÷ 2	90 ÷ 6
60 ÷ 4	90 ÷ 9

미래엔, 와이비엠

11 나머지가 가장 큰 것을 찾아 기호를 쓰시오.

㉠ 497 ÷ 5	㉡ 495 ÷ 6
㉢ 498 ÷ 7	㉣ 493 ÷ 8

(   )

천재교과서(한), 대교

12 몫이 큰 것부터 순서대로 빈 곳에 번호를 써넣으시오.

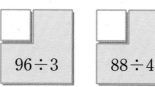

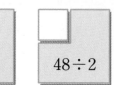

| 96 ÷ 3 | 88 ÷ 4 | 48 ÷ 2 |

금성출판사, 동아출판(박), 비상교육

13 잘못 계산한 곳을 찾아 바르게 계산하고, 이유를 쓰시오.

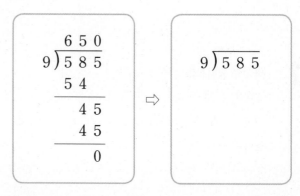

이유 _____

_____

동아출판(안), 미래엔

14 (몇십몇)÷(몇)을 계산하고 계산이 맞는지 확인한 식이 **보기**와 같습니다. 계산한 나눗셈식을 쓰고 몫과 나머지를 구하시오.

보기

$3 \times 19 = 57,\ 57 + 1 = 58$

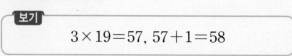

식 _____

몫 _____ 나머지 _____

금성출판사, 아이스크림 미디어

15 네 변의 길이의 합이 72 cm인 정사각형입니다. 이 정사각형의 한 변은 몇 cm입니까?

(   )

와이비엠, 비상교육

16 분필 150개를 다섯 반이 똑같이 나누어 쓰려고 합니다. 한 반에서 쓸 수 있는 분필은 몇 개인지 식을 쓰고 답을 구하시오.

식 _____

답 _____

천재교과서(박), 아이스크림 미디어

17 남학생 22명과 여학생 21명이 있습니다. 학생들을 한 모둠에 3명씩으로 하면 몇 모둠이 되고 남는 학생은 몇 명입니까?

(   ), (   )

동아출판(박), 대교, 미래엔

18 어떤 수를 9로 나누었더니 몫이 7, 나머지가 2가 되었습니다. 어떤 수는 얼마입니까?

(   )

📎 서술형·논술형 문제   미래엔

19 연필 157자루가 있습니다. 한 사람에게 연필을 4자루씩 나누어 주었더니 남는 연필이 생겼습니다. 연필을 남김없이 나누어 주려면 적어도 몇 자루가 더 있어야 하는지 풀이 과정을 쓰고 답을 구하시오.

풀이 _____

_____

_____

답 _____

천재교과서(한), 아이스크림 미디어

20 민호와 정현이는 각자 가지고 있는 수 카드를 한 번씩만 사용하여 몫이 가장 큰 (세 자리 수)÷(한 자리 수)의 나눗셈을 만들었습니다. 몫이 더 큰 나눗셈을 만든 친구의 이름을 쓰시오.

민호 | 2 | 3 | 5 | 7 |

정현 | 6 | 9 | 4 | 5 |

(   )

수학

3 원

와이비엠

1 그림을 보고 ☐ 안에 알맞은 말을 써넣으시오.

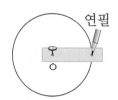

연필

원을 그릴 때 누름 못이 꽂혔던 점 ㅇ을 원의 ☐ 이라고 합니다.

10종 공통

2 점 ㅇ은 원의 중심입니다. ☐ 안에 알맞은 말을 써넣으시오.

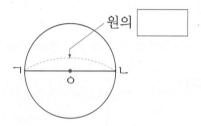

원의 ☐

10종 공통

3 원의 중심은 어느 것입니까?

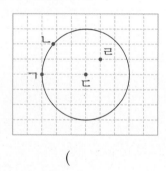

( )

금성출판사

4 그림을 보고 물음에 답하시오.

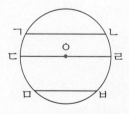

(1) 길이가 가장 긴 선분은 어느 것입니까?

( )

(2) 원의 지름은 어느 선분입니까?

( )

천재교과서(박)

5 반지름이 3 cm인 원을 그리려고 합니다. 알맞게 컴퍼스를 벌린 것을 찾아 기호를 쓰시오.

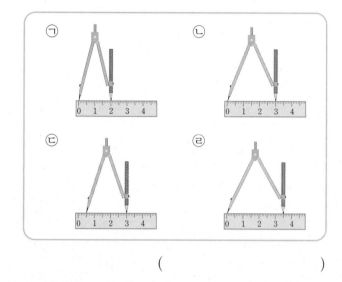

( )

천재교과서(박)

6 원에 지름을 2개 그으시오.

금성출판사, 아이스크림 미디어

7 옳은 것에 ○표, 옳지 않은 것에 ×표 하시오.

(1) 한 원에서 반지름은 길이가 모두 같습니다.

( )

(2) 한 원에서 원의 중심은 5개입니다. ( )

대교, 아이스크림 미디어, 비상교육

8 원의 지름과 반지름을 각각 구하시오.

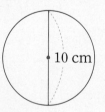

10 cm

지름 ( )

반지름 ( )

미래엔

9 반지름이 2 cm인 원을 그리시오.

금성출판사, 동아출판(안)

10 다음과 같이 반지름을 모눈 1칸씩 늘려 가며 원을 1 개 더 그리시오.

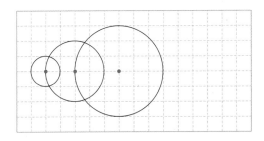

천재교과서(한), 아이스크림 미디어

11 다음 중 옳지 <u>않은</u> 것을 찾아 기호를 쓰고 바르게 고 치시오.

> ㉠ 한 원에서 지름은 반지름의 2배입니다.
> ㉡ 지름은 항상 원의 중심을 지납니다.
> ㉢ 한 원에는 반지름을 3개만 그을 수 있습니다.

＿＿＿＿＿＿＿＿＿＿＿＿＿＿＿＿＿＿＿

＿＿＿＿＿＿＿＿＿＿＿＿＿＿＿＿＿＿＿

금성출판사, 동아출판(안), 와이비엠

12 큰 원부터 순서대로 기호를 쓰시오.

> ㉠ 반지름이 3 cm인 원
> ㉡ 지름이 9 cm인 원
> ㉢ 반지름이 4 cm인 원
> ㉣ 지름이 5 cm인 원

(　　　　　)

대교, 천재교과서(한)

13 주어진 모양과 똑같이 그리시오.

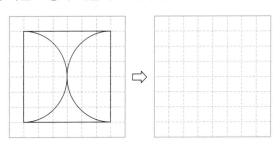

천재교과서(박), 비상

14 주어진 모양과 똑같이 그릴 때, 컴퍼스의 침을 꽂아야 할 곳은 모두 몇 군데입니까?

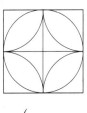

(　　　　　)

🎺 **서술형·논술형 문제**　　　　동아출판(박), 미래엔, 와이비엠

15 두 원의 크기가 같을 때 선분 ㄱㄴ의 길이는 몇 cm인 지 풀이 과정을 쓰고 답을 구하시오.

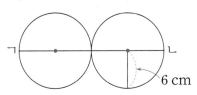

6 cm

풀이 ＿＿＿＿＿＿＿＿＿＿＿＿＿＿＿＿＿

＿＿＿＿＿＿＿＿＿＿＿＿＿＿＿＿＿＿＿

＿＿＿＿＿＿＿＿＿＿＿＿＿＿＿＿＿＿＿

답 ＿＿＿＿＿＿＿＿＿＿＿＿＿

수학

10종
검정 교과서

단원평가

3 원

10종 공통

1 ☐ 안에 알맞은 말을 써넣으시오.

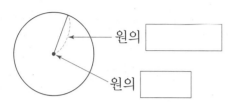

원의 ☐

원의 ☐

동아출판(박), 미래엔, 비상교육

2 원의 반지름을 나타내는 선분이 <u>아닌</u> 것을 찾아 기호를 쓰시오.

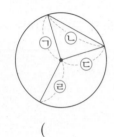

( )

동아출판(박), 아이스크림 미디어, 와이비엠

5 원을 그리려고 컴퍼스를 다음과 같이 벌렸습니다. 그리려는 원의 지름은 몇 cm입니까?

( )

대교, 아이스크림 미디어

6 주어진 선분의 길이를 반지름으로 하는 원을 그리시오.

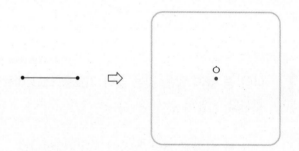

10종 공통

3 원의 지름은 몇 cm입니까?

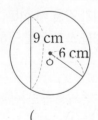

9 cm
6 cm

( )

천재교과서(한), 금성출판사

7 반지름이 12 cm인 원의 지름은 몇 cm입니까?

( )

10종 공통

4 ☐ 안에 알맞은 수를 써넣으시오.

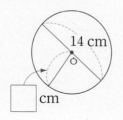

14 cm

☐ cm

금성출판사 , 동아출판(박)

8 가장 작은 원을 찾아 기호를 쓰시오.

> ㉠ 반지름이 12 cm인 원
> ㉡ 지름이 22 cm인 원
> ㉢ 반지름이 13 cm인 원
> ㉣ 지름이 18 cm인 원

( )

10종 공통

9 주어진 모양과 똑같이 그리시오.

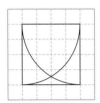 

아이스크림 미디어, 와이비엠

10 두 원의 지름의 차는 몇 cm입니까?

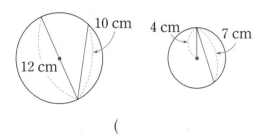

( )

10종 공통

11 그림과 같이 원들이 맞닿도록 지름을 모눈 2칸씩 늘려 가며 원을 1개 더 그리시오.

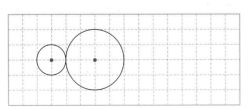

10종 공통

12 그림과 같이 반지름을 모눈 1칸씩 늘려 가며 원을 2개 더 그리시오.

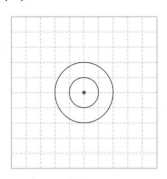

천재교과서(박), 동아출판(박), 아이스크림 미디어

13 선분 ㄱㄴ의 길이를 구하시오.

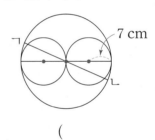

7 cm

( )

대교, 아이스크림 미디어

14 원의 중심은 옮기지 않고 반지름을 다르게 하여 그린 것의 기호를 쓰시오.

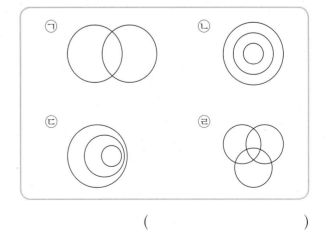

㉠ ㉡ ㉢ ㉣

( )

대교, 아이스크림 미디어

15 직사각형 안에 크기가 같은 원 2개가 맞닿도록 그렸습니다. 물음에 답하시오.

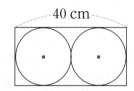

40 cm

(1) 직사각형의 가로는 원의 반지름의 몇 배입니까?

( )

(2) 원의 반지름은 몇 cm입니까?

( )

[16~17] 다음은 크기가 같은 원 5개를 서로 중심이 지나도록 겹쳐서 그린 것입니다. 물음에 답하시오.

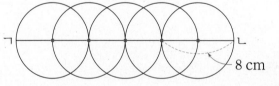

8 cm

10종 공통

16 원의 반지름은 몇 cm입니까?

( )

천재교과서(한), 비상교육

17 선분 ㄱㄴ의 길이는 몇 cm입니까?

( )

천재교과서(박), 동아출판(박), 동아출판(안)

18 주어진 모양을 그리기 위하여 컴퍼스의 침을 꽂아야 할 곳은 모두 몇 군데입니까?

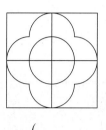

( )

천재교과서(한)

19 크기가 같은 원 3개를 그린 것입니다. 세 원의 중심을 이은 삼각형 ㄱㄴㄷ의 세 변의 길이의 합이 27 cm일 때 원의 지름을 구하시오.

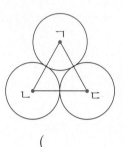

( )

🧰 서술형·논술형 문제

비상교육

20 정사각형 안에 크기가 같은 원 4개를 이어 붙여서 그린 것입니다. 정사각형의 네 변의 길이의 합은 몇 cm인지 풀이 과정을 쓰고 답을 구하시오.

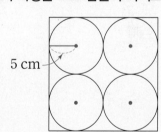

5 cm

풀이 _____

_____

_____

답 _____

④ 분수

금성출판사, 아이스크림 미디어

1 그림을 보고 ☐ 안에 알맞은 수를 써넣으시오.

14의 $\dfrac{3}{7}$은 ☐입니다.

금성출판사, 비상교육

5 다음 중 대분수는 어느 것입니까? ( )

① $2\dfrac{1}{2}$ ② $4\dfrac{8}{5}$ ③ $\dfrac{7}{8}$

④ $\dfrac{7}{7}$ ⑤ $\dfrac{1}{9}$

천재교과서(한)

2 그림을 보고 ☐ 안에 알맞은 수를 써넣으시오.

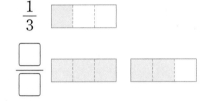

천재교과서(한)

6 그림을 보고 분수의 크기를 비교하여 ○ 안에 >, < 를 알맞게 써넣으시오.

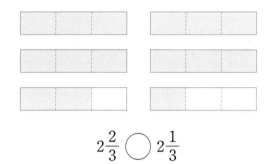

$2\dfrac{2}{3}$ ◯ $2\dfrac{1}{3}$

10종 공통

3 ☐ 안에 알맞은 수를 써넣으시오.

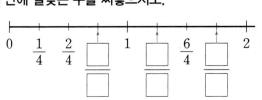

(1) 30 cm의 $\dfrac{1}{6}$은 ☐ cm입니다.

(2) 30 cm의 $\dfrac{4}{6}$는 ☐ cm입니다.

동아출판(박), 미래엔

7 그림을 보고 ☐ 안에 알맞은 수를 써넣으시오.

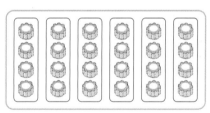

24를 4씩 묶으면 ☐ 묶음이 됩니다.

20은 24의 $\dfrac{☐}{☐}$입니다.

동아출판(안), 미래엔

4 ☐ 안에 알맞은 수를 써넣으시오.

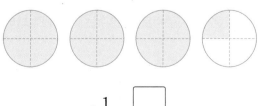

천재교과서(박)

8 그림을 보고 대분수를 가분수로 나타내시오.

$3\dfrac{1}{4} = \dfrac{☐}{☐}$

천재교과서(한), 금성출판사, 와이비엠

9 친구들의 책가방 무게를 분수로 나타냈습니다. 진분수, 가분수, 대분수로 분류하시오.

진분수	가분수	대분수

와이비엠

10 수직선을 보고 물음에 답하시오.

```
0                                    1 (m)
├──┼──┼──┼──┼──┼──┼──┼──┼──┼──┤
0  10 20 30 40 50 60 70 80 90 100 (cm)
```

(1) $\frac{1}{5}$ m는 몇 cm입니까?

(   )

(2) $\frac{3}{5}$ m는 몇 cm입니까?

(   )

천재교과서(한), 비상교육, 아이스크림 미디어

11 대분수는 가분수로, 가분수는 대분수로 나타내시오.

(1) $2\frac{2}{9}$ ⇨ (   )

(2) $\frac{11}{8}$ ⇨ (   )

10종 공통

12 분수의 크기를 비교하여 ○ 안에 >, =, <를 알맞게 써넣으시오.

(1) $1\frac{1}{5}$ ○ $\frac{5}{5}$

(2) $4\frac{3}{7}$ ○ $4\frac{5}{7}$

천재교과서(박), 동아출판(안)

13 수 카드 3장 중에서 2장을 골라 만들 수 있는 진분수를 모두 쓰시오.

| 3 | 5 | 8 |

(   )

동아출판(박), 대교, 미래엔

14 크기가 작은 분수부터 순서대로 쓰시오.

| $7\frac{3}{6}$ | $\frac{25}{6}$ | $4\frac{5}{6}$ | $\frac{49}{6}$ |

(   )

📖 **서술형·논술형 문제** 천재교과서(한)

15 서준이는 피아노 학원에 가서 1시간 동안 공부를 합니다. 1시간의 $\frac{1}{3}$ 동안은 이론 공부를 한다면 서준이가 이론 공부를 하는 시간은 몇 분인지 풀이 과정을 쓰고 답을 구하시오.

풀이 _____

_____

_____

_____

답 _____

1 □ 안에 알맞은 수를 써넣으시오.

10종 공통

20을 5씩 묶으면 □ 묶음이 됩니다.

15는 20의 □/□ 입니다.

2 □ 안에 알맞은 수를 써넣으시오.

천재교과서(한), 금성출판사, 아이스크림 미디어

(1) 16의 $\frac{1}{4}$ 은 □ 입니다.

(2) 16의 $\frac{5}{8}$ 는 □ 입니다.

3 진분수에 ○표, 가분수에 △표, 대분수에 □표 하시오.

10종 공통

$$\frac{4}{7} \qquad \frac{10}{10} \qquad 3\frac{9}{12} \qquad \frac{1}{11} \qquad \frac{8}{3}$$

4 □ 안에 알맞은 수를 써넣으시오.

10종 공통

0 1 2 3 4 5 6 7 8 9 10 11 12 (cm)

(1) 12 cm의 $\frac{2}{3}$ 는 □ cm입니다.

(2) 12 cm의 $\frac{2}{6}$ 는 □ cm입니다.

5 대분수를 가분수로 나타내시오.

10종 공통

$$4\frac{10}{11} \Rightarrow (\qquad\qquad\qquad)$$

6 더 긴 것을 찾아 ○표 하시오.

동아출판(안), 대교, 와이비엠

40 cm의 $\frac{1}{5}$ \qquad 25 cm의 $\frac{2}{5}$

(\qquad) \qquad (\qquad)

7 분자가 7인 가분수를 모두 찾아 쓰시오.

금성출판사

$$\frac{4}{7} \qquad \frac{7}{6} \qquad \frac{9}{7} \qquad \frac{7}{3} \qquad 4\frac{5}{7} \qquad 7\frac{1}{3}$$

(\qquad\qquad\qquad)

8 분수의 크기를 비교하여 ○ 안에 >, =, <를 알맞게 써넣으시오.

10종 공통

(1) $2\frac{1}{5}$ ○ $\frac{11}{5}$

(2) $\frac{14}{9}$ ○ $1\frac{7}{9}$

동아출판(안), 대교

9 □ 안에 알맞은 수가 큰 것부터 순서대로 기호를 쓰시오.

> ㉠ 18을 2씩 묶으면 4는 18의 $\dfrac{□}{9}$입니다.
>
> ㉡ 18을 3씩 묶으면 9는 18의 $\dfrac{□}{6}$입니다.
>
> ㉢ 18을 6씩 묶으면 6은 18의 $\dfrac{□}{3}$입니다.

(   )

10종 공통

10 조건 에 맞게 빨간색과 파란색으로 색칠하여 무늬를 꾸미시오.

> 조건
>
> 빨간색: 20의 $\dfrac{3}{10}$
>
> 파란색: 20의 $\dfrac{7}{10}$

○ ○ ○ ○ ○ ○ ○ ○ ○ ○
○ ○ ○ ○ ○ ○ ○ ○ ○ ○

아이스크림 미디어, 와이비엠

11 $\dfrac{8}{9}$보다 큰 분수를 모두 찾아 쓰시오.

> $\dfrac{4}{9}$ $1\dfrac{2}{9}$ $\dfrac{7}{9}$ $\dfrac{10}{9}$

(   )

천재교과서(한), 아이스크림 미디어

12 두 분수의 크기를 비교하여 더 큰 분수를 □ 안에 써넣으시오.

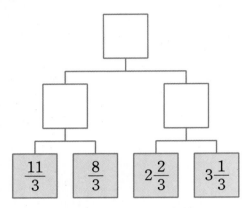

천재교과서(박), 금성출판사, 아이스크림 미디어

13 분모가 8인 분수 중 $3\dfrac{4}{8}$보다 크고 4보다 작은 대분수를 모두 쓰시오.

(   )

비상교육, 와이비엠

14 다음 분수를 가분수로 나타냈을 때 분자가 가장 큰 분수를 쓰시오.

> $2\dfrac{3}{4}$ $1\dfrac{5}{7}$ $2\dfrac{4}{5}$

(   )

천재교과서(한), 동아출판(박), 비상교육

15 낮잠을 세은이는 $3\frac{2}{5}$시간 동안 잤고 진호는 $\frac{16}{5}$시 간 동안 잤습니다. 낮잠을 더 오랫동안 잔 사람은 누 구입니까?

(   )

아이스크림 미디어, 와이비엠

16 체리가 24개 있습니다. 아버지께서 24개의 $\frac{1}{3}$만큼 을, 어머니께서 24개의 $\frac{1}{4}$만큼을 드시고 나머지는 태영이가 모두 먹었습니다. 누가 체리를 가장 많이 먹 었습니까?

(   )

금성출판사, 동아출판(박), 대교

17 분자와 분모의 합이 8이고 차가 2인 가분수가 있습니 다. 이 가분수를 대분수로 나타내시오.

(   )

금성출판사, 와이비엠

18 다음 수 카드 중 3장을 뽑아 분수를 만들려고 합니다. 만들 수 있는 분수 중에서 분모가 6인 가장 큰 대분수 를 쓰시오.

| 3 | 4 | 5 | 6 | 7 |

(   )

📝 **서술형·논술형 문제**   천재교과서(한), 동아출판(박)

19 다음 조건을 만족하는 대분수는 모두 몇 개인지 풀이 과정을 쓰고 답을 구하시오.

$$6\frac{3}{5} < \square\frac{\square}{5} < 8\frac{4}{5}$$

풀이 _____

_____

_____

답 _____

대교, 아이스크림 미디어

20 □ 안에 들어갈 수 있는 수 중 가장 큰 수를 쓰시오.

$$\frac{\square}{7} < 5\frac{1}{7}$$

(   )

수 학

5 들이와 무게

천재교과서(한), 금성출판사, 동아출판(박), 비상교육, 와이비엠

1 물의 양이 얼마인지 눈금을 읽고 ☐ 안에 알맞은 수를 써넣으시오.

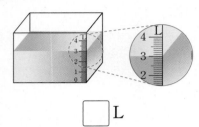

☐ L

동아출판(안), 미래엔

5 무게가 무거운 것부터 순서대로 기호를 쓰시오.

| ㉠ 풍선 | ㉡ 트럭 |
| ㉢ 전화기 | ㉣ 의자 |

( )

10종 공통

2 ☐ 안에 알맞은 수를 써넣으시오.

(1) 5 L = ☐ mL

(2) 7000 mL = ☐ L

천재교과서(박), 천재교과서(한), 금성출판사, 미래엔

6 다음 물건의 무게를 재는 데 kg과 g 중 알맞은 단위를 쓰시오.

(1) 양말 한 켤레 ( )

(2) 침대 ( )

10종 공통

3 ☐ 안에 L와 mL 중 알맞은 단위를 써넣으시오.

(1) 요구르트병의 들이는 약 100 ☐ 입니다.

(2) 욕조의 들이는 약 50 ☐ 입니다.

미래엔, 아이스크림 미디어

7 들이가 1 L인 비커에 다음과 같이 물이 들어 있습니다. 비커에 있는 물을 모두 수조에 부으면 수조에 담긴 물의 양은 모두 얼마인지 구하시오.

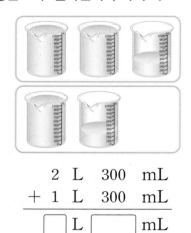

$$\begin{array}{r} 2 \text{ L} \quad 300 \text{ mL} \\ + 1 \text{ L} \quad 300 \text{ mL} \\ \hline \boxed{} \text{ L} \quad \boxed{} \text{ mL} \end{array}$$

천재교과서(한), 동아출판(안), 미래엔, 비상교육

4 양동이와 주전자에 물을 가득 채운 후 모양과 크기가 같은 그릇에 옮겨 담았습니다. 그림과 같이 물이 채워졌을 때 들이가 더 많은 것은 어느 것입니까?

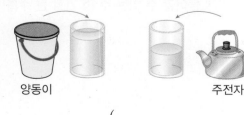

양동이   주전자

( )

대교

8 ☐ 안에 알맞은 수를 써넣으시오.

8500 mL − 3000 mL

= ☐ mL = ☐ L ☐ mL

10종 공통

9 들이의 계산을 하시오.

(1)   2 L 200 mL
     + 2 L 500 mL

(2)   4 L 800 mL
     − 1 L 200 mL

10종 공통

10 무게의 계산을 하시오.

(1)   6 kg 500 g
     + 8 kg 400 g

(2)   11 kg 700 g
     −   2 kg 300 g

천재교과서(한), 비상교육, 아이스크림 미디어

11 수조에 물을 가득 채우려면 ㉮ 컵으로는 5번, ㉯ 컵으로는 8번 부어야 합니다. 어느 컵의 들이가 더 많습니까?

(   )

천재교과서(한), 금성출판사, 미래엔, 와이비엠

12 저울과 바둑돌을 이용하여 감자와 양파의 무게를 잰 것입니다. 감자와 양파 중 어느 것이 바둑돌 몇 개만큼 더 무겁습니까?

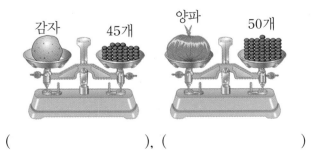

(   ), (   )

천재교과서(한)

13 단위가 바르지 <u>않은</u> 문장을 찾아 바르게 고치시오.

> • 연필의 무게는 약 5 kg입니다.
> • 바둑돌 한 개의 무게는 약 48 g입니다.
> • 범고래의 무게는 약 7 t입니다.

_____

_____

동아출판(안)

14 물이 3 L 900 mL 들어 있는 수조가 있습니다. 물을 1 L 600 mL 더 넣으면 수조에 들어 있는 물의 양은 모두 몇 L 몇 mL인지 구하시오.

(   )

📝 **서술형·논술형 문제**   금성출판사

15 몸무게가 32 kg 300 g인 승훈이가 1 kg 500 g짜리 아령을 들고 무게를 재면 몇 kg 몇 g인지 풀이 과정을 쓰고 답을 구하시오.

풀이 _____

_____

_____

답 _____

10종 검정 교과서 단원평가

아이스크림 미디어, 와이비엠

1 들이가 같은 것끼리 이어 보시오.

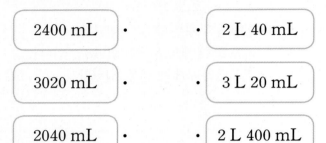

2400 mL	2 L 40 mL
3020 mL	3 L 20 mL
2040 mL	2 L 400 mL

금성출판사, 대교, 동아출판(박)

2 보기 에서 물건을 선택하여 문장을 완성하시오.

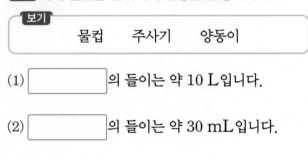

보기
물컵   주사기   양동이

(1) [　　　]의 들이는 약 10 L입니다.

(2) [　　　]의 들이는 약 30 mL입니다.

동아출판(박), 동아출판(안)

3 가방은 몇 kg 몇 g입니까?

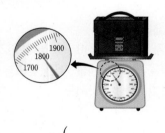

(　　　　　　　)

천재교과서(박), 아이스크림 미디어

4 ㉯ 컵에 물을 가득 담아 ㉮ 수조에 6번 부었더니 가득 찼습니다. ㉮ 수조의 들이는 ㉯ 컵의 들이의 몇 배입니까?

(　　　　　　　)

5 들이와 무게

천재교과서(박), 미래엔, 비상교육, 아이스크림 미디어

5 크기가 같은 컵으로 주전자와 양동이에 물을 가득 채우려면 주전자는 8컵, 양동이는 14컵을 부어야 합니다. 양동이의 들이는 주전자의 들이보다 몇 컵 더 많습니까?

(　　　　　　　)

천재교과서(한), 아이스크림 미디어

6 무게가 같은 것끼리 이으시오.

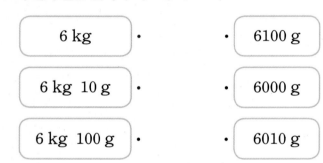

6 kg	6100 g
6 kg 10 g	6000 g
6 kg 100 g	6010 g

천재교과서(박), 금성출판사

7 들이가 많은 순서대로 기호를 쓰시오.

㉠ 7 L 10 mL   ㉡ 7100 mL
㉢ 7000 mL   ㉣ 7 L 300 mL

(　　　　　　　)

8 들이의 계산을 하시오.

10종 공통

(1)　　5 L　900 mL
　　＋ 2 L　600 mL

(2)　　7 L　400 mL
　　－ 2 L　800 mL

9 무게가 1 t보다 무거운 것을 모두 찾아 기호를 쓰시오.

천재교과서(박), 천재교과서(한), 비상교육, 미래엔

> ㉠ 세탁기 1대　　㉡ 버스 1대
> ㉢ 냄비 1개　　㉣ 트럭 1대

(　　　　　　　　　)

10 무게가 무거운 것부터 순서대로 기호를 쓰시오.

대교, 미래엔, 비상교육, 아이스크림 미디어

> ㉠ 5 kg 5 g　　㉡ 5500 g
> ㉢ 5050 g　　㉣ 50 kg

(　　　　　　　　　)

11 무게의 계산을 하시오.

10종 공통

(1)　　4 kg　300 g
　　＋ 3 kg　800 g

(2)　　10 kg　600 g
　　－　5 kg　700 g

금성출판사, 비상교육, 아이스크림 미디어, 와이비엠

12 같은 과일끼리 무게가 서로 같습니다. 한 개의 무게가 가장 가벼운 과일이 무엇인지 쓰고 이유를 쓰시오.

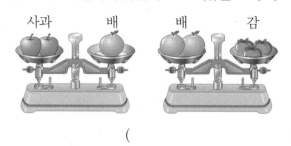

사과　　배　　배　　감

(　　　　　　　　　)

이유 _____

_____

13 단위가 바르지 않은 문장을 찾아 바르게 고치시오.

천재교과서(한), 대교, 동아출판(박), 비상교육, 동아출판(안), 아이스크림 미디어

> • 상추의 무게는 약 30 g입니다.
> • 자동차의 무게는 약 2 kg입니다.
> • 컴퓨터의 무게는 약 1 kg입니다.

_____

_____

14 액체 세제 2 L가 있습니다. 그중에서 1 L 400 mL를 사용했습니다. 남은 액체 세제는 몇 mL입니까?

천재교과서(한)

(　　　　　　　　　)

수
학

대교

15 아버지의 몸무게는 68 kg 200 g이고 기준이의 몸무게는 40 kg 500 g입니다. 아버지는 기준이보다 몇 kg 몇 g 더 무겁습니까?

( )

아이스크림 미디어

16 다음 중 무게가 가장 무거운 것과 가장 가벼운 것의 차는 몇 kg 몇 g입니까?

7 kg 200 g	7500 g
5 kg 700 g	5800 g

( )

천재교과서(박)

17 들이가 500 mL인 컵에 물을 가득 채워 빈 물병에 2번 붓고, 들이가 300 mL인 컵에 물을 가득 채워 1번 부었더니 물병에 물이 가득 찼습니다. 물병의 들이는 몇 L 몇 mL인지 구하세요.

( )

비상교육

18 다음 그릇 3개에 물을 가득 채우려면 물은 모두 몇 L 몇 mL가 필요합니까?

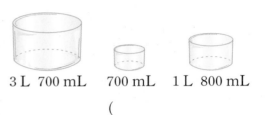

3 L 700 mL   700 mL   1 L 800 mL

( )

천재교과서(한)

19 우유가 4 L 200 mL 있습니다. 어제 1 L 600 mL 를 마시고, 오늘 얼마를 마셨더니 900 mL가 남았습니다. 오늘 마신 우유는 몇 L 몇 mL입니까?

( )

천재교과서(박)

20 7 kg까지 담을 수 있는 상자가 있습니다. 이 상자에 무게가 1 kg 200 g인 물건과 3500 g인 물건이 각각 1개씩 들어 있습니다. 상자에 더 담을 수 있는 무게는 몇 kg 몇 g인지 구하시오.

( )

6 자료의 정리(그림그래프)

[1~4] 예윤이네 반 학생들이 좋아하는 학교 행사를 조사하여 표로 나타내었습니다. 물음에 답하시오.

학생들이 좋아하는 학교 행사

학교 행사	운동회	학예회	체험 학습	독서대회	합계
학생 수(명)		10	8	5	30

대교

1 운동회를 좋아하는 학생은 몇 명입니까?

( )

대교, 와이비엠

2 예윤이네 반 학생은 모두 몇 명입니까?

( )

와이비엠

3 학예회를 좋아하는 학생은 독서대회를 좋아하는 학생보다 몇 명 더 많습니까?

( )

대교, 동아출판(박), 비상교육, 와이비엠

4 가장 많은 학생이 좋아하는 학교 행사는 무엇입니까?

( )

[5~7] 송이네 반 학생들이 좋아하는 계절을 조사하였습니다. 물음에 답하시오.

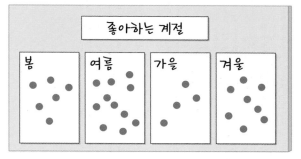

동아출판(박)

5 조사한 것은 무엇입니까?

( )

천재교과서(한), 대교, 동아출판(박), 비상교육, 아이스크림 미디어

6 조사한 자료를 보고 표로 나타내시오.

학생들이 좋아하는 계절

계절	봄	여름	가을	겨울	합계
학생 수(명)					

대교, 동아출판(박), 아이스크림 미디어

7 좋아하는 학생이 많은 계절부터 순서대로 쓰시오.

( )

[8~10] 올해 식목일에 심은 나무의 수를 마을별로 조사하여 나타낸 것입니다. 물음에 답하시오.

마을별 나무 수

마을	나무 수
믿음	🌳🌳🌳🌳🌱
소망	🌳🌳🌳🌳🌱🌱
사랑	🌳🌳🌳🌱🌱
행복	🌳🌳🌳🌳🌳🌳🌳

🌳 10그루
🌱 1그루

천재교과서(박), 천재교과서(한), 금성출판사, 대교, 동아출판(안), 미래엔, 와이비엠

8 그림 🌳와 🌱은 각각 몇 그루를 나타냅니까?

🌳 (   )

🌱 (   )

10종 공통

9 사랑 마을에서 올해 식목일에 심은 나무는 몇 그루입니까?   (   )

천재교과서(한), 동아출판(박), 동아출판(안), 미래엔, 와이비엠

10 올해 식목일에 심은 나무의 수가 가장 적은 마을은 어느 마을입니까?   (   )

[11~14] 진영이네 학교 3학년 학생들이 여행하고 싶은 나라를 조사하여 그림그래프로 나타내었습니다. 물음에 답하시오.

학생들이 여행하고 싶은 나라

나라	학생 수
미국	😊😊😊😊😊
영국	😊😊😊😊😊😊😊😊😊
스페인	😊😊😊😊😊
중국	😊😊😊😊😊
호주	😊😊😊😊😊

😊 10명
😊 1명

천재교과서(박), 금성출판사, 미래엔

11 미국을 여행하고 싶은 학생은 몇 명입니까?

(   )

금성출판사

12 호주를 여행하고 싶은 학생은 스페인을 여행하고 싶은 학생보다 몇 명 더 많습니까?

(   )

동아출판(박)

13 진영이네 학교 3학년 학생은 모두 몇 명입니까?

(   )

🗂 서술형·논술형 문제   천재교과서(박), 천재교과서(한), 동아출판(박), 동아출판(안), 미래엔, 비상교육,아이스크림 미디어

14 그림그래프를 보고 알 수 있는 내용을 두 가지 쓰시오.

_____

_____

[15~16] 지훈이는 우유를 사러 마트에 갔습니다. 물음에 답하시오.

와이비엠

15 마트에 있는 우유의 수를 표로 나타내시오.

종류별 우유의 수

종류	초콜릿맛	딸기맛	흰	바나나맛	합계
우유 수 (개)					

🗂 서술형·논술형 문제   대교, 비상교육, 아이스크림 미디어, 와이비엠

16 표를 보고 알 수 있는 내용을 두 가지 쓰시오.

_____

_____

[17~18] 수연이네 가게에서 지난주에 판매한 아이스크림의 수를 요일별로 조사하여 표로 나타내었습니다. 물음에 답하시오.

요일별 아이스크림 판매량

요일	월	화	수	목	금	토	일	합계
판매량(개)	250	300	180	270	230	400	370	2000

천재교과서(박), 동아출판(박), 동아출판(안), 미래엔

17 표를 보고 그림그래프를 그릴 때 그림을 몇 가지로 나타내는 것이 좋습니까?

( )

10종 공통

18 표를 보고 그림그래프를 완성하시오.

요일별 아이스크림 판매량

요일	판매량
월	
화	
수	
목	
금	
토	
일	

◎ 100개
○ 10개

[19~20] 민영이네 학교 3학년 학생들이 가고 싶어 하는 현장 체험 학습 장소를 조사하여 그림그래프로 나타내었습니다. 물음에 답하시오.

가고 싶어 하는 현장 체험 학습 장소별 학생 수

장소	학생 수
박물관	☺ ☺ ☺ ☺ ☺
미술관	☺ ☺ ☺ ☺ ☺
놀이 동산	☺ ☺ ☺ ☺ ☺ ☺ ☺
동물원	☺ ☺ ☺ ☺ ☺ ☺

☺ 10명
☺ 1명

천재교과서(한), 금성출판사, 동아출판(안)

19 그림그래프를 보고 잘못된 설명을 찾아 바르게 고치시오.

- 박물관에 가고 싶어 하는 학생 수는 32명입니다.
- 미술관에 가고 싶어 하는 학생 수가 놀이 동산에 가고 싶어 하는 학생 수보다 많습니다.
- 가고 싶어 하는 학생 수가 30명보다 적은 장소는 박물관입니다.

바르게 고치기 _____

천재교과서(박), 대교, 동아출판(안), 미래엔, 비상교육, 와이비엠

20 민영이네 학교 3학년 학생들이 현장 체험 학습을 어디로 가면 좋을지 고르고, 그 까닭을 쓰시오.

장소 _____

까닭 _____

_____

6 자료의 정리(그림그래프)

[1~3] 슬기네 반 학생들이 좋아하는 음식을 조사하였습니다. 물음에 답하시오.

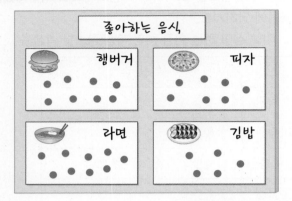

좋아하는 음식

햄버거 · · · · · · · · ·

피자 · · · · ·

라면 · · · · · · ·

김밥 · · · · ·

대교, 동아출판(박), 동아출판(안), 와이비엠

1 자료를 수집한 대상은 누구입니까?

( )

천재교과서(박), 천재교과서(한), 대교, 동아출판(박),
동아출판(안), 비상교육, 아이스크림 미디어

2 조사한 자료를 보고 표로 나타내시오.

학생들이 좋아하는 음식

음식	햄버거	피자	라면	김밥	합계
학생 수(명)					

대교, 아이스크림 미디어

3 표를 보고 알 수 있는 내용을 쓰시오.

_____

[4~7] 영준이네 반 학생들이 운동회에서 하고 싶은 경기를 조사하여 표로 나타내었습니다. 물음에 답하시오.

운동회에서 하고 싶은 경기

경기	달리기	줄다리기	피구	박터뜨리기	합계
남학생 수(명)	6		2	3	16
여학생 수(명)		2	6	2	14

와이비엠

4 빈칸에 알맞은 수를 써넣으시오.

대교

5 운동회에서 가장 많은 여학생이 하고 싶은 경기는 무엇입니까?

( )

대교, 와이비엠

6 운동회에서 가장 많은 남학생이 하고 싶은 경기부터 순서대로 쓰시오.

( )

와이비엠

7 운동회에서 가장 많은 학생이 하고 싶은 경기는 무엇입니까?

( )

[8~11] 솔이네 마을 과수원에서 올해 생산한 사과의 양을 조사하여 그림그래프로 나타내었습니다. 물음에 답하시오.

과수원별 사과 생산량

과수원	생산량
가	🍎🍎🍎🍎🍎🍎🍎🍎
나	🍎🍎🍎🍎🍎
다	🍎🍎🍎
라	🍎🍎🍎🍎🍎🍎🍎

🍎100상자
🍎10상자

천재교과서(박), 금성출판사, 동아출판(안), 비상교육, 와이비엠

8 어느 과수원의 사과 생산량이 가장 많습니까?

(   )

천재교과서(박)

9 사과 생산량이 가 과수원보다 적은 과수원을 모두 쓰시오.

(   )

금성출판사, 와이비엠

10 사과 생산량이 가장 많은 과수원과 가장 적은 과수원의 생산량의 차는 몇 상자입니까?

(   )

천재교과서(박)

11 그림그래프를 보고 잘못 설명한 문장을 찾아 바르게 고치시오.

> • 사과를 가장 적게 생산한 과수원은 나 과수원입니다.
> • 다 과수원에서 생산한 사과는 300 상자입니다.
> • 다 과수원에서는 가 과수원보다 사과를 200 상자 더 많이 생산했습니다.

바르게 고친 문장

[12~14] 어느 문구점에서 월별 공책 판매량을 조사하여 표로 나타내었습니다. 물음에 답하시오.

월별 공책 판매량

월	5월	6월	7월	8월	합계
판매량(권)	54		38	22	150

아이스크림 미디어

12 6월에는 공책이 몇 권 팔렸습니까?

(   )

10종 공통

13 표를 보고 그림그래프를 완성하시오.

월별 공책 판매량

월	판매량
5월	
6월	
7월	
8월	

◎10권
○ 1권

🖎 서술형·논술형 문제   천재교과서(박), 금성출판사

14 표와 그림그래프의 다른 점을 두 가지 쓰시오.

_____

_____

_____

[15~18] 어느 꽃 가게에서 일주일 동안 팔린 꽃의 수를 그림그래프로 나타내었습니다. 물음에 답하시오.

일주일 동안 팔린 꽃의 수

종류	꽃의 수
국화	🌻🌻🌻✿✿✿✿✿
장미	🌻🌻🌻✿✿
튤립	🌻✿✿✿✿✿✿✿
카네이션	🌻✿✿✿✿

🌻 100송이
✿ 10송이

천재교과서(한), 금성출판사, 동아출판(박), 동아출판(안)

15 일주일 동안 많이 팔린 꽃부터 순서대로 쓰시오.

( )

천재교과서(박), 대교, 동아출판(박), 동아출판(안)

16 팔린 국화와 튤립의 차는 몇 송이입니까?

( )

천재교과서(박)

17 팔린 꽃의 수가 튤립의 2배인 꽃은 무엇입니까?

( )

천재교과서(박), 천재교과서(한), 금성출판사, 비상교육, 와이비엠

18 내가 꽃 가게 주인이라면 다음 주에는 어떤 꽃을 어떻게 준비하면 좋은지 쓰시오.

_____

_____

[19~20] 주아와 유준이가 학생들이 좋아하는 악기를 조사하여 표로 나타내었습니다. 물음에 답하시오.

학생들이 좋아하는 악기

악기	피아노	바이올린	트럼펫	플루트	합계
학생 수(명)	48	37	19	26	130

천재교과서(박), 동아출판(박), 이이스크림 미디어, 와이비엠

19 주아는 조사한 표를 보고 그림그래프로 나타내려고 합니다. 그림그래프를 완성하시오.

학생들이 좋아하는 악기

악기	학생 수
피아노	
바이올린	
트럼펫	
플루트	

◎ 10명
○ 1명

천재교과서(박), 동아출판(박), 이이스크림 미디어, 와이비엠

20 유준이는 조사한 표를 보고 ◎는 10명, ●는 5명, ○는 1명으로 나타내려고 합니다. 그림그래프를 완성하시오.

학생들이 좋아하는 악기

악기	학생 수
피아노	
바이올린	
트럼펫	
플루트	

◎ 10명
● 5명
○ 1명

실패는 고통스럽다.
그러나 최선을 다하지 못했음을 깨닫는 것은
몇 배 더 고통스럽다.

Failure hurts, but realizing you didn't do your best
hurts even more.

앤드류 매슈스

살아가면서 실패는 누구나 겪는 감기몸살 같은 것이지만
최선을 다 하지 않은 것은 부끄러운 일이라고 합니다. 만약 최선을 다 하고도
실패했다면 좌절하지 마세요. 언젠가 값진 선물이 되어 다시 돌아올 테니까요.

검정 교과서
단원평가 자료집

정답과 풀이

천재교육

3-2

1. ❶ 우리 고장의 환경과 생활 모습

❶ 고장의 자연환경과 인문환경

단원평가　　　　　　　　　　　　　　2~3쪽

1 ⑤　　**2** ⑩ 논과 밭, 과수원, 공원 등 사람들이 고장의 자연환경을 이용해 만든 환경이다.　**3** ③　　**4** ①　　**5** ③
6 ③　　**7** (1) ○　　**8** ④　　**9** (2) ○　　**10** ①

1 우리 고장을 둘러싼 여러 가지 환경 중에서 산, 들, 하천, 바다와 같은 땅의 생김새와 날씨에 영향을 주는 비, 눈, 바람, 기온 등 자연 그대로의 환경을 자연환경이라고 합니다.

　　　⬆ 하천　　　　　　　　　⬆ 눈

2 인문환경은 인간이 자연환경을 이용해 만든 환경을 뜻합니다.

채점 기준

정답 키워드 사람 | 자연환경 | 이용 | 만들다	
'논과 밭, 과수원, 공원 등 사람들이 고장의 자연환경을 이용해 만든 환경이다.'라고 정확히 씀.	상
인문환경의 의미를 썼으나 구체적이지 않음.	하

3 사람들은 목적지까지 빠르고 편리하게 가기 위해 도로를 만듭니다.

4 항구는 배가 드나들 수 있도록 만든 시설입니다.

5 지구본은 지구를 본떠 만든 모형으로 우리 고장의 환경을 조사하는 데 적합하지 않습니다.

6 윤하네 고장 사람들은 산에 공원이나 등산로를 만들어 이용하고 있습니다.

7 준서의 누리 소통망을 보면 들에 논을 만들어 농사를 짓는다는 것을 알 수 있습니다.

8 눈은 겨울에 내립니다.

9 (1)은 얼음 썰매를 타는 모습으로 겨울과 관련 있는 생활 모습입니다.

10 가을철에는 단풍 구경, 벼 수확 등의 생활 모습을 볼 수 있습니다.

❷ 바다와 산을 이용해 살아가는 모습

단원평가　　　　　　　　　　　　　　4~5쪽

1 (2) ○　　**2** ③　　**3** ①, ③　　**4** ⑩ 잠수함을 타고 바닷속을 구경한 적이 있다. 갯벌에서 조개를 잡아 봤다.
5 바다　　**6** ①　　**7** ②　　**8** ②　　**9** ⑤
10 ㉠

1 바다와 모래사장이 있는 고장의 모습입니다.

2 민지네 고장은 바다가 있는 고장으로 ③ 스키장은 산이 많은 고장의 자연환경과 관련 있는 인문환경입니다.

（더 **알아보기**）
바다가 있는 고장의 환경
• 자연환경: 바다, 갯벌, 모래사장, 낮은 산, 좁은 들 등
• 인문환경: 항구, 등대, 양식장, 해수욕장, 수산물 직판장 등

3 바다가 있는 고장 사람들은 고기잡이, 해산물 따기, 김이나 미역 양식하기 등 주로 바다를 이용한 일을 하며 살아갑니다.

4 바다가 있는 고장에서는 갯벌에서 조개잡이, 수산 시장 구경하기, 잠수함 타기, 해수욕 즐기기 등의 경험을 할 수 있습니다.

채점 기준

정답 키워드 잠수함 | 갯벌	
'잠수함을 타고 바닷속을 구경한 적이 있다.', '갯벌에서 조개를 잡아 봤다.' 등 바다가 있는 고장에서의 경험을 알맞게 씀.	상
바다가 있는 고장에서의 경험을 썼으나 구체적이지 않음.	하

5 고기잡이, 배나 고기잡이 도구 고치기는 바다와 관련된 생활 모습입니다.

6 버섯이 잘 자라고 스키장이 있는 것으로 보아 아람이네 고장은 산이 많은 고장입니다.

7 산이 많은 고장에서는 추운 겨울에 스키장을 운영하기도 합니다.

8 산이 많은 고장에서는 높은 산, 가축을 키우는 목장, 스키장 등을 볼 수 있습니다.

9 산이 많은 고장에서는 약초 캐기, 버섯 재배하기, 목재 얻기 등의 일을 합니다.

10 산에는 농사지을 수 있는 땅이 부족하기 때문에 경사지를 계단처럼 만들어 농사를 짓습니다.

❸ 들을 이용해 살아가는 모습과 여가 생활 모습

단원평가   6~7쪽

1 ㉠, ㉡   **2** 지우   **3** ⑤   **4** ①   **5** ㉡
6 ⑤   **7** (2) ○   **8** (1) 바다가 있는 고장 (2) 예 해양
생물 과학관과 해수욕장은 바다가 있는 고장에서 볼 수 있는
환경이기 때문이다.   **9** (1) ㉡ (2) ㉢ (3) ㉠   **10** ②

1 넓은 들에 강이 흐르는 고장의 모습입니다.

2 갯벌은 바다가 있는 고장에서 볼 수 있는 자연환경입니다.

3 넓은 들이 있는 고장 사람들은 주로 들에 논과 밭을 만들어 농사를 지으며 살아갑니다.

> **더 알아보기**
> **넓은 들이 있는 고장 사람들이 하는 일**
> • 축사를 만들어 가축을 기릅니다.
> • 밭에서 여러 가지 채소를 재배합니다.
> • 농기구를 팔거나 수리하는 일을 합니다.
> • 논에서 농기계를 이용하여 벼농사를 합니다.
> • 농업 기술을 연구하고 농민들에게 알려 주는 일을 합니다.

4 축사는 가축을 기르는 건물입니다.

5 도시에서는 높고 빽빽한 건물들, 잘 발달된 도로를 볼 수 있습니다. ㉠은 산이 많은 고장의 모습입니다.

6 도시에서는 주로 인문환경을 이용한 일을 합니다.

7 도시에서는 자연에서 필요한 것을 직접 얻는 것보다 인문환경을 이용한 생산 활동을 합니다.

8 사람들은 주로 살고 있는 고장의 환경을 이용해 여가 생활을 하지만, 다른 고장에 가서 그 고장의 환경을 이용해 여가 생활을 하기도 합니다.

	채점 기준	
(1)	'바다가 있는 고장'이라고 정확히 씀.	
(2)	**정답 키워드** 해양 생물 과학관 | 해수욕장 | 바다 '해양 생물 과학관과 해수욕장은 바다가 있는 고장에서 볼 수 있는 환경이기 때문이다.'라는 내용을 정확히 씀.	상
	바다가 있는 고장이라고 생각하는 까닭을 썼으나 구체적이지 않음.	하

9 사람들은 산에서 등산을 하거나 강에서 래프팅을 하고, 바다에서 서핑을 하기도 합니다.

10 사람들은 영화관에서 영화 보기, 공원에서 산책하기 등 인문환경을 이용해 다양한 여가 생활을 합니다.

---

1. ❷ 환경에 따른 의식주 생활 모습

❶ 의식주의 의미와 다양한 의생활 모습

단원평가   8~9쪽

1 주생활   **2** 예 옷   **3** 예 더위와 추위를 피하기 위해서이다. 안전하게 쉬기 위해서이다.   **4** ❶ 계절 ❷ 봄
5 ②   **6** ㉡   **7** (1) ○ (2) ○   **8** ㉠
9 ⑤   **10** ①

1 주생활은 아파트와 한옥과 같이 사람들이 머물고 쉬며 잠을 자는 것과 관련된 것입니다.

2 옷이 있어서 피부를 보호할 수 있고, 몸의 온도를 유지할 수 있습니다.

3 집이 없다면 더위와 추위를 견디기 어렵고, 안전하게 쉬기 어려울 것입니다.

	채점 기준	
	정답 키워드 더위 | 추위 | 안전	
	'더위와 추위를 피하기 위해서이다.', '안전하게 쉬기 위해서이다.' 등의 내용을 정확히 씀.	상
	주(집)의 필요성을 썼으나 구체적이지 않음.	하

4 계절에 따라 옷차림이 달라지므로 날씨가 따뜻한 봄에는 얇은 옷을 입거나 가벼운 외투를 걸칩니다.

5 무더운 여름에는 바람이 잘 통하는 반팔 옷과 반바지를 입고, 햇볕을 막으려고 모자를 쓰기도 합니다.

6 높은 산지에 있는 평창은 9월에 서늘하여 긴팔 옷을 입고, 남쪽 끝에 위치한 제주도는 9월에 따뜻하여 반팔 옷을 입습니다. 이처럼 고장의 환경에 따라 옷차림이 달라집니다.

7 덥고 습한 고장에서는 바람이 잘 통하는 가벼운 옷을 입고 햇볕과 비를 피하기 위해 모자를 씁니다.

8 낮과 밤의 온도 차가 큰 고장에서는 낮의 햇볕을 가리기 위해 챙이 넓은 모자를 쓰고, 밤의 추위를 피하기 위해 쉽게 덧입을 수 있는 옷을 걸칩니다.

> **왜 틀렸을까?**
> ㉡은 춥고 눈이 많이 오는 고장의 의생활 모습입니다. 몸을 보호하기 위해 동물의 털과 가죽으로 만든 두꺼운 옷을 입습니다.

9 모래바람과 햇볕을 막으려고 위아래가 하나로 된 긴 옷을 입고, 천을 머리에 두릅니다.

10 고장마다 옷을 만드는 재료가 다릅니다.

❷ 다양한 식생활 모습과 주생활 모습

1 재첩국   **2** ❶ 환경 ❷ 들   **3** 민정   **4** ①
5 (2) ○   **6** ⑤   **7** ㉠   **8** ④   **9** ④
10 예 주변에서 흙을 쉽게 구할 수 있기 때문이다. 흙집이 한 낮의 햇볕을 막아 주고 저녁에는 열을 품어 따뜻하기 때문이다.

1 하동은 근처 강에서 잡은 조개로 만든 재첩국이 유명합니다.

2 고장마다 환경이 다르고, 그에 따라 고장에서 나는 음식 재료들도 다릅니다. 전주는 넓은 들에서 자란 쌀과 채소로 만든 비빔밥이 유명합니다.

3 고장의 환경에 따라 고장에서 쉽게 구할 수 있는 음식 재료가 다르기 때문에 고장마다 사람들의 식생활 모습이 다릅니다.

4 추운 고장인 러시아는 추운 곳에서도 잘 자라는 호밀로 만든 호밀빵을 즐겨 먹습니다.

5 덥고 습한 고장에서는 주변에서 쉽게 구할 수 있는 열대 과일이나 쌀을 이용한 음식, 기름이나 향신료를 넣어 만든 음식이 발달했습니다.

6 땅의 생김새, 날씨 등 고장의 환경에 따라 집을 짓는 데 사용하는 재료나 집을 짓는 방식이 다양합니다.

7 제주도에서는 주위에서 쉽게 구할 수 있는 새로 지붕을 덮고 지붕이 날아가지 않도록 묶어 두었으며, 돌로 담을 쌓아 바람을 막았습니다.

8 나무를 쉽게 구할 수 있는 고장에서는 나무를 잘라 만든 너와집을 지었습니다.

9 눈과 얼음으로 덮인 추운 고장에서는 사냥을 나왔을 때 추위를 피하려고 눈과 얼음으로 이글루를 지었습니다.

10 사막이 있고 건조한 고장에서는 나무가 잘 자라지 않아 쉽게 구할 수 있는 흙으로 집을 짓습니다.

채점 기준

정답 키워드 흙 | 햇볕 | 열	
'주변에서 흙을 쉽게 구할 수 있기 때문이다.', '흙집이 한 낮의 햇볕을 막아 주고 저녁에는 열을 품어 따뜻하기 때문이다.' 등의 내용을 정확히 씀.	상
사우디아라비아에서 흙집을 짓는 까닭을 썼으나 구체적이지 않음.	하

2. ❶ 옛날과 오늘날의 생활 모습

❶ 옛날 사람들의 생활 모습

1 ❶ 돌 ❷ 깨뜨려   **2** ①, ⑤   **3** ①   **4** (1) ㉡
(2) ㉠   **5** (2) ○   **6** 예 곡식의 껍질을 벗기고 가루로 만드는 데 사용했다.   **7** ④   **8** ①   **9** 유현
10 ㉠

1 옛날 사람들은 돌을 깨뜨려 만든 주먹 도끼로 사냥을 하거나 음식을 손질하는 등 다양한 일을 했습니다.

2 돌을 깨뜨려 만든 도구를 사용한 시대의 사람들은 동굴이나 바위 그늘에서 생활하며 사냥을 하거나 열매를 따 먹었습니다.

3 빗살무늬 토기는 곡식이나 음식을 담는 데 사용되었습니다.

4 가락바퀴는 식물의 줄기를 꼬아 실을 뽑는 데 사용했던 도구이고, 비파형 동검은 제사장이 제사를 지낼 때나 전쟁에서 무기로 사용했던 도구입니다.

5 돌을 갈아서 만든 도구를 사용한 시대에는 주로 강가나 바닷가에 모여 살면서 강이나 바닷가에서 먹을거리를 얻었습니다.

6 갈돌과 갈판은 음식의 재료를 가는 데 사용했던 도구입니다.

채점 기준

정답 키워드 껍질 | 벗기다 | 가루	
'곡식의 껍질을 벗기고 가루로 만드는 데 사용했다.' 등의 내용을 정확히 씀.	상
갈돌과 갈판의 쓰임새를 썼으나 구체적이지 않음.	하

7 옛날 사람들은 반달 돌칼을 이용해 곡식을 수확했습니다.

8 농경문 청동기를 보면 당시의 생활 모습을 파악할 수 있습니다.

9 철로 만든 도구를 사용한 시대의 사람들은 일상생활에서도 청동보나 훨씬 단단한 철을 널리 사용했습니다.

10 철로 만든 농사 도구를 사용하면서 더 많은 양의 곡식을 수확할 수 있게 되어 농업이 크게 발달하게 되었습니다.

② 생활 도구의 변화로 달라진 생활 모습

단원평가 14~15쪽

1 ②	2 ①	3 예 곡식 등을 위아래로 흔들어 티끌을 골라낼 때 사용했다.
	4 (2) ○	5 ② 6 ㉠
7 ④	8 ②, ⑤	9 ② 10 준열

1 땅을 가는 도구에는 괭이, 쟁기, 트랙터 등이 있습니다. 낫, 탈곡기, 반달 돌칼은 곡식을 수확하는 도구입니다.

2 키는 곡식 등을 위아래로 흔들어 쭉정이나 티끌을 골라낼 때 사용했던 농사 도구입니다.

> **왜 틀렸을까?**
> ② 농작물 등의 짐을 얹어 사람이 등에 지고 옮길 때 쓰는 농사 도구입니다.
> ③ 바닥의 구멍에서 올라오는 뜨거운 김으로 음식을 요리할 때 쓰는 도구입니다.
> ④ 솜이나 털 등에서 실을 뽑아내는 도구입니다.
> ⑤ 곡식의 낟알을 떨어내는 데 쓰는 농사 도구입니다.

3 키에 곡식을 담고 위아래나 양옆으로 흔들어 주면 가벼운 쭉정이는 바람에 날아가거나 앞에 남고, 무거운 것은 뒤로 모여 따로 구분할 수 있습니다.

> **채점 기준**
>
> | **정답 키워드** 곡식 \| 티끌 \| 골라내다 | |
> |---|---|
> | '곡식 등을 위아래로 흔들어 티끌을 골라낼 때 사용했다.' 등의 내용을 정확히 씀. | 상 |
> | 옛날 사람들이 키를 어떻게 사용했는지 썼으나 구체적이지 않음. | 하 |

4 지게는 사람의 힘으로 나를 수 있는 물건을 운반할 때 사용되었던 옛날의 대표적인 운반 도구로, 어느 곳에서나 두루 사용되는 농사 도구였습니다.

5 ㉠은 토기, ㉡은 가마솥에 대한 설명입니다.

6 가락바퀴는 실을 만들 때 이용했던 도구입니다.

7 오늘날에는 전기밥솥의 발달로 불을 피우지 않고도 편리하게 밥을 지을 수 있게 되었습니다.

8 재봉틀은 옷감을 꿰매는 도구, 갈돌과 갈판은 음식 재료를 가는 도구입니다.

9 옷을 만드는 도구의 발달로 다양한 옷을 빠르고 쉽게 만들 수 있게 되었습니다.

10 오늘날에는 입을 수 있는 옷의 종류가 다양해졌고, 필요한 옷을 쉽게 구할 수 있습니다.

③ 집의 변화로 달라진 생활 모습

단원평가 16~17쪽

1 ④	2 ④	3 ②, ③	4 ㉠	5 ㉡
6 ②	7 ①, ⑤	8 ②, ⑤	9 대청마루	
10 예 방 안을 데워 추운 겨울을 따뜻하게 보냈다.				

1 옛날 사람들은 동굴과 바위 그늘에서 생활하며 추위와 더위를 피하고, 동물의 공격을 피했습니다.

2 움집은 땅을 파서 기둥을 세우고, 풀과 짚으로 지붕을 덮어 만든 집입니다.

3 집의 모습은 동굴이나 바위 그늘에서 움집, 초가집과 기와집, 아파트 등의 형태로 발달해 왔습니다.

4 움집에 살던 사람들은 하나의 방에서 음식을 만들고, 잠을 자며 생활 도구를 손질했습니다.

5 기와집은 여자들이 생활했던 안채와 남자들이 글공부를 하거나 손님을 맞이했던 사랑채 등으로 구성되어 있습니다.

6 초가집은 볏짚으로 지붕을 덮고, 나무와 흙을 이용해 만든 집입니다.

7 오늘날의 집은 아파트, 단독 주택, 연립 주택 등 다양한 형태가 있습니다.

8 오늘날의 집은 거실과 주방이 연결되어 있고, 화장실이 집 안에 있어 하나의 공간에서 다양한 생활을 할 수 있습니다.

> **왜 틀렸을까?**
> ②는 가축을 키우고 작물이나 연장을 보관하는 데 쓰이는 공간입니다.

9 대청마루는 한옥에서 방과 방 사이에 있는 나무 마루로, 앞뒤 마당과 트여 있어 시원한 바람이 잘 통했습니다.

10 아궁이에 불을 피우면 방바닥 아래에 깔아 놓은 돌들이 데워지고, 이 돌들이 식지 않고 방을 따뜻하게 만들어 주었습니다.

> **채점 기준**
>
> | **정답 키워드** 데우다 \| 겨울 \| 따뜻하게 | |
> |---|---|
> | '방 안을 데워 추운 겨울을 따뜻하게 보냈다.' 등의 내용을 정확히 씀. | 상 |
> | 온돌을 통해 알 수 있는 조상들의 생활 모습을 썼으나 구체적이지 않음. | 하 |

2. ② 옛날과 오늘날의 세시 풍속

① 옛날의 세시 풍속

단원평가 18~19쪽

1 세시 풍속 **2** ③ **3** 정월 대보름 **4** 예 추석에 차례를 지냈다. 추석에 강강술래, 줄다리기 등을 했다.
5 ④ **6** ①, ③ **7** ② **8** (1) ⓒ (2) ⓛ (3) ㉠
9 ④ **10** ⑪, ⓒ, ㉠, ㉣, ⓛ

1 풍속은 옛날부터 전해 내려오는 생활 습관을 의미합니다.

2 옛날부터 일정한 시기에 되풀이하여 행해 온 고유의 생활 모습을 세시 풍속이라 합니다. 친구들과 외식하는 것은 고유의 생활 모습이라 보기 어렵습니다.

3 정월 대보름에는 오곡밥과 나물을 먹었습니다.

4 추석에는 풍요와 건강을 기원하며 차례와 성묘를 지냈습니다. 마을 사람들과 함께 강강술래와 줄다리기를 하기도 했습니다.

채점 기준

정답 키워드 추석 | 차례	
'추석에 차례를 지냈다.' 등의 내용을 정확히 씀.	상
추석의 세시 풍속을 썼으나 구체적이지 않음.	하

5 농사를 시작하는 삼짇날에는 진달래꽃으로 화전을 만들어 먹고 버드나무로 피리를 만들어 불었습니다.

6 여름철 가장 더운 시기를 세 개로 나눈 것을 삼복이라 하는데, 이때 물놀이를 하고 삼계탕과 육개장 같은 영양이 풍부한 음식을 먹었습니다.

7 농사일이 끝나고 먹을거리가 많아 '가장 좋은 달'이라는 뜻에서 상달이라 불렸습니다.

8 토란국은 추석, 육개장은 삼복, 수리취떡은 단오와 관련 있습니다. 단오에는 더운 여름을 시원하게 지내라는 의미에서 부채를 주고받았습니다. 삼복에는 더위를 이겨 내기 위해 영양이 풍부한 음식을 먹었습니다. 추석에는 수확에 감사하는 마음으로 차례를 지냈습니다.

9 음력 9월 9일인 중양절이 되면 사람들은 단풍이 들고 향기로운 국화꽃이 핀 산으로 나들이를 갔습니다.

10 중양절은 수확을 마무리하는 시기로 음력 9월 9일입니다. 동지는 양력 12월 22일경입니다.

② 옛날과 오늘날의 세시 풍속 비교

단원평가 20~21쪽

1 ①, ⑤ **2** ① **3** ② **4** (2) ○ **5** 예 농사와 관련된 세시 풍속이다. 농사가 잘되기를 바라는 마음에서 즐겼던 풍속이다. **6** ④ **7** 직업 **8** ②
9 예 옛날에는 마을 사람들과 윷놀이를 하며 마을의 평안과 풍년을 기원했다. 옛날에는 윷놀이로 한 해의 운세를 점치기도 했다. **10** ②, ③

1 예로부터 추석에는 송편과 토란국을 먹고 수확한 곡식으로 조상들께 차례를 지냈습니다.

2 옛날에는 오늘날보다 다양한 세시 풍속이 있었습니다.

3 겨울에는 보름달을 보며 새해에도 풍년이 들기를 바라고 소원을 빌었습니다.

4 통신, 과학 기술의 발달로 농사를 짓는 사람들이 많이 줄면서 농사와 관련된 세시 풍속도 많이 사라졌습니다.

5 볏가릿대 세우기는 정월 대보름에 곡식을 한지나 헝겊에 싸서 높이 매다는 풍속이고, 거북놀이는 추석에 거북 모양을 만들어 집집마다 찾아다니는 풍속입니다.

채점 기준

정답 키워드 농사 | 잘되다	
'농사가 잘되기를 바라는 마음에서 즐겼던 풍속이다.' 등의 내용을 정확히 씀.	상
볏가릿대 세우기와 거북놀이의 공통점을 썼으나 구체적이지 않음.	하

6 오늘날에는 큰 명절을 중심으로만 세시 풍속이 이어져 내려옵니다.

7 오늘날에는 옛날보다 날씨와 계절의 영향을 적게 받기 때문에 세시 풍속이 변화하기도 했습니다.

8 오늘날에는 사람들의 직업이 다양해지면서 농사와 관련된 세시 풍속은 점점 변화하거나 사라지고 있습니다.

9 오늘날에는 가족들과 재미를 위해 윷놀이를 합니다.

채점 기준

정답 키워드 풍년 | 운세 | 점치다	
'윷놀이를 하며 풍년을 기원했다.', '윷놀이로 한 해의 운세를 점치기도 했다.' 등의 내용을 정확히 씀.	상
옛날 윷놀이의 특징을 썼으나 구체적이지 않음.	하

10 윷놀이는 네 개의 윷말이 먼저 출발지로 들어오는 편이 이기는 놀이입니다.

3. ❶ 가족의 구성과 역할 변화

❶ 옛날과 오늘날의 혼인 풍습

단원평가 22~23쪽

1 ㉠ **2** ㉢, ㉠, ㉣, ㉡ **3** ⑤ **4** ④, ⑤
5 밤과 대추 **6** ⑤ **7** ⑩ 외국 문화의 영향을 받았기 때문이다. 사회와 사람들의 생활 모습이 변화했기 때문이다. **8** (2) ○ **9** ④ **10** (1) ○

1 오늘날에도 옛날 방식을 따라 전통 혼례를 올리는 경우도 있습니다.

2 옛날 사람들은 혼인을 통해 가족과 가족이 관계를 맺는다고 생각했습니다.

3 옛날에는 신랑이 신부에게 나무 기러기를 건네주며 혼례가 시작되었습니다.

4 오늘날의 결혼식 모습은 정해져 있지 않고 다양합니다.

5 폐백에서 대추와 밤을 던져 주는 까닭은 자식을 많이 낳고 부자가 되라는 뜻입니다.

> **왜 틀렸을까?**
> • 팥죽: 주로 동지에 나쁜 기운을 쫓는 의미로 먹는 음식입니다.
> • 떡국: 주로 한 해가 새로 시작되는 설날에 먹는 음식입니다.

6 오늘날에도 전통 양식을 따라 폐백을 드리는 등 옛날의 혼인 풍습과 문화가 완전히 사라진 것은 아닙니다.

7 오늘날에는 온라인 결혼식, 작은 결혼식 등과 같이 결혼식의 형태와 모습이 다양합니다.

> **채점 기준**
>
> | 정답 키워드 외국 문화 │ 생활 모습 │ 변화 | |
> |---|---|
> | '외국 문화의 영향을 받았기 때문이다.', '사회와 사람들의 생활 모습이 변화했기 때문이다.' 등의 내용을 정확히 씀. | 상 |
> | 옛날과 오늘날의 혼인 풍습이 달라진 까닭에 대해 썼으나 구체적이지 않음. | 하 |

8 오늘날에는 주로 턱시도와 웨딩드레스를 입고 결혼을 합니다.

9 결혼식을 통해 두 사람의 결혼을 알리고 새로운 가족이 만들어지는 것은 변하지 않았습니다.

10 혼례상에 올리는 것들은 모두 신랑과 신부의 행복한 앞날을 바라는 의미를 담고 있습니다.

❷ 옛날과 오늘날 가족의 형태와 변화

단원평가 24~25쪽

1 확대 가족 **2** ④ **3** ⑩ 옛날에는 주로 농사를 지으면서 생활했기 때문에 일손이 많이 필요하여 가족들이 모여 살았다. **4** ①, ③ **5** ③
6 1인 가구 **7** (1) ○ **8** 효경 **9** ③ **10** 오늘날

1 그림 속에 조부모님, 부모님이 있는 것을 통해 확대 가족임을 알 수 있습니다.

2 확대 가족은 가족 구성원의 수와 관계없이 결혼한 자녀와 부모가 함께 사는 가족을 뜻합니다.

3 옛날에는 일손이 많이 필요했기 때문에 자녀들이 결혼하고 자식을 낳은 후에도 부모님을 도와 농사를 지으며 함께 살았습니다.

> **채점 기준**
>
> | 정답 키워드 농사 │ 일손 | |
> |---|---|
> | '옛날에는 주로 농사를 지으면서 생활했기 때문에 일손이 많이 필요하여 가족들이 모여 살았다.' 등의 내용을 정확히 씀. | 상 |
> | 옛날에 확대 가족이 많았던 까닭에 대해 썼으나 구체적이지 않음. | 하 |

4 두 가족의 형태는 모두 핵가족입니다.

5 오늘날에는 다양한 이유로 가족이 도시로 이동하면서 핵가족이 많아졌습니다.

6 오늘날에는 혼자 사는 사람들이 많아지면서 사회 모습도 변화했습니다.

> **더 알아보기**
>
> **1인 가구의 증가**
> • 다른 가족 없이 혼자 사는 사람들을 1인 가구라고 합니다.
> • 오늘날에는 도시에 직장을 구하여 가족과 떨어져 살거나, 다양한 이유로 혼자 사는 사람들이 많아지고 있습니다.
> • 혼자 사는 사람들을 위한 음식이나 취미 생활, 의료나 돌봄 서비스가 늘어나는 등 사회 모습도 변화하고 있습니다.

7 (2), (3)은 오늘날 가족 구성원의 역할입니다.

8 옛날에 여자들은 교육 받을 기회가 적었고 주로 청소나 요리, 바느질 등을 배웠습니다.

9 오늘날에는 가족 내에서 성별과 나이에 따른 역할 구분이 없어지고 있습니다.

10 오늘날 집안의 중요한 일을 결정할 때는 가족 구성원이 모두 함께 의논합니다.

❸ 가족 구성원의 역할 변화와 바람직한 역할

1 성준   **2** (2) ○   **3** ⑤   **4** (1) ○   **5** (1) ○
6 ④   **7** ②   **8** 역할   **9** 예 방 청소나 숙제를 미루지 않기, 빨래 널기나 신발 정리 등 집안일을 돕기
10 ①

1 전통적인 남녀의 역할 구분에서 벗어나 가족 구성원이 모두 동등하게 명절에 할 일을 나누어 하자는 것이 캠페인의 목적입니다.

2 오늘날에는 성별과 관계없이 같은 교육을 받습니다.

3 오늘날에는 여성의 사회 진출이 활발해졌습니다.

4 오늘날에는 옛날처럼 남녀의 역할이 구분되어 있지 않아 육아 휴직을 하고 아이를 돌보거나 집안일을 하는 아빠들도 많아졌습니다.

> **➕ 알아보기**
> **육아 휴직 제도**
> • 자녀 양육을 위해 일을 잠시 쉬면서 집에서 아이를 돌볼 수 있게 하는 제도를 '육아 휴직'이라고 합니다.
> • 오늘날에는 맞벌이 가정이 늘어나면서 가족의 상황에 따라 육아 휴직을 하는 아빠들도 많아졌습니다.

5 엄마는 영희의 약속보다 가족 모임을 더 중요하게 여기셔서 엄마와 영희 사이에 갈등이 발생했습니다.

6 가족 구성원 사이의 갈등을 피하지 않고 대화를 통해 갈등 상황을 해결해야 합니다.

7 가장 먼저 역할극으로 표현할 주제를 정하고 역할극을 만들어야 합니다.

8 행복한 가족생활을 위해서는 가족 구성원으로서 나의 역할을 알고 실천하는 자세가 필요합니다.

9 방 청소, 분리배출, 신발 정리 등 내가 할 수 있는 일을 스스로 찾아 꾸준히 실천하는 태도가 중요합니다.

> **채점 기준**
>
> | 정답 키워드 집안일 \| 돕는다 | |
> |---|---|
> | '방 청소나 숙제를 미루지 않기', '빨래 널기나 신발 정리 등 집안일을 돕기' 등의 내용을 정확히 씀. | 상 |
> | 행복한 가족생활을 위해 내가 할 수 있는 나의 역할에 대해 썼으나 구체적이지 않음. | 하 |

10 가족 구성원끼리 서로의 입장을 생각하며 대화하고, 서로를 배려하는 태도가 필요합니다.

3. ❷ 다양한 가족이 살아가는 모습

❶ 다양한 가족의 형태

1 ③   **2** ④   **3** ①   **4** (2) ○   **5** ㉢
6 ㉡   **7** (2) ○   **8** ③   **9** 예 엄마와 아빠가 따로 생활하고 있다. 서로를 아끼고 사랑한다.   **10** 예리

1 할머니, 할아버지가 손주와 함께 사는 가족을 조손 가족이라고 합니다. 다양한 이유로 자녀가 부모와 함께 살지 못하는 경우 조부모가 손주를 돌볼 수 있습니다.

2 부모 중 한 사람이 자녀와 함께 사는 가족을 한 부모 가족이라고 합니다. 이혼, 별거, 사별 등의 이유로 한 부모 가족이 생깁니다.

3 1950년 6·25 전쟁 때 헤어진 가족을 이산가족이라고 합니다. 이러한 이산가족들은 오늘날에도 여전히 서로를 그리워하고 있습니다.

4 다른 나라 사람과 우리나라 사람의 결혼으로 만들어진 가족을 다문화 가족이라고 합니다. 다문화 가족은 서로 다른 문화와 말을 이해하고 배우며 자랄 수 있습니다.

5 맞벌이 부부의 경우 결혼 후에도 부모님 집 근처에 살면서 일하는 동안 조부모가 손주를 돌보기도 합니다.

> **왜 틀렸을까?**
> ㉠ 최근 입양에 대해 긍정적으로 생각하는 사람이 많아져 입양 가족이 늘어나고 있습니다.
> ㉡ 행복을 위한 개인의 선택을 존중하여 재혼 가족이 늘어나고 있습니다.

6 다시 결혼을 했다는 부분에서 가족 형태가 재혼 가족으로 바뀌었음을 알 수 있습니다. 재혼 가족의 경우 자녀에게 새어머니, 새아버지, 새로운 형제자매 등이 생기기도 합니다.

7 오늘날에는 사회가 변화하면서 다양한 형태의 가족이 늘어나고 있습니다. 사회가 변화하면서 사람들의 생각도 변화하기 때문입니다.

8 부모님 중 한 분이 외국인인 다문화 가족도 있습니다. 경제·사회·문화 등 여러 분야에서 다양한 나라의 문화를 가진 사람들이 활동하게 되면서 국적이 다른 사람들과 가족을 이루기도 합니다.

9 서로 아끼고 사랑하는 모습은 어떤 형태의 가족이든 변하지 않습니다. 여러 가지 이유로 부부가 따로 살게 되는 경우도 있습니다.

채점 기준	
정답 키워드 따로 | 사랑	
'엄마와 아빠가 따로 생활하고 있다.', '서로를 아끼고 사랑한다.' 등의 내용을 정확히 씀.	상
민우네 가족의 특징을 썼으나 구체적이지 않음.	하

10 가족의 형태에 따라 가족이 살아가는 모습은 다르지만, 가족이 서로를 아끼고 사랑하며 살아가는 모습은 변하지 않습니다.

❷ 다양한 가족의 생활 모습을 존중하는 태도

단원평가
30~32쪽

1 ㉠ **2** (1) ○ **3** ⓔ 특별한 사례를 소개하는 자료가 많다. **4** 한서 **5** ③ **6** 한 부모 가족 **7** ④ **8** ㉡ **9** ④ **10** ④ **11** (1) 영진 (2) ⓔ 달걀말이를 그렇게 만들 수도 있구나. 가족마다 달걀말이를 만드는 방법이 다양하구나. **12** ② **13** 선미 **14** ㉡ **15** ⑤

1 도서 자료나 뉴스·신문 기사, 영상 자료에서 다양한 가족의 생활 모습을 찾아볼 수 있습니다.

2 김□□ 씨 부부는 입양 가족으로, 모든 아이들을 사랑으로 보살피고 있습니다.

3 함께 생각해 볼 만한 가족들의 사례가 신문 기사에 담겨 있습니다.

채점 기준	
정답 키워드 특별한 | 사례 | 많다	
'특별한 사례를 소개하는 자료가 많다.' 등의 내용을 정확히 씀.	상
다양한 가족의 생활 모습을 신문 기사에서 찾아보면 좋은 점을 썼으나 구체적이지 않음.	하

4 다양한 가족의 형태를 불쌍하거나 이상하게 생각하지 않고 존중합니다.

5 독일인 아버지와 한국인 어머니 사이에서 태어난 한△△ 학생은 다문화 가정에서 자라 독일어, 한국어, 영어까지 3개 국어를 할 수 있습니다.

6 엄마, 지유로 구성된 한 부모 가족입니다.

❓ 더 알아보기

가족 정원 만드는 방법
- 준비물: 도화지 여러 장, 연필, 색연필, 사인펜, 가위, 풀 등
- 순서
  ① 모둠 구성원 각자 어떤 가족 나무를 만들지 이야기합니다.
  ② 도화지에 가족 구성원의 얼굴을 그리고 그 아래에 나와의 관계를 써서 나무에 붙여 가족 나무를 만듭니다.
  ③ 큰 도화지에 모둠 구성원의 가족 나무를 붙이고 꾸며 가족 정원을 완성하고 소개해 봅니다.

7 모둠 친구들 모두가 역할극에 참여하여 다양한 가족의 형태와 생활 모습을 존중하는 모습을 표현합니다.

8 만화 속에는 한 부모 가족의 생활 모습이 표현되어 있습니다.

9 자신의 모습을 표현하는 것으로는 다양한 가족의 생활 모습을 표현할 수 없습니다.

10 수미네 가족은 아버지가 일본 사람인 다문화 가족입니다.

11 다른 가족의 생활 모습을 이해하고 존중해야 합니다.

채점 기준	
정답 키워드 달걀말이 | 방법 | 다양한	
'달걀말이를 그렇게 만들 수도 있구나.', '가족마다 달걀말이를 만드는 방법이 다양하구나.' 등의 내용을 정확히 씀.	상
다양한 가족의 생활 모습을 존중하는 말을 썼으나 구체적이지 않음.	하

12 가족 안에서 규칙과 예절을 배울 수 있고, 가족의 형태나 생활 모습과 관계없이 가족 구성원은 서로 존중하고 사랑합니다.

13 사회가 변화하며 가족의 형태와 생활 모습은 달라지므로 서로 다른 가족들을 이해하고 존중해야 합니다.

14 다양한 가족들을 존중하려면 다른 가족의 좋은 점을 찾고, 다른 가족이 어려울 때 도우며, 다른 가족과 우리 가족을 비교하지 않습니다.

15 소라와 서진이 모두 가족 구성원과 함께 어울려 살며 가족을 아끼고 사랑합니다.

❓ 왜 틀렸을까?

① 서진이의 아빠는 나이지리아 사람입니다.
② 서진이네 가족은 모두 키가 큽니다.
③ 소라네 가족은 사이좋게 함께 어울려 삽니다.
④ 소라네 가족 구성원들은 김밥의 다양한 재료처럼 성격이 다릅니다.

2. 동물의 생활

① 주변에서 사는 동물 / 동물의 분류

단원평가　34~35쪽

1 (1) ⓒ (2) ⓛ (3) ⓙ　　**2** ④　　**3** ①, ③
4 ②　**5** 개미　**6** (1) 거미 (2) ⓔ 다리가 네 쌍이다.
거미줄에 매달려 있다. 몸이 머리가슴과 배로 구분된다. 등
7 토끼　**8** ②　**9** (1) 붕어, 다슬기 (2) 고양이, 나비
10 대한

1 개와 고양이는 집 주변에서, 금붕어는 연못에서, 까치와 참새는 나무 위에서 주로 볼 수 있습니다.

2 달팽이는 주로 화단에서 볼 수 있는 동물로, 더듬이가 있고 미끄러지듯이 움직입니다.

3 개구리는 올챙이 때에는 꼬리가 있고 물속에서 살지만, 개구리가 되면 물과 땅을 오가며 삽니다.

4 참새는 몸이 깃털로 덮여 있습니다.

5 개미는 몸이 머리, 가슴, 배의 세 부분으로 구분되며, 공벌레는 몸이 여러 개의 마디로 되어 있습니다.

6 거미는 화단에서 볼 수 있고, 소금쟁이는 물웅덩이에서 볼 수 있습니다.

채점 기준

(1)	'거미'를 정확히 씀.	
(2)	**정답 키워드** 다리 네 쌍 | 거미줄 | 머리가슴과 배 등 '다리가 네 쌍이다.', '거미줄에 매달려 있다', '몸이 머리가슴과 배로 구분된다.' 등의 내용 중 한 가지를 정확히 씀.	상
	거미의 특징을 썼지만 표현이 부족함.	중

7 토끼는 날개가 없는 동물입니다.

8 참새, 나비, 거미는 다리가 있는 동물이고, 뱀, 달팽이, 금붕어는 다리가 없는 동물입니다.

9 붕어와 다슬기는 물속에서 살 수 있는 동물이고, 고양이와 나비는 물속에서 살 수 없는 동물입니다.

　▲ 붕어　　▲ 다슬기　　▲ 고양이　　▲ 나비

10 '크다', '작다'는 분류하는 사람마다 기준이 다를 수 있으므로 분류 기준으로 알맞지 않습니다.

② 땅에서 사는 동물

단원평가　36~37쪽

1 (1) ⓛ (2) ⓙ (3) ⓒ　　**2** ③　　**3** ②
4 (1) 땅 위 (2) ⓔ 걷거나 뛰어서 이동한다. 다리가 두 쌍이 있다. 몸이 털로 덮여 있다. 등　　**5** ⓙ　　**6** ①, ④
7 ⓙ　　**8** ⓛ　　**9** (1) 개미, 두더지 (2) 달팽이, 지렁이
10 ⓔ 다리가 있는 동물은 걷거나 뛰어서 이동하고, 다리가 없는 동물은 기어서 이동한다.

1 두더지는 땅속, 다람쥐는 땅 위, 개미는 땅 위와 땅속을 오가며 사는 동물입니다.

2 공벌레는 건드리면 몸을 공처럼 둥글게 만듭니다.

3 지렁이는 다리가 없어 기어서 이동합니다.

4 노루, 다람쥐, 소는 모두 땅 위에서 사는 동물로, 다리가 있어 걷거나 뛰어서 이동합니다.

채점 기준

(1)	'땅 위'를 정확히 씀.	
(2)	**정답 키워드** 걷거나 뛰다 | 다리 두 쌍 | 몸이 털로 덮여 있다 등 '걷거나 뛰어서 이동한다.', '다리가 두 쌍이 있다.', '몸이 털로 덮여 있다.' 등의 특징 중 한 가지를 정확히 씀.	상
	공통적으로 관찰할 수 있는 동물의 특징 한 가지를 썼지만 표현이 부족함.	중

5 땅강아지와 두더지는 땅속에서 사는 동물입니다.

6 뱀과 개미는 땅 위와 땅속을 오가며 생활합니다.

7 땅에서 사는 동물 중 뱀과 지렁이처럼 다리가 없어 기어다니는 동물도 있습니다.

8 땅에서 사는 동물 중 다리가 있는 동물은 걷거나 뛰어서 이동합니다.

9 개미와 두더지는 다리가 있는 동물이고, 달팽이와 지렁이는 다리가 없는 동물입니다.

10 땅에서 사는 동물 중 다리가 있는 동물은 걷거나 뛰어서 이동하고, 다리가 없는 동물은 기어서 이동합니다.

채점 기준

정답 키워드 다리가 있는 동물 | 걷거나 뛰다 | 다리가 없는 동물 | 기다 등 '다리가 있는 동물은 걷거나 뛰어서 이동하고, 다리가 없는 동물은 기어서 이동한다.' 등의 내용을 정확히 씀.	상
다리가 있는 동물과 다리가 없는 동물의 이동 방법 중 한 가지만 정확히 씀.	중

❸ 물에서 사는 동물

단원평가 38~39쪽

1 ② **2** ⓒ **3** ①, ③ **4** ① **5** ㉠
6 ① **7** ⓒ **8** (1) ㉠ 다슬기 ⓒ 전복 (2) 예 물속
바위에 붙어서 배발로 기어 다닌다. 등 **9** ㉠, ㉢ **10** ⑤

1 수달과 개구리는 강가나 호숫가에 사는 동물입니다.

> **왜 틀렸을까?**
> ① 붕어는 강이나 호수의 물속에 사는 동물입니다.
> ③ 조개는 갯벌에서 사는 동물입니다.
> ④ 전복과 오징어는 바닷속에서 사는 동물입니다.
> ⑤ 다슬기는 강이나 호수의 물속, 고등어는 바닷속에서 사는
> 동물입니다.

2 게는 갯벌, 다슬기는 강이나 호수의 물속, 오징어는
바닷속에 사는 동물입니다.

3 붕어는 강이나 호수의 물속에서 살고 있습니다.

4 조개는 갯벌에서 사는 동물로, 아가미가 있고 두 장의
딱딱한 껍데기로 몸을 보호합니다.

5 게는 갯벌에서 살고, 다리가 다섯 쌍이 있으며 걸어서
이동합니다.

6 수달은 강가나 호숫가에서 사는 동물입니다. 돌고래,
고등어, 오징어는 바닷속에서 사는 동물입니다.

7 오징어는 바닷속에서 살고, 몸이 긴 세모 모양입니다.
지느러미를 이용하여 헤엄치며 이동합니다.

8 물에서 사는 동물 중 전복이나 다슬기는 물속 바위에
붙어서 배발로 기어 다닙니다.

> **채점 기준**
> | (1) | ㉠에 '다슬기', ⓒ에 '전복'을 정확히 씀. | |
> |---|---|---|
> | (2) | **정답 키워드** 물속 | 바위에 붙다 | 기어 다닌다 등 '물속 바위에 붙어서 배발로 기어 다닌다.' 등의 내용을 정확히 씀. | 상 |
> | | 전복과 다슬기 두 동물이 이동하는 방법을 썼지만 표현이 부족함. | 중 |

9 붕어와 고등어는 지느러미가 있고 몸이 부드럽게 굽은
형태이기 때문에 물속에서 헤엄을 잘 칠 수 있습니다.

10 물에서 사는 동물은 게처럼 다리가 있어 걸어 다니는
동물도 있고, 붕어처럼 지느러미로 헤엄쳐 이동하는
동물도 있으며, 전복처럼 바위에 붙어서 기어 다니는
동물도 있습니다.

❹ 날아다니는 동물 / 사막, 극지방에서 사는 동물 / 동물 모방의 예

단원평가 40~41쪽

1 ① **2** ㉠ **3** ④ **4** (1) 두 (2) 세 (3)
5 ①, ③ **6** (1) 사막 (2) 예 낙타는 등에 있는 혹에 지방을
저장하여 먹이가 없어도 며칠 동안 생활할 수 있기 때문이다. 등
7 ⓒ **8** (1) ⓒ (2) ㉠ (3) ⓒ **9** ③ **10** 예 수리

1 제비, 나비, 직박구리, 참새, 잠자리, 까치는 날아다니는
동물입니다.

2 날아다니는 동물은 날개가 있습니다.

3 날아다니는 동물 중 잠자리는 곤충이고, 제비, 참새,
까치, 직박구리는 새입니다.

4 나비는 날개를 두 쌍 가지고 있으며, 다리는 세 쌍이
있습니다.

5 날아다니는 동물은 날개가 있고 날개를 이용해 날아서
이동합니다.

6 사막에서 사는 낙타는 등에 있는 혹에 지방을 저장하여
먹이가 없어도 며칠 동안 생활할 수 있습니다.

> **채점 기준**
> | (1) | '사막'을 정확히 씀. | |
> |---|---|---|
> | (2) | **정답 키워드** 등에 있는 혹 | 지방 등 '낙타는 등에 있는 혹에 지방을 저장하여 먹이가 없어도 며칠 동안 생활할 수 있기 때문이다.' 등의 내용을 정확히 씀. | 상 |
> | | 낙타가 사막에서 잘 살 수 있는 까닭을 썼지만 표현이 부족함. | 중 |

> **더 알아보기**
> **낙타가 사막에서 잘 살 수 있는 특징**
> • 긴 다리가 두 쌍이 있습니다.
> • 발바닥이 넓어 모래에 발이 잘 빠지지 않습니다.
> • 콧구멍을 열고 닫을 수 있어 모래 먼지가 콧속으로 들어가는
> 것을 막을 수 있습니다.

7 날아다니는 동물 중에는 새도 있고, 곤충도 있습니다.

8 사막여우는 몸에 비해 큰 귀로 체온 조절을 하고, 북극
여우는 몸의 열을 빼앗기지 않기 위해 귀가 작습니다.
황제펭귄은 서로 무리를 지어 추위를 견딥니다.

9 칫솔걸이의 흡착판처럼 거울이나 유리에 붙이는 생활
용품은 문어 다리 빨판의 잘 붙는 특징을 활용한 것입니다.

10 집게 차는 수리 발의 특징을 활용한 예입니다.

3. 지표의 변화

❶ 화단 흙과 운동장 흙의 특징

42~43쪽

단원평가

1 ㉡ **2** 화단 흙 **3** ㉡, ㉢ **4** 화단 흙 **5** ②
6 ㉢ **7** ④ **8** 운동장 흙
9 (1) ㉠ (2) 예 식물의 뿌리나 줄기, 마른 나뭇가지, 마른 잎, 죽은 곤충 등 물에 뜨는 물질이 많다. 부식물이 많아 식물이 잘 자란다. 등 **10** ⑤

1 돋보기를 이용해 화단 흙과 운동장 흙 알갱이를 크게 확대해서 볼 수 있습니다.

2 화단 흙은 알갱이의 크기가 작고, 손으로 만졌을 때 부드럽고 축축한 느낌이 듭니다.

3 운동장 흙은 비교적 밝은색을 띠고, 흙먼지가 많이 날리며 손으로 만졌을 때 말라 있습니다.

4 화단 흙은 알갱이의 크기가 비교적 작습니다.

5 흙의 종류를 제외한 나머지 조건은 모두 같게 해야 합니다.

6 운동장 흙은 화단 흙보다 알갱이의 크기가 더 크기 때문에 같은 시간 동안 더 많은 양의 물이 빠집니다.

7 운동장 흙에서 물이 더 잘 빠지는 것은 운동장 흙이 화단 흙보다 알갱이의 크기가 커 흙 속에 물이 빠져나갈 수 있는 공간이 많기 때문입니다.

8 운동장 흙은 물에 뜬 물질이 거의 없고, 화단 흙은 물에 뜬 물질이 많습니다.

9 화단 흙에는 운동장 흙보다 식물이 잘 자라는 데 도움을 주는 부식물이 많이 섞여 있습니다.

채점 기준

(1)	'㉠'을 정확히 씀.	
(2)	**정답 키워드** 물에 뜨는 물질 | 부식물 | 식물이 잘 자란다 등 '식물의 뿌리나 줄기, 마른 나뭇가지, 마른 잎, 죽은 곤충 등 물에 뜨는 물질이 많다.', '부식물이 많아 식물이 잘 자란다.' 등의 특징 중 한 가지를 정확히 씀.	상
	화단 흙의 특징 한 가지를 썼지만 표현이 부족함.	중

10 부식물은 식물의 뿌리나 줄기, 마른 나뭇가지, 마른 잎, 죽은 곤충 등이 썩은 것으로 식물이 잘 자라는 데 도움을 줍니다.

❷ 흙이 만들어지는 과정

44~45쪽

단원평가

1 ② **2** ③ **3** ㉢ **4** ㉠ **5** ㉠
6 ⑤ **7** ㉢ **8** 예 바위틈에서 자라는 나무뿌리가 점점 굵어지면 바위틈을 점차 벌리고, 오랜 시간 동안 나무가 더 자라게 되면서 바위가 점차 부서진다. 등 **9** ㉠
10 ㉠ 예 큰 ㉡ 예 작은

1 흙이 만들어지는 과정을 알아보기 위한 실험입니다.

2 각설탕을 플라스틱 통에 넣고 세게 흔들면 각설탕이 부서져 가루가 생기고 둥근 모양으로 변하며, 각설탕의 크기가 작아집니다.

3 별 모양 사탕, 과자를 플라스틱 통에 넣고 세게 흔들면 부서져 작은 알갱이가 생깁니다.

4 암석 조각을 플라스틱 통에 넣고 세게 흔들면 암석 조각이 부서져 작은 알갱이가 생깁니다.

5 소금 덩어리를 이용해 흙이 만들어지는 과정을 알아 보는 실험에서 소금 가루는 실제 자연에서 흙과 같고, 소금 덩어리는 실제 자연에서의 바위나 돌과 같습니다.

6 바위나 돌이 작게 부서져 생긴 작은 알갱이와 나뭇잎이나 죽은 곤충 등이 썩어 생긴 부식물이 섞여서 흙이 됩니다.

7 바람이나 흐르는 물에 의해 바위나 돌이 부서져 흙이 되고, 바위틈으로 스며든 물이 얼었다가 녹을 때 바위나 돌이 부서져 흙이 됩니다.

8 바위틈에서 나무뿌리가 자라면 바위가 부서지기도 합니다.

채점 기준

정답 키워드 바위틈에서 자라는 나무뿌리 | 바위틈을 벌리다 등 '바위틈에서 자라는 나무뿌리가 점점 굵어지면 바위틈을 점차 벌리고, 오랜 시간 동안 나무가 더 자라게 되면서 바위가 점차 부서진다.' 등의 내용을 정확히 씀.	상
나무뿌리에 의해 바위가 부서지는 과정을 썼지만 표현이 부족함.	중

9 바위나 돌이 흙이 될 때에는 매우 오랜 시간이 걸리고, 각설탕이 부서져 가루 설탕이 될 때에는 짧은 시간이 걸립니다.

10 각설탕을 넣은 플라스틱 통을 세게 흔드는 것과 자연에서 바위틈에 있는 물이 얼었다 녹는 것을 반복하는 것은 큰 덩어리를 작은 알갱이로 부순다는 공통점이 있습니다.

❸ 땅의 모습을 변화시키는 물

단원평가 46~47 쪽

1 📗, 📗, 📗   **2** 물   **3** ㉢   **4** ②
5 예 흐르는 물이 흙 언덕 위쪽의 흙을 깎고, 깎인 흙을 흙 언덕의 아래쪽으로 운반해 쌓았기 때문이다. 등
6 (1) ㉡ (2) ㉠   **7** ①, ②   **8** ②, ⑤   **9** ⑤
10 ㉢

1 흙 언덕을 만들고, 색 모래와 색 자갈을 흙 언덕 위쪽에 놓은 다음, 흙 언덕 위쪽에서 바닥에 구멍 뚫린 종이컵에 물을 붓습니다.

2 흙 언덕 위쪽에서 물을 흘려 보내고 그 변화를 관찰합니다.

3 색 모래와 색 자갈을 사용하면 흐르는 물에 의해 흙이 어떻게 이동하는지 쉽게 볼 수 있습니다.

4 흐르는 물에 의해 흙 언덕 위쪽에 있는 흙이 깎이고, 깎인 흙이 아래쪽으로 떠내려와 쌓입니다.

5 흐르는 물이 경사가 급한 위쪽의 흙을 깎아 경사가 완만한 아래쪽으로 옮겼습니다.

<table>
<tr><td colspan="2">채점 기준</td></tr>
<tr><td colspan="2">정답 키워드 흙 언덕 위쪽 | 깎이다 | 흙 언덕 아래쪽 | 운반하여 쌓인다 등</td></tr>
<tr><td>'흐르는 물이 흙 언덕 위쪽의 흙을 깎고, 깎인 흙을 흙 언덕의 아래쪽으로 운반해 쌓았기 때문이다.' 등의 내용을 정확히 씀.</td><td>상</td></tr>
<tr><td>흙 언덕의 모습이 변한 까닭을 썼지만 표현이 부족함.</td><td>중</td></tr>
</table>

6 흙 언덕 위쪽에서 물을 흘려 보내면 흙 언덕의 위쪽에서는 흙이 깎이고, 흙 언덕의 아래쪽에서는 흙이 흘러내려 쌓입니다.

⬆ 흙 언덕의 위쪽: 흙이 많이 깎임.

⬆ 흙 언덕의 아래쪽: 흙이 많이 쌓임.

7 흙 언덕의 위쪽은 경사가 급하고, 아래쪽은 경사가 완만합니다.

8 흙 언덕 위쪽에 있는 흙은 더 많이 깎이고, 깎인 흙이 아래쪽으로 운반되어 흙 언덕 아래쪽에 더 많이 쌓입니다.

9 흐르는 물에 의해 지표의 바위나 돌, 흙 등이 깎여 나가는 것을 침식 작용, 운반된 돌이나 흙 등이 쌓이는 것을 퇴적 작용이라고 합니다.

10 흐르는 물은 경사가 급한 곳의 지표를 깎고, 깎인 흙을 운반하여 경사가 완만한 곳에 쌓아 놓습니다.

❹ 강과 바닷가 주변의 모습

단원평가 48~49 쪽

1 ㉡   **2** (1) 운반 작용 (2) 예 강 상류보다 강폭이 넓어져 많은 양의 물이 흐른다. 등   **3** ㉡   **4** ㉠
5 (1) ㉠ (2) ㉡   **6** 예 파도   **7** ㉠, ㉢   **8** ⑤
9 ④   **10** 퇴적, 오랜, 서서히

1 강 상류는 강폭이 좁고, 강의 경사가 급합니다.

2 강 중류는 강 상류보다 강폭이 넓어져 많은 양의 물이 흐르며, 주로 운반 작용이 일어납니다.

<table>
<tr><td colspan="3">채점 기준</td></tr>
<tr><td>(1)</td><td colspan="2">'운반 작용'을 정확히 씀.</td></tr>
<tr><td rowspan="2">(2)</td><td>정답 키워드 강폭 | 넓어지다 | 많은 양의 물 등
'강 상류보다 강폭이 넓어져 많은 양의 물이 흐른다.' 등의 내용을 정확히 씀.</td><td>상</td></tr>
<tr><td>강 중류의 강폭과 흐르는 물의 양을 강 상류와 비교하여 썼지만 표현이 부족함.</td><td>중</td></tr>
</table>

3 강 상류에서는 퇴적 작용보다 침식 작용이 활발하고, 강 하류에서는 침식 작용보다 퇴적 작용이 활발합니다.

4 강 상류에서는 큰 바위를 많이 볼 수 있고, 강 하류에서는 모래나 진흙을 많이 볼 수 있습니다.

5 물결이 칠 때 ㉠에서는 모래가 조금씩 깎여 나가고, ㉡에서는 깎인 모래가 쌓입니다.

6 판으로 만든 물결은 실제 바다에서 치는 파도와 같습니다.

7 바닷가의 동굴은 바닷물의 침식 작용에 의해 지표가 깎여서 만들어졌습니다.

8 갯벌과 절벽은 바닷가에서 볼 수 있습니다.

9 갯벌은 바닷물의 퇴적 작용, 절벽은 바닷물의 침식 작용이 활발하게 일어나 만들어진 지형입니다.

10 모래사장은 바닷물의 퇴적 작용으로 만들어졌고, 바닷물은 오랜 시간 동안 바닷가 주변의 모습을 서서히 변화시킵니다.

4. 물질의 상태

① 고체의 성질

단원평가 50~51쪽

1 ⓒ **2** ④, ⑤ **3** 변하지 않는다. **4** ㉠
5 ⑩ 일정 **6** ④ **7** ⓒ **8** ①
9 (1) 연필 (2) ⑩ 만졌을 때의 느낌은 다르지만 물체의 모양과 부피가 일정하기 때문에 고체이다. **10** (1) 고체 (2) 고체

1 나무 막대는 손으로 잡고 전달할 수 있지만, 물은 손으로 잡으면 흘러서 전달하기 어렵습니다. 공기는 눈으로 볼 수 없고, 손으로 잡을 수 없습니다.

2 나무와 플라스틱은 눈으로 볼 수 있고, 손으로 잡을 수 있습니다.

> **왜 틀렸을까?**
> ①, ③ 우유와 주스는 손으로 잡을 수 없습니다.
> ② 공기는 눈에 보이지 않고, 손으로 잡을 수 없습니다.

3 나무 막대는 여러 가지 모양의 그릇에 넣었을 때 막대의 모양과 크기가 변하지 않습니다.

4 담는 그릇이 바뀌어도 모양과 부피가 변하지 않는 물질의 상태를 고체라고 합니다.

5 플라스틱 막대를 여러 가지 모양의 그릇에 담아도 막대의 모양과 크기는 일정합니다.

6 물체나 물질이 차지하는 공간의 크기를 부피라고 합니다.

7 쌓기나무와 플라스틱 블록은 담는 그릇이 달라져도 모양과 부피가 변하지 않습니다.

8 고체는 눈으로 볼 수 있고, 손으로 잡을 수 있습니다.

9 단단하고 딱딱한 물체만 고체가 아니라 말랑말랑해도 물질의 모양과 부피가 변하지 않으면 고체입니다.

채점 기준		
(1)	'연필'을 정확히 씀.	
(2)	**정답 키워드** 물체 ┃ 모양과 부피 일정 ┃ 고체 등 '만졌을 때의 느낌은 다르지만 물체의 모양과 부피가 일정하기 때문에 고체이다.'와 같이 내용을 정확히 씀.	상
	'모양이 변하지 않기 때문이다.'와 같이 쓰고, 부피도 변하지 않는다는 내용은 쓰지 못함.	중

10 플라스틱 컵은 고체이고, 플라스틱 컵 안에 담긴 모래도 담는 그릇이 바뀌어도 모래 알갱이 하나하나의 모양과 부피가 변하지 않기 때문에 고체입니다.

② 액체의 성질 / 우리 주변에 있는 공기

단원평가 52~53쪽

1 ⓒ **2** ② **3** ④ **4** 액체
5 ④ **6** ③ **7** 공기
8 (1) 공기 (2) ⑩ 공기는 눈에 보이지 않지만 우리 주변에 있다. **9** 공기 **10** ⑤

1 물은 담은 그릇에 따라 부피가 변하지 않는 액체이므로, 처음 사용한 그릇에 다시 옮겨도 물의 높이가 처음과 같습니다.

2 주스를 여러 가지 모양의 그릇에 옮겨 담으면 담는 그릇에 따라 모양은 변하지만 부피는 변하지 않습니다.

3 담는 그릇이 달라져도 우유의 부피는 변하지 않습니다.

4 담는 그릇에 따라 모양이 변하지만 부피는 변하지 않는 물질의 상태를 액체라고 합니다.

5 간장과 식용유를 다른 그릇에 옮겨 담으면 모양이 변하지만, 부피는 변하지 않습니다.

6 간장과 식용유, 꿀, 식초, 주스, 손 세정제는 액체 상태의 물질이고, 설탕은 고체 상태의 물질입니다.

7 우리 주변에 공기가 있다는 것을 확인할 수 있는 예입니다.

8 우리 주변에 공기가 있음을 알아보는 실험입니다.

채점 기준		
(1)	'공기'를 정확히 씀.	
(2)	**정답 키워드** 공기 ┃ 주변에 있다 '공기는 눈에 보이지 않지만 우리 주변에 있다.'와 같이 내용을 정확히 씀.	상
	'공기는 눈에 보이지 않는다.'와 같이 간단히 씀.	중

9 빈 페트병과 플라스틱병 입구에서 공기 방울이 생겨 위로 올라오고, 보글보글 소리가 납니다.

⚠ 물속에서 빈 페트병 누르기   ⚠ 물속에서 플라스틱병 누르기

10 실험을 통해 공기는 눈에 보이지 않지만 우리 주변에 있다는 것과 고체, 액체와는 다른 물질의 상태임을 알 수 있습니다.

❸ 기체의 성질 (1)

단원평가 54~55쪽

1 (1) ⓒ (2) ⓐ **2** ⓒ **3** 예 페트병 뚜껑이 내려간다. 왜냐하면 컵 안으로 물이 들어가지 못하기 때문이다. **4** 물, 공기 **5** ② **6** ⓒ **7** (1) ○ **8** 공간(부피) **9** ⓐ **10** ⓒ

1 바닥에 구멍이 뚫린 플라스틱 컵 안으로는 물이 들어가 페트병 뚜껑이 그대로 있습니다.

2 ⓒ은 컵 안에 공기가 들어 있어 컵 안의 공기의 부피만큼 물이 밀려 나오므로 수조 안의 물의 높이가 조금 높아집니다.

3 바닥에 구멍이 뚫리지 않은 플라스틱 컵을 뒤집어 수조의 바닥까지 밀어 넣으면 컵 안의 공기가 공간을 차지하고 있기 때문에 컵 안으로 물이 들어가지 못하고, 페트병 뚜껑은 수조의 바닥으로 가라앉습니다.

채점 기준

정답 키워드 뚜껑 | 내려가다 | 컵 | 물이 들어가지 못하다	
'페트병 뚜껑이 내려간다. 왜냐하면 컵 안으로 물이 들어가지 못하기 때문이다.'와 같이 페트병 뚜껑의 위치 변화와 그 까닭을 정확히 씀.	상
페트병 뚜껑의 위치 변화만 예상하고, 그 까닭을 정확히 쓰지 못함.	중

4 ⓐ의 바닥에 구멍이 뚫린 컵 안에 들어 있는 공기는 구멍으로 빠져나가 컵 안으로 물이 들어가고, ⓒ의 바닥에 구멍이 뚫리지 않은 컵 안에는 공기가 들어 있습니다.

5 공기가 공간을 차지하고 있음을 알아보는 실험입니다.

6 구멍이 막힌 페트병에는 공기를 더 넣을 공간이 없어 풍선이 부풀지 않습니다.

7 구멍이 막힌 페트병에는 공기가 차 있어서 풍선에 공기를 더 넣을 공간이 없기 때문에 풍선이 부풀지 않습니다.

8 구멍을 막은 페트병 안에는 공기가 공간(부피)을 차지하고 있으므로 풍선이 부풀지 않습니다.

9 구멍이 뚫린 페트병 안의 풍선에 공기를 넣으면 페트병 안에 있던 공기가 밖으로 빠져나가 풍선이 부풀어 오릅니다.

10 선풍기는 공기가 다른 곳으로 이동하는 성질을 이용한 것입니다.

❹ 기체의 성질 (2)

단원평가 56~57쪽

1 ⓐ **2** (1) ⓒ (2) ⓐ **3** 공기 **4** ⓐ **5** ③ **6** 기체 **7** ⑤ **8** (1) ⓒ (2) 예 기체는 무게가 있다. **9** ③ **10** ⓐ, ⓒ, ⓒ

1 주사기의 피스톤을 당겨 놓은 뒤, 주사기 입구에 비닐관의 다른 한쪽 끝을 끼워 연결해야 합니다.

2 주사기의 피스톤을 밀면 다른 쪽 주사기의 피스톤이 올라가고, 피스톤을 당기면 다른 쪽 주사기의 피스톤이 내려갑니다.

3 주사기와 비닐관 속의 공기가 다른 쪽 주사기 쪽으로 이동하기 때문에 다른 쪽 주사기의 피스톤이 움직입니다.

4 비눗방울은 공기가 이동하는 성질을 이용한 예입니다.

5 공기가 이동하는 성질을 이용한 예에는 부채, 선풍기, 공기 주입기, 타이어에 공기를 넣는 펌프 등이 있습니다.

더 알아보기

공기가 이동하는 것을 이용한 예
- 진공청소기: 공기를 빨아들이면서 먼지를 청소합니다.
- 환풍기: 실내의 오염된 공기를 밖으로 이동시킵니다.
- 공기청정기: 실내의 오염된 공기를 빨아들이고 정화된 공기를 내뿜습니다.

6 풍선 속을 가득 채우고 있는 것은 공기이고, 공기는 기체입니다.

7 공기는 담는 그릇에 따라 모양이 변하기 때문에 둥근 풍선에 넣으면 둥근 모양이 되고, 막대 모양의 풍선에 넣으면 막대 모양이 됩니다.

8 공기 주입 마개를 눌러 페트병에 공기를 넣으면 무게가 늘어나는 것을 통해 기체는 무게가 있음을 알 수 있습니다.

채점 기준

(1)	'ⓒ'을 정확히 씀.	
(2)	정답 키워드 기체 | 무게 '기체는 무게가 있다.'와 같이 내용을 정확히 씀.	상
	'기체는 무겁다.'와 같이 물질의 성질을 나타내는 표현이 부족함.	중

9 큰 고무보트에 공기를 넣으면 무게가 더 무거워지기 때문에 옮기기 힘듭니다.

10 고체, 액체, 기체 모두 무게가 있습니다.

5. 소리의 성질

❶ 소리가 나는 물체

1 ⑩ 떨린다   **2** ⓒ   **3** ⑤   **4** ⓒ
5 ⑩ 소리가 나는 소리굽쇠를 물에 대면 소리굽쇠의 떨림으로 인해 물이 튀어 오르기 때문이다.   **6** ⑩ 떨림
7 (1) ○ (2) ○ (3) ×   **8** ①   **9** ②   **10** ⓒ

1 소리가 나는 물체에 손을 대 보면 떨림이 느껴집니다.

2 소리가 나지 않는 스피커에 손을 대 보면 떨림이 없고, 소리가 나는 스피커에 손을 대 보면 떨림이 느껴집니다.

3 고무망치로 치기 전의 소리굽쇠는 소리가 나지 않으므로 떨림이 느껴지지 않습니다.

4 소리가 나는 소리굽쇠의 떨림 때문에 물이 튀어 오르므로 ㉠은 소리가 나지 않는 소리굽쇠이고, ㉡은 소리가 나는 소리굽쇠입니다.

아무 일도 일어나지 않음.

물이 튀어 오름.

🔺 소리가 나지 않는 소리굽쇠를 물에 대었을 때   🔺 소리가 나는 소리굽쇠를 물에 대었을 때

5 소리가 나지 않는 소리굽쇠를 물에 대면 아무 일도 일어나지 않고, 소리가 나는 소리굽쇠를 물에 대면 물이 튀어 오릅니다.

채점 기준	
정답 키워드 소리굽쇠의 떨림 │ 물이 튀어 오르다	
'소리가 나는 소리굽쇠를 물에 대면 소리굽쇠의 떨림으로 인해 물이 튀어 오르기 때문이다.'와 같이 물이 튀어 오르는 까닭을 정확히 씀.	상
'소리가 나기 때문에 물이 튀어 오른다.'와 같이 소리굽쇠가 떨린다는 내용을 포함하여 쓰지 못함.	중

6 물체가 떨리면 소리가 납니다.

7 소리가 나는 물체를 소리가 나지 않게 하려면 물체를 떨리지 않게 해야 합니다.

8 소리가 나는 소리굽쇠를 손으로 세게 움켜잡아 소리굽쇠를 떨리지 않게 하면 소리가 멈춥니다.

9 소리굽쇠의 소리가 멈춘 것은 소리굽쇠의 떨림이 멈췄기 때문입니다.

10 소리가 나는 물체를 떨리지 않게 하면 소리가 나지 않습니다.

❷ 소리의 세기 / 소리의 높낮이

1 ④   **2** ❶ ⑩ 작은 소리가 남. ❷ ⑩ 큰 소리가 남.
3 ⑩ 작은북을 약하게 치면 작은북이 작게 떨리기 때문에 스타이로폼 공이 낮게 튀어 오르고, 작은북을 세게 치면 작은북이 크게 떨리기 때문에 스타이로폼 공이 높게 튀어 오른다.
4 ⑩ 떨리는   **5** ㉠ 세기 ㉡ 높낮이   **6** ③
7 ㉠   **8** ②   **9** ㉡   **10** ②

1 작은북을 약하게 칠 때와 세게 칠 때의 소리와 스타이로폼 공이 튀어 오르는 모습을 비교해 보는 실험이므로 다르게 해야 할 조건은 작은북을 치는 세기입니다.

2 작은북을 북채로 약하게 칠 때는 작은 소리가 나고, 세게 칠 때는 큰 소리가 납니다.

3 작은북을 약하게 치면 북이 작게 떨리면서 스타이로폼 공이 낮게 튀어 오르고 작은 소리가 납니다. 반대로 작은북을 세게 치면 북이 크게 떨리면서 스타이로폼 공이 높게 튀어 오르고 큰 소리가 납니다.

채점 기준	
정답 키워드 약하게 치다 │ 작게 떨리다 │ 낮게 튀어 오르다 │ 세게 치다 │ 크게 떨리다 │ 높게 튀어 오르다	
'작은북을 약하게 치면 작은북이 작게 떨리기 때문에 스타이로폼 공이 낮게 튀어 오르고, 작은북을 세게 치면 작은북이 크게 떨리기 때문에 스타이로폼 공이 높게 튀어 오른다.'와 같이 까닭을 정확히 씀.	상
'작은북을 약하게 치면 스타이로폼 공이 낮게 튀어 오르고, 세게 치면 높게 튀어 오른다.'와 같이 북이 떨리는 정도에 대한 내용을 포함하여 쓰지 못함.	중

4 물체가 떨리는 정도에 따라 소리의 세기가 달라집니다.

5 소리의 크고 작은 정도를 소리의 세기라고 하고, 소리의 높고 낮은 정도를 소리의 높낮이라고 합니다.

6 실로폰은 음판의 길이가 짧을수록 높은 소리가 납니다.

7 팬 플루트는 관의 길이가 짧을수록 높은 소리가 납니다.

8 팬 플루트는 관의 길이에 따라 소리의 높낮이가 달라집니다.

9 실로폰은 음판의 길이에 따라 소리의 높낮이가 달라집니다. 음판의 길이가 짧을수록 높은 소리가 나고, 음판의 길이가 길수록 낮은 소리가 납니다.

10 장구는 소리의 세기를 이용하여 연주하는 악기입니다.

6 우리 주변에서 들리는 대부분의 소리는 기체인 공기를 통해 전달됩니다.

7 통 안의 공기를 빼면 소리를 전달하는 물질인 공기가 줄어들어 소리가 작아집니다.

8 종이컵 바닥에 누름 못으로 구멍을 뚫은 뒤, 구멍에 실을 넣고 실의 한쪽 끝에 클립을 묶어 실이 빠지지 않도록 하고, 다른 종이컵도 같은 방법으로 완성합니다.

9 실 전화기는 실의 떨림으로 소리를 전달합니다.

10 실 전화기의 실에 물을 묻히고 팽팽하게 하면 소리가 더 잘 들립니다. 또 실의 길이가 짧을수록, 실의 두께가 두꺼울수록 소리가 더 잘 들립니다.

❸ 소리의 전달

단원평가	62~63쪽

1 (1) 예 들린다. (2) 예 소리는 책상(나무)과 같은 고체를 통해서도 전달된다.　　**2** ㉠ 물 ㉡ 공기　　**3** ③, ④
4 (1) × (2) × (3) ○ (4) ○　　**5** ①　　**6** 공기
7 작아　　**8** ㉢　　**9** 실(실의 떨림)　　**10** ④

1 책상을 두드리는 소리가 크게 들리는 것을 통해 소리가 책상(나무)과 같은 고체를 통해서도 전달되는 것을 알 수 있습니다.

채점 기준		
(1)	'들린다.'를 정확히 씀.	
(2)	**정답 키워드** 소리 | 고체를 통해서 | 전달 '소리는 책상(나무)과 같은 고체를 통해서도 전달된다.'와 같이 내용을 정확히 씀.	상
	소리가 무엇을 통해 전달되는지 썼지만 표현이 부족함.	중

2 스피커에서 나는 소리는 물과 물 밖에서는 공기를 통해 전달됩니다.

3 ①과 ②는 공기(기체 상태)를 통해 소리가 전달되는 경우이고, ⑤는 철(고체 상태)을 통해 소리가 전달되는 경우입니다.

4 소리는 고체, 액체, 기체 상태의 여러 가지 물질을 통해 전달됩니다.

> 왜 **틀렸을까?**
> (1), (2) 소리는 물질(고체, 액체, 기체)을 통해서 전달됩니다.

5 공기가 없는 달에서는 소리가 전달되지 않습니다.

❹ 소리의 반사 / 소음을 줄이는 방법

단원평가	64쪽

1 <　　**2** 민준　　**3** (1) ○ (2) × (3) ○　　**4** ⑤

1 아무것도 들지 않고 소리를 들을 때보다 스타이로폼판을 들고 소리를 들을 때 소리가 더 크게 들립니다.

2 소리가 스타이로폼판에 반사되어 듣는 사람의 귀로 전달되기 때문에 소리가 더 크게 들립니다.

3 소리는 딱딱한 물체에서는 잘 반사되지만, 부드러운 물체에서는 잘 반사되지 않습니다.

> 왜 **틀렸을까?**
> (2) 물체의 종류에 따라 소리를 반사하는 정도는 다릅니다.

4 음악을 들을 때 소리를 줄이거나 이어폰을 사용하면 소음을 줄일 수 있습니다.

> 더 **알아보기**
> **집 안에서 소음을 줄이는 방법**
> • 걸어 다닐 때는 뛰지 않고 천천히 걸어 다니고, 소음 방지 매트를 깝니다.
> • 문을 닫을 때 살살 닫거나 문이 닫는 곳에 푹신한 물질을 붙입니다.
> • 의자를 옮길 때 의자를 들고 이동하거나 의자 다리에 소음 방지 덮개를 끼웁니다.
> • 음악을 들을 때 소리를 줄이거나 이어폰을 사용합니다.
> • 밤늦게 청소기를 사용하지 않습니다.

1. 곱셈

1 663

2
$$
\begin{array}{r}
6 \\
\times\ 4\ 3 \\
\hline
\boxed{1}\ \boxed{8} \quad \cdots 6\times\boxed{3} \\
\boxed{2}\ \boxed{4}\ 0 \quad \cdots 6\times\boxed{40} \\
\hline
\boxed{2}\ \boxed{5}\ \boxed{8}
\end{array}
$$

3 (1) 864　(2) 3306
　(3) 546　(4) 756

4 246, 738

5 >

6 ㉠

7 2720

8 ②

9 1161개

10
$$
\begin{array}{r}
3\ 2 \\
\times\ 2\ 4 \\
\hline
1\ 2\ 8 \\
6\ 4\ 0 \\
\hline
7\ 6\ 8
\end{array}
$$

11 2, 3

12 6000원

13 $56\times36=2016$; 2016개

14 ⓔ 1시간은 60분이므로 1시간 동안 걷는 걸음은 모두
　　$49\times60=2940$(걸음)입니다.
　; 2940걸음

15 266개

4 $123\times2=246$, $246\times3=738$

5 $318\times3=954$, $426\times2=852$
　⇨ $954>852$

6 ㉠ $6\times18=108$　㉡ $4\times23=92$
　⇨ 계산 결과가 더 큰 것은 ㉠입니다.

7 $80\times34=34\times80=2720$

8 ① 1118　② 686　③ 924　④ 1200　⑤ 2160
　⇨ 계산 결과가 가장 작은 것은 ②입니다.

9 $27\times43=1161$

11
$$
\begin{array}{r}
3\ \triangle\ 5 \\
\times \qquad \bigstar \\
\hline
9\ 7\ 5
\end{array}
$$
☆이 1이면 곱의 백의 자리 숫자가 3이어야 하므로 ☆은 1이 아닙니다.

☆이 2이면 곱의 일의 자리 숫자가 0이어야 하므로 ☆은 2가 아닙니다.

☆이 3이면
$$
\begin{array}{r}
3\ \overset{1}{\triangle}\ 5 \\
\times \qquad 3 \\
\hline
5
\end{array}
\Rightarrow
\begin{array}{r}
3\ \overset{1}{\triangle}\ 5 \\
\times \qquad 3 \\
\hline
7\ 5
\end{array}
\Rightarrow
\begin{array}{r}
3\ \overset{1}{\triangle}\ 5 \\
\times \qquad 3 \\
\hline
9\ 7\ 5
\end{array}
$$
이고, $\triangle\times3$에 1을 더하면 7이므로 △는 2입니다.
☆이 3보다 크면 곱이 네 자리 수가 되므로 ☆은 3보다 큰 수가 될 수 없습니다.

12 수민: $50\times50=2500$(원)
　미연: $50\times70=3500$(원)
　⇨ $2500+3500=6000$(원)

13
$$
\begin{array}{r}
5\ 6 \\
\times\ 3\ 6 \\
\hline
3\ 3\ 6 \\
1\ 6\ 8\ 0 \\
\hline
2\ 0\ 1\ 6
\end{array}
$$

14 채점 기준

1시간은 60분임을 알고 곱셈식을 쓰고 성준이가 걷는 걸음 수를 바르게 구함.	상
곱셈식을 바르게 썼으나 계산 과정에서 실수하여 성준이가 걷는 걸음 수를 바르게 구하지 못함.	중
곱셈식을 쓰지 못하고 답도 틀림.	하

15 $4\times32=128$, $6\times23=138$
　⇨ $128+138=266$(개)

1
$$
\begin{array}{r}
4\ 8 \\
\times\ 3\ 6 \\
\hline
\boxed{2}\ \boxed{8}\ \boxed{8} \quad \cdots 48\times\boxed{6} \\
\boxed{1}\ \boxed{4}\ \boxed{4}\ 0 \quad \cdots 48\times\boxed{30} \\
\hline
\boxed{1}\ \boxed{7}\ \boxed{2}\ \boxed{8}
\end{array}
$$

2 128, 1280

3 $126\times5=630$; 630

4 112, 896

5 >

6 (위에서부터) 2100, 1092, 1260, 1820

7 ·

8 ④

9 (1) 336　(2) 324

10 ㉠, ㉢, ㉡, ㉣

11 (위에서부터) 3, 5, 7, 5

12 5

13 $24\times76=1824$; 1824개

14 가희 ; ⓔ 76×2와 76×40을 계산하여 더해야 하는데 76×2와 76×4를 계산하여 더했습니다.

15 430개

16 835원

17 ⓔ 방울토마토의 값: $36\times75=2700$(원)
　감의 값: $540\times5=2700$(원)
　따라서 모두 $2700+2700=5400$(원)입니다.
　; 5400원

18 (1) □$+63=99$　(2) 36　(3) 2268

19 5040권

20 ⓔ $92\times64=5888$; 5888

4 $28 \times 4 = 112$, $112 \times 8 = 896$

6 $30 \times 70 = 2100$, $42 \times 26 = 1092$,
$30 \times 42 = 1260$, $70 \times 26 = 1820$

8 $20 \times 60 = 1200$　　① $28 \times 30 = 840$
　② $33 \times 20 = 660$　　③ $19 \times 50 = 950$
　④ $21 \times 60 = 1260$　　⑤ $30 \times 40 = 1200$

9 $48 \times 7 = 336$, $54 \times 6 = 324$

10 ㉠ 987　㉡ 595　㉢ 392　㉣ 900

11
$$\begin{array}{r} \boxed{㉠}\,8 \\ \times\ 2\,\boxed{㉡} \\ \hline 1\ 9\ 0 \\ \boxed{㉢}\ 6\ 0 \\ \hline 9\ \boxed{㉣}\ 0 \end{array}$$

- $8 \times ㉡$의 일의 자리 수가 0이므로 ㉡=5입니다.
- ㉠$8 \times 5 = 190$이므로 ㉠=3입니다.
- $9+6=15$이므로 ㉣=5입니다.
- $1+1+㉢=9$이므로 ㉢=7입니다.

12 $981 \times 4 = 3924$, $981 \times 5 = 4905 \cdots\cdots$이므로 □ 안에 들어갈 수 있는 자연수 중 가장 작은 수는 5입니다.

13
$$\begin{array}{r} 2\ 4 \\ \times\ 7\ 6 \\ \hline 1\ 4\ 4 \\ 1\ 6\ 8\ 0 \\ \hline 1\ 8\ 2\ 4 \end{array}$$

15 $5 \times 86 = 430$(개)

16 $167 \times 5 = 835$(원)

17
채점 기준	
방울토마토와 감의 값을 각각 구한 후 합을 바르게 구함.	상
방울토마토와 감의 값을 각각 구했으나 합을 바르게 구하지 못함.	중
방울토마토와 감의 값을 구하지 못하여 합을 구하지 못함.	하

18 (2) □$=99-63=36$
(3) $36 \times 63 = 2268$

19 $12 \times 7 = 84$(권), $84 \times 60 = 5040$(권)

20 (두 자리 수)×(두 자리 수)의 곱이 크려면 십의 자리 수를 되도록 크게 하여 곱셈식을 만듭니다.

$$\begin{array}{r} 9\ 4 \\ \times\ 6\ 2 \\ \hline 5\ 8\ 2\ 8 \end{array} \ <\ \begin{array}{r} 9\ 2 \\ \times\ 6\ 4 \\ \hline 5\ 8\ 8\ 8 \end{array}$$

2. 나눗셈

수학 교과서 유사 문제 **단원평가** 71~72쪽

1 몫, 나머지　　　　**2** 2, 0, 0, 0

3
$$\begin{array}{r} 4\ \boxed{2} \\ 2\,)\overline{8\ 4} \\ 8\ 0 \leftarrow 2 \times \boxed{40} \\ \hline \boxed{4} \\ \boxed{4} \leftarrow 2 \times \boxed{2} \\ \hline 0 \end{array}$$

4 (위에서부터) 9, 1 ; 9, 27, 1

5
$$\begin{array}{r} \boxed{1}\ \boxed{6} \\ 6\,)\overline{9\ 8} \\ 6\ 0 \leftarrow 6 \times \boxed{10} \\ \hline 3\ 8 \\ \boxed{3}\ \boxed{6} \leftarrow 6 \times \boxed{6} \\ \hline 2 \end{array}$$

6 12, 4

7
$$\begin{array}{r} \boxed{1}\ \boxed{4}\ \boxed{9} \\ 5\,)\overline{7\ 4\ 6} \\ 5 \\ \hline 2\ \boxed{4} \\ \boxed{2}\ \boxed{0} \\ \hline 4\ \boxed{6} \\ 4\ 5 \\ \hline \boxed{1} \end{array}$$

8 (1) 112　(2) 108 … 3

9 18, 26, 24, 2 ; 18, 54, 54, 2, 56

10 ⑤　　　　**11** ㉡, ㉠, ㉢, ㉣

12 45, 59　　　　**13** $70 \div 2 = 35$; 35개

14 29마리

15 ⑩ $52 \div 7 = 7 \cdots 3$이므로 7명에게 나누어 줄 수 있고 3자루가 남습니다. ; 7명, 3자루

6
$$\begin{array}{r} 1\ 2 \leftarrow 몫 \\ 7\,)\overline{8\ 8} \\ 7 \\ \hline 1\ 8 \\ 1\ 4 \\ \hline 4 \leftarrow 나머지 \end{array}$$

10 나누는 수가 6일 때 나머지는 6보다 작습니다.

11 ㉠ 22　㉡ 23　㉢ 16　㉣ 11

12 $45÷7=6\cdots3$, $27÷7=3\cdots6$, $36÷7=5\cdots1$,
$59÷7=8\cdots3$, $65÷7=9\cdots2$

14 $87÷3=29$(마리)

15

채점 기준	
나눗셈식을 쓰고 나누어 줄 수 있는 사람 수와 남는 볼펜의 수를 바르게 구함.	상
나눗셈식을 바르게 계산했으나 나누어 줄 수 있는 사람 수나 남는 볼펜의 수를 구하지 못함.	중
나눗셈식을 쓰지 못하고 답도 틀림.	하

수학 익힘 유사 문제 **단원평가** `73~75 쪽`

1 19, 4, 36, 36

2 (1) 13 (2) 11

3 (선 잇기)

4 9, 2

5 (선 잇기)

6 24, 6

7
```
      8
  3 ) 2 5
      2 4
      ───
        1
```

8 14

9 ⑤

10 $90÷9$에 ◯표

11 ㉣

12 1, 3, 2

13
```
        6 5
  9 ) 5 8 5
      5 4
      ───
        4 5
        4 5
      ───
          0
```
; ㉔ 몫을 십의 자리에 맞추어 쓰지 않았습니다.

14 $58÷3=19\cdots1$; 19, 1

15 18 cm

16 $150÷5=30$; 30개

17 14모둠, 1명

18 65

19 ㉔ $157÷4=39\cdots1$이므로 39명에게 나누어 주고 남는 연필은 1자루입니다. 따라서 연필은 적어도 3자루 더 있어야 합니다. ; 3자루

20 민호

3 $80÷4=20$, $90÷3=30$, $60÷2=30$,
$50÷5=10$, $70÷7=10$, $40÷2=20$

4
```
        9  ← 몫
  8 ) 7 4
      7 2
      ───
        2  ← 나머지
```

7 나머지가 나누는 수인 3보다 크므로 잘못되었습니다. 몫을 더 크게 하여 계산해야 합니다.

8
```
        1 4
  5 ) 7 0
      5
      ───
        2 0
        2 0
      ───
          0
```

9 나머지는 나누는 수보다 항상 작아야 합니다. 따라서 나누는 수가 3일 때 나머지는 3이 될 수 없습니다.

10 $30÷2=15$, $90÷6=15$,
$60÷4=15$, $90÷9=10$

11 ㉠ $497÷5=99\cdots2$ ㉡ $495÷6=82\cdots3$
㉢ $498÷7=71\cdots1$ ㉣ $493÷8=61\cdots5$
⇨ 나머지가 가장 큰 것은 ㉣입니다.

12 $96÷3=32$, $88÷4=22$, $48÷2=24$
⇨ $32>24>22$

15 정사각형은 네 변의 길이가 모두 같습니다.
⇨ (한 변의 길이)$=72÷4=18$ (cm)

16 $150÷5=30$(개)

17 (전체 학생 수)$=22+21=43$(명)
⇨ $43÷3=14\cdots1$
　　모둠 수 ↖　　↖ 남는 학생 수

18 어떤 수를 □라 하면 $□÷9=7\cdots2$입니다.
나눗셈을 맞게 했는지 확인하면
$9×7=63$, $63+2=65$이므로 어떤 수는 65입니다.

19

채점 기준	
나눗셈을 하고 나머지를 이용하여 답을 바르게 구함.	상
나눗셈을 하고 나머지를 이용했으나 실수를 하여 답이 틀림.	중
나눗셈을 하였으나 나머지를 잘못 구해 답도 틀림.	하

20 민호: $753÷2=376\cdots1$
정현: $965÷4=241\cdots1$
⇨ $376>241$이므로 몫이 더 큰 나눗셈을 만든 친구는 민호입니다.

정답과 풀이 **71~75 쪽**

정답과 풀이 | **19**

3. 원

수학 교과서 유사 문제 단원평가 76~77쪽

1 중심 **2** 지름 **3** 점 ㄷ

4 (1) 선분 ㄷㄹ (2) 선분 ㄷㄹ **5** ㉡

6 예

7 (1) ○ (2) ×

8 10 cm, 5 cm

9

10

11 ㉢, 예 한 원에는 반지름을 셀 수 없이 많이 그을 수 있습니다.

12 ㉡, ㉢, ㉠, ㉣

13

14 5군데

15 예 선분 ㄱㄴ은 원의 반지름을 4개 이어 놓은 것과 같으므로 6×4=24 (cm)입니다. ; 24 cm

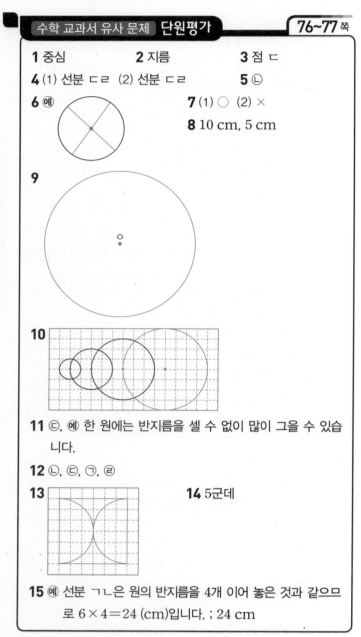

5 컴퍼스를 사용하여 원을 그릴 때에는 컴퍼스를 원의 반지름만큼 벌려야 하므로 3 cm만큼 벌린 것을 찾으면 ㉡입니다.

7 (2) 한 원에서 원의 중심은 1개입니다.

8 원의 지름이 10 cm이므로 반지름은 10÷2=5 (cm)입니다.

12 각 원의 지름을 알아보면 ㉠ 3×2=6 (cm), ㉡ 9 cm, ㉢ 4×2=8 (cm), ㉣ 5 cm입니다. ⇨ ㉡>㉢>㉠>㉣

13 정사각형을 그리고 정사각형의 변의 한가운데를 원의 중심으로 하여 원을 반씩 2개 그립니다.

14 원 한 개를 그릴 때 원의 중심이 1개이고 원의 일부분 4개를 그릴 때 원의 중심이 4개이므로 컴퍼스의 침을 꽂아야 할 곳은 모두 5군데입니다.

15

채점 기준	
선분 ㄱㄴ의 길이가 반지름의 4배임을 알고 답을 바르게 구함.	상
선분 ㄱㄴ의 길이가 반지름의 4배임을 알고 있으나 답을 바르게 구하지 못함.	중
선분 ㄱㄴ의 길이와 반지름의 관계를 알지 못하여 답을 구하지 못함.	하

수학 익힘 유사 문제 단원평가 78~80쪽

1 (위에서부터) 반지름, 중심

2 ㉡ **3** 12 cm

4 7 **5** 5 cm

6

7 24 cm

8 ㉣

9

10 4 cm

11

12

13 28 cm

14 ㉡

15 (1) 4배 (2) 10 cm

16 4 cm

17 24 cm

18 5군데 **19** 9 cm

20 예 (정사각형의 한 변의 길이)=5×4=20 (cm)이므로 네 변의 길이의 합은 20×4=80 (cm)입니다. ; 80 cm

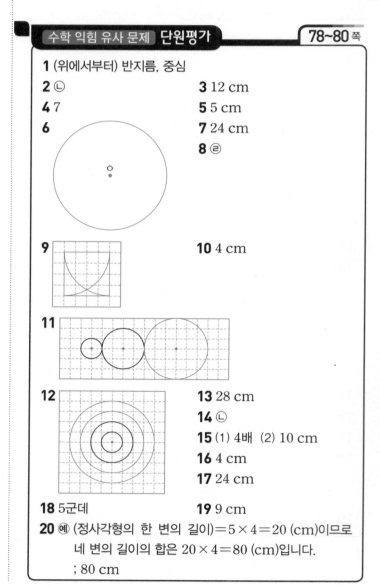

3 (원의 지름)=(원의 반지름)×2
=6×2=12 (cm)

4 14÷2=7 (cm)

5 컴퍼스를 사용하여 원을 그릴 때에는 컴퍼스의 침과 연필심 사이의 거리가 원의 반지름이므로 반지름이 2 cm 5 mm인 원을 그리면 지름은 5 cm인 원이 됩니다.

6 컴퍼스를 주어진 선분만큼 벌려서 컴퍼스의 침을 점 ㅇ에 꽂고 원을 그립니다.

7 12×2=24 (cm)

8 원의 지름의 길이를 비교합니다.
ㄱ 12×2=24 (cm)　　ㄴ 22 cm
ㄷ 13×2=26 (cm)　　ㄹ 18 cm
➡ ㄹ<ㄴ<ㄱ<ㄷ

10 큰 원의 지름은 12 cm, 작은 원의 지름은
4×2=8 (cm)입니다.
따라서 두 원의 지름의 차는 12-8=4 (cm)입니다.

12 반지름이 각각 모눈 3칸, 모눈 4칸인 원을 그립니다.

13 선분 ㄱㄴ은 큰 원의 지름입니다. 큰 원의 지름은 작은 원의 반지름 4개의 길이의 합과 같으므로
7×4=28 (cm)입니다.

15 (2) 40÷4=10 (cm)

16 (원의 반지름)=8÷2=4 (cm)

17 선분 ㄱㄴ의 길이는 원의 반지름 6개 길이의 합과 같으므로 4×6=24 (cm)입니다.

18
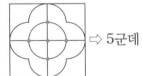
➡ 5군데

19 삼각형 ㄱㄴㄷ의 세 변의 길이는 모두 같고, 한 변의 길이는 원의 지름과 같습니다.
➡ (원의 지름)=27÷3=9 (cm)

20　채점 기준

정사각형의 한 변의 길이를 구하여 정사각형의 네 변의 길이의 합을 바르게 구함.	상
정사각형의 한 변의 길이를 구했으나 계산 실수를 하여 정사각형의 네 변의 길이의 합을 바르게 구하지 못함.	중
정사각형의 한 변의 길이를 구하지 못해 답도 틀림.	하

4. 분수

1 6

2 $\dfrac{5}{3}$

3 (1) 5 (2) 20

4 $\dfrac{3}{4}$, $\dfrac{5}{4}$, $\dfrac{7}{4}$

5 ①

6 >

7 6, $\dfrac{5}{6}$

8 $\dfrac{13}{4}$

9 $\dfrac{11}{12}$ / $\dfrac{3}{3}$, $\dfrac{10}{9}$ / $1\dfrac{1}{8}$

10 (1) 20 cm (2) 60 cm

11 (1) $\dfrac{20}{9}$ (2) $1\dfrac{3}{8}$

12 (1) > (2) <

13 $\dfrac{3}{5}$, $\dfrac{3}{8}$, $\dfrac{5}{8}$

14 $\dfrac{25}{6}$, $4\dfrac{5}{6}$, $7\dfrac{3}{6}$, $\dfrac{49}{6}$

15 예 1시간은 60분이므로 60분의 $\dfrac{1}{3}$은 20분입니다.
따라서 서준이가 이론 공부를 한 시간은 20분입니다.
; 20분

9 진분수: $\dfrac{11}{12}$
가분수: $\dfrac{3}{3}$, $\dfrac{10}{9}$
대분수: $1\dfrac{1}{8}$

11 (1) $2\dfrac{2}{9}$ ⇨ 2와 $\dfrac{2}{9}$ ⇨ $\dfrac{18}{9}$과 $\dfrac{2}{9}$ ⇨ $\dfrac{20}{9}$
(2) $\dfrac{11}{8}$ ⇨ $\dfrac{8}{8}$과 $\dfrac{3}{8}$ ⇨ 1과 $\dfrac{3}{8}$ ⇨ $1\dfrac{3}{8}$

13 진분수는 분자가 분모보다 작은 분수이므로 $\dfrac{3}{5}$, $\dfrac{3}{8}$, $\dfrac{5}{8}$입니다.

14 가분수를 대분수로 나타내면 $\dfrac{25}{6}=4\dfrac{1}{6}$, $\dfrac{49}{6}=8\dfrac{1}{6}$이므로 $\dfrac{25}{6}\left(=4\dfrac{1}{6}\right)<4\dfrac{5}{6}<7\dfrac{3}{6}<\dfrac{49}{6}\left(=8\dfrac{1}{6}\right)$입니다.

15　채점 기준

1시간이 60분임을 알고 이론 공부를 한 시간을 바르게 구함.	상
1시간이 60분임을 알지만 이론 공부를 한 시간을 바르게 구하지 못함.	중
1시간이 60분임을 알지 못하여 이론 공부를 한 시간을 바르게 구하지 못함.	하

1 4, $\dfrac{3}{4}$

2 (1) 4 (2) 10

3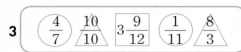

4 (1) 8 (2) 4

5 $\dfrac{54}{11}$

6 (   ) (○)

7 $\dfrac{7}{6}$, $\dfrac{7}{3}$

8 (1) = (2) <

9 ㉢, ㉠, ㉡

10 예

└→빨간색으로 6개, 파란색으로 14개를 색칠하면 정답입니다.

11 $1\dfrac{2}{9}$, $\dfrac{10}{9}$

12 (위에서부터) $\dfrac{11}{3}$, $\dfrac{11}{3}$, $3\dfrac{1}{3}$

13 $3\dfrac{5}{8}$, $3\dfrac{6}{8}$, $3\dfrac{7}{8}$

14 $2\dfrac{4}{5}$

15 세은

16 태영

17 $1\dfrac{2}{3}$

18 $7\dfrac{5}{6}$

19 예 만들 수 있는 대분수는 $6\dfrac{4}{5}$, $7\dfrac{1}{5}$, $7\dfrac{2}{5}$, $7\dfrac{3}{5}$, $7\dfrac{4}{5}$, $8\dfrac{1}{5}$, $8\dfrac{2}{5}$, $8\dfrac{3}{5}$으로 모두 8개입니다. ; 8개

20 35

8 (2) $\dfrac{14}{9}=1\dfrac{5}{9}$이므로 $\dfrac{14}{9}<1\dfrac{7}{9}$입니다.

9 ㉠ 18을 2씩 묶으면 4는 18의 $\dfrac{2}{9}$입니다.

㉡ 18을 3씩 묶으면 9는 18의 $\dfrac{3}{6}$입니다.

㉢ 18을 6씩 묶으면 6은 18의 $\dfrac{1}{3}$입니다.

10 20의 $\dfrac{3}{10}$은 6이고, 20의 $\dfrac{7}{10}$은 14입니다.

11 $1\dfrac{2}{9}=\dfrac{11}{9}$이므로 $\dfrac{8}{9}$보다 큰 분수는 $1\dfrac{2}{9}$, $\dfrac{10}{9}$입니다.

14 $2\dfrac{3}{4}=\dfrac{11}{4}$, $1\dfrac{5}{7}=\dfrac{12}{7}$, $2\dfrac{4}{5}=\dfrac{14}{5}$이므로 분자가 가장 큰 분수는 $2\dfrac{4}{5}$입니다.

15 $3\dfrac{2}{5}=\dfrac{17}{5}$이고 $\dfrac{17}{5}>\dfrac{16}{5}$이므로 낮잠을 더 오랫동안 잔 사람은 세은이입니다.

16 24개의 $\dfrac{1}{3}$은 8개, 24개의 $\dfrac{1}{4}$은 6개이므로 태영이는 $24-8-6=10$(개)를 먹었습니다.
따라서 태영이가 체리를 가장 많이 먹었습니다.

17 합이 8이고 차가 2가 되는 두 수를 찾으면 3과 5이므로 가분수는 $\dfrac{5}{3}$입니다.

$\dfrac{5}{3}$ ⇨ $\dfrac{3}{3}$과 $\dfrac{2}{3}$ ⇨ 1과 $\dfrac{2}{3}$ ⇨ $1\dfrac{2}{3}$

18 가장 큰 수인 7을 대분수의 자연수 부분에 놓습니다.

19

채점 기준	
조건을 만족하는 대분수를 모두 찾고 답을 바르게 구함.	상
조건을 만족하는 대분수 중 일부를 찾아 답을 바르게 구하지 못함.	중
조건을 만족하는 대분수를 찾지 못함.	하

20 $5\dfrac{1}{7}=\dfrac{36}{7}$입니다.

따라서 $\dfrac{\square}{7}<\dfrac{36}{7}$에서 □ 안에 들어갈 수 있는 가장 큰 수는 35입니다.

5. 들이와 무게

1 3

2 (1) 5000 (2) 7

3 (1) mL (2) L

4 양동이

5 ㉡, ㉣, ㉢, ㉠

6 (1) g (2) kg

7 3, 600

8 5500, 5, 500

9 (1) 4 L 700 mL (2) 3 L 600 mL

10 (1) 14 kg 900 g (2) 9 kg 400 g

11 ㉮ 컵

12 양파, 5개

13 예 연필의 무게는 약 5 g입니다.

14 5 L 500 mL

15 예 승훈이가 아령을 들고 무게를 재면
32 kg 300 g + 1 kg 500 g = 33 kg 800 g
입니다. ; 33 kg 800 g

11 물을 붓는 횟수가 적을수록 들이가 많은 컵이고, 물을 붓는 횟수가 많을수록 들이가 적은 컵입니다.
따라서 들이가 더 많은 것은 ㉮ 컵입니다.

12 감자는 바둑돌 45개의 무게와 같고, 양파는 바둑돌 50개의 무게와 같으므로 양파가 감자보다 바둑돌 5개만큼 더 무겁습니다.

14 3 L 900 mL + 1 L 600 mL
= 4 L 1500 mL = 5 L 500 mL

15

채점 기준	
무게의 합을 구하는 식을 쓰고 승훈이가 아령을 든 무게를 바르게 구함.	상
무게의 합을 구하는 식을 썼지만 승훈이가 아령을 든 무게를 바르게 구하지 못함.	중
무게의 합을 구하는 식을 쓰지 못해 답을 구하지 못함.	하

수학 익힘 유사 문제 **단원평가** 88~90 쪽

1

2 (1) 양동이 (2) 주사기

3 1 kg 800 g

4 6배

5 6컵

6 (교차선)

7 ㉣, ㉡, ㉠, ㉢

8 (1) 8 L 500 mL (2) 4 L 600 mL

9 ㉡, ㉣

10 ㉣, ㉡, ㉢, ㉠

11 (1) 8 kg 100 g (2) 4 kg 900 g

12 사과 ; ⑩ 사과 4개는 배 2개의 무게와 같으므로 사과 4개는 감 3개의 무게와 같습니다. 따라서 가장 가벼운 과일은 사과입니다.

13 ⑩ 자동차의 무게는 약 2 t입니다.

14 600 mL

15 27 kg 700 g

16 1 kg 800 g

17 1 L 300 mL

18 6 L 200 mL

19 1 L 700 mL

20 2 kg 300 g

12

채점 기준	
가장 가벼운 과일을 찾고 이유를 바르게 씀	상
가장 가벼운 과일은 찾았지만 이유를 바르게 쓰지 못함.	중
가장 가벼운 과일을 찾지 못하고 이유도 쓰지 못함.	하

14 2 L − 1 L 400 mL = 600 mL

15 68 kg 200 g − 40 kg 500 g = 27 kg 700 g

16 가장 무거운 것: 7500 g = 7 kg 500 g
가장 가벼운 것: 5 kg 700 g
⇨ 7 kg 500 g − 5 kg 700 g = 1 kg 800 g

17 500 mL씩 2번이면 500 + 500 = 1000 (mL)이므로 1 L입니다.
1 L보다 300 mL 더 많은 들이는 1 L 300 mL입니다.

18 3 L 700 mL + 700 mL + 1 L 800 mL
= 4 L 400 mL + 1 L 800 mL = 6 L 200 mL

19 4 L 200 mL − 1 L 600 mL − 900 mL
= 2 L 600 mL − 900 mL = 1 L 700 mL

20 3500 g = 3 kg 500 g
(물건의 무게) = 1 kg 200 g + 3 kg 500 g
= 4 kg 700 g,
(상자에 더 담을 수 있는 무게) = 7 kg − 4 kg 700 g
= 2 kg 300 g

6. 자료의 정리(그림그래프)

수학 교과서 유사 문제 **단원평가** 91~93 쪽

1 7명

2 30명

3 5명

4 학예회

5 ⑩ 송이네 반 학생들이 좋아하는 계절

6 6, 11, 4, 8, 29

7 여름, 겨울, 봄, 가을

8 10그루, 1그루

9 32그루

10 믿음 마을

11 42명

12 14명

13 159명

14 ⑩ 영국을 여행하고 싶은 학생은 39명입니다.
미국을 여행하고 싶은 학생이 가장 많습니다.

15 8, 10, 7, 6, 31

16 ⑩ 마트에 딸기맛 우유가 가장 많습니다.
마트에 초콜릿맛 우유는 8개 있습니다.

17 ⑩ 2가지

18 요일별 아이스크림 판매량

요일	판매량
월	◎◎○○○○○
화	◎○○
수	◎○○○○○○○
목	◎◎○○○○
금	◎◎○○○
토	◎◎◎◎
일	◎◎◎○○○○○○

◎100개
○10개

19 ⑩ 박물관에 가고 싶어 하는 학생 수는 23명입니다.

20 ⑩ 동물원 ; 동물원에 가고 싶어 하는 학생 수가 가장 많기 때문입니다.

7 표를 보면 $11>8>6>4$이므로 좋아하는 학생이 많은 계절부터 순서대로 쓰면 여름, 겨울, 봄, 가을입니다.

12 호주: 32명, 스페인: 18명 ⇨ $32-18=14$(명)

13 $42+39+18+28+32=159$(명)

14

채점 기준	
그림그래프를 보고 알 수 있는 내용을 두 가지 모두 바르게 씀.	상
그림그래프를 보고 알 수 있는 내용을 한 가지만 바르게 씀.	중
그림그래프를 보고 알 수 있는 내용을 쓰지 못함.	하

15 (합계)$=8+10+7+6=31$(개)

16

채점 기준	
그림그래프를 보고 알 수 있는 내용을 두 가지 모두 바르게 씀.	상
그림그래프를 보고 알 수 있는 내용을 한 가지만 바르게 씀.	중
그림그래프를 보고 알 수 있는 내용을 쓰지 못함.	하

17 판매량이 몇백몇십이므로 100개를 나타내는 그림과 10개를 나타내는 그림으로 나타내는 것이 좋겠습니다. 100개를 나타내는 그림, 50개를 나타내는 그림, 10개를 나타내는 그림 3가지로 나타낼 수도 있습니다.

20 장소를 쓰고 그 장소에 가고 싶은 까닭을 바르게 쓰면 정답입니다.

수학 익힘 유사 문제 단원평가 94~96쪽

1 예 슬기네 반 학생   **2** 8, 7, 9, 5, 29
3 예 학생들이 가장 좋아하는 음식은 라면입니다. / 햄버거를 좋아하는 학생은 피자를 좋아하는 학생보다 1명 많습니다.
4 (위에서부터) 5, 4   **5** 피구
6 달리기, 줄다리기, 박터뜨리기, 피구
7 달리기   **8** 다 과수원
9 나 과수원, 라 과수원   **10** 150상자
11 예 다 과수원에서는 가 과수원보다 사과를 20상자 더 많이 생산했습니다.
12 36권
13
월별 공책 판매량

월	판매량
5월	◎◎◎◎◎○○○○○
6월	◎◎◎○○○○○○
7월	◎◎○○○○○○○○
8월	◎◎○○

◎ 10권
○ 1권

14 예 표는 그림을 일일이 세지 않아도 됩니다. 그림그래프를 그리면 한눈에 비교가 잘 됩니다.

15 장미, 국화, 튤립, 카네이션
16 90송이   **17** 장미
18 예 장미가 가장 많이 팔렸으므로 장미를 더 많이 준비하면 좋겠습니다.

19
학생들이 좋아하는 악기

악기	학생 수
피아노	◎◎◎◎○○○○○○○○○
바이올린	◎◎◎○○○○○○○○
트럼펫	◎○○○○○○○○○
플루트	◎◎○○○○○○

◎ 10명
○ 1명

20
학생들이 좋아하는 악기

악기	학생 수
피아노	◎◎◎◎●○○○
바이올린	◎◎◎●○○
트럼펫	◎●○○○○○
플루트	◎◎●○

◎ 10명
● 5명
○ 1명

7 달리기: $6+4=10$(명), 줄다리기: $5+2=7$(명), 피구: $2+6=8$(명), 박터뜨리기: $3+2=5$(명)
⇨ 운동회에서 가장 많은 학생이 하고 싶은 경기는 달리기입니다.

8 100상자를 나타내는 그림이 가장 많은 다 과수원의 사과 생산량이 가장 많습니다.

10 · 생산량이 가장 많은 과수원: 다 과수원
⇨ 300상자
· 생산량이 가장 적은 과수원: 나 과수원
⇨ 150상자
(사과 생산량의 차)$=300-150=150$(상자)

11 다 과수원: 300상자, 가 과수원: 280상자
⇨ $300-280=20$(상자)

12 $150-54-38-22=36$(권)

14

채점 기준	
표와 그림그래프의 다른 점을 두 가지 모두 바르게 씀.	상
표와 그림그래프의 다른 점을 한 가지만 바르게 씀.	중
표와 그림그래프의 다른 점을 쓰지 못함.	하

16 $250-160=90$(송이)

17 튤립: 160송이
⇨ $160\times2=320$(송이)가 팔린 꽃은 장미입니다.

검정 교과서
단원평가 자료집
정답과 풀이

검정 교과서
단원평가 자료집

정답과 풀이

기초 학습능력 강화 프로그램

매일 조금씩 **공부력** UP!
똑똑한 하루
시리즈

쉽다!
초등학생에게 꼭 필요한 지식을
학습 만화, 게임, 퍼즐 등을 통한
'비주얼 학습'으로 쉽게 공부하고 이해!

빠르다!
하루 10분, 주 5일 완성의
커리큘럼으로 빠르고 부담 없이
초등 기초 학습능력 향상!

재미있다!
교과서는 물론 생활 속에서
쉽게 접할 수 있는 다양한 소재를 활용해
스스로 재미있게 학습!

더 새롭게! 더 다양하게! 전과목 시리즈로 돌아온 '똑똑한 하루'

국어 (예비초~초6)

예비초~초6 각 A·B
교재별 14권

예비초: 예비초 A·B
초1~초6: 1A~4C
14권

영어 (예비초~초6)

초3~초6 Level 1A~4B
8권

Starter A·B
1A~3B
8권

수학 (예비초~초6)

초1~초6 1·2학기
12권

예비초~초6 각 A·B
14권

초1~초6 각 A·B
12권

봄·여름
가을·겨울 (초1~초2)

봄·여름·가을·겨울
각 2권 / 8권

안전 (초1~초2)

초1~초2
2권

사회·과학 (초3~초6)

학기별 구성
사회·과학 각 8권